DU MÊME AUTEUR,

Pierre Grimbert

LE SECRET
DE JI

Volume 2

ICARES

L'aventure imaginaire

15, passage du Clos-Bruneau
75005 PARIS
info@mnemos.com
www.mnemos.com
✳
ISBN : 2-915159-75-0

À ceux de mon clan.
Vous n'êtes pas dans l'histoire, mais vous y étiez toujours…

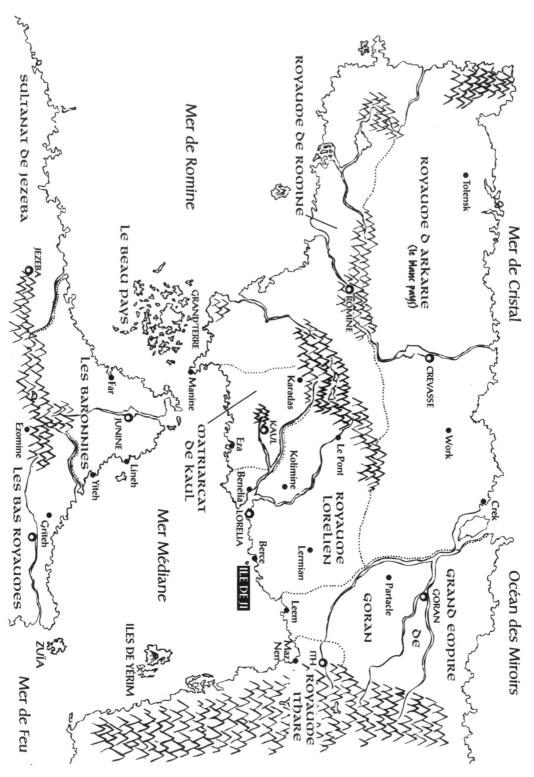

Mer de Cristal

Océan des Miroirs

ROYAUME ÐE ROMINE

ROYAUME Ð ARKARIE
(le blanc pays)

SULTANAT ÐE JEZEBA

Mer de Romine

Le beau pays

Mer Médiane

Mer de Feu

Les BARONNIES

LES BAS ROYAUMES

PATRIARCAT ÐE KAUL

ROYAUME LORELIEN

GRAND EMPIRE

ÐE

GORAN

ROYAUME ITHARE

• Tolensk

• ROMINE

○ CREVASSE

• Work

• Crek

JEZEBA ○

Eromine •

Grieh •

ZÜIA

ILES DE YERIM

Far •

JUNINE ○

Lineh •

Yiteh •

Manine •

Karadas •

KAUL

Eza •

Benelia •
LORELIA

Berce •

Kolimine •

Le Pont •

Lermian •

Leem •

Mazr
Nem

Partacle •

GORAN ○

ITH ○

GRAND-TERRE

⬛ ÎLE DE JI

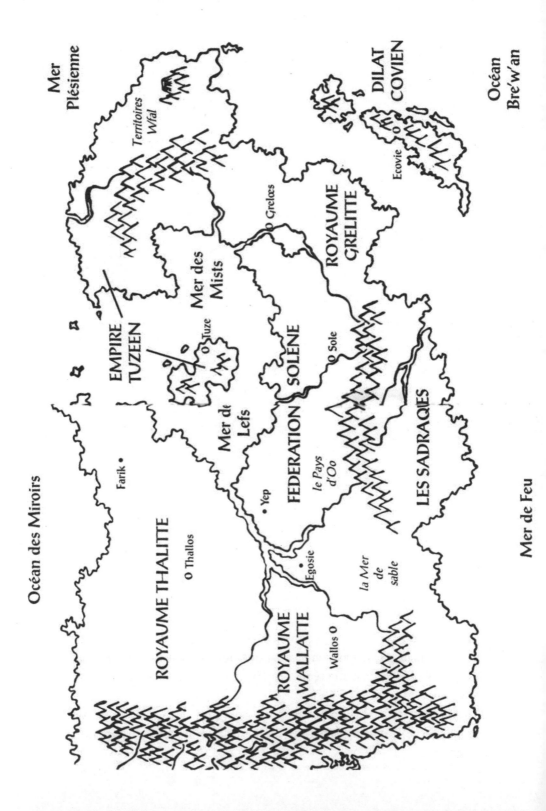

Le lecteur trouvera en fin de volume un glossaire définissant certains termes utilisés par le narrateur, ainsi que des précisions complémentaires n'apparaissant pas dans le récit… mais ne dévoilant pas l'intrigue, loin s'en faut.

La lecture de la Petite Encyclopédie peut donc être faite en même temps que celle de l'histoire, aux moments que le lecteur trouvera opportuns.

Première partie

L'OMBRE
DES ANCIENS

Un Zü n'avoue son nom qu'à ses semblables… et aux gens qu'il s'apprête à tuer.

Voici le mien.

Je suis le judicateur Zamerine, chef des messagers de Zuïa pour les Hauts-Royaumes. Mon pouvoir s'étend sur six des plus riches contrées du monde connu. Je dispose de quatre cents hommes dévoués jusqu'à la mort, tous porteurs de la hati sacrée. Quatre cents combattants d'élite, redoutés jusque dans les moindres villages du monde connu.

Les plus grands rois eux-mêmes n'osent me défier. Ils craignent le jugement de Zuïa. Ils me craignent.

J'estimais être le personnage le plus puissant au nord de la mer Médiane. À tort.

Je pense que mon maître est un dieu.

Ou, tout au moins, une incarnation. Celle de Zuïa, bien entendu, même si mon maître se gausse de cette idée. Il l'ignore peut-être, mais il sert les desseins de la déesse, tout comme moi. J'en suis convaincu.

Je dois en être convaincu…

Ma vulnérabilité est déjà suffisamment lourde à porter. Mon maître dispose de quiconque à son gré. Il est invulnérable. Il lit dans les pensées. Il peut prendre le contrôle d'un autre corps. Il peut tuer d'un frôlement… et même d'un simple regard.

Ce n'est pas une légende. Je l'ai déjà vu faire.

Il pouvait faire de moi un esclave. Un de plus, s'ajoutant aux dizaines de milliers de misérables qu'il entasse dans ses camps. J'ai préféré devenir son allié.

J'ai mis mon intelligence à son service. Mon influence dans les Hauts-Royaumes lui est utile. Et ma présence à ses côtés renforce son emprise sur la horde de barbares qui constitue son armée… Notre armée.

J'ai fait mes preuves. Mon maître sait se montrer reconnaissant. Il m'a octroyé une garde personnelle, en attendant que mon assistant nous rejoigne avec mes meilleurs hommes. Bientôt, cent messagers seront réunis dans un même lieu. Je n'ai pas assisté à un tel spectacle depuis les arènes du Lus'an.

Mon maître m'a offert mille esclaves. J'essaie de les faire cohabiter selon la loi de Zuïa. C'est une expérience intéressante. Je crois qu'il en reste un peu plus de six cents.

Mon maître a de grands projets. Tout ce qu'il entreprend est grand. Hors de portée du commun des mortels. Attaque-t-il une ville, il la brûle entièrement. Punit-il un traître, l'homme est torturé sur la carène pendant plusieurs décades. Tout ce qu'il entreprend, il l'achève. Sans hésitation. Sans faiblesse.

Mon maître sait parfaitement ce qu'il veut. Même s'il n'en dit rien à personne. Il est le plus secret des hommes. Je ne connais même pas son visage.

Je sais seulement son nom. Il s'appelle Saat.

* * *

Le roi des Guoris n'avait pas la réputation d'un homme facile à vivre. Ossrok, l'Arque commandant l'ensemble de la flotte mercenaire du Beau-Pays, eut une nouvelle occasion de le vérifier.

— Je ne vous félicite pas, s'emportait le roi. Ainsi, une fois encore, des inconscients ont abordé l'île Sacrée. Et ce, malgré votre prétendue vigilance !

— L'île d'Usul est sans surveillance aucune depuis plus de deux lunes, se permit d'objecter le mercenaire. Suivant vos ordres, Majesté…

— Je n'ai jamais ordonné que l'on cesse les patrouilles ! rugit le roi indigène. Je vous ai simplement demandé un peu plus de discrétion. Osez prétendre le contraire !

Ossrok sut s'en abstenir, bien que son employeur fût de mauvaise foi. L'idée d'origine était de faire tomber l'île Sacrée dans l'oubli, et nécessitait donc de déplacer les navires ancrés près de ses rivages. Seule une simple frégate passait chaque jour s'assurer du bon ordre des choses… et nourrir les monstres qui gardaient l'endroit. Pourtant, ce jour, l'équipage de la frégate avait trouvé des traces d'une incursion clandestine.

— La plupart sont sûrement morts, annonça le mercenaire sur un ton qui se voulait rassurant. Avec un peu de chance, un seul a pu s'échapper, ce qui expliquerait pourquoi nous n'avons pas retrouvé leur bateau… Mes hommes ne se sont pas aventurés jusqu'au centre de l'île, bien sûr, mais je suis prêt à parier qu'ils y auraient trouvé plusieurs cadavres.

— Vous ne comprenez donc rien ! bondit le roi. Je ne souhaite pas la mort de ces gens !

Ossrok réfléchit avant de répondre. Effectivement, il ne comprenait pas.

— Majesté… Pardonnez mon audace, mais… Les rats de Farik ne sont pas des animaux de compagnie. Ils sont si agressifs que les Estiens les utilisent sur les champs de bataille, vous le savez. Une simple morsure peut être *mortelle*, si l'animal porte la maladie. Et plusieurs des individus que nous avons libérés sur l'île étaient atteints, j'en suis sûr. Et maintenant… maintenant, vous me dites que vous ne voulez pas tuer ?

— Non, bien sûr que non, soupira le roi, sincèrement désolé. Les rats devaient seulement servir à effrayer…

— Le sort de ces étrangers servira d'exemple, alors, répliqua le mercenaire. Comptez sur mes hommes pour raconter cette histoire à qui voudra l'entendre.

Le roi acquiesça lentement et congédia son commandant d'un simple geste. Il avait épuisé toute sa colère. Il ne lui restait plus que l'amertume de la culpabilité.

— Majesté… insista Ossrok. Pourquoi tant se soucier d'eux ? Des étrangers, qui ont sciemment transgressé l'un des plus grands interdits du Beau-Pays. Ne pensez-vous pas qu'ils n'ont que ce qu'ils méritent ?

— Les rats ne sont rien, Ossrok. Mieux vaut peut-être pour ces étrangers qu'ils meurent de la maladie. Car s'ils ont vu Usul sans en périr, leurs tourments ne font que commencer. Je pleure de n'avoir pu empêcher cela. Je pleure… par compassion.

Le commandant mercenaire quitta son roi en secouant la tête. Les Guoris formaient décidément un peuple étrange.

* * *

Je me souviens des arènes du Lus'an…

Je venais d'entamer ma onzième année. J'étais donc déjà un homme responsable. Assez intelligent, en tout cas, pour comprendre qu'il n'y avait aucun avenir à Zuïa pour le bâtard d'une esclave.

Un jour, un messager est venu porter la sentence à ma mère. Sur la demande de mon père présumé. Je n'ai rien fait pour l'en empêcher.

J'avais déjà une foi profonde en la déesse. Comme je l'ai dit, j'étais un homme responsable.

J'ai demandé au messager de m'emmener dans un des temples. Je n'avais qu'un désir : lui ressembler. Devenir un prêtre de Zuïa, faire partie de l'élite de ce monde.

J'ignorais alors qu'il me faudrait affronter la mort. Pas seulement celle des autres, dont je me souciais peu, en toute logique. Mais l'éventualité de la mienne...

Mon séjour au temple des novices fut très court. J'y travaillais beaucoup, avec d'autres hommes de mon âge, à divers travaux de ferme. J'y appris surtout la méfiance et l'intrigue. Assez pour me former diverses alliances, volontaires ou forcées, avec les garçons les plus influençables. Un talent que je cultive depuis toujours, et auquel je dois d'être encore en vie.

Un jour, tous les novices ont pris la route du Lus'an. Nous allions à pied, sous un soleil oppressant, répétant les lois de Zuïa selon les consignes. C'est-à-dire suffisamment fort pour couvrir le bruit des chevaux des messagers.

Le voyage prit quatre jours. Six garçons périrent d'épuisement ou de soif. Les abreuver ne les aurait pas sauvés. Trop faibles, ils auraient de toute manière péri quelques jours plus tard. Mieux valait pour eux finir ainsi.

Deux autres prétendirent abandonner. Mais nous étions entrés dans le Lus'an. Ne peuvent en sortir que des messagers... Les deux garçons perdirent leur titre de novice et, d'égaux, devinrent alors nos esclaves. Je crois que le deuxième survécut onze jours.

Pour ma part, je mettais à profit le temps du voyage pour assurer mes alliances. Promesses pour les plus crédules, menaces pour les plus faibles, et chantage pour quiconque m'en donnait l'occasion.

J'encourageais les rivalités, et prenais parti pour les plus forts. Je flattais les sensibles, achetais les cupides, jurais amitié aux stupides. Si bien qu'au terme du voyage, sur les soixante-sept novices restants, douze m'étaient fidèlement attachés : ma garde. Vingt et un autres m'étaient redevables : mon peuple. Et une vingtaine d'autres craignaient de me déplaire : mes esclaves. La dizaine restante représentait le groupuscule d'ennemis que même l'homme le plus vertueux ne peut manquer d'avoir.

Aucun parmi nous n'avait encore entendu parler des arènes. Mais au soir de notre arrivée dans le mythique temple de la Grande Œuvre, on nous plaça dans des cellules séparées, pour la première fois de notre noviciat.

Que les cellules ferment de l'extérieur n'était pas le plus troublant; il en allait toujours ainsi. Mais pourquoi nous éloigner ? Pourquoi, aussi, nous avoir dispensés des habituelles corvées ?

On nous conseilla de dormir, aussi m'y appliquai-je consciencieusement. Ce n'était pas difficile, d'ailleurs : ce long voyage m'avait également épuisé. Et la journée du lendemain promettait d'être éprouvante.

Quelques novices veillèrent longtemps, discutant avec leurs voisins à travers les barreaux de leurs cellules. Je les écoutais distraitement, toujours à l'affût d'un moyen de pression. Mais le sommeil m'emporta bientôt, par la clémence de la déesse. J'allais avoir besoin de toutes mes forces.

Nous restâmes prisonniers de nos « chambres » jusqu'à l'apogée. Les messagers ne nous libérèrent que pour nous conduire directement aux arènes.

Je n'avais jamais vu autant de prêtres réunis en un même lieu. Jusqu'aux judicateurs suprêmes, parés des décorations secrètes de la déesse, celles que l'on ne peut voir qu'au Lus'an.

Je ne pris pas la peine de détailler plus encore ces personnages. J'avais déjà compris ce qui allait se passer. Les soixante-sept novices se trouvaient dans un cirque fermé, dominé de gradins couverts de messagers. Trente hati étaient suspendues aux parois, à intervalles réguliers.

Zuïa allait choisir ses messagers.

Je rassemblai ma garde à mes côtés et guettai le signal des judicateurs. Mais celui-ci ne vint pas. Alors, je pris les devants et lançai mes hommes vers une portion du cirque. Nous nous emparâmes de treize hati avant que les autres novices aient bougé.

Mais je venais de donner le signal. Tous se précipitèrent vers les dagues, des rixes éclatèrent, rapidement meurtrières. Quelques-uns parmi mon « peuple » vinrent chercher ma protection, mais je n'avais nul besoin des stupides. Je les chassai en les exhortant à rapporter une hati. Certains insistèrent en geignant, et je les fis abattre par ma garde.

Trois de mes hommes tombèrent. J'enrôlai aussitôt leurs vainqueurs, deux esclaves, et poignardai le troisième, ennemi de longue date, dès qu'il eut le dos tourné.

Suprême pouvoir, je disposais alors de deux hati. J'en offris une au plus puissant des novices encore désarmés, m'attachant ainsi sa reconnaissance et sa fidélité. Il eut pour première mission d'égorger mes deux derniers ennemis.

Quand les combats cessèrent, il ne restait plus que vingt-six novices valides, dont seulement quinze indemnes. Les hati n'étaient pas empoisonnées, bien sûr. La victoire aurait été trop facile.

J'eus les honneurs des judicateurs suprêmes. Zuïa avait reconnu en moi l'un de ses meilleurs serviteurs. Jamais je n'avais été aussi heureux.

Jamais, avant de rencontrer mon maître. Il va étendre les arènes à tous les royaumes du monde connu.

* * *

L'Emaz Drékin descend un escalier grossier taillé à même la pierre. Peu de gens l'empruntent habituellement, et uniquement des Emaz. Lui-même n'est pas venu ici depuis vingt-huit ans. Depuis la naissance de Lana.

Il se concentre pour ne pas trébucher sur l'une des marches qui, bien que larges, restent encombrées de poussière, de gravats, et même d'ossements de petits animaux. À la lumière dansante de sa torche, l'exercice lui paraît d'autant plus périlleux. Emaz Drékin n'a qu'un désir : en finir au plus vite.

Il est enfin au terme de l'escalier et traverse avec hâte une salle immense et déserte, aussi abandonnée que l'étaient les autres pièces. Il emprunte un premier couloir, puis un deuxième, au bout duquel se trouve une porte verrouillée. L'Emaz y engage sa clé et fait jouer le mécanisme. Il craint qu'il ne soit trop rouillé. Mais la clé tourne et la porte s'ouvre avec un grincement, qui résonne longtemps dans cette caverne faite de main d'homme.

Cette nouvelle salle est aussi grande, et tout aussi vide. Drékin ignore les étagères sans charge et se dirige sans hésiter vers une des colonnes de marbre, derrière laquelle il s'accroupit.

Il fait jouer le secret et une trappe s'ouvre dans le sol. Drékin tire à lui l'échelle et pose délicatement le pied sur le premier barreau, en espérant que ces années n'ont pas rendu le bois trop fragile. Il en descend deux autres et balaie les ténèbres de sa bougie.

Rien n'a changé, bien sûr. Les lieux sont tels qu'il les avait laissés, vingt-huit ans plus tôt.

Il termine sa descente avec douceur, prenant garde de ne pas manquer un barreau, ou de laisser tomber son bougeoir. Cette salle est encombrée de tellement de carnets, de grimoires et d'autres parchemins que le feu l'étoufferait avant qu'il ait pu remonter.

Quoique le feu serait peut-être la solution…

Il contemple le petit espace, presque un placard, que pendant des siècles les Maz ont empli d'écrits *dangereux*. Des piles entières. Des masses de documents, jetés en vrac dans ce réduit, comme la poubelle des archives du Temple. Mais Drékin n'a pas besoin de chercher ce qu'il veut. Il sait parfaitement où il se trouve.

Le petit volume est là, bien posé sur le haut d'une pile. Le prêtre en chasse la poussière d'une caresse sur la couverture. Un titre et un nom se détachent sur le cuir sombre racorni par l'âge. *À la mémoire des hommes. Maz A. d'Algonde.*

Drékin soupire avec tristesse. Il ouvre machinalement le journal et en parcourt quelques lignes. Avant de le refermer sur ses secrets, horrifié.

Lana n'est plus à Mestèbe. A-t-elle été tuée ? S'est-elle enfuie ? Il l'ignore. Mais il ne peut plus vivre avec ce poids sur sa conscience. Il ne peut risquer que quelqu'un découvre un jour ce journal.

Il se doit d'agir. Et même, s'il le faut, d'une manière allant à l'encontre de tous ses principes.

* * *

Mon maître n'est pas seulement fort de sa propre puissance. Il a le don de s'entourer d'hommes hors du commun. D'hommes comme moi.

Ses pouvoirs en font l'égal d'un dieu. Il se devait de choisir ses apôtres. Nous sommes ses alliés. Ses capitaines.

Ses âmes damnées, dit-on parmi les esclaves.

Mon maître est celui de tellement d'autres qu'il a besoin de subordonnés. Notre armée, loin de s'essouffler au fil des conquêtes, grandit de jour en jour.

En fait d'armée, il s'agit plutôt d'une horde. Guerriers barbares aux langues baroques, brutes primitives et sanguinaires, aussi acharnés à détruire l'ennemi qu'à se battre entre eux. Ils n'ont aucun idéal. Aucune civilité. Ils me répugnent. Mais leur puissance massive m'enivre.

Mon maître est un stratège hors pair. Son seul défaut est de ne tenir aucun compte de nos pertes. Même si nos troupes semblent véritablement inépuisables, je répugne à laisser la moindre impression de victoire à nos adversaires, en sacrifiant inutilement quelques centaines d'hommes.

Parfois, mon maître condescend à écouter mes conseils. Nous remportons alors les batailles de façon éclatante. Beaucoup des vaincus, impressionnés, choisissent alors de grossir nos rangs, plutôt que ceux de nos esclaves. J'en tire beaucoup de fierté. En récompense, quelques-uns peuvent emmener leurs plus grands fils avec eux. Les autres, femmes, vieillards, enfants, malades et estropiés, mon maître en dispose selon son humeur. Notre Grande Œuvre ne supporte aucune bouche inutile.

C'est peut-être cela, la Grande Œuvre... Supprimer les inutiles, les inaptes, les faibles, les inférieurs. Mon maître est assurément une incarnation de Zuïa.

J'ai dit qu'il s'entourait d'hommes hors du commun. Je dois préciser que ceux-ci n'ont pas forcément tous ma sympathie. En particulier, ses deux chefs de guerre en titre.

Le premier m'est encore inconnu, mais les missives qu'il nous adresse me laissent perplexe quant à son équilibre mental. Pour le deuxième, je ne m'interroge plus : c'est une brute au crâne aussi épais qu'une planche de feuillu, mais aussi vide que la tombe d'Aluén.

Son nom complet est Gors'a'min Lu Wallos, mais tous l'appellent simplement Gors, ou Gors le Douillet, en son absence bien entendu. Non pas qu'il craigne la douleur. Mais plutôt parce qu'il aime l'infliger.

C'est le plus grand être humain que j'aie jamais vu. Plus grand encore que l'Arque qui cassa le nez de Dyree, au Petit Palais. Et fort en proportion. Je l'ai vu lutter à la corde contre trois chevaux fouettés au sang. Les bêtes se sont écroulées après avoir cédé dix pas.

Je ne supporte pas sa bêtise, son ivrognerie, ses colères fréquentes et surtout l'irrespect qu'il montre à mon égard. J'admets pourtant qu'il sait se faire obéir de ses hommes. Ils sont de la même fange, après tout.

Dyree fera bientôt partie des nôtres, lui aussi. Mon assistant est le seul novice à être sorti des arènes du Lus'an en possession de douze hati. Non content de protéger son arme, il défiait les autres garçons pour s'emparer de leurs trophées. Il les aurait peut-être tous ramenés, si je n'avais mis fin à l'épreuve que je supervisais alors. Dyree est le meilleur combattant que j'aie jamais vu... Même sans hati, il pourrait peut-être vaincre Gors le Douillet.

Malheureusement, mon assistant se soucie peu de devenir un messager à part entière. De devenir « Zadyree ». Je doute de la sincérité de sa foi en Zuïa.

Sa place à mes côtés fait de lui le messager parmi les messagers, le traqueur de traîtres. Tâche difficile... qui le motive énormément. Il aime le gibier résistant. Il aime gagner.

Il aime simplement tuer. Il sera bientôt parmi nous.

Je le mettrai en charge des esclaves, beaucoup trop nombreux mainte-nant pour la responsabilité d'un seul capitaine, même assisté d'une troupe de deux cents hommes. J'ignore encore ce que mon maître a l'intention d'en faire. Je doute qu'il veuille les vendre, devant l'immensité de ses richesses. Peut-être les fera-t-il travailler ? Mais à quel projet ? Quelle nouvelle pierre posée sur la voie de la Grande Œuvre ?

Jusqu'à présent, l'unique tâche imposée aux esclaves est la prière. On ne leur laisse pas le choix du culte, mais cette foi simple est tout ce qui leur reste. Aussi vénèrent-ils de toute la force de leur désespoir.

Mon maître a désigné une certaine Emaz Chebree comme la Grande Prêtresse du dieu Sombre. J'ignore si ce nom, Sombre, en est vraiment un, ou si l'usage a pris le pas sur l'original. Je n'en connais pas d'autre à ce nouveau venu chez les immortels. Toujours est-il que Chebree raconte, invoque, prie, adore, et fait adorer et craindre Sombre, le dieu choisi par mon maître.

Beaucoup de nos guerriers se convertissent à ce nouveau culte. Sombre est devenu Celui qui Vainc, et cette idée leur plaît beaucoup. Je crois que mon maître est satisfait de l'expansion rapide de cette nouvelle religion.

Je reste bien entendu fidèle à Zuïa, même si Chebree est très convain-cante. En fait d'Emaz, je serais surpris d'apprendre qu'elle ait déjà simplement vu la Sainte-Cité d'Ith. Mais c'est une femme passionnée et calculatrice, qui mérite mon respect. Elle est aussi ambitieuse et a ainsi gagné mon estime… et ma méfiance.

Le dernier des apôtres n'est autre que le fils de mon maître. Enfin, nous le croyons, et mon maître ne nous dément pas. C'est un grand jeune homme bien bâti, mais il n'a pas les traits du Goranais qu'il devrait être.

J'ignore quels sont ses talents. Il dort beaucoup, et reste immobile le reste du temps. Il semble même ne pas nous voir, ni nous entendre. Seul notre maître éveille une lueur de conscience dans ses yeux…

Ses yeux. Je ne peux pas supporter son regard. Un regard vide. Un regard sombre.

LIVRE V

VIEUX PAYS

LA PORTE DE LA GARGOTE s'ouvrit pour laisser entrer la pluie, le vent, et surtout deux personnages singuliers. Worja-Boit-Debout était aubergiste depuis trente-cinq ans. Il était installé à Trois-Rives, à l'embouchure de la Rochane, depuis plus d'une décennie. Son expérience lui fit immédiatement comprendre deux choses : ces *nouveaux venus* n'étaient pas romins, et ils n'étaient pas là pour boire ou manger. Il jeta un coup d'œil sous le comptoir pour s'assurer que sa dague n'était pas trop loin.

Le plus grand était de toute évidence un Arque, au teint pourtant plus hâlé que celui de ses compatriotes. Mais Worja se fichait de son teint comme d'une peau de margolin. Il ne voyait que la *taille* de cet homme, aussi poilu qu'un ours, et au moins deux fois plus fort. Et ce géant portait une masse d'armes.

L'autre était plus difficile à deviner ; il pouvait être lorelien ou kaulien. Worja remarqua surtout la rapière battant la cuisse, les blessures récentes des deux hommes, et leurs expressions maussades qui n'auguraient rien de bon.

Alors que les inconnus approchaient, l'aubergiste implora d'un regard l'aide de ses clients. Mais les cinq membres de l'assistance consacraient toute leur attention au fond de leur gobelet. Les Romins n'aimaient pas les étrangers. Surtout lorsqu'ils étaient armés et peu commodes.

— Nous cherchons un guérisseur, annonça le Lorelien d'une voix fatiguée. Il paraît que vous pourriez nous renseigner.

Worja maudit le plaisantin qui avait dirigé ces étrangers jusqu'à sa porte. Sûrement un Presdanien. Que Phrias emporte les Presdaniens !

— On vous a menti, messires. Il n'y a personne à Trois-Rives digne du nom de guérisseur. Je crains que vous n'ayez à aller jusqu'à Mestèbe…

Le Lorelien traduit cet échange à l'Arque, qui ouvrit de grands yeux et secoua la tête. Le renseignement ne semblait pas leur convenir. Worja l'aurait parié.

— Nous manquons malheureusement de temps, aubergiste, reprit le Lorelien. À qui portez-vous vos blessés, à Trois-Rives ? Il y a bien quelqu'un dans cette ville capable de donner quelques soins ! Faudra-t-il que je vous achète son nom ?

— Ce ne sera pas nécessaire, messire. Comme je vous l'ai dit, il n'y a personne ici qui puisse vous aider. Je vous conseille de reprendre votre route au plus vite, si vous êtes dans l'urgence…

Allaient-ils comprendre, ces étrangers, qu'ils étaient indésirables ? songea Worja en se crispant sur sa dague, autant pour se préparer au pire que pour lutter contre son tremblement.

Le Lorelien soupira et s'adossa au comptoir, l'air résigné. Il se retourna soudain et sauta par-dessus l'obstacle avec souplesse. L'instant d'après, l'aubergiste était maîtrisé, la lame d'un poignard calée sous son menton.

— Bien ! annonça l'étranger. Je crois que mon ami et moi, nous ne nous sommes pas bien fait comprendre. Nous ne sommes pas venus brûler cette auberge, quoique personnellement, je commence à être tenté. Nous cherchons simplement un *guérisseur*. Si nous n'avons pas ce renseignement avant la fin de la nuit, je vous promets que vous en aurez tous besoin !

Les Romins n'avaient pas bougé d'un pouce, abasourdis par cette soudaine violence. Le Lorelien se lança dans une nouvelle tirade menaçante, sans lâcher sa prise sur Worja que ses jambes avaient du mal à porter.

— Mon ami Bowbaq, ici présent, a coulé rien moins qu'un bateau pirate à la décade passée. Vous ne pensez pas qu'il serait dangereux de le contrarier ? — Bowbaq, prends un air méchant, demanda Rey à l'Arque qui n'avait rien compris de cette conversation en romin.

Le géant montra les dents dans une parodie grimaçante de Mir le Lion. Puis, se sentant ridicule, il se contenta de croiser les bras et de se placer devant la porte. Rey se retint de ne pas rire. Mais la scène avait eu l'effet désiré.

— Que voulez-vous à un guérisseur ? osa enfin demander l'un des otages.

— Lui acheter un filet de pêche. Par tous les dieux et leurs putains ! À votre avis ? Nous avons un ami qui a besoin de soins au plus vite. J'offre une terce d'or à qui nous permet de le sauver.

— La monnaie lorelienne n'a aucune valeur ici, grommela l'homme.

— C'est une terce d'or, ou un tête-à-tête avec mon ami Bowbaq. Au pied de la lettre, j'entends, le tête-à-tête. Qui est candidat?

Quelques instants passèrent avant que l'un des Romins ne se décide.

— Le guérisseur est mon frère Vi'at, avoua l'homme sans fierté. Pour une terce, je vous conduis jusqu'à lui. Mais je ne vous promets pas qu'il acceptera de vous aider. C'est un Hélanien de pure souche, tout comme moi. Il refuse même de *parler* à des Presdaniens, alors, à des étrangers…

— J'essaierai d'être convaincant, répondit Rey avec un sourire cruel, en libérant l'aubergiste. Mes arguments sont de ceux que l'on ne peut réfuter.

* * *

L'Othenor dansait doucement sur les eaux claires de l'embouchure de la Rochane, comme se reposant des centaines de lieues parcourues depuis une lune. Le bateau semblait dans le même état que ses passagers : épuisé, vidé, abattu.

Yan veillait sur Grigán depuis leur arrivée à Trois-Rives, permettant ainsi à Corenn de prendre un peu de repos. Le jeune homme avait conduit *L'Othenor* jusqu'au continent en un temps exceptionnel : leur incursion sur l'île Sacrée des Guoris ne remontait qu'à la nuit précédente. Depuis, il n'avait pas dormi.

Maz Lana interrompit un instant ses prières pour observer le jeune Kaulien. Yan avait *vu* Usul. Il avait *parlé* avec un dieu. Depuis, il n'avait pas prononcé plus de dix phrases. Le malheur de Grigán l'accablait, comme eux tous, bien sûr. Mais n'y avait-il que cela ? Que savait Yan, qu'ils ignoraient encore ?

La bienséance voulait que l'on s'inquiète d'abord du sort du guerrier, avant de penser à la poursuite de leur quête. Lana pria toutefois Eurydis de soulager Yan d'une partie de ses peines. Un homme si jeune ne devait ployer sous les tourments.

La porte de la cabine dite « du capitaine » s'ouvrit devant Léti. La jeune femme avait beaucoup pleuré pendant la traversée. Mais elle n'avait plus de larmes. Son visage était sans expression, ou plutôt, il affichait toujours la même : sourcils froncés, bouche crispée, regard perçant. Mépris de l'injustice. Révolte contre l'impuissance.

— Ils arrivent, annonça-t-elle d'une voix lasse. Ils ont trouvé quelqu'un.

Lana se chargea d'aller réveiller Corenn, ce qui ne fut pas difficile, la Mère n'ayant pu trouver le sommeil. Bowbaq, Rey et un petit Romin grassouillet les rejoignirent bientôt près de la forme étendue de Grigán.

— Qu'avez-vous au visage ? demanda Corenn à l'inconnu. Rey, vous l'avez frappé ?

— Il est tombé, assura l'acteur. N'est-ce pas, ami Vi'at ?

— C'est vrai, bredouilla l'homme en se frottant le menton. J'ai eu un geste maladroit, et je suis tombé.

La Mère lança un regard réprobateur à Rey, qui fit semblant de l'ignorer, puis à Bowbaq qui rougit jusqu'à la racine des cheveux. Elle se promit de tirer cette affaire au clair bientôt. Mais il y avait plus urgent pour l'instant.

— Par quoi a-t-il été mordu ? demanda le guérisseur après un simple coup d'œil à Grigán.

— Des rats, répondit Corenn, ne voyant aucune raison de mentir. Plusieurs dizaines.

— Comme ceux que l'on trouve chez les Guoris, hmm ?

— N'ayez pas de geste maladroit, ami Vi'at, rappela Rey.

— Ne craignez rien. Vos histoires ne m'intéressent pas. Guoris ou Loreliens, vous êtes tous des étrangers. Ce qui compte, ce sont les dix terces d'or que l'on m'a promis. Je veux les voir.

Le Romin, fort de la protection de Corenn, prenait de l'assurance. Léti s'avança pour protester mais la Mère compta dix pièces dans la main du guérisseur.

— Je vous en donnerai encore autant si vous réussissez à le sauver, maître Vi'at, dit-elle avant de quitter la pièce.

Ce qu'elle venait de dire était trop dur à entendre. *Et s'il ne réussissait pas ?*

— Je ne veux personne dans mes jambes, lança l'homme. Que tout le monde sorte d'ici. J'ai seulement besoin d'une personne pour m'aider.

— Moi, annonça Yan d'une voix rauque.

Les autres se tournèrent vers lui. Ils ne l'avaient pas entendu parler depuis plusieurs décans. Personne n'éprouva l'envie de lui opposer sa candidature.

— Bien. Que les autres s'en aillent.

Les héritiers quittèrent un à un la cabine de *L'Othenor*, après un dernier regard à la forme allongée de leur ami Grigán. Ils allaient confier son sort à un inconnu... parce qu'ils n'avaient pas d'autre choix.

Léti se pencha vers l'oreille du Romin juste avant de sortir.

— S'il meurt… ce sera de votre faute, glissa-t-elle d'une voix pâteuse.

L'homme referma la porte sur la jeune guerrière et déglutit péniblement. En se retournant, il dut supporter l'expression étrange, vaguement menaçante, du Kaulien laconique resté pour l'aider. Il se mit au travail en frissonnant, maudissant les étrangers et leurs… étrangetés.

* * *

Corenn essayait de ne pas réfléchir à ce qui se passait sous le pont du bateau. Alors, elle se concentra sur un autre sujet. L'*autre* sujet. Celui qui les tourmentait tous de manière semblable.

Yan n'avait pas encore raconté son entrevue avec le dieu Usul. Tout au plus avait-il livré un nom. Celui de l'*accusateur*. Celui de l'homme qui avait lancé les tueurs züu sur les traces des héritiers. Celui de leur ennemi. Celui de Saat.

Son Excellence Saat l'économe, sage émissaire représentant le Grand Empire de Goran. Il ne faisait pas partie des survivants du voyage de l'île Ji, cent-dix-huit ans avant ce jour. Du moins le croyait-on. Mais comment imaginer qu'un homme, déjà âgé à l'époque, soit toujours en vie plus d'un siècle après ?

Peut-être Vez et Vanamel, eux aussi portés disparus, avaient-ils pareillement survécu. Ainsi que Nol l'Étrange.

La Mère se remémora le manuscrit vieux de trois siècles trouvé chez Zarbone. Il mentionnait un certain Nol, sans doute le même qui avait entraîné leurs ancêtres dans cette aventure. Cet homme était-il immortel ? Saat l'était-il ?

Qu'y avait-il derrière la porte ?

Corenn espéra que Yan pourrait répondre à quelques-unes des nombreuses questions qui l'obsédaient. Puis elle se souvint du sort du malheureux Grigán, et se rembrunit.

Ils n'avaient pas beaucoup progressé. La Mère avait imaginé que leur ennemi serait l'un des leurs, un héritier, et elle avait partiellement raison. Mais si elle possédait nombre de renseignements sur la génération actuelle, elle n'avait aucune idée de l'endroit où Saat pouvait se cacher. Donc, aucun moyen de déjouer ses plans.

Qu'étaient-ils, d'ailleurs ? En admettant que Saat ne soit pas mort derrière la porte de l'île Ji, et qu'il ait réussi à revenir dans ce monde, pourquoi s'en prenait-il aux héritiers ? Cherchait-il la vengeance ? Voulait-il protéger un secret ? Craignait-il quelque chose ? Ou tout cela à la fois, peut-être ?

D'où lui venaient ses pouvoirs ? Corenn frissonna au souvenir de cette voyante possédée leur proférant des menaces, à l'assemblée des barons des Petits Royaumes. Plus grave encore, l'attaque du démon au Château-Brisé, malheureusement fatale à Séhane. La Mère n'avait jamais entendu parler d'une magie aussi puissante. Ces signes étaient-ils des interventions divines ?

Les héritiers subissaient-ils la colère des dieux ?

* * *

Yan observait le Romin avec attention. Vi'at lui avait jusqu'alors semblé vénal, méprisant et étroit d'esprit. En le regardant examiner consciencieusement les blessures de Grigán, le jeune homme se prit à espérer qu'il était peut-être également *compétent*.

Le Kaulien ignorait les coutumes vestimentaires des Romins, mais celui-ci était vêtu de façon singulière. À commencer par son petit chapeau plat, simple épaisseur de tissu doublée et cousue, et qu'il retenait à l'aide d'une fine cordelette passée sous le menton. Ce couvre-chef ne le protégeait en rien, car l'homme était trempé. Il s'en débarrassa sur un banc, ainsi que de son caftan vert brodé de motifs de roses.

Yan découvrit avec surprise que le reste de son habit était également vert et brodé de roses. Les Romins cultivaient apparemment un certain goût pour l'excentricité. Plusieurs questions assaillirent son esprit curieux, mais les réponses ne l'intéressaient guère pour l'instant. Il ne désirait qu'une chose : que l'on sauve Grigán.

— Depuis combien de temps est-il inconscient ?

— Depuis la nuit passée, répondit Yan avec difficulté. Parfois, il s'agite un peu, mais ça ne dure pas. Et la dernière fois remonte à plusieurs décans.

— Je vois.

Le guérisseur examina les pansements du guerrier. Il ne l'avait pas encore touché. Il n'avait encore rien pris dans la lourde sacoche qu'il avait traînée jusqu'à *L'Othenor*. Les espoirs de Yan fondaient au fur et à mesure que fuyaient les instants.

— Vous pensez que c'est grave ? réussit-il enfin à articuler.

— Ça dépend, répondit l'autre sans aucun tact. J'ai entendu parler des rats des Guoris. Ce sont des *rats de Farik*. Ils viennent de chez les Estiens.

Certains de ces animaux, m'a-t-on dit, portent une étrange maladie, dite de Farik bien entendu. Pendant quelques lunes, elle rend ces bêtes d'une sauvagerie incroyable, permettant aux malades de s'imposer par la force sur leurs congénères… et de se réserver nourriture, femelles, et autres valeurs de la vie sauvage. Mais elle finit toujours par les tuer.

Yan attendit patiemment la suite de l'exposé, mais elle ne vint pas. Vi'at s'était replongé dans l'étude des blessures non couvertes de Grigán, avec un dégoût non dissimulé. Le Kaulien remarqua que le guérisseur n'avait toujours pas osé toucher le guerrier. D'évidence, ce n'était pas bon signe.

— Et alors ? insista-t-il. Vous pensez que les rats peuvent transmettre cette maladie à un homme ?

— Oh ! Ils le peuvent, oui. Quant à savoir si c'est grave, voilà ce que j'ignore. Je n'ai jamais soigné pareille maladie. Nettoyer ses blessures, atténuer sa douleur, apaiser son sommeil, cela est en mon pouvoir. Pour le reste… Pttt ! fit-il d'un geste méprisant.

— Faites déjà cela, implora Yan. *Faisons-le*. Comment puis-je vous aider ?

— Nous allons d'abord retirer tous ces pansements. J'ai divers onguents à appliquer sur les plaies pour les endormir… et éviter l'infection, s'il n'est pas déjà trop tard.

Yan se mit immédiatement à l'ouvrage, ôtant avec délicatesse les bandages que Corenn et Lana avaient faits aux jambes du guerrier, où les plaies étaient les plus nombreuses. Vi'at fit de même pour les mains et les bras, quoique avec beaucoup moins de prévenance.

Le guérisseur avait à peine commencé que Grigán se redressait et lui attrapait le poignet d'un geste brusque. Vi'at hurla en plongeant son regard dans celui du guerrier en plein délire. Puis le malade s'écroula aussi soudainement qu'il s'était relevé.

— Il a la maladie de Farik ! bégaya le guérisseur en reculant. C'est un fou furieux !

— Ne craignez rien, le rassura Yan sans pouvoir s'empêcher de sourire. C'est même plutôt bon signe. C'est son comportement normal !

Rey et Léti déboulèrent dans la pièce aussi vite qu'un dors-debout mouillé. Rapières en main, ils se dirigèrent tout droit vers Vi'at.

— Que se passe-t-il ? demanda l'acteur, la voix tendue. Le Romin a encore eu un geste maladroit ?

— Grigán lui a attrapé le poignet ! s'écria Yan. Il a presque réclamé sa lame courbe !

Léti et Rey échangèrent un regard avant de tomber dans les bras l'un de l'autre, figeant ainsi dans une grimace le sourire de Yan. Mais le jeune homme était trop plein d'espoir pour se laisser aller à la jalousie. Puis les visiteurs tournèrent leur attention vers le Romin et le congratulèrent copieusement, avant de libérer les lieux.

Vi'at se remit au travail avec un luxe de précautions. Il n'avait aucune envie de réveiller encore le Ramgrith au regard de dément.

Était-il le seul, sur ce bateau, à avoir toute sa raison?

* * *

Corenn ne trouvait pas le sommeil, bien qu'elle n'eût pas dormi depuis le jour précédent. Elle s'était portée volontaire pour veiller encore sur Grigán, malgré l'insistance de Yan pour s'acquitter de cette tâche. Plus que quiconque, le jeune homme avait besoin de repos.

Le guérisseur avait fait de son mieux. Maintenant, il n'y avait plus qu'à attendre et espérer. Et la Mère se trouvait là, seule dans l'obscurité, à écouter la respiration régulière de leur ami malade. Et son esprit vagabondait.

Ils en étaient au quinte de la décade du Foyer. Le Jour des Femmes. Les derniers décans de ce jour avaient toujours été consacrés à la fête, dans tout le Matriarcat. Les derniers moments avant l'arrivée de la saison de la Terre. Les derniers préparatifs avant les grands froids. Les derniers travaux d'extérieur, avant le repos forcé de l'hiver.

Corenn avait toujours aimé les bonheurs simples d'une provision de bois sec, d'un cellier rempli, de la protection d'un toit solide. Elle-même logeait depuis de longues années à Grand'Maison, et n'avait jamais manqué de rien. Elle se battait depuis toujours, en tant que Mère chargée des Traditions et membre du Conseil permanent, pour qu'il en soit de même pour chacun. Et avait fait beaucoup.

Une autre devait maintenant s'en occuper à sa place. Cela faisait presque cinq décades qu'elle avait quitté Kaul. Trop longtemps pour qu'on l'espère encore en vie. Peut-être avait-on déjà vidé son étude à Grand'Maison. Peut-être même ses appartements personnels.

La décade du Foyer... Elle n'avait plus de foyer. Elle n'en aurait plus, tant que Saat lancerait frères de la Guilde, tueurs züu et démons guerriers sur leurs traces. Elle n'en aurait plus tant qu'ils n'auraient pas achevé leur quête.

Mais quelles chances avaient-ils sans Grigán ?

Et même... À quoi bon, sans Grigán ?

La Mère prit la main du guerrier et la serra entre les siennes. Jamais elle ne se serait permis une telle chose devant les autres. Toujours, elle devait se montrer forte et confiante. Mais elle-même avait tellement besoin d'être rassurée...

— Ne nous laissez pas, maître Grigán, murmura-t-elle. Nous avons besoin de vous. *J'ai* besoin de vous...

Le guerrier caressa les doigts de Corenn de son pouce. La Mère ne sut jamais s'il s'agissait d'un réflexe, ou s'il l'avait entendue. Mais elle n'osa bouger avant un long moment.

* * *

Yan se cogna deux fois et faillit manquer une marche en gagnant la salle commune de *L'Othenor*. Dire qu'il avait passé une très mauvaise nuit serait encore atténuer les choses. Il avait passé une nuit *exécrable*. S'il n'avait jamais bu au point d'en être malade, il se dit que cela devait beaucoup ressembler à ce qu'il ressentait alors.

Il poussa la porte de la petite pièce et les rires qu'il entendait depuis son hamac cessèrent. Il imaginait bien avoir une sale tête, mais pas au point de surprendre ses amis attablés autour du déjeuner. Chacun le dévisageait avec curiosité. Yan avait encore l'esprit empli de dieu omniscient et de prédiction de fin du monde. Il eut du mal à comprendre ce qu'on lui expliquait.

— Yan, tes cheveux !

— Que t'est-il arrivé ?

— Ils ont blanchi !

Le jeune homme se le fit répéter plusieurs fois avant de se mettre en quête d'un miroir. Les rires reprirent dès qu'il eut quitté la pièce. Même dans son état, Yan trouva un peu dure la réaction de ses amis. Si c'était vrai, ça n'avait rien d'aussi amusant. Et si c'était faux, c'était une farce bien étrange...

Il se souvint avoir vu un miroir dans la cabine du capitaine, et s'y rendit en titubant. Il trouva l'objet et contempla son visage. Effectivement, une mèche de ses cheveux avait perdu toute couleur, celle qui balayait habituellement son front. Il reposa l'objet avec maladresse. Ce phénomène ne le défigurait pas, il s'en fichait comme d'une peau de margolin. Il avait d'autres soucis en tête, beaucoup plus graves. Qu'étaient-ils, déjà ?

Il se tourna soudain vers le lit où reposait Grigán et fut complètement réveillé. C'est sans trébucher qu'il rejoignit la salle commune, pour la franchir à toute allure et donner une étreinte au guerrier valide, sous les applaudissements de ses amis.

— Vous êtes guéri ! Vous êtes guéri ! répéta-t-il, des larmes dans les yeux.

— À dire vrai, je souffre le martyre. Serre un peu moins fort, je te prie.

Le guerrier était acerbe, mais son visage exprimait la joie. Personne ne s'y trompa. C'était dans son caractère.

Yan observa ses amis réunis autour de la table. Six héritiers. Plus lui. Pas un n'avait encore péri. Tant qu'ils seraient ensemble, ils pourraient affronter n'importe qui. N'importe quoi.

— C'est pour avoir rasé sa moustache que tu t'es fait des cheveux blancs ? lança Rey, déclenchant ainsi une nouvelle explosion de rires.

— C'était pour soigner ses plaies au visage, expliqua le jeune homme gêné.

— Quoi ! simula Grigán. C'est donc à toi que je dois cet affront ! Léti, va me chercher ma lame tout de suite.

— Ne le regrettez pas, lança Corenn quand les rires se calmèrent. Vous avez l'air moins sévère, ainsi.

— Mais il *est* sévère ! railla Rey.

Les plaisanteries se poursuivirent ainsi pendant un bon moment, chacun relâchant un peu de sa tension des derniers jours. Grigán finit par avouer sa fatigue et regagna sa cabine. Sans sa lame, sans ses habits de cuir noir, et couvert de bandages et de plaies, le guerrier avait l'air de ce qu'il était : un vétéran fatigué par plus de vingt années d'une vie de fugitif.

Yan insista pour l'accompagner, malgré les protestations du convalescent. Bien lui en prit, car Grigán se souvint soudain qu'il avait une question importante à poser.

— Yan… Sais-tu qui est notre ennemi ?

Le jeune homme se demanda si le moment était bien choisi. Mais le guerrier refuserait de se reposer avant de savoir.

— C'est Saat. Le sage émissaire de Goran. Il est toujours en vie.

Grigán ouvrit la bouche pour poser une autre question, puis se tut et réfléchit quelques instants. Ses yeux tombèrent sur la mèche blanche du jeune homme, et il se décida enfin.

— Et cette prétendue malédiction d'Usul ? Celle du savoir inhumain ?

Yan observa les traits fatigués du guerrier, sa chair meurtrie, le souci qu'il se faisait des autres, alors que lui-même était au plus bas.

Usul avait prédit à Yan que Grigán mourrait avant un an.

— Aucune malédiction, prononça Yan, faussement enjoué. Tout va bien. Nous allons trouver Saat, n'est-ce pas ?

— Tu peux compter sur moi, répondit simplement le guerrier, avec un clin d'œil et un sourire féroce.

Il se tourna sur le côté et s'endormit rapidement. Yan regagna la salle commune et écouta la joie de ses amis. Si jusqu'alors, il avait trouvé cette aventure excitante, il la subissait désormais au même titre que les autres : comme une douloureuse épreuve.

* * *

L'état affaibli de Grigán ne lui permettant pas de marcher, il fut décidé de gagner Romine par voie d'eau, en longeant les côtes de la province d'Hélanie jusqu'à l'embouchure de l'Uræ. Ils remonteraient ensuite le fleuve jusqu'à la capitale du Vieux Pays. Le voyage ne devait pas durer plus de trois jours.

Les espoirs de Corenn — et par conséquent, du reste du groupe — étaient de trouver des renseignements dans la Bibliothèque éclectique impériale de Romine. Plus connue sous le nom de bibliothèque de la tour Profonde, et réputée comme étant hantée depuis des siècles. Réputée, aussi, pour rassembler toutes les connaissances humaines. Si les héritiers pouvaient apprendre quelque chose sur la porte de Ji, la Grande Arche sohonne ou les autres portes qui ne pouvaient manquer d'exister, c'était bien là-bas. Sans parler de Nol, de l'*autre monde* et du démon Mog'lur.

Grigán se leva peu après l'apogée, et fut très satisfait de découvrir *L'Othenor* en pleine mer. Tous profitèrent de l'occasion pour rappeler à Yan sa promesse de raconter son entretien avec Usul. Le jeune homme ne trouva aucune excuse pour se défiler plus longtemps. Il commença donc son récit.

Bowbaq trembla en réalisant que Yan avait échappé de peu à la noyade. Léti frémit devant la description du requin. Lana fut subjuguée d'émotions à l'idée du jeune homme conversant avec un *dieu*. Elle qui avait consacré toute sa vie à Eurydis, sans avoir d'autre preuve de son existence que sa propre foi, fut très impressionnée par cette expérience.

Usul avait dévoilé la cachette du journal de Maz Achem. L'objet se trouvait à Ith. Dans les archives secrètes du Grand Temple. À l'annonce de cette nouvelle, Lana eut une forte envie de pleurer. De joie, parce qu'elle était certaine, désormais, que ce journal existait. Qu'il leur apporterait beaucoup de réponses. Et de dépit, parce qu'il s'était toujours trouvé sous ses pieds sans qu'elle le sache. Mais elle refusa de pleurer. Cela ne seyait pas à une Maz.

Elle pleura, pourtant, l'instant d'après… quand Yan révéla que le monde derrière la porte était le Jal'karu.

— Les dieux noirs, sanglota la Maz. Sage Eurydis ! Nos ancêtres ont été livrés aux dieux noirs. Que leurs esprits reposent en paix !

Rey passa un bras sur les épaules de la prêtresse, mais elle se dégagea sans brutalité. Elle était Maz. Elle ne devait pas inspirer la pitié. Elle devait montrer l'exemple. Répandre les trois vertus de la Sage. Savoir. Tolérance. *Paix.*

— Il a aussi dit : Jal'dara, ajouta Yan, soucieux de réconforter Lana. Cela vous apprend-il quelque chose ?

— Non, s'excusa la prêtresse en s'essuyant les yeux. Je n'ai jamais entendu ce nom. Il s'agit sûrement de la même chose…

— Peut-être pas… glissa Corenn.

— Bien sûr que si, intervint Rey. On nous dit que derrière la porte se trouve le Jal'karu. *Le pays où naissent et grandissent les démons*, suivant l'expression de Lana. Il n'y a rien d'autre.

— Le Jal'dara en représente peut-être une autre forme… Une interprétation spirituelle…

— Comment un endroit peut-il être deux choses différentes en même temps ? demanda Bowbaq.

Personne ne répondit au géant. Leurs théories ne reposaient sur rien, et leurs conséquences dépassaient de loin leur entendement. Seule Lana pensait comprendre ce que pressentait Corenn. Mais il était inutile d'en discuter avant d'en avoir appris un peu plus.

— Puisque nous savons à quoi nous en tenir, pourquoi aller jusqu'à Romine ? demanda Rey. Le plus logique est d'aller tout droit à Ith récupérer le journal d'Achem.

— Romine n'est qu'à deux jours. Ith est à plus de deux décades, sans compter que nous ne pourrons en demander plus encore à cette felouque. Puisqu'il nous faut débarquer, autant faire un détour. Nous ne sommes plus à ça près.

— D'accord, Corenn, une fois de plus vous avez raison. Pas d'autres bonnes nouvelles, Yan ?

Usul lui avait annoncé la mort de Grigán. Il avait prédit une guerre meurtrière, dont les Hauts-Royaumes seraient les grands perdants. L'anéantissement des plus grandes civilisations du monde connu. Tout cela avant un an.

Mais Usul jouait avec le futur. En le révélant, il le brouillait. Tout ce que le dieu avait annoncé, Yan pouvait s'y précipiter en cherchant à y échapper, ou l'altérer en cherchant sa réalisation. De toute manière, le futur était incertain. Usul se distrayait. Mais Yan souffrait, et souffrirait encore.

Le dieu avait aussi prédit son Union avec Léti. Le jeune homme désirait cela de tout son cœur. Mais comment agir, dès lors ? Depuis la veille, déjà, il prenait garde à ses paroles, surveillait ses actes, faisait de son mieux pour agir comme si de rien n'était. Était-ce la meilleure solution ? Que devait-il faire ? Chercher à tout prix à modifier l'avenir, au risque de l'empirer ? Ou tenter d'échapper à cette responsabilité, dans l'espoir que les choses s'arrangent d'elles-mêmes ? Usul avait raison. *Ne rien faire, c'est déjà faire quelque chose.*

— Yan ? Tu as entendu ?

— Oui, Rey. Je n'ai plus rien à dire. Vous en savez autant que moi.

Une chose seulement lui semblait évidente. Transmettre cette malédiction à ses amis ne servirait à rien. Ce démon intérieur, il devrait le combattre seul.

* * *

Les deux jours de traversée passèrent très vite. Pour éviter de penser à autre chose, Yan mit ce temps libre à profit pour exercer sa Volonté. Faire tomber une pièce de monnaie n'était plus un problème pour lui, c'en était presque devenu risible. Il s'appliqua alors à la redresser. Puis il la couchait de nouveau, et la relevait encore, par sa simple pensée. Au terme de ces deux jours, son record était de quatorze fois consécutives. Il ne cessait que par crainte du choc en retour : la *langueur*, comme appelait simplement Corenn l'étourdissement qui s'emparait d'un magicien après qu'il eut lancé un sort.

Yan dut s'entraîner seul, la Mère passant beaucoup de temps au chevet de Grigán, bien que celui-ci soit plus souvent debout sur le pont qu'allongé en bas. Le guerrier tenait à se comporter comme parfaitement rétabli ; il avait, par exemple, de nouveau revêtu son habit de cuir noir. Son embarras fut plus qu'évident quand il avisa que Corenn avait rapiécé et recousu les morceaux de l'armure grossière. Il n'était pas habitué à ce que l'on fasse ces choses pour lui. Il en fut très troublé, au grand amusement de Léti.

La jeune femme et Bowbaq passèrent ces deux jours à jouer avec le chat Grenouille. Grâce à son pouvoir d'erjak, le géant comptait tresser des liens d'amitié hors du commun entre Léti et l'animal, comme il l'avait déjà fait, pour lui, avec son lion et son poney. Mais il s'agissait d'une opération longue et délicate, qui nécessitait avant tout la mise en confiance de l'animal. Le chat nain, déjà adulte et peu accoutumé à la présence humaine, se fit beaucoup prier pour leur accorder une attention soutenue. À tel point que Bowbaq prédit qu'il aurait beaucoup de difficultés à tenir sa promesse.

À la demande de l'acteur, Lana commença d'expliquer à Rey les grandes valeurs de la Morale d'Eurydis. Mais l'élève se souciait peu de religion, et cet intérêt nouveau pour la théologie n'était que prétexte à passer du temps avec la Maz. Le fait est qu'il accorda peu d'attention aux dires de la prêtresse, si ce n'est pour lancer l'une ou l'autre plaisanterie improvisée, ou pour la presser de questions personnelles. Lana ne se découragea pas pour autant, mais remit son pudique masque religieux dès le deuxième jour. Rey devait s'intéresser à Eurydis, non pas à ses Maz.

— Je vous conseille d'ôter ce masque, lui dit pourtant Grigán, alors qu'ils s'engageaient sur l'Uræ. Vous savez sûrement que les Romins ont les Ithares en horreur, depuis l'époque des Deux Empires. C'est toujours vrai aujourd'hui.

— Je n'ai eu aucun ennui à Mestèbe, s'étonna la Maz avec sincérité.

— Mestèbe est en Presdanie. Romine, en Uranie. Nous entrons pratiquement dans un nouveau royaume, Lana. Les guerres de provinces du dernier éon sont encore fraîches dans les mémoires. Chacune des peuplades romines a son identité. Et chacune lutte pour son indépendance.

— Ce pays est trop vieux, commenta Rey. Trop grand. Trop découpé. Avez-vous déjà rencontré un Jérusnien ? Ils n'ont rien de commun avec les négociants de Manive, je peux vous l'assurer. À mon humble avis, les Hauts-Royaumes en compteront cinq de plus à la prochaine génération… et un de moins.

La prochaine génération, songea Yan avec mélancolie. Qui disait que les Hauts-Royaumes survivraient seulement à cette année ?

— Les Romins sont assez excentriques, poursuivit Grigán. Souvent susceptibles. Alors, évitez de les regarder de trop près.

— Vous auriez pu être romin, lança Rey avec malice.

— Vous ne croyez pas si bien dire. Leur justice est réputée expéditive…
Et, pour ce que j'en sais, ils n'aiment pas non plus les Loreliens.

— Quelle ingratitude. Me menacer, après ce que j'ai fait pour vous. Si
ce n'était l'odeur fétide de ce que ces gens osent appeler un fleuve, je quit-
terais immédiatement ce bateau en signe de protestation.

Léti grimaça en imaginant le plongeon. Le fait est que l'Uræ était le
cours d'eau le plus sale du monde connu. La coque de *L'Othenor* rencontrait détritus, excréments et même quelques charognes plus souvent qu'à
son tour.

Les héritiers se rassemblèrent pour regarder défiler le paysage, comme
ils l'avaient fait sur l'Ubese dans les Baronnies. Mais ce triste décor
n'avait rien de commun avec la riche campagne des Petits Royaumes.

De végétation, s'il y en avait eu, il ne restait plus grand-chose. Romine
était une ville très étendue, et *L'Othenor* dépassa ses premiers faubourgs
presque un décan avant d'arriver à la ville elle-même. La vue se résumait
à une succession de bâtisses hétéroclites, allant du luxueux manoir fami-
lial à la masure délabrée aux fondations trempant dans l'eau boueuse.

Plus le bateau progressait, et plus les constructions s'aventuraient dans
le fleuve, jusqu'à voir des maisons ne reposant que sur pilotis. Yan eut
bientôt de plus en plus de mal à manœuvrer la felouque sans heurts. Si la
circulation sur le fleuve avait été plus dense, elle aurait été presque impossible. Heureusement, hormis quelques barques, *L'Othenor* était seul à
naviguer. Il fut bientôt évident, à l'expression surprise et mécontente des
riverains, qu'une telle utilisation de l'Uræ était passée de mode. On entrait
à Romine par la terre, ou pas du tout.

Ils passèrent sous deux ponts fortifiés vieux de plusieurs siècles, dont
l'un à moitié détruit et qui ne tarderait plus à s'écrouler complètement.
Enfin, après une nouvelle lieue d'un parcours sinueux entre des constructions moisies, la felouque fut forcée de s'arrêter devant une écluse à
l'abandon, et évidemment hors d'état de fonctionner.

— Et voilà ! commenta Grigán. Nous finirons à pied.

Les héritiers s'attelèrent à leurs préparatifs, qui ne furent pas longs, sauf
pour Rey qui ne savait que faire de son trésor. Il se résolut à l'enterrer tout
bêtement sous un arbre.

— Si seulement j'avais un cheval, grommela-t-il. Ou un baudet.
Simplement un baudet. Grigán, vous êtes occupé ? cria-t-il au guerrier.

— Quoi ?

— Non, rien, conclut l'acteur, sourire aux lèvres.

Et ils se mirent en marche. À abandonner ainsi *L'Othenor*, échoué sur un fleuve boueux, après toutes ces journées passées à son bord, Léti se sentit un peu de vague à l'âme. Ils étaient maintenant encore plus démunis.

* * *

Sous la forme d'une gymnote longue de dix pas, Usul tourne inlassablement dans sa caverne... sa prison, pour l'éternité. Mais pour la première fois depuis longtemps, Usul ne s'ennuie pas. Le dieu se distrait. Il contemple les mortels.

Son dernier visiteur fut des plus intéressants. Leur rencontre a brouillé l'avenir comme jamais auparavant. Alors Usul observe, écoute, accompagne chacun des acteurs des grands événements à venir. Il réfléchit, spécule, imagine les milliers de probabilités des futurs possibles. Et ceux-ci se modifient à chaque instant.

Peu à peu, Usul discerne pourtant quelques constantes. Quoi que fassent maintenant les hommes, l'histoire des Hauts-Royaumes est déjà écrite. Usul souffre de voir son jeu se terminer si vite, et se demande comment il pourrait intervenir. Mais hors de sa prison, il est impuissant. Il est Celui qui Sait. Et là se résument ses pouvoirs.

Qu'importe! Il lui reste toujours plusieurs destinées à observer, et non des moindres. Il est impatient d'assister à l'affrontement de toutes les forces en présence. Même si, dans l'immense foison des probabilités, le vainqueur est déjà connu.

Que peuvent les humains contre les éternels?

* * *

Bien que les rues soient bondées, les héritiers ne passaient pas inaperçus dans la capitale du Vieux Pays. Nombre de Romins se retournaient sur leur passage avec une expression ouvertement méprisante. Suivant les conseils de Grigán, ils se gardèrent bien de répondre à ces provocations muettes, sauf Rey qui laissa échapper plusieurs commentaires peu flatteurs sur les étranges coutumes vestimentaires de ce royaume.

Les Romins mélangeaient tous les styles connus: tuniques kauliennes, robes junéennes, chemises loreliennes, manteaux goranais, capes, gilets, fourrures, lainages et autres étoffes dans la dysharmonie la plus totale. Mais restait le plus étonnant: le choix des couleurs.

S'ils utilisaient en effet tous les types de vêtements, les Romins prenaient bien garde de ne porter qu'une seule teinte : qui du rouge, qui du jaune, du bleu, du vert et une myriade de nuances intermédiaires. Ces habits étaient souvent alourdis de broderies et de broches aux tailles démesurées, représentant papillon, rose de Manive, dauphin gyole, aigle couronné ou encore croix de Jérus.

— Ce sont les symboles des provinces, expliqua Grigán. Celui de Romine et de l'Uranie est l'aigle couronné. Vous verrez comme il est amusant de voir tous ces Romins s'ignorer les uns les autres.

— À quoi servent les couleurs ?

— À rien, que je sache.

— Elles démontraient l'appartenance à certaines des castes militaires, expliqua Lana. Je suppose que la tradition s'est perpétuée dans quelques familles, et que les autres se contentent d'imiter les notables.

La Maz avait étudié l'histoire du Vieux Pays en même temps que celle du peuple ithare : ils avaient longtemps été ennemis. Elle réalisait maintenant tout ce que leurs cultures avaient de différent.

En avisant les regards hostiles jetés à sa robe de prêtresse, elle songca qu'elle avait bien fait de suivre le conseil de Grigán au sujet de son masque.

— Quels dieux prient les Romins ? demanda Léti, qui avait également remarqué les regards. Pas Eurydis, je suppose…

— Malheureusement, non. Odrel, je crois, a le plus de fidèles.

— Ça ne m'étonne pas, commenta Rey, sans s'expliquer plus avant.

La petite colonne poursuivait sa progression vers le quartier dit de la ville impériale, où résidait l'ami de Zarbone, qui devait leur permettre d'entrer dans la tour Profonde. Dans ce secteur, même les maisons étaient peintes, et toutes s'embellissaient d'au moins un aigle couronné en façade.

Yan et Bowbaq contemplaient chaque coin de rue avec une curiosité d'enfant. Lana progressait en hésitant entre deux attitudes : celle où elle dissimulerait de son mieux sa qualité de Maz d'Eurydis, et celle où elle l'assumerait avec fierté. Aucune n'était acceptable par la Morale. Rey, à qui son trouble n'avait pas échappé, la taquinait en exagérant l'importance de la chose. Enfin, Léti, Corenn et Grigán menaient le groupe, suivant les indications du plan que leur avait remis Zarbone.

Le guerrier tentait en vain de dissimuler sa fatigue. La marche de l'écluse jusqu'à cet endroit n'avait pas été trop longue, mais il était essoufflé, et parfois pris de vertiges. Il s'arrêta enfin devant une énorme bâtisse de quatre étages, entourée d'un immense parc protégé d'un mur d'enceinte.

— C'est ici, annonça-t-il. Elle correspond tout à fait à la description.

Rey eut un sifflement admiratif, manifestant ainsi l'émotion que tous partageaient. Zarbone avait décrit son ami comme plus riche que lui. Il devait l'être, en effet. Rien que l'entretien du parc devait occuper trois personnes chaque jour de l'année. Tout était parfaitement taillé. Aucune fleur ne sortait du rang où on l'avait serrée. Aucune pousse étrangère ne venait troubler le parfait alignement de l'herbe-lune importée des Baronnies. Aucune branche rebelle ne déformait les magnifiques buissons sculptés… représentant, bien entendu, l'aigle symbole de l'Uranie.

— Entrons, proposa Rey. J'en ai plus qu'assez de supporter les regards de ces excentriques.

— On ne peut pas entrer comme ça chez quelqu'un! s'offusqua Bowbaq. Ce serait très *impoli*…

Le sens de ce mot était beaucoup plus fort pour les Arques que pour n'importe quel autre peuple, se rappela Yan avec amusement. Et plus fort encore pour Bowbaq que pour n'importe quel Arque.

— Il n'y a pas de cloche… remarqua Corenn.

— Allez, on entre, décida l'acteur en joignant le geste à la parole. Nous sommes déjà indésirables à Lorelia, à Junine et au Beau-Pays. Personnellement, je me soucie peu des Romins.

Les autres le suivirent avec circonspection. Mais le problème se renouvela devant la porte d'entrée du manoir.

— Si la grille n'était pas verrouillée, celle-ci ne l'est peut-être pas non plus, suggéra Rey avec un sourire entendu.

— Il vaudrait peut-être mieux… commença Grigán en haletant.

Le guerrier ne finit pas sa phrase. Il tourna de l'œil et s'écroula lourdement, n'évitant de se cogner que grâce à l'intervention de Bowbaq. Corenn se précipita auprès du malade. Heureusement, son cœur battait toujours.

Rey ouvrit la porte et proposa de tirer Grigán à l'intérieur. Mais personne n'eut le temps d'entrer… Deux hommes bondirent soudain pour frapper l'acteur de leurs épées; et Rey ne dut son salut qu'à la maladresse de ses agresseurs, qui se gênèrent mutuellement et plantèrent leurs lames dans le bois. L'acteur jura et se lança tête en avant sur eux, les faisant tomber sur le dos. L'instant d'après, il en tenait un sous la menace de son poignard, pendant que Léti maîtrisait l'autre à la pointe de sa rapière. Les deux hommes terrassés étaient vêtus de rouge, mais ils n'étaient pas züu. C'était des Romins.

— Partez d'ici, voleurs, lança une voix mal assurée. Ou je vous perce le cuir !

Un grand homme maigre et dégarni se tenait à quelques pas de là, dans le couloir. Il n'avait pas l'air redoutable. Mais il pointait une arbalète sur Léti, et cela suffisait à en faire un ennemi.

Yan lança sa Volonté sans réfléchir plus avant. La corde de l'arbalète claqua et le Romin hurla sous le cinglement de ce fouet. Mais la *langueur* en retour de ce sort lancé sans préparation fut telle que Yan sentit ses jambes fléchir. La réalité lui échappa pendant quelques instants. C'est à peine s'il entendit Léti demander à Bowbaq de rattraper le fuyard.

— Bandits ! Voleurs ! Marauds ! geignait l'autre, alors que le géant le ramenait sans brutalité. On a bien raison de se méfier des étrangers !

— Nous ne sommes pas des voleurs, le rassura Corenn. Nous sommes des amis de Zarbone, du Beau-Pays… Vous devez être maître Sapone ? conclut-elle en lui donnant leur lettre de recommandation.

Le Romin la décacheta sans douceur et la parcourut en diagonale. Même si tout cela était vrai, il ne s'en réjouissait pas pour autant.

— Lequel d'entre vous est Grigán ? demanda-t-il bientôt.

— C'est lui, montra Lana qui soutenait le malade.

— Vous mentez ! Il est dit ici que ce Grigán porte la moustache ! Or, cet homme n'en a pas !

Corenn prit une grande inspiration pour éviter de répondre trop vite. Elle que l'on disait si impassible n'était pas loin de rabrouer sans ménagement ce Romin à l'esprit étroit. Elle n'avait rien contre la stupidité… mais, souvent appelée à juger dans ses fonctions au Conseil permanent, elle pardonnait mal la mauvaise foi.

— Maître Sapone. Nous ne sommes pas vos ennemis. Nous avons besoin de votre aide pour entrer dans la tour Profonde.

— Je ne… commença à hurler le Romin.

— Nous sommes prêts à y mettre le prix, l'interrompit la Mère.

Sapone reprit son calme, fit semblant de réfléchir quelques instants, puis referma la porte après avoir vérifié qu'aucun passant ne l'avait vu accueillir ces étrangers.

* * *

Yan méditait au chevet de Grigán, une fois encore. Corenn et les autres convenaient d'un plan avec leur hôte pour avoir le privilège de pénétrer dans la plus grande bibliothèque du monde connu. Ils essayaient de préparer l'avenir. Yan se demandait seulement s'il y aurait un avenir.

Le rétablissement rapide de Grigán l'avait fait espérer. Mais c'était pour mieux le décevoir. Les blessures du guerrier n'étaient pas en cause, la plupart s'étaient déjà refermées. Il était évident, maintenant, que Grigán souffrait d'un autre mal que celui de la chair meurtrie. Tristement évident.

Usul avait prédit la mort prochaine de son ami. Mais Usul avait aussi dit que le futur changeait, une fois qu'il était révélé. Il changeait pour celui qui *savait*, et pour ceux qu'il côtoyait. Dire la vérité à Grigán le sauverait-il pourtant? Non, bien sûr. Même prévenu, le guerrier ne pourrait rien contre sa maladie.

Yan ne voyait qu'un moyen de changer cet avenir. Un moyen dangereux. Qui pourrait tout aussi bien tirer son ami d'affaire que précipiter sa mort.

Usul avait raison. Yan réagissait exactement comme il l'avait prévu. Le jeune homme maudit intérieurement le dieu qui ne se trompait jamais.

La seule chance qu'il avait de guérir Grigán, c'était de faire appel à la magie. La magie de l'Eau. Une spécialité qu'il n'avait pas encore pratiquée. Pas même étudiée.

L'Eau est la vie, disait Corenn. *L'élément indispensable qui permet au corps de se mouvoir, et à l'esprit de raisonner.* Pour soigner le guerrier, Yan devait agir sur la composante Eau de son être. L'activer, la renforcer.

Cela était la théorie. Le jeune magicien n'avait jusque-là touché qu'à la composante Terre. Il ne savait absolument pas si l'Eau fonctionnait de la même manière.

Il décida de faire un simple essai. De simplement *effleurer* cette partie de Grigán. S'il pouvait discerner l'Eau en lui, alors il pourrait sûrement le soigner.

Il se concentra lentement, calmement, consciencieusement. Il perdit un à un tous ses sens: goût d'abord, puis odorat, toucher, ouïe et enfin vue. Tout ce qui n'était pas Grigán disparut de sa réalité. Yan ne se concentrait plus alors que sur l'essence du guerrier.

La complexité des composantes humaines l'enivra. Il n'avait jusque-là utilisé la magie que sur des objets inanimés. Pour la première fois, il se concentrait sur un être vivant. Il vit la Terre, la première composante qu'il ait appris à reconnaître. Mais il vit également les autres.

Il vit l'Eau, et sut immédiatement qu'il allait échouer. Ce n'était qu'une représentation spirituelle, mais il la vit comme une sculpture compliquée de glace sur laquelle filait une onde pure. Jamais il n'oserait utiliser sa Volonté contre quelque chose de si fragile. Pas avant d'en savoir plus.

Il vit le Feu. Le Feu qui dévore. Le Feu, la tendance de toute chose à devenir *autre chose*. Les chenilles en papillons. Les bébés en adultes. Les vivants en cadavres.

Le Feu de Grigán faisait fondre son Eau. Yan pensa pouvoir souffler ce Feu. L'atténuer. L'éteindre, peut-être. Mais que se passerait-il alors ? Il n'en avait aucune idée. Son ami en serait définitivement altéré. Jamais Yan n'oserait prendre cette responsabilité. Et Corenn l'avait mis en garde. La discipline du Feu était la plus dangereuse, bien qu'elle ait l'apparence de la plus facile. C'était celle de la magie noire.

Enfin, il vit le Vent. L'esprit de Grigán. Son âme, ses rêves, ses émotions, ses pensées… La plus complexe des disciplines. Yan le perçut comme un brouillard flottant au-dessus de la sculpture de glace. Il ne put résister à l'envie de l'effleurer, et fut aussitôt envahi par un flot d'images diverses. Ce fut comme une révélation. Et si… Si…

Quelque chose troubla sa concentration et la réalité s'imposa avec violence. Yan réalisa avec horreur qu'il avait laissé grandir sa Volonté pendant tout ce temps d'observation. Il lâcha simplement cette force accumulée contre un mur en se préparant à la *langueur* en retour.

Elle fut horriblement éprouvante. Pas réellement douloureuse ; ses sens se réveillaient toujours très brutalement, mais ce moment ne durait pas. En revanche, le froid et la faiblesse qui s'emparèrent de lui, souverains, inévitables, le firent penser qu'il allait peut-être en mourir…

Un peu de temps s'enfuit. Des échanges de force se firent entre son corps et le reste du monde. Le tout s'équilibra. Et son trouble passa.

Lana se tenait au seuil de la porte, le visage grave. Son regard allait du mur où s'était ouverte une brèche, au jeune homme pâle écroulé dans son fauteuil. Pour elle, tout cela n'avait duré qu'un instant. Mais pour Yan, cette expérience avait été l'une des plus éprouvantes de sa vie.

Une expérience qui en valait la peine.

* * *

— La Bibliothèque éclectique est interdite aux étrangers, annonça Sapone, confortablement installé dans un fauteuil assez large pour trois personnes. Je vois bien que ce genre d'argument compte peu pour vous, qui n'avez pas hésité à forcer ma porte. Mais cela n'en reste pas moins un problème.

— Dans nos pays étrangers, rétorqua Rey, il est de coutume d'ouvrir sa porte aux visiteurs qui s'y présentent.

— À Romine, messire *aventurier*, il est de coutume de ne rendre visite à personne avant d'y avoir été convié, rétorqua Sapone piqué au vif. Ainsi, chacun reste chez soi, et tout le monde y trouve son compte.

— Oublions cela, si vous le voulez bien, coupa Corenn. Comment procédez-vous d'habitude ? Comment y entrez-vous ?

— Oh ! Moi, je n'y suis jamais allé. L'endroit est *réellement* hanté, vous savez. J'y ai déjà perdu un bibliothécaire; je ne vais pas m'y risquer en personne. Celui qui travaille pour moi actuellement le fait depuis plus de dix ans. Je ne vois pas pourquoi je me livrerais aux spectres.

— Pourrions-nous rencontrer cet homme ?

Sapone fixa Corenn avec une moue étrange. On pouvait lire la cupidité sur son visage comme si le mot y était tatoué.

— Pas avant que nous ayons passé un accord. J'ai besoin de savoir exactement ce que vous comptez faire là-bas.

— Acheter un filet de pêche, bien sûr, railla Rey. Notre guérisseur n'en avait plus.

— Des recherches, reprit Corenn. En quoi cela vous concerne-t-il ?

— Moins de douze personnes bénéficient actuellement du privilège royal de visite de la tour Profonde. Elle est normalement interdite à tous, vous le savez, depuis que les spectres ont envahi ses couloirs. Elle est ainsi restée fermée pendant plus de cent cinquante ans.

« Jusqu'au jour où notre bon souverain, qui avait un grand besoin d'or pour garder ses provinces dans le royaume, eut l'idée de la mettre en vente. Pas dans son intégralité, bien sûr, personne ne pouvant s'acquitter de la somme qui ne pourrait être que gigantesque. Il la vendit étage par étage.

« Il ne trouva que huit preneurs. Je possède pour ma part la totalité du onzième étage de la Tour, ainsi que son contenu. J'ai payé ce privilège trois fois plus cher que ce manoir. Aussi devez-vous m'assurer que vous n'y ferez aucune dégradation.

Il prononça cette dernière phrase avec un regard hostile pour le chat Grenouille, qui jouait alors avec les franges d'un tapis. Léti s'en aperçut et tenta d'en éloigner le félin, qui prit la fuite dans une autre pièce.

— Vous avez ma promesse, maître Sapone, assura Corenn. Pouvons-nous maintenant rencontrer votre homme ?

— Parlons d'abord affaires, voulez-vous ?

Ainsi fut fait. Devant le spectacle du Romin marchandant distraitement avec la Mère, puis plus violemment avec Rey qui avait pris le relais, Léti songea que si les Loreliens étaient les spécialistes du commerce, les Romins ne leur devaient rien quant à la vénalité. Mais quand enfin ils furent tombés d'accord, Sapone les entraîna dans le labyrinthe des nombreux couloirs qui découpaient sa demeure, pour rencontrer son bibliothécaire personnel.

— Bien sûr, notre accord ne vaut que s'il accepte de vous escorter, précisa honnêtement le Romin.

— Mais… n'est-il pas votre employé ?

— C'est un fait. Mais il a un caractère un peu particulier… Je le supporte car il est, cela mis à part, très compétent.

Sapone s'arrêta enfin devant une grande porte gravée des habituels motifs d'aigle couronné.

— Maître Hulsidor ? appela-t-il en frappant doucement le bois. Puis-je vous déranger un instant ?

— Qu'est-ce que c'est, encore ? râla un personnage en ouvrant tout grand le passage. Qui sont ces étrangers ?

Corenn, Léti, Rey et Bowbaq se regardèrent avec surprise. Il semblait que le nommé Hulsidor soit le propriétaire du manoir, et Sapone son valet.

Le bibliothécaire était un petit homme courbé, affichant une malformation au visage qui lui donnait un air méprisant. Ses cheveux gris étaient coupés très court, au contraire de sa longue barbe taillée en pointe, où s'accrochait avec insolence un morceau de parchemin déchiré. L'homme arborait sans vergogne les symboles du dauphin gyole, indiquant ainsi sa qualité de Presdanien, lesquels étaient ouvertement hostiles aux Uraniens. Pour que Sapone supporte ainsi ces excentricités, Hulsidor devait être, en effet, très compétent.

— Pouvons-nous entrer un instant ? répéta Sapone.

Le bibliothécaire s'effaça en grommelant que si on continuait à le déranger sans arrêt, le travail n'avancerait pas beaucoup.

Les héritiers entrèrent à la suite de leur hôte dans sa bibliothèque personnelle. Elle n'était peut-être pas aussi importante que celle de Zarbone du Beau-Pays, mais bien mieux entretenue. Les volumes étaient parfaitement alignés sur des étagères impeccables, tous en bon état apparent. Une table de travail était encombrée d'ustensiles de reliure et de nettoyage, et laissant deviner qu'Hulsidor travaillait à la réfection de nouvelles acquisitions.

Sapone lui expliqua la situation avec tout le tact dont il était capable, implorant son employé de ne donner sa réponse qu'à la fin de son exposé. Celle-ci fut très claire.

— Non ! C'est trop dangereux. Les spectres sont excités, en ce moment. La dernière fois, un serre-collet a bien failli m'avoir. Et puis, vous allez tout me mettre sens dessus dessous !

— Nous ne vous causerons aucun ennui, maître Hulsidor, assura Corenn. Nous suivrons exactement vos consignes.

— Et puis, ce sont des étrangers ! Jamais Brulin ne les autorisera à passer !

— Qui est-ce ? demanda Rey.

— C'est l'unique garde posté de la Tour. Mais il n'est là que pendant la journée, assura Sapone.

— Quoi ! bondit le bibliothécaire. Vous n'êtes pas en train de suggérer de... *d'y aller la nuit ?* Vous êtes fous !

— J'ai négocié une caution pour vous, déclara le Romin, se voulant rassurant. Si vous mourez, dame Corenn ici présente me devra vingt-cinq monarques.

— Heureux pour vous ! Prenez une torche, et allez-y, alors ! Il n'est pas question que j'y descende la nuit.

Léti se fraya un chemin jusqu'à l'homme et lui prit la main avec douceur. Elle se composa une expression suppliante et planta son regard dans celui du bibliothécaire.

— Maître Hulsidor... S'il vous plaît, implora-t-elle.

L'homme feignit de l'ignorer pendant de longs instants, au cours desquels chacun garda le silence. Puis il finit par céder.

— D'accord, d'accord, dit-il à contrecœur. J'en profiterai pour faire un petit tour au neuvième; un confrère borné m'a toujours interdit d'y aller. Mais *je* dirige les opérations !

Léti planta une petite bise sur la joue du vieil homme et quitta la pièce, Grenouille sur ses talons. Les autres la suivirent des yeux avec admiration.

Rey ouvrit la bouche pour faire une plaisanterie, mais y renonça finalement. Il se mit en quête de Maz Lana.

* * *

Lana était entrée dans la chambre de Grigán et y avait découvert le jeune Yan en train de verser des larmes silencieuses. Elle l'avait appelé, mais il ne l'avait pas entendue. Il ne s'était aperçu de sa présence qu'un instant plus tard, et avait eu alors une expression affolée. Il avait tourné son regard vers le mur et une brèche s'y était ouverte. Il s'était alors évanoui.

Le temps qu'elle se précipite à ses côtés, il s'était réveillé. Faible, le regard vitreux, mais conscient.

— Tu pleurais, Yan, dit-elle sans raison.

Le jeune homme acquiesça. Il s'en était aperçu en revenant à la réalité. Il avait fait une erreur qui aurait pu être mortelle. *Ne te sers jamais de la Volonté sous l'emprise de la colère, de la souffrance, ou du vin*, avait prévenu Corenn. Maintenant, il savait pourquoi. L'esprit y perdait toute réserve et puisait trop de force dans le corps. Si Lana n'avait accidentellement interrompu sa concentration, Yan aurait pu ne pas survivre au choc en retour...

Il contempla la brèche qu'il avait ouverte dans le mur et rougit de confusion. Aucun des moellons n'était tombé, aussi cela avait-il été presque silencieux. Mais leur désagencement était plus qu'évident. Il n'avait aucune chance de cacher les dégâts avant qu'on ne les remarque. Il allait devoir confesser sa faute à Corenn... Il l'aurait fait, de toute façon.

Il revint auprès de Lana, déjà en prières. La Maz ne lui avait posé aucune question. Il apprécia sa discrétion. Après quelques instants d'hésitation, il s'assit à ses côtés, à même le sol, et se recueillit également. Il ne s'était pas adressé à Eurydis depuis la mort de Norine. Mais après avoir vu Usul, sa foi s'était renforcée. Les dieux existaient bel et bien. Et ils étaient à l'écoute des hommes.

— Il n'est pas en danger, Yan, annonça Lana après ce moment de méditation. À Ith, nous avons eu quelques cas de la maladie de Farik. Je n'ai jamais entendu dire que l'on pouvait en mourir.

Le jeune homme acquiesça tristement. La Maz était sincère, et cherchait à le rassurer. Mais Grigán souffrait de plus d'une morsure. Que fallait-il croire ?

— Usul m'a prédit... des choses, avoua-t-il enfin, le cœur battant. Plutôt désagréables. C'est cela, la malédiction du *savoir inhumain*. Je connais l'avenir, et je ne sais que faire pour le changer. En essayant, j'ai peur d'empirer les choses.

La Maz soupira et réfléchit quelques instants. Yan avait besoin d'elle. Il avait besoin d'Eurydis. Il avait besoin de paix.

— Un des poèmes du *Livre*, annonça-t-elle soudain, finit sur cette conclusion : *l'idiot est heureux, le sage vit longtemps*. J'en débats généralement pendant plusieurs décans avec mes élèves, mais je vais nous éviter cette longue discussion.

« L'enseignement que l'on peut en tirer est celui-ci. Chacun cherche le bonheur, Yan. Mais si l'idiot est heureux, c'est parce qu'il ne comprend pas son monde. Il se satisfait de sa condition, aussi misérable soit-elle. Il ne mène aucune lutte. Il accepte toutes les peines et toutes les tristesses, d'autant plus facilement qu'il en souffre peu, puisqu'il ne comprend pas leurs implications, et les oublie aisément. Mais l'idiot quitte ce monde jeune, car il ne sait même pas se battre pour sa propre survie. Il a traversé l'existence avec le sourire, mais sans y laisser de trace.

« Le sage cherche également le bonheur. Mais son bonheur est plus complexe ; il comprend aussi celui de sa famille, de ses amis, de son peuple, de l'humanité tout entière pour les plus grands. Son bonheur est plus difficile à atteindre, mais ô combien plus plaisant. Il est malheureusement rare qu'il l'atteigne complètement, mais chaque victoire l'emplit d'une joie cent fois plus méritoire que la paisible quiétude de l'idiot. Car le sage se bat, Yan. Il travaille. Il lutte pour son idéal et ne cède jamais au fatalisme.

« Yan, ne sois pas un sage vivant comme un idiot. On ne peut pas changer le passé… Mais l'avenir ? Vas-tu rester prisonnier d'un avenir que tu es seul à connaître ?

Yan se releva et fit quelques pas autour du lit de Grigán, une expression grave sur le visage. La Maz avait réussi à le troubler.

— Où sommes-nous ? lança soudain Grigán d'une voix pâteuse, en se redressant à moitié. Où sont les autres ?

Yan sourit à Lana et se précipita dans le couloir. Il fallait annoncer la bonne nouvelle. Il fallait réagir. Il fallait se battre.

Il fallait absolument, aussi, qu'il parle à Bowbaq. Ce qu'il avait pressenti pendant sa concentration méritait des éclaircissements. S'il avait raison… Yan allait pouvoir étudier une nouvelle spécialité de la magie.

* * *

Zamerine attendait son maître dans la tente des officiers. Le Zü avait, une fois de plus, contesté une décision stratégique de Gors le Douillet, le chef de leur armée de barbares. Cette convocation n'était sûrement pas sans rapport. Le judicateur prit patience en s'efforçant de ne pas imaginer la colère de Saat. Il ne voulait plus jamais avoir à affronter cela.

Il fit quelques pas au hasard, en caressant nerveusement le manche de sa *hati*. Mais la dague empoisonnée ne lui serait d'aucune aide contre son maître. Saat ne souffrait pas des blessures. Il semblait ne souffrir de rien. Pas même de la fatigue. À la réflexion, Zamerine ne l'avait jamais vu dormir. Contrairement à son « fils », qui ne quittait leurs quartiers personnels qu'à de rares occasions.

Du dehors provenaient les chants des esclaves, chants de gloire et d'adoration pour le dieu qu'on leur avait imposé. Ils avaient été écrits par Chebree, la reine barbare promulguée Emaz par la volonté de Saat. À l'écoute des textes, on avait du mal à croire qu'ils fussent l'œuvre d'une femme. Mais Sombre était Celui qui Vainc, celui qui conquiert, celui qui règne. Pas un dieu compatissant.

Le bruit courait que Chebree était devenue la maîtresse de Saat. Zamerine avait ordonné que l'on punisse ceux qui répandaient ces rumeurs, bien qu'elles fussent peut-être vraies, et que cela n'ait guère d'importance, en définitive. Peut-être avait-il agi par jalousie. Le judicateur n'avait jamais été très porté sur les plaisirs de la chair, mais Chebree était la première femme qu'il rencontrait digne de son intérêt. Saat avait déjà tellement de concubines... N'aurait-il pu lui laisser celle-ci ?

Le maître fit enfin son apparition et le Zü se raidit. Comme toujours, il portait une épaisse cotte de mailles, ainsi qu'un heaume goranais ceint d'un bandeau noir. Zamerine ne l'avait jamais vu vêtu autrement. Il n'avait jamais vu son visage. Ceux qui avaient essayé étaient morts sur la carène, ou emmurés vivants, selon la punition favorite du Haut Dyarque.

Le Zü n'avait vu que sa main, à une unique occasion. Une main ridée et tachée par les années. Une main de vieillard centenaire, mais aussi vigoureuse que celle d'un homme dans la force de l'âge. La main d'un mort qui s'agrippe à la vie.

— Mon fidèle Zamerine, commença Saat avec une pointe de mépris. Vous allez envoyer quinze de vos hommes à Ith. Nous aurons bientôt du travail pour eux.

— Quinze ? ne put s'empêcher de s'étonner le Zü, avant de se reprendre : bien, maître.

— Ce sera tout. Exécution.

Le judicateur ne sortit pas pour autant. Saat lui paraissait dans de meilleures dispositions que de coutume. C'était peut-être le moment d'en apprendre un peu plus sur ses projets…

— Quelles consignes dois-je leur donner ?

— Aucune. Ils attendront simplement un signal, que vous donnerez lorsque je l'aurai décidé. Nous allons nous débarrasser une fois pour toutes des derniers fugitifs, ajouta-t-il, la voix tendue.

— Maître… insista Zamerine. Comment savez-vous qu'ils viendront à Ith ? D'où proviennent ces informations ?

Le Zü détailla le heaume ouvragé, figé à deux pas de son visage. Quelle expression pouvait bien avoir l'accusateur, derrière son masque d'acier ? Méprisante ? Amusée ?

Courroucée ?

Zamerine fit inconsciemment un pas en arrière, bien que ce fût inutile. Saat pouvait prendre le contrôle de son corps et l'obliger à se planter lui-même sa *hati* dans le cœur.

— *Je ne sais pas* qu'ils viendront à Ith, corrigea le Haut Dyarque. Je sais seulement qu'ils ont, pour l'instant, *l'intention* de s'y rendre. En fait, ils sont actuellement à Romine, mais le Vieux Pays est trop loin pour y envoyer vos petits hommes rouges à temps.

— Vous pouvez… Vous pouvez lire dans les pensées… à cette distance ? articula le Zü, stupéfait.

Saat mit ses poings sur ses hanches et dévisagea son subordonné sans répondre. Zamerine comprit qu'il était temps de partir. Et que jamais, jamais il ne trahirait son maître.

* * *

Hulsidor refusait catégoriquement de lancer l'expédition pour la tour Profonde cette même nuit, aussi l'aventure fut-elle remise au lendemain. Corenn espérait que cela n'était pas qu'une mauvaise excuse, et qu'ils parti-raient effectivement à la nuit suivante. D'autant plus que le prétexte invoqué par le bibliothécaire tenait plus de la superstition que du raisonnement.

Selon lui, en effet, les spectres censés hanter la bibliothèque étaient plus dangereux aux octes qu'à n'importe quel autre jour. À rabâcher ainsi ses craintes, il finit par effrayer pour de bon le crédule Bowbaq et la craintive Lana. Corenn elle-même avoua perdre de son assurance. Les autres, s'ils étaient émus, gardèrent cela pour eux.

Les héritiers discutaient de tout cela dans la chambre de Grigán, où le guerrier promptement rétabli faisait les cent pas en bouillant d'impatience. Esclave de son tic, il portait parfois la main à sa moustache, avant de se rappeler sa disparition. Il reprenait alors son va-et-vient avec encore plus de nervosité.

Corenn écoutait les conversations en promenant ses regards entre Yan et le mur fissuré. Elle regardait l'un avec réprobation, et l'autre avec consternation. Le jeune homme songea qu'il aurait bientôt droit à un sermon. Il se demandait surtout s'il allait oser *tout* raconter de cette expérience.

— Dire que nous allons perdre encore une journée, maugréait Grigán. J'aimerais que l'on puisse se passer des Romins pour entrer dans cette bibliothèque !

Ses amis acquiescèrent silencieusement. Ils en avaient déjà parlé, et étaient parvenus à la même conclusion. Ils avaient besoin d'un guide, ne serait-ce que pour les mener aux bons rayons.

— J'espère au moins que ça ne sera pas inutile, poursuivit le guerrier. Je n'y entends rien aux bibliothèques, mais ça me surprendrait beaucoup qu'on en apprenne plus en *une nuit* sur Nol, les portes et le Jal'karu, que ce que nos ancêtres ont récolté en *un siècle*.

— La tour Profonde est fermée depuis *plus* d'un siècle, rappela doucement Corenn. Et c'est la plus grande bibliothèque du monde connu. Imaginez quels trésors de connaissance elle doit conserver... Elle renferme des ouvrages plus vieux que Romine elle-même !

— Mouais.

Grigán avait du mal à partager l'intérêt de la Mère. Après ce repos inhabituel pour lui, qui récupérait déjà vite en temps ordinaire, il ressentait plutôt un grand besoin d'action. Sa fièvre était passée, sa faiblesse disparue. Il se sentait en pleine forme.

Il réfléchit à quoi il pourrait bien s'occuper. Et son regard tomba sur Léti.

— On reprend les cours, damoiselle ?

La jeune femme bondit sur ses pieds en souriant et précéda Grigán dans le couloir.

Juste avant de quitter la pièce, le guerrier s'immobilisa soudain devant Yan. Il lui semblait se souvenir... Pendant qu'il dormait... Une présence...

Le jeune homme lui rendait son regard avec étonnement. Grigán secoua la tête, embarrassé, et partit à la suite de son élève.

* * *

Yan s'isola avec Bowbaq jusqu'à la fin du jour, si bien que Corenn n'eut pas l'occasion de lui demander des éclaircissements sur l'apparition de cette brèche dans le mur, qu'elle supputait être le résultat d'une mauvaise manipulation. C'était une chance que Sapone, dans ses efforts pour ignorer ses visiteurs, ne se soit pas encore aperçu des dégâts. Il les aurait jetés à la rue après avoir exigé réparation.

Il n'était pas dans le caractère de la Mère de tancer son élève, et elle n'en avait aucunement l'intention. Elle désirait simplement apprendre ce qui s'était passé, et réexpliquer, le cas échéant, certains des principes de la Volonté que Yan aurait mal assimilés.

Le lendemain ne lui fournit pas de meilleure occasion. Yan s'isola de nouveau avec Bowbaq dans l'une des nombreuses pièces du manoir, sans donner aucune explication. Tous deux étaient très excités. Les héritiers, qui n'avaient pas vu le jeune homme sourire depuis leur incursion sur l'île Sacrée des Guoris, choisirent de laisser leurs amis travailler tranquillement à leur projet secret.

Chacun s'occupa de son mieux jusqu'au soir. Grigán conseilla de prendre du repos en prévision de la nouvelle nuit blanche qui les attendait. Mais lui-même n'en tint aucun compte. En fait de convalescence, le guerrier redoublait d'énergie. Il nettoya, aiguisa et graissa toutes les armes des membres du groupe. Puis vérifia l'équipement. Enfin, trop impatient pour supporter l'attente, il décida de se rendre en ville pour préparer leur voyage prochain vers Ith. Comme il maîtrisait très mal le romin, Rey se proposa de l'accompagner, et Léti se joignit finalement à eux.

Maz Lana passa plusieurs décans en discussions théologiques avec Sapone. Sa patience était louable, car si la prêtresse écoutait consciencieusement les récits louant Odrel, Celui qui Pleure, le Romin ne faisait aucun effort pour seulement *entendre* les principes de la Morale eurydienne. Mais «*graine au vent parfois donne arbre*», songeait la Maz. Le Romin méditerait peut-être sur ses paroles, lentement, jour après jour, et même s'il ne devenait pas un fidèle de la déesse, peut-être tendrait-il vers l'une au moins de ses trois vertus: *Savoir, Tolérance, Paix*.

Elle se souvint alors que son ancêtre, Maz Achem, avait contesté cette théorie à son retour de l'île Ji. *Les prêtres devaient se lancer dans une croisade de conversion massive*, prétendait-il. *Et anéantir les cultes démonistes, au besoin par la force.*

Bien sûr. Il avait vu le Jal'karu…

Restée seule, Corenn décida de poursuivre la rédaction de son journal. Cet exercice l'aidait à faire le tri dans les multiples éléments en jeu dans leur quête. Ils connaissaient maintenant leur ennemi. Mais cela avait soulevé d'autres questions. Comment expliquer qu'il soit toujours vivant ? Pourquoi cet acharnement à les exterminer ?

D'où venaient ses pouvoirs ? *Quelle était leur étendue ?*

Il semblait qu'ils ne trouveraient les réponses qu'en perçant le mystère des portes. Et cela, ils le pourraient peut-être à la nuit tombée. Dans la tour Profonde.

Corenn s'enquit ensuite d'Hulsidor, les renseignements du bibliothécaire pouvant l'aider à mieux organiser ses recherches. Mais l'homme s'était barricadé dans son étude et refusa de voir quiconque, prétextant que sa préparation était longue et difficile, et qu'il avait besoin qu'on le laisse en paix, sangdieu ! La Mère n'insista pas.

Grigán, Léti et Rey revinrent à la fin du jour, très satisfaits. L'acteur avait rencontré l'un de ses confrères, un artiste pauvre et pourtant passionné par son métier, en qui l'on pouvait donc avoir toute confiance. La troupe de bateleurs dont il faisait partie devait partir deux jours plus tard pour la ville du Pont, en Lorelia, pour les fêtes du Jour de la Terre. Ils avaient accepté sans hésiter la proposition de Grigán de les accompagner. La route du val Humide et des monts Brumeux n'était pas des plus sûres, et les effets guerriers de Léti et Grigán en devenaient rassurants. Quant à eux, les héritiers y gagnaient une couverture, leur troupe hétéroclite l'étant un peu moins au milieu de musiciens, de jongleurs et d'amuseurs.

Rey avait aussi rapporté à Lana des vêtements de rechange. La robe aux symboles eurydiens de la Maz était beaucoup trop voyante dans la capitale du Vieux Pays. L'acteur avait donc pris sur lui, avec sa fortune toute neuve, de constituer un trousseau de voyage à leur amie.

Lana fut très embarrassée, d'abord parce qu'elle n'avait pas l'habitude de recevoir des cadeaux, ensuite parce que ces nouveaux vêtements lui paraissaient horriblement indécents. Elle ne sut jamais que, sans les objections de Grigán et de Léti, Rey les aurait choisis encore plus courts. Elle le remercia donc avec sincérité mais différa toute séance d'essayage.

La nuit tomba et les héritiers s'attablèrent dans les communs, où Sapone les avait relégués. Le maître des lieux n'entendait pas partager sa table avec des étrangers dont il souffrait mal la présence, et qu'il aurait déjà fait jeter en prison s'il n'était tenu par leur accord. Yan et Bowbaq sautèrent le repas, ainsi qu'Hulsidor, toujours bouclé dans son étude. Il régnait une étrange ambiance à table, cette nuit-là…

Yan vint finalement quérir Corenn, avec une étincelle d'excitation dans les yeux. La Mère le suivit avec curiosité. Elle avait imaginé beaucoup de choses, mais pas que son élève lui donne une leçon de magie, comme il arriva.

* * *

Bowbaq regarda Corenn prendre place en face de lui et ne put s'empêcher de rougir. Il était convaincu que ce dont Yan et lui discutaient depuis la veille était *impoli*.

Corenn avait espéré deviner en découvrant la pièce où ils s'étaient isolés, mais celle-ci ne comportait rien de plus que du mobilier ordinaire… et le chat nain Grenouille, que Léti leur avait confié. Bowbaq et Yan n'avaient tout de même pas passé tout ce temps à discuter ? Et de quoi ?

Le jeune homme avoua à la Mère qu'il avait laissé son esprit se concentrer sur celui de Grigán, sans toutefois s'expliquer sur ses raisons. Bien lui en prit, car la magicienne fut suffisamment choquée comme ça.

— C'était stupide et inconscient, Yan, dit-elle sans colère. À quoi jouais-tu ? En faisant la moindre manipulation sur Grigán, même temporaire, tu aurais pu le tuer ! Il te reste tellement de choses à apprendre… Et toi, tu essayes ta magie sur un humain, ce que moi-même je n'ai jamais fait !

— Je regrette, avoua sincèrement le jeune homme. Je sais que j'ai eu tort. Mais on dit bien : *les maladroits font les découvreurs, les fous font l'histoire ?* Eh bien, je crois avoir découvert quelque chose, conclut-il en souriant.

La Mère ravala la suite de son sermon, le remettant à plus tard. De toute manière, pour que celui-ci soit constructif, elle aurait à choisir ses mots. Ce délai l'y aiderait.

— Pendant ma concentration, je *voyais* quelque chose, commença Yan. Ce n'était plus Grigán, ou plutôt, c'était lui sous une forme symbolique. C'est assez difficile à expliquer… Jusqu'à présent, en m'entraînant sur une pièce, je ne percevais qu'une masse plus ou moins informe, comme un tas de sable que je pouvais modifier à ma guise. Avec Grigán, c'était plus complexe. On aurait dit… une sorte de sphère.

— Que dis-tu ?

Corenn s'était levée sous l'effet de la surprise. Si elle n'avait connu Yan aussi bien, elle aurait pensé qu'il s'agissait d'une farce.

— Heu… Oui, une sorte de sphère transparente… J'ai fait quelque chose de mal ? s'inquiéta le jeune homme.

— Qu'y avait-il, dans cette sphère ? Que voyais-tu ?

Yan hésita avant de répondre. Il ne parvenait pas à lire sur le visage de la Mère si cette nouvelle la réjouissait ou la contrariait. Cet épisode ne représentait pourtant qu'une introduction à sa révélation !

— Heu… C'est un peu bizarre. Je crois que j'en ai imaginé une grande partie. Il y avait une sorte de pyramide de glace posée sur du sable. Du feu sortait du sable et faisait fondre la glace, créant ainsi de la fumée dans le haut de la sphère. Je me suis dit que… ça pouvait être les quatre composantes. Ou plutôt, mon interprétation des quatre composantes.

— Et la sphère représente le *récept*, s'exclama la Mère en souriant. Tu as parfaitement raison ! Tu as vu *l'essence sublime* !

Yan soupira de soulagement. Heureusement, il ne s'agissait pas d'une nouvelle bêtise. La nouvelle semblait même excellente.

La Mère fit quelques pas autour de la table pour se calmer et prendre le temps de réfléchir. Mais elle avait communiqué son impatience au jeune homme.

— De quoi s'agit-il ? Vous ne m'en avez jamais parlé.

— J'avais l'intention de le faire un jour. Mais la chose n'était pas si pressée. En principe, ce n'est que de la théorie. Certains des plus grands mages des siècles passés ont décrit cette *essence sublime* comme tu viens de le faire. Il leur a fallu une vie de travail pour parvenir à ce niveau spirituel. *Toute une vie*, Yan.

Le jeune homme ouvrit de grands yeux surpris. La chose ne lui avait pas semblé si difficile. Qu'allait dire Corenn de la suite ?

— L'essence sublime n'est qu'une interprétation mystique, sans logique pour les profanes. Mais les rares personnes capables de la percevoir la décrivent tous de la même manière, ce qui lui donne son importance. C'est la meilleure preuve de la puissance de ta Volonté, Yan, conclut la Mère avec admiration.

Les deux magiciens se firent face pendant quelques instants. Chacun ressentait à la fois gratitude, espoir, mais aussi crainte devant un tel pouvoir.

— Excusez-moi… intervint Bowbaq. Je n'ai pas compris grand-chose, alors… Yan est-il erjak, ou pas ?

— Quoi !

— J'ai essayé de lui décrire comment je faisais, expliqua le géant, et il a fait la même chose pour sa magie. Mais ni l'un ni l'autre n'osons essayer… Tu penses que c'est possible, amie Corenn ?

— Mais de quoi parlez-vous ! s'étonna la Mère, n'osant croire à ce qu'il suggérait.

— Mais de Volonté, bien sûr ! reprit Yan. À sa manière, Bowbaq est un spécialiste du Vent. Vous pouvez certainement lui apprendre la Terre, et lui-même peut nous apprendre à lire dans les esprits !

Corenn observa le visage du jeune homme, puis s'assit pour mettre de l'ordre dans ses idées. En quelques instants, Yan venait de bouleverser tout ce qu'elle tenait pour acquis dans le domaine qui était le sien : la magie.

— J'ai eu cette idée en effleurant la… l'*essence sublime* de Grigán, continua son élève. Il m'a semblé que je touchais son esprit. Qu'en allant plus loin, je pourrais lire ses pensées. Visiter ses rêves.

— Il m'a demandé de lui expliquer ma méthode, poursuivit Bowbaq. J'ai eu beaucoup de mal à trouver les bons mots… Yan dit que ça ressemble à ce qu'il a vécu. Corenn, tu penses qu'il peut être erjak ?

Le regard de la Mère allait de l'un à l'autre. Deux enfants, inconscients, avec un nouveau jouet.

— Vous rendez-vous seulement compte, répondit-elle en souriant, que vous venez de révolutionner la magie ?

Bowbaq songea que c'était sûrement impoli, que cela allait lui porter malheur. Yan attendit, confiant, les commentaires de son professeur.

— La spécialité du Vent a toujours été la plus méconnue, expliqua Corenn avec gravité. La discipline la plus complexe. Qui peut se vanter de connaître les émotions humaines, la nature de l'âme, les errances de l'esprit pendant le sommeil, ou après la mort ? Jusqu'à présent, les magiciens s'en réclamant n'étaient que des illusionnistes. Ils intervenaient sur l'esprit pour déformer temporairement sa perception, avec plus ou moins de réussite. J'allais t'apprendre à faire cela, Yan. Mais toi, tu es allé beaucoup plus loin. Tu as vu l'essence sublime. Tu es assez puissant pour cerner un esprit dans son intégralité. Tu as donc, logiquement, le pouvoir des erjaks…

— Je ne sais ni ne vois rien de toutes ces choses, rappela Bowbaq, et pourtant mon pouvoir fonctionne…

— Celui de Yan est infiniment plus fort, expliqua Corenn avec gravité. En théorie, il peut faire beaucoup plus que lire dans les pensées. Il peut les contrôler.

Un silence pesant suivit la réponse de la Mère. Cette idée était loin d'enthousiasmer le jeune homme. *La magie ne place pas les magiciens au-dessus des autres*, lui avait dit Corenn récemment. *Elle les en rend responsables.* Et sa responsabilité venait d'augmenter de façon démesurée.

— Cela signifie aussi que tu peux devenir magicien, Bowbaq, reprit la Mère. Je pourrai t'apprendre, si tu le désires…

— Je suis obligé ? demanda timidement le géant.

— Non, bien sûr que non !

— Alors, j'aime autant pas, amie Corenn. J'ai peur de n'y jamais rien comprendre. Et ça me paraît beaucoup trop dangereux.

Ses compagnons ne démentirent pas. Même avec une puissance inférieure de moitié à celle de Yan, chaque erreur serait fatale.

La porte s'ouvrit soudain, le temps qu'il fallait à Hulsidor pour y passer la tête et les interpeller sans courtoisie.

— Ceux qui ne sont pas dehors dans deux décilles resteront ici, je vous préviens.

Les héritiers se levèrent aussitôt pour quérir leurs affaires. Il était entendu que l'hospitalité de Sapone prenait fin dès ce moment.

Corenn prit tout de même le temps de faire une dernière recommandation à son élève.

— Davantage de pouvoir implique aussi plus de risques, Yan. Promets-moi de ne plus tenter de telles expériences en mon absence.

— N'ayez crainte. Celle-ci m'a servi de leçon.

— Encore un mot… As-tu *lu* quelque chose dans l'esprit de Grigán ? Ou simplement pensé pouvoir le faire ?

— Je n'ai rien vu, répondit Yan après un instant d'hésitation. Rien de particulier.

Il détestait mentir. Mais, malgré sa naïveté, il savait être une mauvaise idée de révéler que Grigán pensait à une femme.

Une femme qui n'était pas Corenn. Une femme du peuple ramgrith.

* * *

Le bibliothécaire s'était dessiné sur le visage, les mains et les bras des signes cabalistiques aux motifs compliqués. Il portait le haut d'une cotte de mailles sous ses vêtements, ainsi qu'une calotte d'acier maintenue par une chaîne. Enfin supportait-il dans son dos le poids d'une épée plus longue encore que celle de Grigán.

— Vous pensez vraiment avoir besoin de cela ? s'enquit Rey, avec une pointe de cynisme.

— Bien sûr, répondit l'autre très sérieusement. Comment voulez-vous faire un travail de bibliothécaire efficace, sans une longue épée ?

— Évidemment, concéda l'acteur en gardant son sérieux.

Hulsidor haussa les épaules et sortit du manoir, par la porte de derrière, comme l'avait demandé Sapone. Les héritiers lui emboîtèrent le pas avec appréhension.

— Ce Romin est fou, glissa Rey à l'oreille de Lana.

La Maz ne parvint pas à comprendre pourquoi cela amusait tant son ami. Elle vérifia que les attaches de ses nouveaux vêtements étaient bien fermées. C'était la première fois en plus de quinze ans qu'elle portait autre chose que la robe des prêtres eurydiens.

— Y'a du brouillard, maugréa Hulsidor en constatant l'évidence. Nous serons plus tranquilles pour traverser la ville, mais les muses-pétoches vont s'en donner à cœur joie.

— Ce sont des spectres ? s'enquit Bowbaq, déjà effrayé.

— Une espèce, seulement. Il y a aussi les serre-collets, les caram-bouilleurs, les croque-la-tête et j'en passe. Les hurleuses, aussi. Je déteste les hurleuses. Essayez de ne pas énerver d'hurleuse.

Le géant songea qu'il allait proposer de garder la porte. Qu'on lui donne un adversaire *humain*, même un Zü, et il courrait au combat. Mais affronter des *spectres*… L'ambiance glauque des rues de Romine nappées de brouillard n'était pas pour le rassurer. Ni lui ni ses compagnons, d'ailleurs. Ils parlaient beaucoup pour éviter de se laisser aller à leurs angoisses.

— Mais pourquoi s'incrustent-ils, ces morts ? s'enquit Rey en plaisantant. Ils n'ont rien de mieux à faire ?

— Demandez-leur, si vous voulez. On dit qu'à force de creuser toujours plus profond dans la Tour, mes collègues ont fini par trouver la vieille bibliothèque de Romerij, ce qui était la raison d'être de ces travaux. Au début, c'était joie et compagnie. Mais y'a rapidement eu des manquants dans le personnel, et des corps vaporeux dans les couloirs. Ce qu'ils auraient dû faire tout de suite, si vous voulez mon avis, c'est fermer ce trou. Au lieu de ça, deux ans après, c'est tout le bâtiment qu'ils ont dû murer.

Grigán et Corenn se regardèrent d'un air entendu. *Toutes les connaissances humaines.*

— Ces spectres sont donc réellement si dangereux ? demanda Lana d'une voix timide.

Hulsidor s'arrêta et la fixa pendant quelques instants.

— Si vous n'en êtes pas convaincus, je refuse de descendre. La Tour n'est pas une bibliothèque comme les autres, vous savez. On ne va pas se promener, là. Peut-être même qu'on aura à se battre.

— Réellement ? ne put s'empêcher le fier Grigán. Nous ferons de notre mieux pour ne pas vous gêner, maître bibliothécaire.

Le Romin reprit sa marche en boudant. Il avait bien saisi la raillerie, mais était assez intelligent pour ne pas défier un guerrier ramgrith à l'air susceptible.

— Que peuvent faire des armes contre des spectres ? demanda Yan. Puisqu'ils sont déjà morts…

— Ça leur fait assez mal pour les tenir à distance, en tout cas. Suffit d'avoir toujours un œil dans le dos. Sauf avec l'*écornifleur*, évidemment… Là, le tout est de l'entendre assez tôt pour pouvoir s'enfuir. Au quinzième, ils ont déjà perdu trois hommes. Quatre étages seulement sous le mien ! Eh oui, plus on est bas, plus il est difficile de remonter rapidement… J'envie parfois mes collègues des premiers niveaux. Mais leurs livres manquent d'intérêt.

— À quoi ressemble cet « écornifleur » ?

— Je n'en sais rien. Il me suffit de l'entendre crier pour me faire une idée de ses crocs. Si je vous ordonne de courir, faites-moi confiance et galopez jusqu'à la surface sans vous retourner. Certaines curiosités ne sont pas bonnes à satisfaire.

Yan acquiesça pensivement à cette réflexion pleine de sagesse. Il en avait déjà fait l'expérience.

* * *

Le jeune maître se réveille. Le jeune Dyarque, comme chacun le répète dans les compagnies, sans connaître la signification du mot. Il leur suffit de savoir que l'autre Dyarque est celui devant qui se prosterne Gors le Douillet, pour considérer le jeune homme avec beaucoup de respect et une certaine crainte superstitieuse.

On dit qu'il serait le fils du Haut Dyarque. Certains prétendent qu'ils pourraient très bien être une seule et même personne, puisque l'un est constamment reclus dans sa tente — ou son chariot lorsque l'armée se met en marche — et que l'autre n'enlève jamais son heaume. Ceux qui répandent ces rumeurs finissent toujours par le regretter, quand on les ligote à la carène. Le Haut Dyarque entend *toutes* les rumeurs.

Le jeune maître se lève et se dirige à pas lents vers le campement des concubines. Son ami vient de l'y appeler. Sans prononcer un mot ou envoyer un messager. Simplement, d'esprit à esprit. Comme il le faisait toujours. Comme il était seul à pouvoir le faire. Une voix plus forte dans le vacarme mental de milliers d'autres.

Deux *gladores* de la garde d'élite le suivent à distance respectueuse. Ils ont appris à ne le gêner d'aucune façon. Ils ne lui parlent pas. Ils ne parlent même pas entre eux. Ils s'effacent complètement. Leur présence est de toute manière inutile, puisque personne n'aurait l'envie ou l'idée de s'attaquer au jeune Dyarque. Les gladores ne sont là que pour le prestige.

Ils ignorent leur destination jusqu'au dernier moment. Le jeune maître entre dans l'un des bâtiments encore intacts du dernier village rasé par leur armée. On y a enfermé une sélection de nouvelles esclaves. Certaines s'ajouteront aux nombreuses concubines du Haut Dyarque. Les autres… ne pourront que s'en réjouir. En tant qu'esclaves, elles peuvent espérer survivre plusieurs lunes, avec l'aide des dieux. Alors que la plupart des concubines s'ôtent la vie après quelques décades seulement.

L'atmosphère est encore lourde de sueur… et de *peur*. Six femmes étaient enfermées ici. Deux sont mortes. Une troisième gît sur le côté, les yeux fixes, bavant sur sa joue. Les autres se tiennent serrées contre un mur. Leur viol est également *mental*.

Le Haut Dyarque se tient au milieu de la pièce, ignorant de ces malheurs, insensible à ces vies brisées à jamais. Il attend simplement le jugement de sa créature. Alors le jeune maître sonde les corps des survivantes. Cela ne prend qu'un instant. Et il secoue la tête en signe de négation.

Saat s'emporte et lance sa colère contre l'aliénée, qui y succombe immédiatement. Le Haut Dyarque n'a fait que la désigner du doigt. Mais l'esprit de l'esclave s'est éteint à jamais.

Cela ne suffit pas à l'apaiser et il livre les trois autres femmes à sa créature, qui prolonge leur agonie pendant plus d'un décime. Les gladores ne voient que trois esclaves se tordre de douleur sous le regard distrait de leur jeune maître. Mais Saat admire l'exercice d'un pouvoir qui déjà surpasse de dix fois le sien.

Il frémit d'aise en songeant que cette puissance augmente de jour en jour. Et qu'elle est totalement sous son contrôle.

* * *

— On arrive, annonça le bibliothécaire à la cantonade. Essayez de ne pas faire trop de bruit.

— Pourquoi ? Vous pensez que les spectres sont en train de dormir ? persifla Rey.

— Les spectres, je ne sais pas, mais le gardien, sûrement, s'irrita Hulsidor. Nous allons passer juste devant chez lui, alors silence !

Les héritiers dépassèrent donc la dite maison et s'approchèrent de la tour Profonde sans échanger d'autre parole. En fait de tour, celle-ci n'avait pas plus de cinq étages au-dessus du sol, et si ce n'était son grand âge et son état d'abandon, elle n'avait rien de plus extraordinaire que les autres bâtisses de la ville mangée par le brouillard.

Yan observa avec quelles précautions le bibliothécaire progressait vers l'entrée. Le Romin ne quittait pas des yeux les petites fenêtres murées au siècle précédent. Il semblait prêt à fuir à la moindre alerte.

— Les spectres peuvent sortir de la Tour ? demanda le jeune homme innocemment.

— Je n'en sais rien, justement ! avoua Hulsidor. Ils ne l'ont jamais fait en journée, mais est-ce que ça prouve quelque chose ? La nuit, ils s'enhardissent. Peut-être même que l'écornifleur nous attend derrière la porte !

— Comment savez-vous qu'ils s'enhardissent ? s'étonna Corenn.

— Ils mettent la pagaille dans mon classement. Ils peuvent déplacer plus de livres en une nuit que moi en une décade.

— Ça va être pratique pour nos recherches… commenta Rey.

La porte principale était ornée de représentations de l'aigle couronné de Romine. Hulsidor l'ignora pour entraîner les héritiers vers une autre, moins imposante et plus discrète.

— La grande est complètement bloquée, expliqua-t-il. Même si quelqu'un savait où se trouve la clé, il n'est pas certain qu'on réussirait à l'ouvrir.

L'autre entrée était plus praticable. Il s'agissait d'une simple porte en bois au bas d'un petit escalier, menant directement aux étages inférieurs : les caves de la tour Profonde.

— C'est une entrée réservée aux bibliothécaires, précisa-t-il. Je veux dire qu'elle l'était déjà, *avant*.

— Qu'est-il écrit sur la plaque de la porte ? s'enquit Lana.

Bien que très lettrée, la Maz maîtrisait mal le difficile alphabet romin, comme la plupart des étrangers à ce pays. Hulsidor lui fit une traduction sans même regarder le texte.

— À votre avis ? Une interdiction, de provenance royale, doublée d'un avertissement. Je suppose que malgré cela, vous ne changerez pas d'avis ? demanda l'homme avec peu d'espoir.

Corenn fit un signe de négation, après avoir examiné la plaque. Elle en connaissait assez de la langue romine pour confirmer la traduction de leur guide.

— Tant pis. Nous allons donc descendre. Je passerai le premier, mais vous n'avez pas intérêt à me bloquer la sortie. Considérez les spectres comme une harde de loups. Si vous montrez que vous avez peur, ils attaqueront. Si vous vous montrez agressif, ils attaqueront. Ne parlez pas : murmurez. Ne courez pas : marchez sans hâte. Évitez-les, mais ne les quittez pas des yeux. Si l'un d'eux vous taquine, éloignez-vous docilement. S'il insiste, alors prévenez-moi et remontez. S'il commence à chanter, ou s'il a une drôle d'odeur, c'est qu'il a faim. Alors surveillez votre dos. Ils s'y entendent pour attaquer en groupe.

— Je vais peut-être rester ici, Corenn, annonça Bowbaq d'une voix timide. Je ne sais pas lire, je ne servirai pas à grand-chose…

— Pas question ! s'insurgea le bibliothécaire. Il fallait y penser avant. N'importe qui pourrait vous voir et me dénoncer !

— Il vaut mieux que nous restions ensemble, confirma Grigán. Rappelle-toi Junine.

Le géant songea avec effroi au Mog'lur qui les avait attaqués dans le palais de Séhane. Il n'avait aucune envie de côtoyer des spectres, mais il redoutait plus encore d'attendre *seul*, dans cette nuit embrumée, le retour de ses amis. Il se crispa sur sa masse d'armes et acquiesça, indiquant ainsi qu'il les suivrait.

Hulsidor vérifia que les signes cabalistiques qu'il s'était dessinés sur la peau n'étaient pas effacés. Pris d'une soudaine inspiration, il sortit une plume et un encrier de voyage de sa besace, et traça un motif compliqué sur la main de Léti, sans fournir aucune explication. La jeune femme se laissa faire docilement. L'homme rangea ensuite son matériel sans proposer le même service aux autres.

— Taisez-vous, maintenant, cracha-t-il d'un ton aigri. Et faites exactement ce que je vous dis.

Le bibliothécaire fit jouer une petite clé dans la serrure et poussa doucement la porte, prêt à la refermer à la moindre alerte. L'intérieur était, évidemment, complètement sombre. Il empoigna son épée et ouvrit plus grand.

Deux piles de manuscrits s'écroulèrent bruyamment dans l'obscurité, les faisant tous sursauter. Une forme blanchâtre s'éloigna avec un ricanement malveillant.

— Ils préparent souvent des farces derrière la porte, expliqua le Romin. Rien de bien dangereux, quand on a l'habitude. Mais faites attention dans les rayons.

Les héritiers suivirent le bibliothécaire à l'intérieur en échangeant des regards soucieux. Pour le reste des Hauts-Royaumes, les spectres de la tour Profonde n'étaient qu'une légende, à ranger avec l'oiseau de vérité, la fontaine de Trusset ou le Mèlelune. Cette légende paraissait ici bien réelle !

Le Romin alluma d'autres lampes, qu'il remit à chacun des membres du groupe. Cette première salle leur apparut donc bientôt dans son intégralité. Toutes les cloisons en avaient été abattues, permettant ainsi de mesurer le réel diamètre de la tour : vingt pas environ. Ce premier niveau comportait peu d'ouvrages, faisant office d'antichambre pour les étages inférieurs.

Le bibliothécaire huma l'air à la façon d'un animal, mais ne fit aucun commentaire. Grigán se saisit de sa lame courbe; Rey et Léti de leurs rapières. Yan songea à empoigner son glaive mais préféra explorer la pièce, cédant à la curiosité.

— Mieux vaudrait laisser nos sacs ici, proposa Grigán. Et le chat, aussi.

Grenouille miaula du fond de son panier, comme s'il avait compris. Il était si petit et si discret qu'on l'oubliait facilement. Bowbaq, qui se chargeait de ce faible excédent de poids, ne le sentait même pas.

— Je vais attendre ici, alors, annonça Léti, peu désireuse d'abandonner son animal. Avec Bowbaq, s'il est d'accord.

— Oui, s'empressa de confirmer le géant, trop heureux de l'occasion offerte.

— Bien, commenta Hulsidor. Ne sortez pas d'ici. Et ne touchez à rien, surtout. Les autres, suivez-moi.

Le bibliothécaire s'engagea dans un étroit escalier de pierre serpentant le long de la paroi, suivi de Yan, Grigán, Corenn, Rey et Lana.

Restée seule avec Bowbaq, Léti libéra Grenouille, qui s'empressa de mettre à mal un traité de navigation goranais déjà émietté par les années.

Tapie dans l'obscurité, une forme blanchâtre ricanait en prévision du bon tour qu'elle s'apprêtait à jouer.

* * *

Les marches polies par des centaines de milliers de pieds rendaient l'escalier glissant, et l'exercice d'autant plus dangereux que les visiteurs tenaient une lanterne d'une main, et une arme de l'autre. Par une fantaisie de l'architecte de ces niveaux, on accédait à chaque étage par une porte sur un petit palier : si bien que les héritiers en descendirent six avant de voir le moindre manuscrit.

Entre le sixième et le septième se dressait un mur de livres barrant entièrement le passage. Hulsidor lança un juron, faisant naître ainsi plusieurs gloussements derrière l'obstacle, ce qui eut pour conséquence directe d'agacer plus encore le bibliothécaire.

— Ce n'est pas amusant du tout ! Vous m'entendez ? C'est complètement *stupide* ! lança-t-il à l'adresse des farceurs.

— Je pensais qu'on ne devait pas les provoquer ? ne manqua pas de relever Rey.

— Ceux-là ne sont pas dangereux, invoqua le Romin, toujours sur les nerfs. Des *carambouilleurs* qui s'amusent à nos dépens. Mais ce qui me fatigue, c'est qu'ils prennent la matière première de leurs farces à *mon* étage ! Tous ces ouvrages m'appartiennent !

Rey ne put s'empêcher de sourire des facéties de ces petits spectres. Ils partageaient un peu le même sens de l'humour.

L'escalier fut rapidement dégagé; les livres empilés avec soin le long des parois, rendant ainsi le passage plus étroit encore. Et ils reprirent leur descente.

Une petite forme laiteuse monta soudain des ténèbres, à grande vitesse. Hulsidor eut à peine le temps de prévenir « Protégez vos lampes ! » que déjà trois des lanternes étaient soufflées. Le spectre s'en retourna aussi vite avec un rire polisson.

— Je n'ai même pas eu le temps de le voir, regretta Yan en rallumant sa lampe à celle de Grigán.

— Vous ne manquez rien. *Ils sont très laids*, lança le bibliothécaire à la cantonade, effarouché par ces nombreuses attaques.

— Vous ne vouliez pas visiter le neuvième étage ? rappela Lana un peu plus tard, alors qu'ils en dépassaient le palier.

— Une autre fois. Vu comment sont excités les carambouilleurs, j'imagine combien les autres doivent être agressifs. Alors, je vous fais les honneurs de la petite visite convenue et on remonte.

— Nous ne venons pas visiter, maître Hulsidor, rappela Corenn. Nous voulons faire des recherches.

— C'est une plaisanterie ! Vous n'y songez pas sérieusement ! s'insurgea le Romin. Après tout ce que vous avez vu !

— Il nous est arrivé de connaître plus dangereux, railla Grigán, qu'affronter quelques piles de livres et des lanternes éteintes.

— Très bien, comme vous voudrez ! Je ne me suis engagé, après tout, qu'à vous mener au onzième étage. Pas à vous ramener en vie.

Aucune autre parole ne fut échangée jusqu'au dit niveau. Hulsidor déverrouilla la porte et s'engagea entre les rayons.

— Attention ! cria-t-il soudain, pris de panique, en avisant une forme vaporeuse.

* * *

Léti allait fréquemment jusqu'aux premières marches de l'escalier scruter l'obscurité et écouter le silence. Elle savait que ses amis auraient à descendre profondément, et que leurs recherches leur prendraient du temps, plusieurs décans, peut-être. Cette attente lui était insupportable.

Elle regrettait maintenant de ne pas les avoir accompagnés. Elle se souciait peu du chat, qui semblait n'avoir aucun besoin d'elle. Contrairement à ses amis, en cas de bataille. Malgré les apparences, Grigán était toujours convalescent, et un combat l'épuiserait vite. Rey était donc le seul à pouvoir défendre efficacement Corenn, Lana et… Yan.

Elle caressa distraitement le médaillon que le jeune homme lui avait offert. Elle ne savait toujours pas à quoi s'en tenir à son sujet. Yan était parfois gentil et attentionné, mais cela pouvait n'être que des marques d'amitié. Il pouvait être également distant et laconique, comme depuis sa rencontre avec Usul. Enfin, alors qu'ils affrontaient une foule de dangers, que chaque jour pouvait être le dernier… Yan ne demandait pas sa Promesse.

Pourtant, quelque part sous ses pieds, il prenait des risques pour elle. Ainsi que Grigán, Corenn et les autres. Elle ne pouvait rester là à attendre bêtement. Le chat se garderait tout seul. Elle devait se rendre où l'on avait besoin d'elle.

Elle revint auprès de Bowbaq pour lui faire part de sa décision. Et s'arrêta net. Le géant restait immobile, envoûté, face à un spectre aux formes féminines.

Léti s'accroupit pour se dissimuler derrière un monceau de vieux parchemins. Des larmes lui vinrent aux yeux, mais elle les réfréna avec rage. Elle était seule, et cela n'était pas arrivé depuis longtemps. Mais elle ne s'abandonnerait pas à son angoisse. Elle ne reculerait plus jamais. Elle allait faire quelque chose.

Il ne lui restait plus qu'à trouver quoi.

* * *

Grigán se précipita à l'intérieur du onzième étage de la bibliothèque, Rey sur ses talons. Une forme blanche s'était dressée devant Hulsidor tel un cobra. On y distinguait vaguement deux bras terminés par des serres, ainsi qu'une tête marquée de trois fentes : deux pour les yeux, et une autre, beaucoup plus grande, où l'on croyait voir des crocs.

— Ne bougez surtout pas, murmura le bibliothécaire. Nous l'avons surpris. Il va peut-être partir de lui-même.

Les héritiers se tinrent immobiles devant le spectre menaçant. Sa forme variait ; il semblait danser dans l'air, grandissait, rapetissait, mais conservait toujours une taille supérieure à celle d'un homme.

Yan sentit soudain une forte odeur épicée. Tous se souvinrent des avertissements du bibliothécaire et se raidirent. Le spectre bondit sur Lana, la seule à ne porter aucune arme, en poussant un hurlement de chauvesouris. Rey trancha la forme vaporeuse avant qu'elle n'atteigne sa cible, mais fut lui-même profondément griffé au bras.

Le spectre se recomposa dans l'escalier derrière eux et cracha comme un félin. Il n'avait pas assez faim pour affronter toutes ces lames. Il s'éloigna vers les étages plus profonds comme un têtard regagnant la vase.

— Ils prennent corps quand ils attaquent, murmura Grigán. Alors, ils sont vulnérables… Voilà comment nous pouvons les repousser.

— Et vous voulez prendre le temps de faire des recherches, maugréa le bibliothécaire, encore blême. Celui-là était un *écorcheur*. On les a nommés ainsi après en avoir surpris un sur le corps d'un collègue du quinzième. C'est la première fois qu'ils montent jusqu'à mon niveau.

Rey remonta la manche de sa chemise ensanglantée et eut un petit sifflement admiratif. Le spectre l'avait lacéré de six griffes, du coude jusqu'au poignet. Grigán examina la blessure et la jugea sans gravité, ce qui soulagea partiellement Lana. La Maz se sentait responsable et insista pour lui faire un bandage. L'acteur se laissa dorloter sans rechigner.

Yan et Corenn commencèrent l'exploration de cet étage. À part le désordre dû aux facéties des *carambouilleurs*, les rayons étaient parfaitement rangés et ordonnés, les ouvrages disposés avec soin et régulièrement dépoussiérés. Seule note discordante : les empilements montaient jusqu'au plafond, ajoutant autant de cloisons et de coins sombres à ce labyrinthe. Yan s'attendait à tomber sur un autre spectre à tout instant. Désormais, il progressait le glaive à la main.

— Il a dû falloir des siècles pour rassembler tous ces livres, commenta le jeune homme.

— Tu ne te trompes pas, intervint Hulsidor. Une règle voulait que n'importe qui puisse visiter la Bibliothèque éclectique… après qu'il y eut fait don d'au moins un ouvrage ne s'y trouvant pas encore. Dans les dernières années, c'était devenu pratiquement impossible.

— Il doit donc exister une sorte de répertoire, songea Corenn avec espoir. Une liste plus ou moins exhaustive.

— Les registres, confirma Hulsidor, blasé. Les carambouilleurs les ont volés depuis longtemps. Bien avant que Sapone ne m'engage. Mais que cherchez-vous, au juste ?

— Des renseignements sur un endroit appelé Jal'karu. Ça ne vous dit rien ?

— Non. Mais mon étage est surtout consacré aux traités financiers, comptables et commerciaux. La seule raison qui ait poussé Sapone à investir ici.

— C'est ce que j'étais en train de me dire, soupira Corenn. Nous ne trouverons rien ici. Il nous faut descendre plus bas.

— Vous avez perdu la raison ! Ou vous êtes complètement idiote ! bondit le Romin. Vous allez vous faire tuer !

— Dame Corenn est Mère du Conseil permanent de Kaul, ne put s'empêcher de grincer Grigán. Je vous conseille de lui témoigner le respect qui lui est dû.

Le bibliothécaire observa le Ramgrith à l'allure farouche et déglutit péniblement. Grigán en avait plus qu'assez de suivre ce guide geignard et superstitieux. Il venait de reprendre la direction des opérations.

— Connaissez-vous les spécialités de tous les étages ? demanda Corenn poliment.

— Non, s'excusa le Romin. Les quinze premiers, seulement. Personne n'est jamais descendu au-dessous du quinzième. Je veux dire, personne n'en est *remonté*.

— Savez-vous où se trouvent *histoire* et *théologie* ?

— *Histoire* est au troisième, dit l'homme avec espoir. Nous pouvons y aller, la porte n'est jamais verrouillée.

— Théologie ?

Le Romin secoua la tête en signe d'ignorance. Ce rayon devait se trouver plus bas que les secteurs explorés. Là où les spectres pullulaient, toujours plus puissants, toujours plus dangereux.

— Nous devons faire vite, rappela Grigán. Nous n'aurons pas le temps de fouiller les deux étages. Mieux vaudrait nous séparer.

La Mère acquiesça. L'idée de diminuer encore leurs forces ne lui plaisait guère, mais c'était leur meilleure chance de trouver quelque chose.

— Je descends, décida-t-elle. J'aimerais que vous m'accompagniez, Lana, votre savoir sera utile. Maître Hulsidor, pourriez-vous montrer le troisième à Yan, et l'assister dans ses recherches ?

— Avec plaisir, assura le Romin, trop heureux de s'en tirer à si bon compte.

Grigán et Rey décidèrent évidemment d'accompagner les dames pour leur assurer protection. Yan ne se méprit pas sur son renvoi : Corenn répugnait à exposer au danger, une fois encore, le plus jeune membre du groupe. Elle préférait le savoir auprès de Léti.

Ils allaient se séparer quand Hulsidor leur adressa une ultime recommandation :

— Certains spectres vont essayer de vous parler, prévint-il. Ne les écoutez pas. Ce sont des *sirènes*. Elles vont vous mener tout droit à l'écornifleur.

— Nous avons les mêmes à Lorelia, plaisanta Rey. Mais nous les appelons des entraîneuses.

Personne n'eut le cœur de rire. Les héritiers entamèrent leur descente vers l'inconnu. Une forte odeur épicée montait des ténèbres.

* * *

Le troisième étage, consacré à la discipline de *l'histoire*, était bien moins entretenu que celui d'Hulsidor. Pour preuve, les centaines d'ouvrages simplement entassés en monts grimpant jusqu'au plafond, et semant l'anarchie dans la pièce.

— Jamais nous ne trouverons quelque chose là-dedans, commenta Yan. À moins d'avoir beaucoup de chance…

— Je vous l'avais bien dit ! répliqua le Romin, heureux de recouvrer un peu de son honneur bafoué.

Ils se mirent tout de même au travail, Yan beaucoup plus consciencieusement que le bibliothécaire. Ils cherchaient des renseignements sur Nol l'Étrange et ses incursions dans les cours royales, ce qui s'était produit à deux reprises au moins. La tâche était malaisée, d'abord à cause de l'inexistence d'un quelconque classement, ensuite parce que le sujet était trop pointu pour faire le thème principal d'un ouvrage, enfin parce que Yan ne lisait que l'ithare. Ils se découragèrent peu à peu, Hulsidor le premier.

Le bibliothécaire s'appliqua à redessiner les signes cabalistiques de ses mains. Yan le questionna tout en continuant ses recherches.

— Où avez-vous appris à faire ces dessins ?

— Dans un livre, bien sûr. Le *Précis d'exorcisme* de Jéron le Tendre. C'est une pièce rare.

— Je suppose qu'il s'agit d'une sorte de protection ?

— C'est bien ça. Ce sont des runes *magiques*, articula-t-il en fixant le jeune homme.

Yan s'arrêta pour observer plus précisément l'enchevêtrement de courbes et de lignes droites auxquelles le Romin attribuait un pouvoir. Corenn ne l'avait pas encore entretenu de ces choses, mais elles pouvaient être vraies, après tout… Il vit Hulsidor sous un nouveau jour.

— Je suis Yan le Curieux, spécialiste de la Terre, annonça-t-il après un instant, utilisant la formule de présentation des magiciens.

Le Romin le dévisagea avec perplexité. Yan se dit qu'il avait peut-être fait une erreur.

— Et que veux-tu que ça me fasse ? Je n'ai nul besoin d'un *fermier* ! Quelle étrange attitude !

Yan rougit de confusion et se replongea dans les grimoires. Il se réjouit que cette scène n'ait eu aucun témoin. Puis il se souvint que ses amis couraient peut-être un péril mortel, et sa honte grandit encore.

* * *

Bowbaq semblait hypnotisé. Le spectre dansait devant lui comme une flamme dévorant une bougie. Il n'avait pas un comportement agressif, pourtant Léti savait devoir intervenir. Au plus vite.

Les traits de ce revenant étaient des plus précis. Il avait forme humaine, celle d'une femme que beaucoup auraient déclarée belle. Jusqu'à l'illusion de ses cheveux flottant dans l'air, comme ceux des humains dans une onde calme.

Le spectre remuait les lèvres mais Léti n'entendait rien. Le plus discrètement possible, elle s'approcha pour écouter. Mais la revenante n'émettait aucun son. Si toutefois elle parlait, c'était directement dans l'esprit de Bowbaq.

Le géant s'ébranla et la jeune femme espéra qu'il se réveillait. Mais son regard fixe et ses gestes saccadés prouvaient qu'il était toujours sous le charme du spectre. Il fit quelques pas maladroits jusqu'à une lourde armoire en bois de feuillu. Et commença d'en jeter le contenu à terre. En un petit tas de papier sec.

Léti comprit avec horreur ce qui allait se passer. Elle n'avait plus le temps de calculer les risques, ou de chercher un meilleur plan. Elle bondit hors de sa cachette et courut jusqu'au spectre.

Elle fendit trois fois le revenant de sa rapière. Mais la forme laiteuse n'avait aucune consistance, et Léti ne trancha que l'air. La revenante se tourna vers elle avec un sourire malfaisant. Elle tenta de pénétrer l'esprit de la jeune femme, mais Léti rejeta cette intrusion avec rage.

Le spectre afficha soudain une expression victorieuse. Léti eut alors un instant d'hésitation. Il lui fut funeste.

Elle reçut un coup violent dans le dos et tomba à genoux en criant de douleur. L'entraînement de Grigán fut toutefois salutaire, car elle roula aussi-tôt sur elle-même avant de se redresser pour faire face à un nouvel adversaire.

Un spectre haut de trois pas la menaçait de dix griffes acérées comme des poignards. Il cracha comme un félin puis se mit à chanter; un chant lugubre, semblable au vent roulant sur la plaine.

Léti fit quatre pas en arrière et se retrouva acculée à un mur. Les deux spectres glissèrent dans sa direction comme des serpents. Derrière eux, Bowbaq ensorcelé s'apprêtait à déclencher un incendie.

* * *

Comment les araignées pouvaient survivre dans un tel environnement, voilà qui était un mystère. Mais Grigán, qui ouvrait la marche, était régu-lièrement obligé d'éventrer des toiles, provoquant ainsi l'ire de leurs propriétaires.

Les héritiers venaient de s'arrêter au quinzième palier pour observer une pause. La prochaine descente les mènerait là d'où nul humain n'était revenu. *Un panier de serpents*, songea Corenn. *Et nous allons essayer d'y voler des œufs...*

Grigán l'interrogea du regard et la Mère acquiesça. Ils reprirent leur descente avec précaution, à l'affût de tout danger.

— Combien d'étages pensez-vous qu'il y ait ? demanda Lana.

— Hulsidor lui-même n'en est pas sûr, répondit Corenn. Il estime que l'ancienne bibliothèque de Romerij se trouve au vingt-sixième.

Grigán secoua la tête en essayant de se rappeler pourquoi il avait accepté de venir. Que faisaient-ils là, à explorer une ruine hantée de Romine, alors que toutes les réponses les attendaient dans le journal de Maz Achem, à Ith, à l'autre bout du continent ?

Parce qu'ils n'en étaient pas certains, se souvint-il. Achem n'en avait peut-être pas dit plus dans son journal que Corenn dans le sien. Peut-être y consignait-il tout simplement des réflexions de tout ordre, négligeant de mentionner les raisons qui avaient fait de Saat leur ennemi.

Saat, l'un des sages émissaires de l'île Ji. Un homme déclaré mort depuis plus d'un siècle. Leur seule chance de lui échapper était de dévoiler le secret de leurs ancêtres. Et pour cela, il leur fallait percer le mystère des portes.

— Je trouve les spectres plutôt calmes, commenta Rey. Ça m'inquiète un peu. Surtout avec l'odeur qui règne ici.

— Nous avons pénétré leur domaine, leur *antre*, expliqua Grigán aux aguets. Ils sont surpris, mais ne vont pas tarder à réagir. Brutalement, je parie...

Comme si elles l'avaient entendu, trois formes se dressèrent subitement devant le guerrier, et l'auraient taillé en pièces s'il n'avait interposé sa lame. L'une était monstrueusement grande, une autre agitait ses griffes avec frénésie. La troisième approcha doucement ses « doigts » de la lame et tenta de la voler d'un geste brusque. Mais Grigán avait anticipé la tentative et blessa le spectre d'un simple coup de poignet donné à son cimeterre. L'apparition se retira et se mit à - chanter.

— Ne vous retournez pas, Grigán... demanda Rey très calmement. Mais j'en ai autant de mon côté.

Deux écorcheurs s'étaient placés en travers de l'escalier, coupant toute voie de sortie aux héritiers. Grigán essaya de faire céder du terrain à ses adversaires, en vain. Rey n'eut pas de meilleur résultat. Les spectres semblaient décidés à les bloquer dans l'escalier.

Lana poussa un cri de douleur et baissa les yeux vers le sol, assez vite pour voir deux mains griffues disparaître dans la pierre. Elles avaient laissé de multiples sillons rouges sur les mollets de la prêtresse.

D'autres mains surgirent, ainsi que des gueules bordées de crocs. Ces spectres-là n'avaient plus rien à voir avec les carambouilleurs des premiers niveaux. Il s'agissait d'âmes sombres affamées de peur humaine.

— Piétinez-les ! hurla Grigán. Empêchez-les de monter !

Corenn et Lana s'exécutèrent, lâchant de temps à autre un cri lorsqu'un spectre parvenait à les griffer. Rey et Grigán eurent bientôt à repousser les mêmes attaques, tâche d'autant plus difficile qu'ils devaient tenir les écorcheurs à l'écart.

D'autres serres blanchâtres surgirent du plafond et de la paroi intérieure, visant les visages, cherchant à attraper les mains et les armes.

— Suivez-moi ! ordonna Grigán, haletant.

Il lança sa lanterne dans l'escalier et s'empara d'une dague à sa ceinture. Ainsi armé des deux mains, il repoussa les spectres assez longtemps pour libérer le passage. Il s'engouffra dans la descente et sauta au-dessus du feu allumé par la lanterne, aussitôt imité par ses compagnons. Quelques marches plus bas, ils rencontrèrent une porte vermoulue que le guerrier défonça d'un coup de pied. Et ils se précipitèrent dans la salle.

Une quinzaine de spectres étaient suspendus au mur derrière lequel les héritiers se trouvaient peu avant. Leurs griffes ne rencontraient plus rien, et cela les rendait fous de rage. Mais leurs proies venaient de réapparaître.

Grigán débarrassa une immense table en la balayant d'un geste ample du bras. Lana observait, pétrifiée, la horde de spectres nager vers eux.

— Grimpez ! hurla Grigán, bataillant déjà pour repousser les plus rapides. Allez !

Rey bondit de leur ridicule abri où se trouvaient déjà le guerrier et Corenn. Il lança pratiquement la prêtresse sur la table, avant d'y remonter à son tour.

Les spectres les encerclèrent et plusieurs se mirent à chanter. Leur odeur épicée était insoutenable.

Cette fois, nous sommes allés trop loin, songea Corenn avec résignation.

* * *

Yan se dit que ses efforts ne serviraient à rien. C'est à peine s'il parvenait, dans le peu de temps qu'il consacrait à chaque ouvrage, à déterminer de quelle époque et de quel royaume il était question. Tomber sur une page où serait mentionné Nol ou l'île Ji serait vraiment l'effet d'une chance peu commune. Mais il ne croyait pas à la chance.

Hulsidor avait pour sa part abandonné les recherches. Le bibliothécaire ne se consacrait plus qu'à une surveillance nerveuse des environs, et à tenter de convaincre Yan qu'ils feraient aussi bien de remonter.

— Corenn doit nous prendre en passant, répéta distraitement le jeune homme, pour la troisième fois.

— Mais ils ne remonteront pas ! Je sais que c'est dur à entendre, mais c'est comme ça ! Oubliez vos recherches et partons d'ici !

Yan ignora l'avertissement. Hulsidor s'approcha pour continuer, prenant ce mutisme pour un début de revirement.

— De toute façon, que voulez-vous trouver ici ? Quitte à perdre notre temps, autant attendre en haut que s'exposer inutilement. Mon collègue s'occupe tellement mal de son étage que je lui vole régulièrement des livres sans qu'il s'en aperçoive !

— Dans quelle pile prenez-vous ceux que Sapone envoie à Zarbone ? demanda Yan sur une soudaine inspiration.

Le Romin soupira et lui indiqua un tas un peu plus petit que les autres, où les ouvrages n'étaient pas disposés en vrac, mais bien empilés les uns sur les autres.

— Là-dedans. Voilà près de huit ans qu'il a commencé à classer l'histoire de Jezeba. Comme vous le constatez, il n'est pas très efficace.

Yan se précipita sur les ouvrages avec intérêt. C'était inespéré. Par deux fois, les sultans jez avaient envoyé leur chef de guerre suivre Nol : trois cents ans plus tôt, puis au siècle dernier, avec les autres sages émissaires. Avec un peu de chance, pareil événement s'était produit *cinq* siècles auparavant…

Le tout était de trouver un ouvrage assez ancien pour relater l'histoire de cette époque avec une certaine exactitude, et qui soit rédigé en ithare. Yan examina une trentaine de manuscrits avant d'en trouver un correspondant à ces critères, et se mit à le feuilleter avidement… sans remarquer la fumée et l'odeur de brûlé qui commençaient à descendre du premier niveau.

* * *

Grigán et Rey étaient épuisés de repousser les attaques des spectres, et c'est avec soulagement qu'ils les virent cesser leurs assauts. Bien qu'elles ne puissent pas les détruire, les revenants craignaient les lames et l'étrange douleur qu'elles leur infligeaient. Pour l'instant, en tout cas.

Corenn cherchait une manière de se tirer de cette situation, mais n'en voyait pas d'autres que celle consistant à attendre que les spectres se lassent… ce qui pouvait ne jamais arriver. Ceux qui partaient ne le faisaient pas pour longtemps, et leur place était déjà occupée lorsqu'ils revenaient. La salle se remplissait d'instant en instant.

S'ils n'avaient eu cette peur individuelle des lames, les spectres auraient pu facilement vaincre en lançant un assaut général. Ils semblaient, heureusement, incapables d'élaborer une stratégie d'ensemble. Alors ils tournaient, taquinaient, chantaient, les *écorcheurs* d'Hulsidor, les *muses-pétoches*, les *serre-collets*, les *croque-la-tête* et les *carambouilleurs*. Corenn reconnaissait chacune des « espèces » à son apparence. Quand certains poussèrent leur chant jusqu'à un simple cri strident, elle reconnut aussi les *hurleuses*.

— Assez ! s'écria Lana, désespérée, les mains sur les oreilles. Par Eurydis, assez !

Un lourd silence tomba sur les spectres, tandis que les plus proches s'éloignaient de quelques coudées des humains. La prêtresse se redressa lentement, n'osant croire encore à ce prodige.

— Louée soit Eurydis ! clama-t-elle.

Nombre de spectres crachèrent; quelques autres firent claquer leurs griffes et leurs crocs. Si l'invocation de la déesse semblait les impressionner suffisamment pour les tenir à distance, elle n'en augmentait pas moins leur colère. Restait à savoir quand celle-ci serait la plus forte…

— Eurydis ! Eurydis ! clamèrent les héritiers, d'une foi plus sincère que jamais.

Sans réfléchir à son geste, emportée par l'enthousiasme, Corenn joignit sa Volonté à ses appels. Les spectres bondirent en arrière avec des râles redoublés. Encouragés par ce succès, les héritiers sautèrent de la table et se dirigèrent vers la porte, sans cesser d'invoquer la déesse. Mais ils ne purent s'enfuir.

Trois nouveaux spectres venaient de faire leur apparition, leur barrant le passage. Les autres s'effacèrent devant eux avec frustration, comme le loup cède sa proie à un ours. Ces revenants à qui l'on offrait une haie d'honneur avaient des traits humains. *Féminins*, plus précisément. Et le nom d'Eurydis ne semblait leur faire aucun effet.

— Des sirènes, rappela Grigán. Le Romin nous a prévenus. N'écoutez pas ce qu'elles diront !

L'une d'elles posa son regard sur le guerrier et le gratifia d'un sourire. Sourire qu'elle poussa jusqu'à découvrir ses dents. Dont deux canines *anormalement grandes*.

° Bienvenue, mortels, chantonna le revenant dans leurs esprits. Que faites-vous en ces lieux ?

Grigán vint se placer devant ses amis et menaça les spectres de sa lame courbe. Quelque part, derrière lui, Lana psalmodiait continuellement le nom de la déesse, tenant ainsi à distance la masse grouillante des revenants agressifs.

Corenn ne pouvait se résoudre à ignorer le dialogue, même si elle pressentait un piège plus gros que celui du seigneur Darn-Tan.

— Nous ne venons pas en ennemis, déclara-t-elle après un long moment de silence.

° Vous êtes pourtant bien armés, persifla le spectre. Toutes ces lames nues sont-elles vraiment nécessaires ?

— Approchez et je vous montre, lança Rey.

° Allons, allons, apaisa le revenant. Nous ne sommes pas non plus vos ennemis. Des menaces, vraiment ? Mais pourquoi ?

— Nous pouvons partir, alors ? dit Grigán avec ironie.

Le guerrier connaissait déjà la réponse. Il ne se faisait aucune illusion à ce sujet. D'ailleurs, le spectre ignora volontairement la question.

° Si vous ne venez pas en ennemi, vous devez être en quête de connaissances, dit la sirène en découvrant ses canines. Comment pouvons-nous vous aider ?

— En allant vous faire pendre, lança Rey avec hostilité. S'il vous plaît, madame.

— Quel serait le prix de cette aide ? s'enquit Corenn avec suspicion. De la chair humaine, je suppose ?

Les spectres ne purent réprimer un claquement de mâchoires révélateur. Il semblait même qu'ils salivaient.

La sirène s'appliqua à reprendre le contrôle de ses émotions. Elle déglutit bruyamment et s'adressa directement à Corenn.

° Je vous propose un marché, annonça-t-elle avec excitation. Je vous guide jusqu'aux ouvrages qui vous intéressent. En échange, vous m'abandonnez l'un de vos serviteurs.

Les héritiers, abasourdis, ne surent quoi répliquer. Les desseins des spectres avaient perdu toute ambiguïté. Même Rey se taisait devant l'horreur de leur situation. D'un signe de tête, Grigán suggéra à Corenn qu'ils pouvaient tenter de forcer le passage. Mais la Mère lui répondit par la négative, au grand étonnement du guerrier.

— J'ai un autre marché à vous proposer, déclara-t-elle enfin. Vous nous guiderez, ainsi qu'il a été dit. En échange, je vous remettrai un livre *dont vous n'avez aucun exemplaire.*

La sirène cracha de frustration. Elle parut s'entretenir de façon très animée avec ses pareilles pendant quelques instants. Grigán en profita pour interroger la Mère.

— Qu'est-ce que c'est que cette histoire ? murmura-t-il. Où avez-vous pêché l'idée que ça pouvait marcher ?

— Je n'en savais rien. Un simple pressentiment. Ces spectres sont plus ou moins les gardiens de la bibliothèque, non ? Il fallait essayer.

— Et que va-t-il se passer quand ils découvriront que vous n'avez pas ce livre ?

Corenn n'eut pas l'occasion de répondre. Les sirènes avaient terminé leur conciliabule.

° Nous acceptons le marché. Mais prenez garde, mortels : nous n'aurons aucune clémence en cas de trahison.

— Nous non plus, lâcha Grigán en pointant sa lame courbe sur chacune d'elles, tour à tour.

Malgré cette bravade, le guerrier savait bien qu'ils n'étaient pas en position de menacer. Les sirènes n'avaient pas la peur superstitieuse d'Eurydis ; si elles attaquaient sous l'effet de la colère, les autres spectres les suivraient immédiatement, et les héritiers n'auraient aucune chance d'en réchapper.

° Quel est donc le sujet de votre quête ?

— Le Jal'karu, répondit Corenn avec assurance. Et les portes qui y mènent.

La sirène eut un sourire cruel, découvrant plus encore ses canines animales. Lana s'imagina les avoir vues grandir.

° Vous ne serez pas déçue, déclara le revenant sur un ton énigmatique. Suivez-moi.

* * *

Léti bataillait ferme contre ses deux adversaires. La forme féminine n'était pas des plus dangereuses, ses attaques se résumant à des tentatives pour lui ôter son arme. Mais l'autre spectre était aussi rapide qu'un serpent… et plus puissant qu'un ours.

— Bowbaq ! Bowbaq, aide-moi ! appelait-elle sans arrêt.

Mais le géant ensorcelé ne l'entendait pas. Bowbaq, titubant comme un homme ivre, alimentait son incendie des manuscrits épars dans la salle. Quelques flammes léchaient déjà le plafond. Avant un décime, toute la pièce serait embrasée.

Alors Léti se concentrait sur son combat. *Pied ferme, main sûre*, se répétait-elle en souvenir des leçons de Grigán. Mais ces adversaires étaient différents. Si elle frappait trop tôt, ils n'étaient pas matérialisés et sa lame ne rencontrait que le vide. Si elle frappait trop tard... Mais il ne fallait pas qu'elle frappe trop tard.

Le spectre griffu avait déjà entaillé sa joue et son flanc. Il ne visait que les parties vitales. Il ne renoncerait pas avant de l'avoir tuée.

Léti comprit qu'elle n'aurait pas le dessus de cette manière. Elle s'épuisait, alors qu'ils semblaient infatigables. Elle était blessée, alors que ses coups les plus puissants ne faisaient que gêner ses adversaires.

Elle envisagea un autre plan et attendit le moment de passer à l'action. Enfin, pendant un court instant, les deux spectres se mirent sur la défensive en même temps. Dématérialisés. Elle se jeta à travers leurs corps vaporeux et courut jusqu'à Bowbaq.

Elle n'eut que le temps de donner un coup de pied dans la cheville du géant avant d'avoir de nouveau à faire face aux revenants. Bowbaq poussa un cri de douleur et regarda la salle, hébété, comme s'il la découvrait seulement.

Le spectre féminin se précipita vers lui et *disparut* dans son corps. Alors Bowbaq se raidit et reprit son titubement. Il s'empara d'une lourde pile de manuscrits et la jeta dans le feu.

Léti sentit le désespoir la gagner. Et en même temps, la colère salvatrice, l'instinct de survie qui transformait des hommes en héros, lorsque venait le moment critique.

Son adversaire se matérialisa pour lui déchirer la gorge, comme il l'avait déjà fait vingt fois. Léti laissa tomber sa rapière et agrippa ce qu'elle pensait être des «poignets». Le contact de cette peau surnaturelle était horriblement glacé. Elle rassembla toute la force de ses muscles et projeta la lourde forme dans les flammes. *Esprit vif.*

Le spectre se consuma en un instant en hurlant de douleur. Puis il disparut. Il avait brûlé aussi rapidement qu'une feuille morte.

La jeune femme se tourna vers Bowbaq en cherchant une idée. Elle n'eut pas le temps de la trouver.

Une partie du plafond s'écroula sur ses épaules et elle perdit conscience.

Les flammes continuaient de s'étendre.

* * *

Yan exultait. Il avait vu juste. Corenn avait vu juste. Cette visite à la tour Profonde de Romine s'avérait payante. Ils avaient enfin appris quelque chose sur les portes. C'était là, écrit noir sur blanc devant ses yeux. Enfin une lueur d'espoir.

L'histoire jez était assez monotone. La dernière dynastie en place tenait le trône d'une main de fer, et les chroniqueurs n'avaient donc aucun coup d'État, rébellion ou conspiration à citer. Ils s'étaient donc intéressés aux plus petits détails de la vie à la cour du sultan. Dont un épisode relatant une certaine mission diplomatique secrète. Cinq siècles avant ce jour.

Ce n'était qu'un simple paragraphe, dans un manuscrit épais de trois pouces, et dont c'était sûrement le dernier exemplaire existant. Mais il venait de livrer une information capitale aux héritiers.

Le texte relatait l'étrange folie qui s'était emparée d'un des conseillers du sultan, à son retour d'un voyage lointain en compagnie d'un étranger nommé Nol. L'homme tenait un discours édifiant où il était question de pays merveilleux, d'enfants étranges et de cavernes pleines de dangers. Dans son intérêt, le sultan avait jeté le dément au fond d'un cachot, et ainsi clos l'incident. Tout cela était très intéressant, et confirmait ce que les héritiers connaissaient déjà. Mais là n'était pas le plus beau.

Ce voyage lointain n'avait pas débuté sur l'île Ji. Mais à Sole, dans le pays d'Oo, au cœur des royaumes estiens. De l'autre côté du Rideau.

Le texte indiquait l'emplacement d'une autre porte.

Yan songea à déchirer la page, mais il lui répugnait de dégrader un livre, particulièrement cet exemplaire qui avait traversé plusieurs siècles sans dommage. C'est également par respect qu'il se refusa à emporter l'ouvrage : même avec toutes les excuses du monde, c'eût été un vol, tout au moins un pillage. Il grava donc tous les détails dans sa mémoire, sans que son enthousiasme soit retombé.

Il se précipitait vers d'autres manuscrits avec espoir, quand Hulsidor l'interpella.

— Vous ne trouvez pas qu'il y a une drôle d'odeur ?

Yan bondit et tenta de se rappeler où il avait posé son glaive, pensant que le bibliothécaire avait décelé les miasmes épicés des spectres affamés. Mais il s'agissait d'autre chose. De non moins inquiétant.

Hulsidor avança jusqu'à la porte et l'entrebâilla. Une épaisse fumée blanche s'engouffra aussitôt dans la pièce. Elle traînait avec elle un relent de brûlé.

— Le feu ! s'exclama le Romin. Il faut partir tout de suite !

Yan jeta un coup d'œil dans l'escalier et pâlit. Ce n'était pas une petite alerte. Un incendie faisait rage, quelque part au-dessus de leurs têtes. Peut-être là où se trouvait Léti. On pouvait déjà en sentir la chaleur.

Il regarda autour de lui, à la recherche d'une idée. Hulsidor décida de ne pas attendre et abandonna le jeune homme, grimpant les marches quatre à quatre. Yan ne lui donnait pas tort. Il comptait lui aussi remonter, ne serait-ce que pour s'assurer de Léti. Mais il devait aussi prévenir les autres.

Descendre jusqu'à eux n'était pas la bonne solution. Il perdrait du temps et serait, seul, trop exposé aux spectres. D'autant plus qu'il ignorait à quel niveau ses amis s'étaient arrêtés.

La fumée lui piquait les yeux et lui irritait la gorge. Mais il trouva enfin un objet pouvant convenir à son plan. Un globe de verre plus ou moins poli, abritant des bougies en temps normal. Yan le bourra de morceaux du linge recouvrant les monts de livres. Il noua une plus grande étoffe par-dessus le tout, et arrosa l'objet d'huile tirée de sa lanterne. Enfin il l'enflamma et lança le boulet de fortune dans les marches… en espérant qu'il ne se casse pas deux étages plus bas, et que Corenn ou un autre comprenne le message.

Il se rua ensuite vers le premier niveau. C'était alors ce qu'il pouvait faire de mieux pour ses amis. Essayer d'éteindre le feu, avec l'aide de Léti et Bowbaq… s'il n'était pas trop tard.

Mais plus il montait, plus l'escalier était empli de fumée, à laquelle se mêlaient des cendres noires et irritantes. La pierre résonna soudain d'un choc retentissant. Yan gravit les dernières marches en courant, sans se soucier de trébucher ou de rencontrer un spectre. Il craignait trop ce que ce bruit suggérait.

À raison. L'issue était obstruée par une lourde armoire couchée sur l'ouverture. Hulsidor s'arc-boutait contre les marches pour tenter de la soulever, ne serait-ce que d'un pouce ou deux. En vain.

— C'est votre ami arque, cracha-t-il dès qu'il posa les yeux sur Yan. C'est lui qui nous a bloqué le passage ! Je l'ai vu !

Le jeune homme ne put répondre que par des toussotements. Usul avait prédit que Grigán mourrait avant un an. C'était déjà suffisamment triste. Jamais il n'avait parlé d'eux tous.

* * *

Corenn, Rey, Grigán et Maz Lana suivaient les trois sirènes, escortés par une myriade d'autres spectres moins subtils mais tout aussi dangereux.

Ces derniers restaient désormais à distance des mortels, sans que Lana ait besoin d'invoquer Eurydis. Le pacte qu'ils avaient passé avec les sirènes avait au moins l'avantage de les placer sous leur «protection».

Ils ignoraient à quel étage ils se trouvaient alors. Après le vingtième, sans doute. Les niveaux s'étaient faits moins réguliers au fur et à mesure de leur descente; les paliers indéfinis, l'architecture plus désordonnée. Des ouvrages millénaires traînaient là dans la poussière, sous des gravats ou au milieu de rayonnages effondrés. Corenn contempla avec convoitise ces trésors de connaissance. Mais ils n'avaient pas de temps à perdre.

Les spectres inférieurs se faisaient de plus en plus nombreux dans leur dos. Grigán redoutait qu'ils décident malgré tout de passer à l'attaque, la profondeur leur donnant une nouvelle assurance. Mais soudain, alors que les héritiers s'engageaient dans un nouvel escalier de pierre taillée, les revenants s'arrêtèrent net. Eux non plus ne pouvaient, ou ne voulaient pas descendre plus bas. Seules, les sirènes continuèrent à guider les mortels.

Ces derniers niveaux étaient plus encombrés que jamais. Les livres et les rayonnages se mêlaient à du matériel d'excavation couvert d'un siècle de poussière. D'autres sirènes accouraient de partout et se joignaient à leur escorte. Corenn se dit qu'ils devaient approcher de l'ancienne bibliothèque de Romerij. Allaient-ils réellement descendre jusqu'au fond de la Tour?

Ils eurent bientôt la réponse. Leur marche fut entravée par un obstacle créé de main humaine... ou de griffe de revenant. Un impressionnant amoncellement de terre, de poutres et de gravats, barrant complètement le passage. *Le passage vers Romerij*, supposa la Mère.

° Attendez-moi ici, demanda leur guide, avant de disparaître dans l'obstacle.

— Comme si nous avions le choix, râla Grigán.

Le départ de la sirène les mettait mal à l'aise. Elle semblait posséder un certain ascendant sur les autres. Suffisant, en tout cas, pour différer leur attaque. Ils comptèrent donc chaque instant les séparant de son retour.

— Cet endroit est maudit, murmura Lana, terrorisée.

— Croyez-vous? ne put s'empêcher de plaisanter Rey.

— Je veux dire... Je le *sens*. Comme si le mal avait une odeur. Et l'odeur vient de derrière ce mur.

Ils contemplèrent l'obstacle avec inquiétude. Quels secrets, quels mystères y resteraient cachés pour l'éternité?

— Eurydis ! Eurydis ! se mit soudain à crier Rey, très agité, en faisant danser sa rapière.

— Qu'y a-t-il ? Elles ont attaqué ? demanda Grigán en se mettant en garde.

— Elles ont essayé de… *d'entrer* dans mon esprit, expliqua l'acteur, très en colère. Perfides ! Catins ! Je ne voudrais même pas de vous après ma mort ! Que Phrias vous emporte !

Les sirènes essuyaient ces insultes sans broncher, un sourire carnassier aux lèvres.

— Il ne fait pas bon invoquer Celui qui Nuit, gronda Lana. Jamais. Et surtout pas sous l'effet de la colère.

— Elles sont déjà damnées, de toute façon, grommela Rey.

L'acteur ne baissa plus sa garde et ils attendirent, de plus en plus nerveusement, le retour du spectre. La partie la plus haute de l'obstacle fut soudain agitée de mouvements et les héritiers firent un pas en arrière. Puis un espace fut dégagé, libérant un courant d'air chargé d'effluves méphitiques. Un livre fut engagé dans le passage et la sirène traversa l'obstacle en le soutenant.

° Voilà où vous trouverez vos réponses, annonça-t-elle en tendant l'ouvrage à Corenn.

La Mère s'en saisit avec émotion. Elle attendait ce moment depuis tellement longtemps qu'elle n'osait y croire encore. Le manuscrit était lourd, épais, et dans un état plus qu'acceptable s'il datait réellement d'avant la construction de Romine. Sa couverture ne comportait aucun titre, aussi l'ouvrit-elle au hasard, alors que Rey et Grigán ne relâchaient pas leur surveillance.

Corenn parcourut une page, puis une autre, puis ouvrit l'ouvrage à un autre endroit. Ses compagnons bouillaient d'impatience.

— C'est illisible, annonça-t-elle avec une immense déception. Le texte est rédigé en ethèque. Personne ne peut le traduire.

— Vous nous avez trompés ! s'insurgea Grigán.

° Bien sûr que non, rétorqua le spectre avec un sourire malveillant. Ce livre discourt longuement du Jal'karu et de ses portes, comme je m'y étais engagée. En quoi suis-je responsable, si vous êtes incapables de le lire ?

Corenn contemplait les pages avec tristesse. Elle n'avait jamais connu une telle frustration. Le secret de Ji… Tout ce qu'ils voulaient savoir se trouvait sous ses yeux… Et hors d'atteinte en même temps.

— Si nous pouvions emporter l'ouvrage, commença Lana, nous pourrions essayer…

° C'est *interdit*, bondit la sirène à la mention d'un tel sacrilège. C'est notre trésor. Ces livres ne doivent pas sortir au grand jour. *Jamais*.

— Lana, appela Corenn avec émotion. Regardez.

La Mère lui tendait un feuillet volant trouvé entre deux pages. Il semblait que le texte soit une traduction d'un des passages.

— Il est en *ithare ancien* ! s'exclama la Maz. On dirait un poème… ou une prière… Je reconnais ce mot… et celui-là… Il me faudrait un peu de temps, mais je peux le traduire !

° *Rien* ne doit sortir d'ici, clama le spectre en s'emparant du feuillet. *Jamais*. Acquittez-vous maintenant de votre part du marché, et je vous laisserai étudier ce document à votre guise.

Les héritiers se tournèrent vers Corenn avec inquiétude. La Mère fouilla dans les poches de ses vêtements et en sortit un petit journal. *Son* journal.

La sirène se l'appropria d'un geste brusque et le feuilleta avec intérêt. Avant de s'abandonner à un sourire cruel.

° Ce genre d'ouvrage n'est pas reconnu, annonça-t-elle, victorieuse. Vous n'avez pas respecté votre part du marché !

— Vous permettez ? demanda la Mère sans se démonter. Je n'ai pas encore donné de titre à ce volume.

Le spectre le lui rendit à contrecœur et Corenn écrivit quelques mots sur la couverture, à l'aide de son encrier de voyage.

— *Compte rendu des réunions du Conseil permanent de Kaul*, lut-elle à haute voix. Par la Mère chargée des Traditions. Vous conviendrez que la majeure partie du texte n'a rien de commun avec un journal intime.

La sirène lui arracha le carnet avec un sifflement hostile. Elle le parcourut à nouveau, sans cesser de grimacer. Une loi inconnue des mortels l'empêchait d'être partiale à ce sujet.

° Très bien, dit-elle après un moment. Vous avez respecté le marché que vous aviez passé avec *moi*. À grand regret… je vous abandonne à mes sœurs !

Lana bondit et s'empara du feuillet dans les mains du spectre. Elle ne se serait jamais cru un tel courage, mais sa motivation avait été plus forte que sa peur : trouver les réponses. *Trouver les réponses.*

Les sirènes se jetèrent sur eux mais déchantèrent en rencontrant les lames de Grigán et Rey. Disparus, les sourires, les formules de politesse et les visages gracieux : les héritiers ne faisaient plus face qu'à des griffes acérées et des gueules chargées de crocs.

— Quelqu'un a une idée pour nous sortir d'ici ? demanda Rey en haletant.

Lana invoqua Eurydis à multiples reprises, mais cela n'eut que peu d'effet sur ces spectres intelligents. Les sirènes s'organisèrent rapidement pour lancer des attaques combinées, que les héritiers ne repoussaient qu'à grand-peine et toujours en subissant quelques blessures. Corenn s'avisa soudain avec horreur que Grigán était presque à genoux. Si peu de temps après sa maladie, le guerrier avait trop puisé dans ses forces.

— Nous ne pourrons pas forcer le passage! annonça Rey, bien que tous y aient déjà songé. Il faut essayer de nous retrancher quelque part!

L'acteur avançait ce plan sans espoir. Sa chemise et sa cape, déjà ensanglantées par sa première blessure, étaient maintenant entièrement lacérées. À ce rythme, ils ne survivraient pas plus que quelques instants. Si près du but...

Un mouvement de panique agita soudain les rangs des sirènes, et plusieurs s'enfuirent vers la bibliothèque de Romerij. Les héritiers cherchèrent d'où leur venait cette aide inespérée. Ils découvrirent avec déception qu'il s'agissait d'une nouvelle menace.

Une odeur de brûlé venait d'envahir la pièce.

Ils ne perdirent pas un instant et profitèrent de la confusion pour quitter cet étage, repoussant plus facilement les sirènes acharnées mais isolées. Un incendie faisait rage dans le couloir. Quel étrange phénomène avait pu allumer un incendie si bas dans la Tour, voilà une question qu'ils ne se posaient pas pour l'instant. Ils le franchirent à l'endroit le moins dangereux et commencèrent à remonter dans une course folle.

Un craquement retentissant se fit entendre à l'étage qu'ils venaient de quitter, aussitôt suivi d'un puissant hurlement à glacer l'âme. Les héritiers ne prirent pas le temps d'en discourir. Tous songeaient à la même chose: le feu avait mis en rage le fameux *écornifleur*.

* * *

Yan et Hulsidor s'acharnaient sur l'armoire bloquant l'issue, mais en vain. La soulever était impossible; et leurs lames n'entamaient qu'à peine l'épais bois de feuillu. Il leur aurait fallu une hache *et* assez de place pour la manier efficacement, mais ils n'avaient ni l'une ni l'autre.

Yan s'inquiétait du sort de Léti et Bowbaq. Leur silence n'arrangeait pas son angoisse. Avaient-ils dû fuir? Étaient-ils blessés? Ou pire?

Il ne croyait pas à la « trahison » du géant; il existait sûrement une explication logique. Hulsidor avait été trompé par la fumée, voilà tout. De toute manière, ils avaient un problème plus urgent à affronter. Le reste serait éclairci plus tard… ou jamais.

Ils transpiraient tous deux d'abondance, sous l'effort et la chaleur. Mais ils s'épuisaient sans résultat. Jamais ils ne se fraieraient un passage de cette façon.

Yan eut soudain une idée. Il fit s'écarter le bibliothécaire aussi excédé qu'intrigué. Puis il lança sa Volonté contre l'armoire.

La magie fit craquer le bois et une fissure y apparut sur deux pieds de long. Hulsidor eut un petit cri de surprise et s'éloigna de Yan avec une crainte respectueuse.

Le jeune homme dut prendre quelques instants pour se reposer. Le choc en retour l'avait beaucoup plus ébranlé qu'il ne s'y était attendu. *Il est plus facile de détruire que de bâtir*, disait Corenn. Oui, mais le *récept* de ce bois était très faible.

Il reprit sa concentration, à la recherche de cette nouvelle perception des choses qu'était *l'essence sublime*. Celle de l'armoire était une sphère pleine de sable — la composante Terre —, d'un peu de Feu, et de Vent et d'Eau en quantités infimes. Un simple objet solide. Sans esprit. Sans vie. Que le temps dévorait lentement.

La sphère elle-même symbolisait la *sensibilité* de l'objet à la magie. Yan aurait été bien en peine de reconnaître la matière dont elle se composait, la sphère n'étant qu'une interprétation spirituelle. Lui la voyait tout simplement en verre.

De la pratique naît l'excellence, disait Corenn. Et la pratique lui avait appris que l'épaisseur de la paroi de la sphère était proportionnelle à la résistance à la magie de l'objet. Celle de l'armoire était la plus épaisse qu'il ait jamais vue.

Mais la magie semblait leur seule chance, aussi décida-t-il de faire une deuxième tentative. Il se concentra longuement sur la zone fissurée, laissant grandir sa Volonté jusqu'à la limite de sa résistance. Puis il lança toute cette force puisée dans son corps contre le bois.

Une des planches éclata bruyamment, les arrosant d'une pluie d'échardes. Mais les autres n'avaient pas bougé d'un pouce. La brèche était encore trop étroite.

La *langueur* qui s'empara de Yan en retour du sort fut terrassante. Le jeune homme s'évanouit pesamment, faible et glacé malgré la chaleur de l'incendie.

— À l'aide ! cria désespérément Hulsidor à travers le trou.

Le Romin maudit le menuisier qui avait monté cette armoire avec des planches épaisses de deux pouces.

* * *

Quelque chose montait derrière eux dans l'escalier, mais Lana n'avait aucune envie de savoir quoi. Elle n'avait jamais couru aussi vite. Il lui semblait pourtant que les grognements inhumains se faisaient toujours plus proches. Qu'ils provenaient d'une seule gorge. Puissante et affamée.

— Vous pouvez tous aller plus vite, lança Corenn, haletante. Ne m'attendez pas.

Grigán jura et s'empara de la lanterne de Rey. Il laissa la Mère le dépasser et jeta l'objet dans l'escalier, y allumant ainsi un petit feu. Personne ne croyait réellement que cela suffirait à arrêter leur poursuivant.

— Vous autres, courez, ordonna le guerrier. Je reste avec Corenn.

Lana protesta mais Rey attrapa sa main et l'entraîna de force. Leur jeunesse leur permit de prendre peu à peu de l'avance. Ils disparurent bientôt de la vue de leurs amis.

— Montez, Grigán, exigea Corenn. Je n'ai plus de force. Laissez-moi *maintenant*, et gardez le souvenir de moi *debout*.

— Que croyez-vous ? haleta le guerrier. Je ne suis pas en meilleur état. Je ne vous abandonnerai pas, Corenn, de toute manière. Je n'abandonnerai plus personne, jamais, ajouta-t-il pour lui-même.

Ils n'avaient pas parcouru la moitié du chemin. Derrière eux, le roi des spectres faisait crisser ses griffes contre la pierre millénaire. Toujours plus proche.

* * *

Léti fut réveillée par un étrange instinct de survie, plus que par le vacarme de l'incendie et d'Hulsidor. Elle eut l'intelligence de se redresser lentement pour ne pas se révéler. Le spectacle la consterna.

Tout l'étage était en flammes. Si le centre de la salle n'avait pas été inoccupé, le feu l'aurait également envahi et Léti aurait succombé. Des craquements venant des niveaux supérieurs témoignaient d'une semblable condition. Mais qu'attendaient les Romins pour tenter de sauver le bâtiment ?

Les derniers événements lui revinrent en mémoire et elle scruta la fumée à la recherche de Bowbaq. Non loin de là, le géant dansait une étrange gigue au milieu des flammes. Il était toujours possédé. La priorité était d'essayer de le ramener à la raison…

Léti ne prit pas le temps de chercher sa rapière et ramassa simplement un long tison rougi. Puis elle progressa avec beaucoup de précautions jusqu'à son ami.

Étrange spectacle, que celui de ce géant barbu couvert de cendres et dansant tel un ivrogne. Une telle puissance déchaînée était réellement effrayante. Surtout lorsqu'on savait son esprit contrôlé par un spectre *malfaisant*.

Léti jugea bientôt être assez près et franchit le reste de la distance en courant. Elle appuya le tison brûlant sur la cuisse de son ami et bondit en arrière, attendant sa réaction avec anxiété.

Bowbaq eut un simple réflexe de sursaut, mais le spectre quitta son corps comme un poisson affolé. Le géant tendit aussitôt ses immenses mains en avant pour l'agripper.

— Reviens ici ! grogna-t-il comme un ours, alors que le revenant s'écartait à bonne distance. Reviens te battre !

Léti n'en crut pas ses oreilles. Était-ce vraiment le pacifique, le paisible Bowbaq qui venait de prononcer cela ?

Le spectre ne répondit pas aux menaces et plongea dans le sol avec un rire moqueur. Il ignorait encore qu'il volait tout droit dans un autre incendie.

Bowbaq se massa les tempes en grommelant de frustration. Léti ne perdit pas de temps en explications et se rua pour ouvrir la porte, avant de se rappeler qu'Hulsidor l'avait verrouillée derrière eux. Elle courut alors à l'escalier pour découvrir avec horreur que son accès était bloqué.

Voilà pourquoi le bibliothécaire ne cessait d'appeler à l'aide. Elle se pencha sur l'orifice et aperçut la forme inanimée de Yan sur les marches.

— Il est blessé ? demanda-t-elle, inquiète.

— Évanoui, seulement ! Aidez-nous ! implora le Romin en toussotant.

La fumée leur piquait les yeux et la gorge. La chaleur était intolérable. Si les étages supérieurs étaient touchés aussi gravement, ils n'allaient pas tarder à s'écrouler sur eux.

— Où sont les autres ? s'enquit-elle avec effroi.

— Ils sont plus bas ! Aidez-nous, vite !

Une lourde main se posa sur l'épaule de Léti et l'obligea à reculer. Bowbaq avait suffisamment recouvré ses esprits pour agir. Il tenait sa lourde masse d'armes d'une seule main et savait exactement comment l'utiliser.

— Ne restez pas en dessous, annonça-t-il simplement.

Hulsidor descendit de deux marches avant le premier coup, et de quatre autres après. Au cinquième coup, Bowbaq avait ouvert une brèche suffisamment grande pour que lui-même puisse y passer.

Le Romin s'y engouffra et courut à la porte sans un mot de remerciement. Il la déverrouilla et se précipita dehors, suivi par le chat Grenouille, bien peu reconnaissant.

Léti sauta dans l'escalier et souleva Yan assez haut pour que Bowbaq puisse le tirer jusqu'à lui. Des bruits de course montaient des niveaux inférieurs, répercutés par l'écho de la pierre. Léti remonta et ils attendirent avec anxiété les membres manquants du groupe.

Mais seuls Lana et Rey firent leur apparition. L'obstacle et l'incendie déchaîné les surprirent mais ne les émurent guère. Les héritiers fuyaient un danger bien plus immédiat.

— Ça nous suit, prévint Rey en s'installant avec sa rapière au-dessus du trou. Derrière Corenn et Grigán. C'est énorme.

Léti partit à la recherche de son arme et revint bientôt pour imiter la position de l'acteur. Mais l'armoire couchée en travers du passage rendait la chose malaisée.

— Ça ne va pas, décida Rey, nous allons nous gêner.

— Laissez-moi faire, demanda soudain Bowbaq d'une voix grave. Je *veux* le faire.

L'acteur s'effaça pour céder la place au géant. Ce dernier s'installa au-dessus de l'ouverture et ferma les yeux. Il se mit à l'écoute du moindre bruit dans l'escalier… et rumina sa colère.

Il était *erjak*. Quand un esprit avait tenté d'entrer en contact avec le sien, il s'était laissé faire. L'instant suivant, l'esprit visiteur s'était fait *envahisseur*. Mais il était trop tard. Non prévenu, Bowbaq était tombé sous le contrôle d'un spectre.

Il avait assisté, impuissant, à chacune des actions qu'il accomplissait contre sa volonté. Quand il avait allumé le feu. Quand il avait fait tomber l'armoire sur l'escalier. Luttant de toute la force de son esprit, mais en vain.

— Ils étaient si loin derrière vous ? demanda Léti, inquiète.

— Je ne sais pas, répondit Rey après un instant. Peut-être.

Bowbaq avait subi tout cela comme une torture. Avec douleur. Même la violence des dernières décades ne l'écœurait pas autant. Même l'épisode du dauphin gyole ne l'avait pas autant révolté.

— Yan se réveille, annonça Lana.

— Je crois que j'entends quelque chose… prévint Rey. Ils arrivent.

Bowbaq les avait entendus, lui aussi. Il souleva sa masse d'armes au-dessus de sa tête et prit une grande inspiration.

— Puisqu'ils remontent, on ferait mieux de sortir, suggéra Rey. La Tour peut s'écrouler d'un instant à l'autre.

Ses compagnons ne firent aucun geste et il dut pousser Léti, Yan et Lana vers l'extérieur, en songeant avec ironie qu'il se montrait pour une fois le seul raisonnable.

Bowbaq, resté seul, écoutait la course de ses amis. Il perçut bientôt leurs halètements. Alors qu'ils étaient presque au bout, Grigán et Corenn auraient pu ralentir un peu. Mais quelque chose les poussait, au contraire, à aller le plus vite possible.

Le géant ouvrit les yeux et observa la lueur de l'ultime lanterne monter vers lui. Enfin apparurent ses amis. Grigán poussa sans ménagements Corenn à travers l'ouverture et s'y engouffra aussitôt après. Ils étaient rouges, essoufflés. *Effrayés.*

— Bowbaq, dehors, ordonna simplement Grigán. Vite.

Le guerrier entraîna lui-même la Mère vers la sortie, aussi rapidement qu'ils le pouvaient encore.

Le géant ignora l'avertissement. Il ne s'était jamais senti aussi sûr de lui. Quelque chose d'énorme surgit de l'escalier et Bowbaq frappa.

* * *

Les Romins contemplaient la destruction de la tour Profonde avec satisfaction. Certains riaient. Quelqu'un lança l'idée d'une farandole et les Romins tournèrent autour du bâtiment en flammes avec beaucoup d'amusement.

La Bibliothèque éclectique était, pour les moins avertis, un symbole vieilli du despotisme royal. Pour les autres, mieux renseignés, elle n'était qu'un repaire de revenants qu'on aurait dû détruire depuis longtemps. Aucun ne comprit que Romine perdait cette nuit-là une de ses merveilles. Personne ne songea à ce trésor que représentaient mille ans et plus de connaissances humaines. Bien sûr, tout ne brûlerait pas : la plupart des étages inférieurs seraient simplement enfouis sous les décombres. Comme la bibliothèque de Romerij. Pour combien de siècles ?

Hulsidor avait disparu dans la foule. Les héritiers étaient acclamés au fur et à mesure qu'ils quittaient subrepticement la tour enflammée. Peu se souciaient alors qu'ils fussent des étrangers : dans l'allégresse générale, on les traita comme des héros libérateurs.

Ils se rassemblèrent à bonne distance et Grigán se chargea d'éloigner les importuns, par des menaces non déguisées. Un fracas effroyable se fit soudain entendre, aussitôt suivi d'applaudissements. Le deuxième étage venait de disparaître sous le poids des autres.

— Bowbaq ! cria Léti en s'avançant vers la Tour.

Le bâtiment s'effondra soudain dans un vacarme épouvantable. Les héritiers contemplèrent le désastre en silence, sans même entendre les cris de joie des Romins dégénérés.

Une pile de débris fut soudain agitée de soubresauts et l'un de ses morceaux se releva. Bowbaq, les cheveux en bataille, couvert de cendres et de poussière, regardait autour de lui, hébété. Il se mit à fouiller les décombres avec précaution, prêt à frapper de sa massc à chaque alerte. Les héritiers l'emmenèrent prestement.

* * *

Ils finirent cette nuit agitée dans les cabines de *L'Othenor*, seule retraite accueillante avant leur départ pour la Sainte-Cité d'Ith.

Yan mis à part, tous avaient subi plusieurs blessures plus ou moins graves. Bowbaq présentait nombre de bosses et quelques brûlures, ne serait-ce que celle infligée par Léti. Ils étaient harassés et en piteux état.

Ils avaient perdu la presque totalité de leur équipement. Corenn, son journal. Rey, l'antidote au poison des dagues züu. Lana, sa robe de Maz eurydienne. Et d'autres choses non moins importantes, auxquelles il fallait ajouter le chat Grenouille. Ils se trouvaient plus démunis qu'au début de leur quête. Si Rey n'avait caché une partie du trésor du Petit Palais à proximité de *L'Othenor*, ils auraient été complètement ruinés.

Fort de son expérience de vétéran, Grigán donna des indications sur la meilleure façon de traiter les différentes blessures, mais Corenn apprenait vite et avait déjà retenu la leçon. La salle d'équipage de la felouque se transforma en une officine où les doyens utilisaient leurs compétences sur leurs amis, avant de s'occuper enfin d'eux-mêmes.

Ils n'avaient prononcé que quelques mots sur le chemin du retour. Quand enfin chacun fut assuré que les autres étaient hors de danger, ils se détendirent un peu et échangèrent leurs expériences.

Bowbaq affirma que l'écornifleur ressemblait à un *urblek* géant, mais personne d'autre que lui n'en avait jamais vu, et l'Arque ne réussit pas à le décrire d'une façon plus précise. Ils oublièrent donc l'épisode avec un sentiment de frustration. Après avoir été poursuivie sur plus de vingt étages, Corenn aurait aimé en apprendre un peu plus.

Yan livra sa propre découverte, rien moins que l'emplacement d'une autre porte menant au Jal'dara. Située à Sole, dans le pays d'Oo, au cœur des royaumes estiens. Nol l'avait franchie cinq siècles plus tôt, en compagnie d'un groupe de sages émissaires, comme il l'avait fait à Ji avec les ancêtres de ses compagnons.

— Cela porte leur nombre à quatre, *au moins*, récapitula Corenn. Nous connaissons la porte de Ji; celle de Jérusnie est restée introuvable; et la Grande Arche sohonne d'Arkarie n'a jamais montré semblable pouvoir. Peut-être la porte de Sole...

Grigán croisa le regard de la Mère et sut aussitôt à quoi s'en tenir.

— C'est une folie, Corenn, bondit-il. Un voyage de plus de cinq décades. Dont une partie à travers les royaumes estiens. Nous avons sûrement de meilleures options !

— Une fois à Ith, nous aurons fait plus de la moitié du chemin, argumenta la Mère. Il existe une chance pour que la porte de Sole soit franchissable. Nous devons envisager...

Elle s'interrompit quand Lana rejoignit l'assemblée avec une expression grave. La Maz venait de terminer la traduction du feuillet arraché aux sirènes, et en donna lecture à ses compagnons médusés.

Enfant n'est ni bon ni mauvais
Homme ou dieu, même naïveté
L'un est lui dès première aube
L'autre n'est dieu que né des hommes

Mortel ne subsiste que par la chair
Éternel croît à la source des esprits
Eaux limpides de la vallée de dara
Sombre fange des fosses de karu

Jour promis où les dieux écouteront les voix
Ouvertes les portes, enchaînés les gardiens
Bannis les injustes, rois les vertueux
Quand les suprêmes briseront leurs chaînes.

Un long silence suivit sa lecture. La Maz indiqua d'un geste qu'elle avait terminé, et les héritiers se contemplèrent avec effarement.

— Qu'est-ce que ça veut dire ? demanda Bowbaq, vaguement inquiet.

Lana prit le temps de bien choisir ses mots avant de répondre. Le poème était semé de sens cachés et de références mystiques, qu'aucun autre Maz ne pouvait comprendre s'il ne partageait pas les secrets des héritiers. Mais pour ses amis, elle devait être aussi claire que possible.

— Cela veut dire, gentil Bowbaq, que les enfants derrière la porte sont différents. Très différents, précisa-t-elle avec emphase. Et que le Jal'dara est bien plus qu'un paradis. C'est... *le berceau des dieux.*

Chacun médita sur cette révélation bouleversante, le temps d'en saisir les implications. L'une d'entre elles leur vint immédiatement à l'esprit.

Le Jal'dara engendrait aussi des *démons*.

Ils commençaient à se faire une idée de ce qu'avaient pu vivre leurs ancêtres. Et d'où Saat tirait ses pouvoirs.

C'était effroyable.

Ils pensaient que leur situation ne pouvait empirer encore. Erreur.

Leur ennemi était dans le camp des immortels.

LIVRE VI

LES PÉLERINS

LES HÉRITIERS N'ÉTAIENT À ROMINE que depuis deux jours, mais il leur tardait déjà de quitter cette ville inhospitalière, où ils avaient frôlé la mort de si près.

Au cime de la décade du Foyer, le Jour du Pain, comme leur apprit Lana, ils s'affairèrent avec soulagement à la préparation de leur voyage vers la Sainte-Cité. La journée fut très courte, la plupart des membres du groupe s'étant levés tard après le soleil pour récupérer de leur nuit blanche. Et il y avait tant à faire qu'ils n'eurent guère l'occasion de discuter plus encore de leurs découvertes… chacun désirant aussi mettre de l'ordre dans ses pensées, avant de faire des propositions.

Leur «pèlerinage» jusqu'à Ith se ferait par voie terrestre, comme l'avaient décidé Grigán et Corenn. Le guerrier pensait gagner du temps en traversant le val Humide et les monts Brumeux, pour rejoindre la ville du Pont en Lorelia, bien que l'imminente saison de la Terre ne facilite pas l'entreprise. Ils contourneraient ensuite Lermian, traverseraient le sud du Grand Empire, pour enfin remonter l'Alt jusqu'à la Sainte-Cité. Par la mer, le voyage aurait pris presque trois décades, sans compter les avaries, tempêtes et autres imprévus. Grigán espérait gagner Ith en moins de vingt jours de chevauchée.

Ils n'eurent guère le temps de chercher un acquéreur pour *L'Othenor*, et se résolurent donc à abandonner la felouque sur l'Uræ, après en avoir retiré le peu d'équipement encore en leur possession. Yan contempla son glaive, ses vêtements loreliens, ses chausses junéennes, et se souvint avec amusement du harpon et des lignes de pêche qu'il avait emportés en quittant Eza… cinq décades plus tôt. Autant dire un siècle. Il s'était passé tellement de choses depuis…

Il était convenu que la première partie de ce nouveau voyage, jusqu'au Pont, se ferait en compagnie d'une troupe de bateleurs. Les artistes y gagnaient une escorte, et les héritiers une couverture, sans compter le droit de franc-passage accordé à la confrérie des amuseurs, qui leur serait utile en la principauté de Semilia, et au passage du Pont-Régent.

Ils devaient s'équiper de chevaux et de chariots. Il fut décidé d'en prendre deux, suffisamment grands pour les abriter en cas de mauvais temps, fréquent dans les monts Brumeux. Lana approuva ce choix avec soulagement, ainsi que Yan, Bowbaq et Rey. En comparaison de Grigán ou Corenn, tous montaient assez mal, et la perspective d'une chevauchée de deux décades n'emballait guère les héritiers. La Mère suggéra de prévoir quand même une monture pour chacun, et il fut fait ainsi.

Puisant toujours dans le trésor volé au Petit Palais de Lorelia, les héritiers remplacèrent l'équipement perdu dans l'incendie de la tour Profonde. Nourriture et eau potable, bien sûr, mais aussi bougies, briquets, couvertures et autres vêtements chauds. Qui aurait dit, au début de leur quête, qu'elle ne serait pas achevée avant la saison froide ?

Ainsi préparés, les héritiers rejoignirent les bateleurs, gens de voyage blasés qui ne s'émurent guère de l'étrange assortiment de leurs compagnons de route. Seul l'ami de Rey, un jongleur lorelien portant l'étrange nom de Cavale, leur accorda quelque attention. Les présentations furent donc rapides et sans enthousiasme, la quinzaine d'artistes ambulants, romins pour la plupart, se détournant à peine de leurs activités pour accueillir les nouveaux venus.

Les héritiers ne demandaient pas mieux, de toute façon, que de rester seuls pour leur dernière nuit à Romine. Ils ressentaient un grand besoin de se parler. Et ils se réunirent tout naturellement dans le plus grand des deux chariots, sans s'être consultés, pour une discussion des plus sérieuses.

Grigán fit consciencieusement le tour des environs avant de rejoindre ses compagnons. Mais la petite place où s'étaient établis les bateleurs était calme et peu fréquentée, emprisonnée dans un quartier à l'abandon. Cavale et les autres étaient, pour lors, dans une rue plus animée pour une ultime représentation dans la capitale. Yan songea qu'il ignorait totalement de quoi le spectacle se composait. Mais il aurait d'autres occasions d'y assister.

Les héritiers se restaurèrent en évitant tout d'abord le sujet principal de leurs préoccupations. Comme si le fait de mentionner les dieux, les démons et surtout les spectres pouvait faire surgir l'un d'eux du brouillard dont s'était couverte la ville, cette nuit encore. Mais les plaisanteries de Rey réussirent peu à peu à les détendre, suffisamment pour aborder des problèmes plus graves. *Très graves.* Ceux de Saat et des portes du Jal'dara.

— Nous faisons face, commenta Corenn pour elle-même, à quelque chose qui dépasse nos simples destinées…

Tous se turent pour écouter les réflexions de la Mère. Corenn sortit de sa rêverie et s'aperçut que tous les regards étaient posés sur elle. Chacun attendait qu'elle démêle les implications des derniers événements… Peut-être, qu'elle leur indique le chemin à suivre… Alors la Mère s'efforça de donner le change.

— Notre ennemi n'est pas un simple mortel, reprit-elle. Il survit contre nature depuis plus d'un siècle. Il sait l'endroit où les dieux grandissent. On peut supposer qu'il y a séjourné, en même temps que nos ancêtres. Et il en a tiré un grand pouvoir, assez puissant pour contrôler des démons, et peut-être d'autres choses dont nous n'avons même pas idée.

Bien que personne ne l'eût interrompue, Corenn marqua une pause. La Mère ne pouvait s'empêcher d'user de son pouvoir de persuasion, même lorsque l'assemblée lui était acquise.

— Saat est certainement le plus puissant des humains, ajouta-t-elle. Si on peut toujours le qualifier d'humain. Et incontestablement malveillant. Voilà pourquoi les implications de notre quête nous dépassent. Saat a sûrement le pouvoir d'influencer des milliers d'existences. Le pouvoir, *et* l'intention.

— Mais comment ? s'insurgea Léti. Et pourquoi ?

— Je l'ignore. Peut-être pour les mêmes raisons qui le font exterminer les héritiers.

— Mille pardons, dame Corenn, intervint Rey. Mais cela fait beaucoup de *peut-être*.

— Vous êtes *peut-être* plus malin que les autres ? railla Grigán. Vous allez nous livrer la solution ?

— Récapitulons ce que nous pouvons tenir comme certain, reprit la Mère calmement. Je pense que personne ne remettra en cause les réponses d'Usul ? Donc, notre ennemi est Saat l'Économe, ambassadeur du Grand Empire sur l'île Ji au siècle dernier. Il est toujours en vie, contre toute logique. En outre, les portes mènent toutes au même endroit, un lieu nommé Jal'karu ou Jal'dara, et qui serait, d'après le texte trouvé à la tour Profonde et les éclaircissements de Lana, une sorte de « berceau » pour les dieux. Aussi extraordinaire que cela paraisse.

« Saat a par ailleurs commandité l'assassinat de tous les héritiers. Or, il n'a aucune raison *apparente* de les haïr… de *nous* haïr. On peut donc supposer qu'il nous *redoute*, ce qui trahit sa malveillance. Les questions à nous poser maintenant sont : que projette-t-il réellement ? Et comment pouvons-nous nous y opposer ?

Personne n'avait de réponse à offrir. Toutes leurs peurs enfouies, Corenn venait de les présenter au grand jour. Et, bien que les choses fussent dès lors plus claires pour eux tous, le problème n'en paraissait pas moins insurmontable.

Yan songeait à la prophétie d'Usul : les Hauts-Royaumes seraient bientôt les grands perdants d'une guerre meurtrière. Ce n'était pas une simple éventualité. C'était l'avenir, révélé par un dieu. Mais l'avenir changeait lorsqu'il était révélé à l'un de ses acteurs… Yan pouvait-il réellement influencer le cours de l'histoire, éviter une guerre dont il ignorait encore les belligérants ? Il ne voyait pas de quelle manière.

Il ne voyait pas non plus comment faire part de ses craintes à ses compagnons. Il lui faudrait également parler du malheur de Grigán, et cela, il ne le voulait pour rien au monde.

— Nous possédons une petite partie de la réponse, rappela Lana. Comme vous-même l'avez remarqué, Corenn, Saat élimine les enfants des héritiers nés *après* le retour des sages.

La Maz s'arrêta tout net dans son explication. En fait, elle ne savait absolument pas comment poursuivre. Cette remarque devait les aider à avancer une théorie, mais il lui venait à l'esprit trop de possibilités.

— Je ne comprends pas, annonça Bowbaq. Qu'est-ce que ça veut dire, tout ça ?

— Ça veut dire que Saat a peur de nous, répondit Rey avec une grimace. Mais nous ignorons pourquoi.

— Nos ancêtres le savaient sûrement, intervint Grigán. Maz Achem en a peut-être parlé dans son journal.

— Et peut-être pas…

— Nous n'en saurons pas plus avant Ith, conclut Corenn avec déception.

Yan était au plus mal. Lui seul avait quelque élément de réponse. Mais à quoi servirait d'alourdir le fardeau des inquiétudes de ses amis ?

Ils n'avaient plus qu'à attendre. Gagner la Sainte-Cité au plus vite. En espérant ne pas rencontrer d'opposition. Que le journal se trouvait toujours là-bas. Et qu'il contenait de quoi les aider.

Alors que le temps jouait contre eux.

* * *

Cavale était un peu plus petit que Rey, un peu plus jeune, mais non moins bavard et empreint d'arrogance lorelienne. Le bateleur était jongleur de son état; lui et Reyan s'étaient rencontrés alors que l'acteur exerçait l'art difficile du lanceur de couteau.

Ce souvenir en rappela un autre à Cavale, sûrement très amusant, puisque le jongleur ne cessa de rire en racontant comment Rey en était venu à abandonner cette profession. L'acteur lui intima très sérieusement l'ordre de mettre fin à son récit, et son ami s'inclina avec regret, sans que son hilarité en soit calmée pour autant. Les héritiers ne surent jamais la vérité. Mais ils trouvèrent immédiatement le petit Lorelien très sympathique.

Il était le seul des bateleurs à leur adresser la parole. Les autres, soit qu'ils fussent impressionnés, soit que, comme la plupart de leurs compatriotes romins, ils ne s'ouvrent pas facilement aux étrangers, ne leur montraient qu'indifférence.

Le petit groupe d'artistes comportait seize personnes. Cavale mis à part, seuls trois d'entre eux laissaient deviner leur spécialité : un colosse et deux nains bouffons qui n'ôtaient jamais leur maquillage, comme les héritiers le découvrirent par la suite. À ceux-là, il fallait ajouter un « maître des loups » et un « maître des singes ». Le premier ne possédait qu'un seul animal, tellement vieux et familier de la compagnie des hommes qu'il n'était nul besoin de l'attacher. Le loup ne se déplaçait que pour poursuivre sa sieste un peu plus loin, ou pour quémander des gourmandises avec toutes les mimiques d'un vulgaire chien.

Le maître des singes, un nommé Tonk, grossier et violent comme le découvrirent plus tard les héritiers, possédait deux paires de mimastins. Bowbaq lut les traces de brûlures et de coups sur les petits corps velus, et resta longuement immobile, les poings serrés, à contempler les corps torturés des petits animaux. Grigán éloigna de force son ami de la cage en avisant que ledit Tonk les surveillait non loin de là avec une expression contrariée.

Le chef de cette petite troupe n'était autre que le colosse, un homme massif répondant au nom de Nakapan, et qui contempla pourtant les muscles de Bowbaq avec jalousie. Sa femme était cracheuse de feu, son fils acrobate, ses deux filles écuyères. La seule parole qu'il eut pour les héritiers fut un avertissement, qu'il formula en plantant son regard dans celui de Rey : en aucun cas, on ne devait *manquer de respect* à ses filles. L'entrevue terminée, Grigán répéta la recommandation à l'acteur, qui s'insurgea faussement contre ce manque de confiance.

Les bateleurs possédaient six chariots plus ou moins grands, et c'est donc huit voitures qui s'ébranlèrent au Jour du Tanneur pour un voyage jusqu'au Pont en Lorelia. Yan, Corenn et Bowbaq prirent place dans la plus grande, laissant Rey et Lana seuls dans la petite, à la grande joie de l'acteur. Grigán et Léti préférèrent chevaucher à côté du convoi. Le guerrier, pour être libre de ses mouvements, et la jeune femme parce qu'elle prenait très au sérieux son rôle d'escorte... et qu'elle voulait imiter en tout son maître d'armes.

Ils quittèrent la capitale du Vieux Pays avec soulagement, laissant derrière eux quelques enceintes désagrégées, traversant de nombreux faubourgs, franchissant plusieurs ponts surplombant l'un ou l'autre affluent de l'Uræ. Jusqu'au moment où les hameaux se firent de plus en plus distants les uns des autres, pour être enfin des villages indépendants.

Les Romins contemplaient le passage du convoi avec une certaine désapprobation. Les bateleurs levaient haut le front et feignaient l'indifférence. Aucun ne paraissait triste de quitter son pays natal.

Yan, lui, songea avec nostalgie à Kaul, à Eza, à la maison de Norine où il avait grandi avec Léti. Tout le monde a besoin d'attaches. Mais la raison commandait de s'en éloigner toujours plus.

* * *

Yan raconta à Corenn comment il s'était évanoui, après avoir lancé sa Volonté contre l'armoire qui faisait obstacle dans la tour Profonde. La langueur en retour du sort l'avait abattu, alors qu'il pensait avoir suffisamment de force pour y résister. La Mère écouta le récit avec beaucoup d'attention, et n'eut aucune peine à fournir une explication.

— Tu étais certainement assez résistant *avant* de lancer ta Volonté, assura-t-elle. Mais plus après. N'oublie pas que ton esprit puise la force nécessaire au sort dans ton propre corps... Il faut compter avec cela, pour apprécier la résistance à la langueur. Il te faut anticiper ta faiblesse.

Yan acquiesça, montrant qu'il avait compris la leçon. La magie n'était décidément pas chose facile, même pour lui, supposé être naturellement doué.

— Je connais plusieurs exercices, reprit Corenn. Quelques astuces. Un petit jeûne, quelques techniques de concentration… J'avais l'intention de t'y soumettre, maintenant que nous avons vu la théorie. Mais cela me semble ridicule, alors que tu as brûlé les étapes. Dire que tu as vu l'essence sublime !

— Je ne me sens pas doué, annonça Yan très sérieusement. Au contraire. Je ne contrôle rien du tout, ajouta-t-il en boudant.

— Même les rois soupirent, cita Corenn avec amusement. Puisque tu n'as aucun problème avec la concentration… Je pense qu'il serait sage de t'apprendre à puiser de la force ailleurs que dans ton corps. Diminuer les effets de la langueur devrait t'aider à mieux maîtriser ton pouvoir.

— Vous ne m'aviez pas dit que cette technique était assez dangereuse ?

— Bien sûr. Toutes les techniques de la magie sont dangereuses, Yan. C'est pour cela qu'on ne l'enseigne pas aux idiots.

— Raison de plus pour que je m'abstienne, alors, plaisanta Bowbaq qui menait le chariot.

Ils rirent de bon cœur, mais la remarque du géant rappela à Corenn leur récente découverte. Tous les erjaks étaient des magiciens qui s'ignoraient. Mais révéler leurs pouvoirs à ces gens tuerait la moitié d'entre eux en quelques lunes, à coup sûr. Mieux valait donc taire la chose.

Inversement, tous les magiciens étaient des erjaks en puissance si, comme Yan, ils étaient capables de cerner un esprit dans son intégralité. Mais là où les erjaks agissaient sans méthode, utilisant un don qu'ils ne pouvaient expliquer, les magiciens rattacheraient immédiatement cette découverte à la discipline du Vent. L'idée de confrères essayant leur Volonté sur les âmes et les esprits de misérables cobayes glaçait d'effroi Corenn. Pour cette raison également, elle trouvait plus sage de garder le secret.

Elle songea alors avec amusement que cette découverte avait peut-être été faite des dizaines de fois, et qu'à chaque occasion la même décision avait été prise. Et le secret perdurait depuis des siècles…

Combien de secrets semblables renfermaient les grimoires anciens, les temples millénaires, les ruines oubliées du monde connu ? Corenn avait toujours cru au surnaturel qui, bien qu'inexplicable, n'en existait pourtant pas moins. Mais ce à quoi ils étaient maintenant confrontés dépassait son entendement. Des immortels, des enfants dieux… Tellement de questions sans réponses, encore…

— Comment fonctionne cette technique ? demanda Yan, tirant involontairement la Mère de sa réflexion.

Il ne fallut qu'un instant à Corenn pour revenir dans la conversation.

— Avec de la sérénité. Il en faut beaucoup pour puiser de la force dans un corps étranger, la contrôler, et la lancer sur un autre sujet. En somme, c'est trois fois plus difficile qu'un sort normal. Mais on évite ainsi la langueur.

— Et en quoi est-ce dangereux ?

— Toute cette puissance à disposition peut faire tourner la tête, même aux plus réfléchis. On a toujours tendance à accumuler trop de force, puisqu'elle semble inépuisable. Mais elle ne l'est pas. Il arrive un moment où l'objet mis à contribution se brise. Et on subit alors les effets d'une double langueur destructrice.

Yan déglutit bruyamment. Il n'imaginait que trop bien les effets d'un tel choc en retour. Une mort violente et douloureuse.

Tout cela l'enflammait et l'effrayait en même temps. Comme tout ce qui avait trait à la magie. Comme toute leur aventure.

Il prit son courage à deux mains, et fit enfin la demande qui l'avait amené à lancer Corenn dans une nouvelle conversation sur ce sujet.

— Bowbaq peut m'apprendre à devenir erjak, annonça-t-il d'une voix mal assurée. Je suis curieux de… Si vous êtes d'accord… Enfin, si vous n'êtes pas contre…

— Pourquoi veux-tu ce pouvoir ? demanda Corenn avec gravité.

Yan laissa traîner son regard sur le paysage, jusqu'à rencontrer Léti chevauchant à côté de Grigán. Il la suivit des yeux pendant un moment.

— La connaissance… finit-il par répondre. Je suis curieux de ce que peut vivre Bowbaq, quand il « parle » avec son lion… Pas vous ?

Corenn le dévisagea avec un léger sourire, avant de se laisser aller à un rire franc.

— D'accord, concéda-t-elle. Pour la connaissance, c'est bien ça ? Tu vas donc étudier une nouvelle discipline de la magie, avec un autre professeur. Le Vent requiert peu de force, simplement un élargissement de la conscience. Ça ne pourra pas te faire de mal… Mais pas question d'abandonner *mes* leçons, conclut-elle, faussement grondeuse.

— Oh ! non ! assura Yan sincèrement. Jamais de la vie !

— Et surtout, reprit la Mère avec sérieux, n'essaie jamais, *jamais* plus tes pouvoirs sur un humain. L'esprit est fragile. Bowbaq peut le lire, tant mieux. Tu peux le *modifier*. C'est trop grave pour être tenté.

Yan acquiesça lentement. C'était la première fois que Corenn lui interdisait quelque chose. Il se jura de respecter cet ordre.

* * *

Lana contemplait le morne paysage des campagnes alentour de Romine, bercée par le ballottement irrégulier du chariot. Comme ses compagnons, elle se demandait ce qui l'avait amenée là, si loin de ses habitudes, si loin de son quotidien, si loin de sa vie. Auparavant Maz du Grand Temple, elle n'était plus qu'une simple mortelle jetée sur les routes… et à l'avenir plus qu'incertain.

Deux lunes plus tôt encore, elle ne connaissait du monde que la Sainte-Cité et une partie du Grand Empire. Depuis, elle avait parcouru les Baronnies, le Beau-Pays, le Vieux, et s'apprêtait à traverser le val Humide à la sinistre réputation, en compagnie d'une troupe de bateleurs romins hostiles à l'enseignement d'Eurydis.

Elle tenta de se ressaisir, car ces réflexions ne l'amèneraient qu'à se prendre elle-même en pitié. Or, c'était un sentiment orgueilleux, contraire aux trois valeurs de la Sage : *Savoir, Tolérance, Paix.*

Elle s'exhorta donc à distinguer, dans son périple personnel, les manifestations de la bienveillance de la déesse. Eurydis avait permis qu'elle survive aux lames züu. Elle avait placé des amis sur son chemin : le fier Grigán, ainsi que Corenn, Léti, Yan, le gentil Bowbaq, et enfin le très libertin Rey. La déesse les avait, jusque-là, tous préservés de malheurs irréparables. Et malgré les difficultés croissantes, leur quête continuait, progressait, prenait un sens. Ne fallait-il pas y voir un signe ? Lana n'était pas théoricienne, et se gardait bien de prétendre interpréter les desseins divins. Mais en son for intérieur, elle avait acquis la conviction qu'Eurydis guidait leurs pas. Que la déesse voulait voir aboutir leur croisade. Et la Maz s'accrochait à cette idée pour y trouver le courage d'avancer encore.

— Regardez là-bas, indiqua Rey. Des cochons rouges.

Lana observa le troupeau d'une trentaine de bêtes qui somnolaient à l'ombre d'un bosquet de cadenettes. Il volait tellement d'insectes autour des animaux qu'ils formaient comme un nuage, visible même à plus de cinquante pas.

— Les Romins *mangent* la chair de ces bêtes ? s'étonna-t-elle ingé-
nument.

— Pas toujours, répondit Rey en gardant son sérieux. Parfois, c'est le
contraire. Je vous conseille de ne pas descendre maintenant, ils vous dévo-
reraient en quelques instants.

Lana reporta son regard sur les cochons sauvages avec une expression
apeurée. Mais l'acteur ne put résister à l'envie de pousser encore son
mensonge.

— On a même vu des troupeaux plus petits que celui-là détruire entièrement un convoi comme le nôtre, reprit-il. Tiens ? Il me semble qu'ils
commencent à bouger…

— Reyan, vous tentez de m'abuser ! réalisa la Maz avec amusement. Je
suis certainement croyante, mais pas pour autant *crédule*, ajouta-t-elle
avec un petit reproche.

— Mais je ne mens pas ! insista l'acteur avec effronterie. Et j'aimerais
vous entendre m'appeler *Rey*… *Reyan* fait beaucoup trop quatorzième éon.

— Mais c'est le nom de votre aïeul ! s'exclama Lana. N'êtes-vous
pas fier…

Elle laissa mourir sa phrase sans l'achever. Ceci expliquait peut-être
cela. Et c'était de toute manière un sujet trop personnel pour qu'elle se
permette de donner son opinion.

Rey se garda également de répondre. La conversation cessa quelques
instants, ne laissant sur les visages qu'un léger sourire contraint.

— Dites-moi, reprit soudain l'acteur avec enjouement. Comment se
fait-il qu'une personne aussi jolie que vous ne soit pas unie à un vieil
Emaz grincheux et barbant ?

— Reyan… Rey… Je suis veuve, annonça Lana sans détours. Depuis
deux ans, déjà…

— Je suis désolé, commenta sincèrement l'acteur.

Il n'avait aucune envie de questionner la prêtresse sur ce drame. La
nouvelle était doublement mauvaise. Comment rivaliser avec la mémoire
d'un mort ?

Lana s'aperçut aussitôt du trouble du Lorelien. Elle ne voulait pas lui
donner de faux espoirs, mais ne supportait pas de le voir soudain si triste.

— Rey, dit-elle avec gentillesse. Vous m'avez sauvé la vie à deux
reprises, dans la tour Profonde. Je vous remercie pour votre courage et
votre prévenance, sans lesquels je ne serais plus de ce monde. Je prierai
pour vous.

— Louée soit Eurydis ! conclut l'acteur avec cynisme.

On ne le vit plus plaisanter pendant le reste de la journée. Après le repas de l'apogée, Rey choisit de chevaucher seul, laissant Corenn prendre sa place aux côtés de Lana.

* * *

Le convoi s'arrêta bien avant la tombée de la nuit, à Deshine, dernière ville importante avant le sauvage et déserté val Humide. Grigán ne manqua pas de remarquer que cette première journée de voyage ne les avait pas amenés bien loin, et qu'à ce rythme, il leur faudrait plus d'une décade rien que pour rejoindre le Pont. Mais les bateleurs ne vivaient que par leur art, et Deshine était pour eux une étape incontournable.

Sa taille mise à part, la ville ressemblait en tout point à Romine : de hautes maisons peintes, présentant le traditionnel aigle uranien en façade, bordaient diverses avenues étriquées et dessinées au petit bonheur. Quelques natifs au regard méprisant et aux vêtements chamarrés battaient le pavement comme des âmes en peine. Deshine semblait un simple faubourg de la capitale du Vieux Pays. Yan se demanda comment les artistes pouvaient gagner leur vie en distrayant ces tristes sires qu'étaient les Romins.

Les chariots furent laissés en dehors des murailles, comme les lois de cette cité l'exigeaient. Les bateleurs installèrent leur campement très rapidement, avec l'efficacité d'exécution d'une corvée mille fois répétée. Vint alors le moment du repas, chacune des « familles » le prenant indépendamment des autres. Les héritiers en firent donc autant, accueillant avec plaisir les seuls Cavale et Anaël — le « maître des loups » — qui partageaient le même chariot.

Les loups avaient quelquefois fait parler d'eux dans le Matriarcat, aussi Yan garda-t-il un œil sur la bête appelée *Merbal*. L'emprunt du nom du légendaire brigand buveur de sang n'était pas non plus pour le rassurer. Mais il s'habitua bientôt à la présence du vieil animal, comme ses compagnons, et tous s'attendrirent de la façon dont la bête cherchait des caresses. Seule Léti fut forcée de le repousser deux ou trois fois, le fauve prêtant beaucoup trop d'attrait à l'odeur encore forte de son armure de cuir.

Bowbaq s'en fit un ami sans même user de son pouvoir d'erjak. C'était une preuve supplémentaire, s'il en fallait une, de la facilité de contact du géant avec les animaux. Au prix de la moitié de son repas, Bowbaq s'attacha l'intérêt exclusif du loup pendant toute la durée de ce moment paisible.

Yan s'appliqua à observer la méthode du géant, mais celui-ci n'en avait aucune, à moins d'appeler *méthode* l'usage de la gentillesse et d'un charisme naturel. Ce qu'allait lui apprendre Bowbaq relevait d'autre chose : *un élargissement de la conscience*. Il lui faudrait être assez sensible, et assez délicat pour pénétrer l'esprit d'un animal sans le rendre fou de - terreur.

Avec sa bonhomie et sa mauvaise pratique de la langue ithare, Bowbaq ne serait peut-être pas un bon professeur pour quelque chose d'aussi complexe... songea le jeune homme. Puis il eut honte de cette idée.

Le colosse Nakapan vint battre le rappel de ses artistes, et Cavale et Anaël quittèrent les héritiers pour aller se préparer. Le chef de troupe s'attarda le temps de proposer à Rey de se joindre à eux, suivant les conseils de Cavale.

— On a jamais trop d'*amuseurs*, ici, expliqua-t-il maladroitement. Je paye un demi-monarque pour la soirée. Si ça vous intéresse...

Rey refusa l'offre poliment, et l'homme s'en fut sans insister. Mais l'échange n'était pas passé inaperçu.

— *Amuseur* ? demanda Léti. Ça consiste en quoi ?

— C'est plutôt médiocre, répondit l'acteur. Les amuseurs ne présentent aucun numéro... Ils font simplement l'idiot en se moquant de quelques malheureux choisis dans l'assemblée. Les Romins adorent ça.

— Et dire que nous vous avons gratuitement depuis le début ! railla Grigán.

— Jamais je n'aurais osé demander des gages à un *maître* tel que vous, rétorqua Rey avec malice.

Le guerrier s'éloigna sans répondre, pas tout à fait certain d'être sorti gagnant de cet échange.

Selon l'arrangement passé avec les bateleurs, les héritiers étaient chargés de surveiller les chariots en l'absence des artistes. Ces derniers laissant tout de même un homme sur place pour surveiller... les héritiers eux-mêmes.

Évidemment, la curiosité fut la plus forte pour Yan, Léti et Rey, qui déclarèrent vouloir assister au spectacle. Ils insistèrent pour que d'autres les accompagnent, et décidèrent finalement Corenn et Bowbaq à les suivre... laissant la garde du camp aux seuls Grigán et Lana, que la proximité des Romins hostiles aux Ithares n'enchantait guère.

Le guerrier regarda ses amis franchir la porte de la ville avec une certaine inquiétude. S'il l'avait pu, il aurait obligé tout le monde à rester là.

À chaque fois qu'ils étaient séparés, il arrivait une catastrophe. Il n'y avait aucune raison que cette fois-ci fît exception.

* * *

Les bateleurs entrèrent en ville avec leurs costumes de scène, et accompagnés d'un air de vigole plus que tapageur, dans le but évident d'attirer l'attention des badauds. Yan, Léti, Corenn, Rey et Bowbaq suivaient à distance la parade du groupe bigarré. Les héritiers étaient partagés entre le désir de participer à la fête et celui de ne pas y être mêlé.

Chacun des artistes montrait une parcelle de son talent. Venaient d'abord trois écuyers, montant ensemble pas moins de cinq magnifiques chevaux à la robe blanche comme l'écume. Les écuyers étaient également acrobates, et ils exécutèrent une longue série de cabrioles comme changer de monture sans mettre pied à terre, ou se tenir debout sur deux bêtes progressant côte à côte.

Cet équipage imposant faisait s'ouvrir la foule, et les bateleurs s'engouffraient dans le sillon humain. Derrière les écuyers venait Nakapan le colosse, qui s'était attribué cette place d'honneur autant pour son prestige personnel que pour garder un œil sur ses deux filles. Lui ne faisait qu'exhorter les curieux à les suivre; du moins est-ce ce que Rey comprit, avec ses maigres connaissances de la langue romine. Tout au plus le chef de troupe faisait-il rouler ses muscles de temps à autre, se figeant dans des positions particulières. Par la grâce d'Eurydis, il ne vit pas que les Romins étaient plus impressionnés par la force de Bowbaq, qui ne faisait pourtant aucun effort en ce sens.

Derrière venait sa femme, normalement cracheuse de feu mais qui s'exerçait pour lors avec talent sur une vigole à échos. Juste ensuite venait Cavale, jonglant avec cinq boules en bois qu'il remplaça une à une par des objets que les nains bouffons chapardaient aux badauds, au grand plaisir de l'assistance. Le Lorelien rendit bientôt les larcins à leurs propriétaires et remplaça la cracheuse de feu à l'instrument, lui permettant à son tour d'exercer son art.

Ensuite venaient le vieil Anaël et le loup Merbal, attifé pour l'occasion d'un impressionnant collier de pointes, et retenu par une laisse que tenait à deux mains son maître vêtu en grand veneur. Le loup jouait parfaitement son rôle en grognant sur quiconque s'approchait trop près.

Derrière venait l'un des amuseurs décrit par Rey. Le costume de l'homme était couvert de représentations de la croix de Jérus, avec exagération, même pour un Romin. Chacun sait le mépris qu'ont les Uraniens pour les Jérusniens, et ce déguisement eut beaucoup de succès, surtout parce que l'amuseur s'ingéniait à rendre son personnage ridicule : en trébuchant au moindre obstacle, en se faisant surprendre par le loup, ou autres pitreries.

Puis suivait Tonk, le maître des singes aux cruelles méthodes de dressage. Son plaisir était de laisser ses animaux enchaînés s'agripper à l'un des badauds et semer la pagaille dans ses vêtements, jusqu'au moment où il ramenait brutalement les mimastins à lui. Inévitablement, la victime y perdait boutons, broches ou même cheveux, déclenchant ainsi les rires de l'assistance. Corenn comprenait maintenant le succès des bateleurs. Les Romins tiraient plaisir du malheur des autres. À dire vrai, ils n'étaient pas en cela différents d'un autre peuple, concéda-t-elle avec honnêteté.

Les artistes suivants étaient moins risibles. Il s'agissait de deux acrobates simulant un affrontement. L'un maniait une paire de sabres, l'autre un bâton d'hast démuni de pointes, mais rehaussé de rubans soulignant ses mouvements amples. Les deux hommes se poursuivaient à travers l'assistance et la parade en enchaînant des assauts spectaculaires.

— Quel dommage que Grigán ne soit pas venu, plaisanta Rey. Il aurait peut-être pu apprendre quelque chose de ces deux-là.

— Grigán est meilleur qu'eux, affirma Léti qui avait pris la remarque au sérieux.

— Je le pense aussi, renchérit Bowbaq.

Rey ne discuta pas. Il était du même avis et avait seulement voulu plaisanter.

Les deux derniers bateleurs s'entouraient de mystère. L'un avait revêtu une longue robe noire brodée de runes mystérieuses, et avançait dignement en portant un grimoire recouvert d'une feuille d'or. L'autre était une jeune femme grimée comme un farfadet, et bondissant autour du premier en lui donnant du « grand maître » à outrance.

Clore la parade par ces personnages était habile, car cela éveillait la curiosité. Nombre de badauds vinrent se joindre aux héritiers, à la suite des bateleurs, de leur propre chef ou entraînés par les amuseurs.

Beaucoup dévisagèrent le géant Bowbaq et la belle Léti à l'allure guerrière en s'interrogeant sur leur appartenance au spectacle. Cela n'échappa pas à Rey qui ne se priva pas d'échanger quelques mots avec les plus curieux. À chaque fois, les Romins s'éloignaient de quelques pas avec des regards empreints de respect. L'acteur rit beaucoup mais refusa de traduire ses commentaires aux héritiers.

La parade s'immobilisa sur la place centrale de la ville et les badauds firent cercle autour des artistes, disciplinés par les nains et les guerriers acrobates.

Comme les autres, Yan s'apprêta à assister au spectacle avec un plaisir non dissimulé. Sans se douter en aucune façon de ce qui allait arriver.

* * *

Le bateleur chargé de surveiller les surveillants les abandonna bien vite à leur tâche, pour monter personnellement la garde sur l'oreiller de son chariot… si bien que Grigán et Maz Lana furent laissés seul à seul pour la première fois.

Cette situation rendait le guerrier plus nerveux qu'il ne l'aurait voulu. Il s'imaginait si différent de la prêtresse, qu'il ne trouvait aucun sujet de conversation susceptible de les intéresser tous deux. Alors, fidèle à son habitude, Grigán ne parlait pas. Il s'astreignait simplement à de petites rondes dans le campement des bateleurs, se lissant machinalement une moustache disparue, jusqu'à revenir s'asseoir quelques instants auprès de Lana avec un embarras évident.

La Maz n'avait jusqu'alors pas été plus loquace. Elle s'était d'abord tue par respect pour le silence du guerrier. Puis, parce qu'elle cherchait les mots qui amèneraient le Ramgrith à partager son fardeau, dont elle avait déjà deviné l'existence. *Point besoin d'être aubergiste pour connaître l'homme*, disait le proverbe. *Il suffit d'être femme.*

— Grigán, croyez-vous en un dieu ? demanda-t-elle finalement, sans autre introduction.

Le guerrier la dévisagea avec surprise. Voilà bien le genre de sujet de conversation qu'il voulait éviter. Parler religion avec une Maz !

— Quelle importance ? Les dieux croient-ils en moi ? répondit-il avec aigreur.

Il regretta aussitôt ce ton agressif. Lana ne méritait pas qu'on lui oppose une telle attitude.

— Oui, je crois en l'existence des dieux, reprit-il plus doucement. Comment douter, après ce que nous avons vu, Usul, le Mog'lur, les portes du Jal'dara et le reste ? Il faudrait être plus qu'idiot !

— Ce n'est pas ce que je voulais dire, expliqua Lana. Croyez-vous en *un* dieu ? Priez-vous ?

— Pardonnez-moi, mais je trouve cette question un peu trop personnelle.

La Maz n'ajouta rien. La pire façon d'essayer de soulager la conscience de quelqu'un était de le soumettre à un interrogatoire. *Tolérance* était bien l'une des trois vertus de la Sage. Les gens finissaient toujours par comprendre que, si les prêtres respectaient leur mutisme, ils respecteraient également leurs secrets… Et peut-être pourraient-ils les aider d'une manière ou d'une autre. Les Maz n'étaient-ils pas dépositaires de l'enseignement d'Eurydis ?

Grigán ne fit pas exception. Le silence de Lana et son expression attentive et bienveillante l'encouragèrent à poursuivre cent fois mieux que ne l'auraient fait un millier de mots.

— Je ne crois pas… Je ne crois pas en *un* dieu, tel que vous l'entendez, reprit-il avec hésitation. Autrefois, à Griteh, on m'a appris à prier Alioss et Lusend Rama. Mais je n'étais qu'un enfant. Ce que je pensais alors n'avait aucune importance. J'ai perdu ma sincérité en grandissant, et mis fin à toute prière en quittant les Bas-Royaumes.

Lana ne partageait pas l'opinion de Grigán sur la valeur de la foi d'un enfant, mais elle n'en dit rien.

— Vous croyez peut-être en… la Nature ? proposa-t-elle doucement. La forêt, les saisons, l'esprit animal… C'est cela ?

— Vous trouvez que c'est stupide ? demanda le guerrier, légèrement honteux.

— Non, certainement pas, le rassura Lana avec gentillesse. Il est normal qu'ayant passé votre vie sur les chemins, vous trouviez plus de divinité dans une aurore ou la naissance d'un faon que dans le contenu de grimoires séculaires. C'est une foi louable, maître Grigán.

— Merci, murmura le guerrier, non moins gêné. Mais vous… vous n'êtes pas vexée, pour…

— Pour Eurydis ? termina la prêtresse. Ça ne dépend que de vous. De quel œil verriez-vous les Maz chanter la grandeur de la Nature ?

Grigán réfléchit quelques instants, cherchant à deviner où il allait se faire piéger. Il eut le sentiment de se trouver dans une discussion avec Corenn où il n'aurait pas, de toute façon, le dernier mot. Mais Lana n'était pas Corenn; la Mère maniait la diplomatie pour influencer une décision politique ou économique, alors que la Maz jouait sur les convictions religieuses. De plus, leurs méthodes étaient radicalement différentes.

— Je ne sais pas, avoua le guerrier. J'imagine qu'il serait agréable de voir les gens respecter tout cela, conclut-il en balayant l'horizon.

— Eh bien, vous êtes, à votre manière, un fidèle d'Eurydis, conclut la Maz. N'ayez crainte, je n'ai aucunement l'intention de m'immiscer dans vos croyances. Je tenais simplement à vous faire remarquer ceci : nos fois sont semblables. *Toutes deux vont dans la même direction.*

— Qui est ?

— La quête universelle de la Morale, bien sûr. *Savoir, Tolérance, Paix.* Vous défendez ces valeurs, Grigán, même à votre insu. Vous aidez l'humanité à progresser. Et peu importe que ce soit au nom d'Eurydis, ou de la Nature. Il est dit que la déesse viendra pour la troisième fois en ce monde, pour nous aider à faire le dernier pas. Les hommes vivront alors en harmonie avec leurs créateurs et toutes les choses existantes. Au fil du temps, hommes et dieux se confondront pour ne plus former qu'une seule race d'êtres pensants, ignorants de toute souffrance, convoitise, cruauté, et autres fléaux issus de nos âmes. Nous appelons cet avenir radieux l'*âge d'Ys*. Ne pensez-vous pas que vos croyances y trouvent leur place ? Ne pensez-vous pas que le respect que vous accordez à un arbre ou un ruisseau nous rapproche de ce temps béni ?

— Si vous voulez, concéda le guerrier, un peu dépassé. Mais le culte d'Eurydis peut, avec cette explication, englober toutes les religions du monde. Ça me paraît trop facile.

— Pas toutes les religions, Grigán, démentit la Maz. Toutes les religions *moralistes*, oui. Mais où voyez-vous une place pour les Züü, dans l'âge d'Ys ? Que ferions-nous des fidèles de Phrias ? Des Valipondes ?

Lana cessa son énumération en réalisant qu'elle s'emportait. *Tolérance*, demandait Eurydis. La quête de la Morale serait longue, car il faudrait beaucoup de temps aux humains pour oublier les dieux noirs. Les Maz étaient patients... Mais les messagers de Zuïa tuaient, les disciples de K'lur torturaient des esclaves, les filles de Soltan enchaînaient les sacrifices, jour après jour, année après année, pour combien de siècles encore ?

Maz Achem n'avait-il pas raison de demander une croisade, contre les cultes démonistes ? *Qu'y avait-il au Jal'dara ?*

Lana était troublée. Soudain, elle doutait d'une partie de l'enseignement de la Sage. Et si tout était faux ? Et si l'âge d'Ys ne venait jamais ?

Grigán remarqua son désarroi et essaya, à son tour et tant bien que mal, de se montrer compréhensif.

— On se sent parfois bien impuissant, n'est-ce pas ? lança-t-il sans assurance.

Lana acquiesça silencieusement. Des larmes lui montaient aux yeux, mais elle pouvait encore les retenir.

— Rey nous a dit quelque chose, reprit le guerrier en se levant. Que vous étiez veuve. C'est vrai ?

Elle acquiesça encore, sans relever la tête. Elle ne pourrait plus se retenir bien longtemps.

— Je suis désolé, commenta Grigán en s'éloignant pour une nouvelle ronde.

Et il ajouta, quand il fut assez loin pour se dissimuler dans la nuit :

— Moi aussi. J'ai perdu ma femme. Mais ne le répétez à personne. Je voulais simplement vous dire que tout finit par s'oublier.

Restée seule, Lana s'abandonna enfin à ses pleurs. Grigán se demanda s'il avait bien fait de mentir. Même après vingt ans, certaines blessures sont toujours vives.

* * *

Rey affirma que le spectacle des bateleurs était un des meilleurs qu'il ait eu l'occasion de voir, et ses amis ne purent qu'être d'accord. Tous les artistes témoignaient de beaucoup d'assurance et de maîtrise… enfin, presque tous, comme le prouva la suite.

Le premier numéro fut celui de la cracheuse de feu, qui non seulement vomit des flammes, mais aussi marcha sur des braises, se passa des aiguilles dans le corps, et autres tortures dont elle ne semblait pas souffrir le moins du monde.

Les amuseurs en profitaient pour prendre diverses poses ridicules et grimaçantes, exagérant leurs émotions face au martyre de la femme, et tirant ainsi rires ou silences de la foule aux moments opportuns. Les applaudissements et les ovations se faisaient bruyants, et d'autres badauds venaient rejoindre le cercle des curieux.

Le colosse Nakapan choisit ce moment pour faire sa harangue, que Corenn traduisit aux héritiers.

— Combien les habitants de la belle ville de Deshine sont-ils prêts à donner, pour voir la suite du spectacle ? demanda-t-il à la cantonade. Notre troupe a joué devant les cours royales. Notre troupe a joué devant les grands Maz d'Odrel. Nous serons heureux de jouer pour vous, nobles habitants de Deshine. Mais l'art seul ne suffit pas à nous nourrir…

Pendant ce temps, les bateleurs faisaient la quête parmi les curieux. On pouvait compter sur eux pour harceler les individus d'apparence riche, ou repérer les resquilleurs qui s'éloignaient simplement de quelques pas, pour revenir dès que les numéros reprendraient. Ceux-là devenaient immédiatement des cibles de choix pour les amuseurs.

Un des nains bouffons vint montrer le produit de leur quête à Nakapan, qui eut une petite moue déçue. Il convenait de faire monter les enchères.

— Nous avons un maître des loups et un maître des singes, lança-t-il avec emphase. Nous avons un jongleur, le plus habile de sa profession. Nous avons des guerriers acrobates aux affrontements spectaculaires. Nous avons le magicien le plus puissant du monde connu, conclut-il en désignant l'homme en robe noire. Nobles habitants de Deshine, voulez-vous nous voir jouer ?

La quête dura encore quelques instants, et devrait être renouvelée pendant tout le spectacle. Mais Nakapan jugea enfin la recette suffisante, et annonça le numéro suivant.

Il s'agissait de celui d'Anaël, le maître des loups, ou plutôt *du* loup. Merbal fit une excellente prestation, en se livrant à divers exercices tels que marcher sur deux pattes, faire le mort, ou plus difficile, comme attraper une balle précise parmi d'autres, par exemple.

Anaël avait placé son numéro sous le signe de l'humour, et il jouait avec son loup plus qu'il ne lui imposait des tours. Cependant, pour une personne non prévenue, la bête semblait extrêmement sauvage. À tel point qu'aucun Romin n'osa mettre son bras dans sa gueule, comme il fut proposé. Léti se porta finalement volontaire, ravie de participer au spectacle, ne fût-ce que quelques instants.

Les écuyers montrèrent ensuite tout leur talent, avant de céder la place à Nakapan. Le colosse plia d'abord plusieurs morceaux de métal, de plus en plus épais, en transpirant sous l'effort. Il invita ensuite des volontaires à l'affronter dans une partie de pousse, dont il remporta bien sûr toutes les manches. Il en eut peut-être été différemment si Bowbaq avait cédé à l'insistance de Rey l'enjoignant à défier le Romin.

Le suivant fut Tonk, l'antipathique maître des singes. Il s'avança au milieu de la place avec une expression arrogante qui déplut immédiatement à Corenn. Sa première action fut de faire claquer le fouet au milieu des mimastins, déclenchant ainsi la panique parmi les petits animaux enchaînés. Il n'avait fait cela que pour provoquer Bowbaq, car son regard vint immédiatement se porter sur le géant.

Malheureusement pour lui, cela n'avait que trop bien fonctionné. Du sourire impassible qu'il affichait la plupart du temps, Bowbaq passa à une expression renfrognée et vaguement menaçante. Il croisa ses bras imposants sur sa poitrine massive et attendit la fin du numéro avec impatience.

Celle-ci ne vint jamais. Chaque exercice imposé par Tonk à ses bêtes n'était accompli que par la crainte des coups… ou *sous la contrainte* des coups. À chaque fois, Bowbaq remontait ses bras un peu plus haut sur sa poitrine, serrant les poings et inspirant bruyamment. Corenn pressentit la suite et tenta d'entraîner le géant à l'écart, mais il était trop tard. Il refusa poliment mais fermement de s'éloigner.

Dans l'exercice suivant, les singes devaient franchir le tapis de braises de la cracheuse de feu. Aux cris des malheureuses bêtes, on réalisait sans peine que la douleur était, pour elles, bien réelle. Mais trois mimastins s'exécutèrent, préférant cette brûlure de courte durée à la morsure cuisante du fouet.

Le dernier animal se montra moins docile. Après quelques injonctions, Tonk passa rapidement à l'usage de son arme, frappant une fois, une autre, puis une autre encore, comme si sa véritable intention était de tuer l'animal. De fait, le petit singe ne bougeait déjà plus.

Le sadique n'eut pas l'occasion de frapper encore. Bowbaq avait traversé la place comme un aurochs en furie, bloqué le bras du Romin et arraché le fouet de sa main. L'autre lança un coup de poing en plein visage de l'Arque, qui n'avait besoin que de cette excuse pour en faire autant. Tonk fut projeté trois pas plus loin, dos à terre, où il resta quelques instants à recenser ses dents, incrédule.

Les héritiers s'étaient rassemblés autour de leur ami, et les bateleurs, Cavale et Anaël mis à part, autour du maître des singes. Léti ne quittait pas des yeux les guerriers acrobates, qui n'attendaient qu'un signe de leur chef. Était-ce la fin de leur coopération ?

— Nobles habitants de Deshine, le spectacle continue ! fut le seul commentaire de Nakapan.

Les acrobates prirent la relève de Tonk en amorçant leur numéro. Le chef de troupe entraîna les acteurs de la scène à l'écart. Dire qu'il était contrarié serait mentir. Nakapan était absolument furieux.

Bowbaq le suivit en portant le petit mimastin, qui s'agrippait à lui comme s'il comprenait la situation. Derrière, Tonk traînait les trois autres bêtes en marmonnant des malédictions à l'encontre du géant, sous l'œil réprobateur de Rey, Léti, Yan et Corenn.

— Qu'est-ce qui vous a pris? lança Nakapan à la face de Bowbaq, sur un ton agressif. Vous êtes stupide, ou quoi?

Corenn traduisit au géant, en évitant toutefois de mentionner l'insulte. Mais elle se chargea elle-même de la réponse.

— Notre ami est erjak, expliqua-t-elle. Il ne supporte pas de voir maltraiter des animaux, c'est aussi simple que ça. Rassurez-vous, ça ne se reproduira plus.

— *Fon œil*, intervint l'édenté.

Mais l'excuse avait été jugée suffisante par le chef de troupe. Les erjaks étaient considérés comme des légendes vivantes par les bateleurs; la présence de l'un d'eux dans une troupe était toujours une promesse de succès. Il convenait d'être des plus arrangeants avec celui-là.

— *Il a fris fon finge!* rappela Tonk, devinant la volte-face de son chef.

— C'est vrai que tu es brutal, de toute façon, trancha Nakapan. Et tu te plains tout le temps de celui-là! Tu avais même décidé de le vendre!

— Fais il l'a fris!

— Eh bien, il va te le rendre, ou te l'acheter, la belle affaire! N'est-ce pas?

— Combien en voulez-vous? demanda Corenn.

— *Fix fonarques*, répondit l'autre avec défi.

— Six monarques, c'est entendu, acquiesça Corenn en sortant les pièces.

— Non! Pas fix, *fix*!

— Nous sommes d'accord.

Et les héritiers, fort de l'appui du chef de troupe, s'éloignèrent en abandonnant la somme dans la main du Romin désabusé.

— Comment s'appelle-t-il? demanda Yan, sur une soudaine inspiration.

Le maître des singes le dévisagea étrangement, comme si le jeune homme venait de lui demander le nom de son béret.

— *Ifiot!*

C'est ainsi que les héritiers, après avoir perdu le chat Grenouille à Romine, adoptèrent à Deshine une femelle mimastin nommée Ifio.

* * *

Le spectacle s'acheva assez tôt dans la nuit, permettant aux héritiers de revenir rapidement auprès de Grigán et Lana, ne serait-ce que pour donner quelques soins à la malheureuse Ifio. Rey avait bien songé à flâner un moment en ville, histoire de visiter les auberges locales, mais il changea d'avis pour suivre ses compagnons… et après que Cavale eut mentionné certaine flasque de liqueur en sa possession.

Ils trouvèrent bien sûr Grigán debout et fidèle au poste. Le guerrier fut tout de même soulagé de les voir revenir sains et saufs. Corenn lui narra l'incident du mimastin en y mettant les formes, mais ce fut insuffisant à éviter une colère éphémère et quelques insultes visant Tonk *et* Bowbaq. Le géant subit les remontrances avec un air penaud et véritablement désolé, et Grigán reprit rapidement son calme. L'affaire n'était pas si grave, après tout.

Pour parer à toute tentative de vengeance de la part du maître des singes, ou à toute autre agression, le guerrier proposa d'établir une garde de nuit autour de leurs chariots, dont il prendrait le premier quart. Comme d'habitude, il ne voulait infliger cette corvée qu'aux hommes du groupe, mais il céda exceptionnellement à l'insistance de Léti pour *prendre sa part du boulot*. La chose fut donc entendue et chacun prépara sa nuit à sa manière : qui de dormir, qui de patrouiller avec sa lame courbe, qui de soigner un singe, et qui de déguster une liqueur de lubilliers d'une pureté inégalée.

Léti et Corenn trouvèrent Lana dans la roulotte des femmes. La Maz s'était assoupie sur son exemplaire du *Livre de la Sage*, à côté duquel reposait la traduction du poème trouvé dans la tour Profonde. La prêtresse avait consacré une bonne partie de la soirée à l'étude. Elle s'éveilla lorsque entrèrent ses amies.

— Êtes-vous souffrante ? s'enquit Corenn en avisant les traits tirés et les yeux fatigués de Lana.

Elle n'avait jamais vu la Maz présenter une expression aussi maussade. Cela ne pouvait être dû à un simple mauvais rêve.

Lana s'assit sur sa couchette et se massa le visage, avant de répondre à la Mère sur un ton grave.

— J'ai peur, Corenn. Horriblement peur de ce que nous cherchons. Peur de ne pouvoir supporter la vérité. Aurons-nous le courage de nos ancêtres ?

— Que voulez-vous dire ? demanda la Mère en s'asseyant à ses côtés. Quelle vérité ?

— Je l'ignore, tout comme vous, bien sûr. Mais je pressens… je pressens une *lourde* responsabilité. N'êtes-vous pas du même avis ?

Léti acquiesça aussitôt, imitée par Corenn, un instant après. Pour avoir sacrifié leurs situations, leurs richesses et même leurs vies, les premiers sages émissaires devaient évidemment porter un secret écrasant. Un secret plus grand encore, que la connaissance de l'existence du Jal'dara.

— Ce poème… reprit la Maz. Je l'ai appelé *poème de Romerij*, ajouta-t-elle soudain, comme l'idée lui traversait l'esprit. Avez-vous remarqué qu'il n'est jamais fait mention de *jeune* dieu, dans aucune religion ? *D'enfants* dieux ? Ce poème fait exception. À lui seul, ce texte remet en cause la plupart des croyances humaines.

— Cela ne me paraît pas si important, tempéra Corenn. Qu'importe, si les dieux ont d'abord l'apparence d'enfants ? Eurydis n'est-elle pas apparue aux Iths sous la forme d'une fillette ?

— C'est extrêmement grave, au contraire, objecta la Maz. Le poème dit : « homme ou dieu, même naïveté ». Des dieux *naïfs* ! Réalisez-vous l'importance du contact entre eux et nos ancêtres ? Réalisez-vous que le drame du siècle précédent est peut-être *irréparable* ? Que le Jal'dara, le berceau des dieux, a peut-être été altéré à jamais ?

Corenn et Léti échangèrent un regard effrayé. Lana venait de donner un sens spirituel à leur quête. Et terriblement pessimiste.

Leur ennemi n'était pas seulement surpuissant. Il avait peut-être commis le plus grand crime imaginable. Attirer la colère des dieux sur l'humanité… et pour l'éternité.

* * *

Les bateleurs et les pèlerins se mirent en route assez tôt le lendemain, amorçant la partie la plus difficile de leur voyage : la traversée du val Humide.

Ce territoire s'étendait entre les monts Brumeux et la chaîne des Brantaques, les deux massifs représentant les plus évidentes frontières du royaume romin. Le val Humide n'était qu'un couloir menant à l'Arkarie méridionale, appartenant tout à la fois au Vieux Pays et à la contrée nordique. Son paysage était celui d'un immense marais peu arboré, balayé par d'incessants vents glacés.

L'inhospitalité de l'endroit en avait fait un territoire pratiquement désert, seulement revendiqué par quelques anachorètes retirés du monde, ou paysans trop apathiques pour chercher une meilleure terre. Ce pays sans loi attirait aussi, malheureusement, une troisième catégorie de personnages : celle des brigands, cavaliers impitoyables, prêts à tuer pour le moindre monarque d'argent.

Merbal de Jidée avait été le plus célèbre d'entre eux ; et la terrible réputation des brigands du val Humide avait, plus que toute autre chose, placé Romine à l'écart de la vie économique des Hauts-Royaumes, en fermant la plus franchie de ses frontières.

Heureusement, les héritiers n'avaient pas à traverser le Val dans sa grande longueur. Il leur suffisait de gagner les monts Brumeux par une piste plus ou moins sûre, tracée par les négociants loreliens au fil des siècles. Deux jours de vigilance seulement les mèneraient aux abords de Semilia et en relative sécurité.

Deshine étant l'ultime frontière avant ces terres sauvages, ils progressèrent dès lors sans ne plus rencontrer aucun signe de civilisation. Les chariots durent traverser des flaques de plus en plus profondes. La route se fit simple chemin, puis ce chemin disparut par endroits. Pour éviter d'embourber les voitures dans la glaise du fond des mares, la troupe s'imposait nombre de détours qui la retardaient d'autant. À la grande exaspération de Grigán qui, monté, franchissait ces obstacles sans encombre.

— Nous devrions abandonner les roulottes et poursuivre notre chemin seuls, proposa-t-il à Corenn. Nous perdons beaucoup trop de temps.

— Nous aurons besoin du franc-passage des bateleurs au Pont, rappela la Mère.

— Nous trouverons quelque chose. Ça ne sera pas la première fois.

— Et nous mourrions de froid dans les montagnes, sans chariot pour nous abriter, ajouta Corenn. Nous n'avons pas d'autre choix que de continuer ainsi.

Le guerrier céda à contrecœur. Il lui arrivait encore parfois de réfléchir comme s'il était seul. Ayant vécu deux ans en Arkarie, lui se souciait peu de neige ou de nuits fraîches, et aurait dépassé Semilia avant deux jours. Mais il ne pouvait demander pareil effort à tout le monde.

Les premiers vents se firent bientôt entendre, qui n'allaient plus les quitter jusqu'aux monts Brumeux. Ils venaient du nord, étaient forts, secs et glacés, et portaient avec eux quelques fragments de grêle.

— Le vent… commenta Léti qui chevauchait à côté de la plus petite roulotte, celle réservée aux membres féminins du groupe. Ça ressemble au chant des spectres de la bibliothèque.

Ni Lana ni Corenn ne répondirent, car elles partageaient cet avis et n'en tiraient aucun réconfort. La Maz ajouta une épaisseur à ses vêtements de voyage, en cela rapidement imitée par tous ses compagnons.

Plus tard dans la journée, ils franchirent trois cents pas d'un lac dont la plus grande profondeur n'excédait pas deux pieds. Grigán avait cherché et trouvé un gué de sa propre initiative, faisant ainsi gagner un décan de détour au convoi. Si Nakapan s'était montré sceptique au début de la traversée, il se montra prodigue en remerciements une fois de l'autre côté de l'étendue d'eau sale.

— Je déteste les endroits pluvieux, commenta Rey en avisant les flaques boueuses parfois figées dans la glace. Dire qu'à la décade précédente, nous étions au Beau-Pays !

— Il ne pleut jamais ici, corrigea Grigán. L'eau vient de la fonte des neiges des Brantaques et des monts Brumeux. Dans cinq lunes, ce lac sera trois fois plus grand qu'aujourd'hui, et profond d'au moins cinq pas.

L'acteur contempla ce paysage qui subissait tellement l'influence des saisons. Comment quelqu'un pourrait-il vivre ici ? Même faune et flore se faisaient discrètes.

Le vieil Anaël, pour qui les héritiers s'étaient pris d'amitié, raconta comment il avait trouvé le louveteau qui allait devenir son compagnon Merbal à cet endroit. L'animal s'était tout simplement fait prendre au piège de la rapide montée des eaux, transformant une grande bande de terre en une île de plus en plus petite. Le Romin l'avait tiré de ce mauvais pas, et de jongleur, était devenu « maître des loups ».

Il partagea sa connaissance de ce pays avec les pèlerins, désignant les coriaces plantes du Val, algues grises, saules de burak, herbe du prêcheur, selsasses, buissons marins et autres curiosités. La gent animale ne fut pas en reste : Anaël montra les virvois, les mouettes à bonnet, les margolins acrobates, les domaliandres, les gerbilles patriciennes, et même un nid de vipères cénobites qu'ils contournèrent avec précaution. Personne n'avait envie de voir plusieurs centaines de serpents s'attaquer aux chevaux du convoi.

La personne que ce discours aurait le plus intéressée le manqua pourtant. Bowbaq était occupé à autre chose, de tout aussi captivant. Il enseignait à Yan son pouvoir d'erjak.

* * *

— Les animaux… ne pensent pas comme nous, avança le géant au jeune homme captivé. Ils ne *pensent* pas, d'ailleurs. Ils n'en ont pas besoin : tout ce qu'ils font, ils le font naturellement. Ont-ils faim, qu'ils mangent. Ont-ils sommeil, qu'ils dorment. S'ils sentent un danger, ils s'enfuient. Tout simplement. Si un animal hésitait… il n'en serait plus un. Il serait comme toi, moi, les autres : un être intelligent. Et mort au bout de quelques jours.

Bowbaq se parlait presque à lui-même, en jouant inlassablement avec la pauvre Ifio toujours craintive. Il ne lui avait pas encore ôté sa chaîne, mais espérait pouvoir le faire bientôt, dès qu'il aurait réussi à l'amadouer. Le mimastin serait un exemple parfait pour ses leçons. Mais surtout, le géant désirait *offrir* quelque chose au petit animal. Comme pour s'excuser des cruautés de ses congénères.

Yan dirigeait leur chariot distraitement, son attention entière consacrée aux paroles de son ami. Tout cela lui semblait d'une irréfutable évidence. Mais ce que tout le monde supposait d'après un certain bon sens sonnait, dans la bouche de l'erjak, comme vérité acquise par l'expérience.

— Tu ne dois pas t'attendre à voir des mots, reprit Bowbaq. Simplement des sensations, au mieux des images. Ton esprit traduit cela en mots. Mais les animaux n'en formulent pas.

— Je comprends, acquiesça le jeune homme.

— C'est ça que je peux t'apprendre, ami Yan. Je ne connais pas de recette pour entrer dans un esprit. Je ne peux pas expliquer comment le pouvoir fonctionne. Si tu n'y arrives pas… je ne pourrai pas t'aider. Je peux seulement t'habituer à… heu… comprendre ce que tu y verras.

— C'est d'accord, acquiesça le jeune homme. Quand commençons-nous ?

Le géant ne sut que répondre. Il aurait bien aimé remettre ça à beaucoup plus tard. Sa timidité ressurgissant, il s'imaginait se couvrir de ridicule, en essayant d'être le professeur d'un jeune homme plus intelligent que lui.

Yan sentit son trouble et prit les choses en main.

— Le mieux serait que tu m'expliques d'abord les grands principes, avant que je fasse la moindre tentative. Tu as certainement un tas d'avertissements à me donner ? Avec Corenn, mes leçons se passent toujours comme ça.

— Oui, confirma le géant, rasséréné par la confiance de son ami. Par exemple, il y a trois cas où il est inutile d'essayer d'entrer en contact avec un animal : quand il pense que sa vie est menacée, que ses petits sont menacés, ou quand il te considère comme un gibier éventuel.

— Je comprends pourquoi sans peine, commenta Yan.

— C'est également difficile si l'animal est blessé – impossible si *tu* l'as blessé – ou s'il estime que tu menaces son territoire.

— Je ne pensais pas que cela dépendait de tellement de conditions…

— Eh oui. Tu peux toujours établir un contact; c'est le *dialogue* qui est impossible.

— Un peu comme avec Grigán, en fait, plaisanta le jeune homme joyeusement.

Ils eurent un sourire entendu. Le mauvais caractère du guerrier était souvent le sujet des plaisanteries, depuis que Rey en avait lancé la mode. Mais cela ne diminuait en rien l'estime qu'ils avaient pour le vétéran.

— D'une manière générale, reprit le géant, c'est plus facile avec des femelles. Avec les mâles, il y a toujours un rapport de dominance difficile à mettre en place. C'est plus facile, aussi, avec les prédateurs : leurs motivations sont assez semblables aux nôtres, finalement. *Égoïstes.*

« Les brouteurs possèdent, au contraire, une sorte d'«esprit de troupeau» que nous avons du mal à comprendre. Mis à part leur propre survie, leur comportement est copié sur celui du «chef», le mâle dominant. En fait, il est plus facile de parler à un ours qu'à un cheval !

Yan acquiesçait souvent, en gravant chacune de ces réflexions dans sa mémoire. Et le géant parlait, parlait, parlait. Et Yan apprenait, et apprenait encore. Par curiosité. Par simple intérêt intellectuel. Sans se douter qu'un jour prochain, ce savoir aurait à lui sauver la vie.

* * *

Zamerine frémissait d'excitation. Jamais, au cours de ces années de service auprès de Zuïa, il n'avait accompli son travail avec autant de joie. Une véritable frénésie. Une boulimie d'activité lui permettant d'exploiter toute son intelligence et ses capacités de commandement.

Le Haut Dyarque, son maître, avait enfin dévoilé une partie de ses plans. Et le judicateur en avait vu son admiration renforcée d'autant. Quel génie ! Quelle ambition !

Son projet était le plus grand jamais entrepris par un humain. Mais Saat était-il seulement humain ? Cette idée, ses implications étaient à son image. Démesurées. Éternelles.

Démentes, songeait parfois le tueur, avant de se reprocher cette pensée infidèle, et de se replonger dans le travail.

Non seulement son maître avait eu l'audace de cette idée, mais il s'en était donné les moyens : quatre-vingt mille esclaves environ, rassemblés en quelques lunes seulement par l'armée wallatte de Gors le Douillet. Ils allaient enfin utiliser ces oisifs, jusqu'alors tout juste bons à ralentir la progression des compagnies guerrières. Saat savait comment depuis toujours. Mais il avait choisi de ne l'annoncer qu'à cet endroit, où leur armée s'était arrêtée. Et d'où elle ne repartirait que pour la grande offensive.

Jusqu'à ce jour, Zamerine était chargé de l'avancement des travaux, assisté de Dyree et des quatre-vingt-cinq messagers de Zuïa dont ils disposaient. Les esclaves avaient appris dans la douleur à craindre les tueurs rouges, et se tenaient tranquilles. Les Züu formaient les meilleurs gardiens possibles, pour des hommes désespérés.

Entre autres décisions, Zamerine avait conseillé de ne pas entretenir en sommeil ou nourriture cette main-d'œuvre si aisément renouvelable, économisant ainsi du temps et des ressources. Mais Emaz Chebree avait amélioré l'idée. Désormais, seuls les individus les plus fervents dans leur adoration du dieu Sombre se voyaient accorder un peu d'eau, de graines et de temps libre pour prier... ou dormir.

Le culte avait connu un regain d'intérêt immédiat, et le Haut Dyarque s'était déclaré satisfait, fait assez rare pour être mentionné. Même son fils semblait s'éveiller un peu. Parfois même remarquait-il la présence des apôtres, Zamerine, Chebree, Gors ou Dyree. Tous les autres lui étaient indifférents.

Leur armée avait maintenant pris ses positions définitives, et contrôlait tout le territoire étendu entre le Col'w'yr — plus simplement appelé le fleuve gris — et la Liponde aux eaux tièdes. Les raids allaient se poursuivre vers le nord, pays thalitte, mais le plus important allait se préparer à cet endroit. Au pied des montagnes.

Zamerine leva les yeux très haut et contempla son prochain adversaire. L'ampleur de la tâche était considérable. Ils rencontreraient certainement beaucoup d'obstacles. Mais rien ne semblait infranchissable, avec les moyens dont ils disposaient. Et l'enjeu en valait la peine, ô combien.

Avant qu'un an soit passé, son maître aurait conquis les Hauts-Royaumes. Goran, Lorelia, Romine. Ith. Kaul. L'Arkarie.

Ce que Saat voulait en faire l'intéressait peu. Le Zü se voyait très bien gouverneur de Lorelia, comme il lui avait été promis. La loi de Zuïa allait bientôt devenir la seule en vigueur.

* * *

Les héritiers comme les bateleurs virent avec soulagement s'achever cette première journée de voyage à travers le val Humide. Les nombreux détours, les chariots embourbés, et la menace constante d'une attaque de brigands en avaient épuisé plus d'un. Aussi Nakapan fit-il s'arrêter la colonne dès l'apparition des premières volutes de brouillard, bien que la journée n'en fût qu'au début de son sixième décan.

Grigán protesta pour la forme, mais même le guerrier pressé devait se soumettre aux forces de la nature. En fait, il fallut moins d'une décime pour que les roulottes soient complètement noyées dans la brume. Corenn conseilla à chacun de ne pas s'éloigner du campement, mais tous s'étaient déjà fait cette réflexion.

Comme il leur restait du temps avant la nuit, ils se trouvèrent des activités. Corenn et Lana s'installèrent au calme pour confronter une fois encore leurs théories sur le poème de Romerij. Grigán et Léti proposèrent de s'entraîner avec les guerriers acrobates, et les autres se précipitèrent pour assister à ce combat qui promettait d'être mémorable.

Les deux bateleurs, l'homme aux sabres et celui au bâton d'hast, étaient assez sûrs de leur talent pour prendre l'exercice à la légère. Ils déchantèrent vite. D'abord réservées, presque timides, les attaques communes de Léti et Grigán se firent de plus en plus rapides et dangereuses, les héritiers ayant mis à profit les premières passes pour étudier les mouvements des acrobates.

La façon dont le guerrier et la jeune femme bataillaient côte à côte avait de quoi impressionner les plus bravaches. Vêtus du même habit de cuir noir, affichant la même expression concentrée, il leur arrivait parfois d'attaquer simultanément en utilisant la même fente, comme pour un ballet longuement répété. Les sourires condescendants des bateleurs s'effacèrent peu à peu pour laisser place à une expression contrariée. Qui étaient ces étrangers, pour rivaliser avec des professionnels ?

Les touches se faisaient en douceur mais n'en étaient pas moins humiliantes. Léti fut « blessée » deux fois, autant que l'homme au bâton. Le sabreur, plus malchanceux, fut touché à quatre reprises. Seul Grigán se tira de l'exercice invaincu. L'homme aux sabres montrant peu à peu des signes d'agacement, le guerrier préféra mettre fin aux échanges avant qu'ils ne dégénèrent.

Yan joignit ses félicitations à celles, bruyantes, de Bowbaq et de Rey, pendant que les adversaires se saluaient courtoisement. Léti planta sa rapière dans le sol et courut à ses amis, avant de lancer ses bras autour du cou du jeune homme surpris.

Yan referma les siens autour d'elle, cherchant à quoi il devait ce bonheur. Puis il décida qu'il s'en fichait comme d'une peau de margolin. Ils restèrent ainsi quelques instants, qui se firent de plus en plus longs, jusqu'à ce que la jeune femme se dégage avec un sourire et rejoigne Grigán pour la suite de l'entraînement.

— Avec ta mèche blanche et ton visage rouge, tu pourrais peut-être te faire engager comme amuseur… commenta la voix moqueuse de Rey.

Yan déplaça son regard de Léti vers ses amis en rougissant de plus belle. L'acteur multipliait les clins d'œil complices, tandis que Bowbaq affichait un sourire réjoui découvrant toutes ses dents. Le jeune homme ne s'était pas senti aussi stupide depuis longtemps.

— Elle est contente d'avoir gagné, expliqua-t-il naïvement en désignant la jeune femme.

— Nous avons vu cela, confirma Rey d'un air entendu.

Yan regretta aussitôt d'avoir engagé la conversation avec l'acteur. Cela revenait à se porter volontaire comme victime d'une longue série de moqueries à thème graveleux. Celles-là même qu'il craignait de subir à Eza, six décades plus tôt… dans un lointain passé. Aussi décida-t-il de ne rien ajouter.

Rey se tourna vers Corenn et Lana, assises à vingt pas de là sur de petits tabourets placés près d'un feu de camp. La Mère diplomate et la prêtresse moraliste discutaient en étudiant un parchemin. Apparemment, elles étaient en désaccord sur quelques points, mais toutes deux tentaient calmement de faire valoir leur point de vue. De toute manière, le comédien n'entendait rien. Il n'avait d'yeux que pour Lana.

Il s'approcha de Yan qui s'était replongé dans la contemplation des combattants. Puis se pencha vers son oreille :

— Qu'attends-tu pour lui demander sa Promesse ? murmura-t-il très sérieusement.

Yan déglutit et dévisagea l'acteur avec surprise. C'était la première fois qu'on lui parlait aussi franchement.

— Le Jour est passé, s'entendit-il répondre à mi-voix. L'année prochaine…

— Ou l'année d'après ? Pourquoi pas tout de suite ?

— Pourquoi… s'étonna le jeune homme.

Rey avait raison. Pourquoi pas, après tout? Ici, au milieu du val Humide, alors qu'ils étaient entourés de leurs amis? Perdus dans le brouillard, en compagnie d'une troupe de bateleurs romins, sans aucune autre raison de le faire que la *meilleure* des raisons: le désir qu'il en avait?

Pourquoi toujours attendre plus tard? L'avenir pouvait offrir de meilleures occasions, comme il pouvait ne plus jamais s'en présenter. Quand mieux que maintenant?

Yan fit un premier pas vers son aimée, puis un deuxième, avant de s'immobiliser. Il venait de se rappeler pourquoi *pas maintenant*. À cause d'Usul.

Celui qui Sait avait prédit qu'il prendrait Léti en Union. Yan désirait cela plus que tout au monde. Mais il avait aussi annoncé la mort prochaine de Grigán et la chute des Hauts-Royaumes. Yan ferait tout son possible pour empêcher cet avenir. Mais l'ensemble n'était-il pas lié?

Une fois de plus, le jeune homme se voyait paralysé. Incapable d'agir, de peur de précipiter les malheurs promis… ou d'empêcher ses souhaits de se réaliser, en les désirant pourtant de tout son cœur.

C'est la tête basse qu'il revint prendre place à côté de Rey. L'acteur ne fit aucun commentaire. Si Lana n'était Maz, lui savait très bien comment il agirait.

* * *

La journée suivante fut semblable à cette première passée dans le val Humide. Épargnée par les brigands, la colonne parvint sans imprévu au pied des monts Brumeux, où elle s'engagea à l'aube du Jour du Tisserand, six jours avant le Jour de la Terre et les festivités du Pont.

Passer d'un terrain boueux, marécageux parfois, à un large chemin de montagne en pente douce soulagea les humains et les chevaux. Mais la gratitude qu'ils pouvaient témoigner à la nature fut bien vite oubliée, plus tard dans la journée, alors que l'inclinaison s'accentuait. Pour soulager les bêtes, bateleurs et héritiers durent descendre des carrioles ou de leur monture et progresser à pied. Le froid se fit plus sec de décan en décan, incommodant tout le monde sauf le Nordique Bowbaq, dont ils envièrent les épaisses fourrures et jusqu'à la barbe fournie.

Le repas de l'apogée fut le prétexte d'une trop courte halte, et la marche qui s'ensuivit parut encore plus difficile. Peu habituée à de tels efforts, Lana peinait beaucoup et Rey l'encouragea de son mieux en plaisantant à tout sujet.

Seul le spectacle de l'évolution majestueuse d'un couple d'aigles couronnés vint agréablement perturber la monotonie de leur progression. Bientôt, ils dépassèrent certaines fosses enneigées, de plus en plus fréquemment, jusqu'à ce que tout le paysage disparaisse sous un drap immaculé. Le froid se fit moins cruel, mais les moins bien équipés des voyageurs eurent bientôt les pieds humides ou gelés.

La nuit tomba sur les marcheurs exténués, mais la colonne ne s'arrêta pas pour autant. Le colosse Nakapan fit allumer quelques lanternes et proposa d'envoyer un éclaireur pour s'assurer qu'ils ne perdent pas le chemin. Grigán se porta volontaire, comme le bateleur l'avait espéré.

Ils progressèrent ainsi pendant presque un demi-décan, pratiquement sans parler, chacun économisant son souffle pour faire un nouveau pas dans la neige. Trois hommes régulièrement relayés menaient le premier chariot — qu'il fallait parfois pousser — et le reste de la troupe suivait dans les ornières.

Vint le tour de Yan, Bowbaq et Anaël de conduire le convoi. Les chevaux étaient également exténués, et avaient régulièrement besoin d'être tirés par la longe, quand ils ne se décidaient pas pour une mauvaise direction. Une nouvelle fois, Yan s'interrogea sur les raisons qui l'avaient amené dans cette situation, de la neige jusqu'aux genoux et lanterne à la main, guidant un chariot de bateleurs romins sur une route de montagne plus que mal dessinée, en compagnie d'étrangers dont pas un n'était kaulien. Puis ce moment de recueillement passa et il se concentra de nouveau sur leur objectif le plus proche : parvenir à Semilia.

Sa patience fut récompensée quand Grigán revint de son escapade solitaire pour annoncer la proximité de la principauté. La nouvelle fut accueillie avec des vivats sincères et redonna suffisamment de courage aux marcheurs pour accélérer un peu l'allure. Le spectacle des feux de la ville, découvert au sommet d'une côte, finit de les soulager et c'est presque en riant qu'ils franchirent le dernier mille.

Semilia était bien moins grande que Yan ne se l'était imaginé. Des hauteurs, on en voyait une grande partie : tapie au fond d'une cuve, protégée par un rempart naturel et un mur d'enceinte disproportionné, la cité ressemblait plus à une place forte qu'à ses riches homologues loreliennes. Semilia avait été un simple avant-poste au temps des Deux Empires ; sous protection du royaume marchand, elle était devenue une principauté garante des frontières du nord-ouest et préservant Lorelia des incursions de brigands.

Alors qu'ils descendaient vers les portes de la ville, Yan songea que l'endroit devait être magnifique pendant les saisons chaudes. Toutes ces collines couvertes de neige devaient à l'été se maquiller de verdure et faire le paradis des bergers et des trappeurs… Des monts dominants les plus proches devaient descendre une myriade de ruisseaux et de torrents, se jetant dans l'un ou l'autre des deux lacs baignant le pied des murailles, et dont le plus grand au moins était réputé jusqu'au Matriarcat comme très poissonneux.

Le jeune homme n'avait jamais pensé le contempler un jour de ses propres yeux. Mais n'allait-il pas toujours de découverte en découverte ? Où seraient-ils, lui et ses compagnons, à la décade suivante ?

Il remarqua soudain des ressemblances entre le paysage de Semilia et celui du Jal'dara, et scruta de tous côtés, le cœur battant, à la recherche d'une preuve quelconque pouvant confirmer le fait. Mais même dans l'obscurité, il dut se rendre à l'évidence : cette vallée était moins belle que celle du berceau des dieux… Moins belle que le souvenir déjà estompé d'une vision de quelques instants, à travers une porte magique dont ils ignoraient le fonctionnement.

* * *

Entrer dans une cité lorelienne était toujours une action soumise à taxes, et Semilia ne faisait pas exception à la règle, bien que la principauté fût économiquement indépendante du royaume marchand. Heureusement, les douaniers respectèrent le droit de *franc-passage* traditionnellement accordé aux bateleurs, se contentant de vérifier sommairement le contenu de chaque carriole. Nakapan leur versa quelques piécettes pour la forme, et la colonne eut l'autorisation de pénétrer dans l'enceinte.

Semilia disposait également d'une *franche-ferme*, nom bien flatteur donné à quelques bâtiments plus ou moins délabrés et laissés à la disposition des voyageurs de passage, la ville abritant peu d'auberges. Les bateleurs habitués de ces lieux s'y installèrent rapidement, remisant les carrioles et les chevaux dans des granges disposées à cet effet, et ravivant deux cheminées à tourbe qui, si elles dégageaient beaucoup de fumée, n'en produisaient pas moins une chaleur bienvenue.

Les salles, d'une propreté douteuse, servaient à la fois de chambres, de cuisines, de séjour… et de fosse d'aisance, à en croire l'odeur. Deux vagabonds déjà installés au plus près du feu maugréèrent à l'arrivée de cette compagnie, puis se firent oublier en découvrant son importance. L'un portait un collier fait de dents.

— Nous sommes loin de Château-Brisé, commenta Rey en reniflant. Et si nous nous mettions à la recherche d'une auberge ?

— Diplomatiquement, ce serait maladroit, refusa Corenn. Cet abri nous est acquis grâce aux bateleurs; le refuser pourrait être perçu comme une offense.

— Peut-être… insista l'acteur. Peut-être, Lana voudrait-elle un peu plus de confort ?

— *Le loup sourit mais l'on voit ses dents*, cita la prêtresse avec un amusement visible, bientôt partagé par ses amis.

Rey ne répondit pas et se mit aussitôt en quête de Cavale, dans l'espoir que le jongleur connaisse au moins un endroit en ville où vider quelques godets.

Les deux hommes s'en furent bientôt, accompagnés de Nakapan, de son fils acrobate, des nains maquillés, du maître des singes, de l'amuseur et de quelques autres.

Les héritiers se chargèrent de nettoyer une partie de la pièce, et y installèrent sacs et couvertures tirés des chariots. Une fois qu'ils se furent changés et eurent pris un repas chaud, la franche-ferme leur parut moins désagréable. Presque accueillante.

Grigán manifesta le premier son besoin de sommeil, ce qui les surprit tous, habitués qu'ils étaient à voir le guerrier veiller longtemps après eux. Mais la journée avait été plus fatigante pour lui que pour quiconque, car il avait parcouru plus de distance en tant qu'éclaireur. Aussi les héritiers conversèrent-ils à voix basse pour ne pas troubler son repos.

Le temps s'écoula tranquillement, et cette journée si éprouvante aurait pu s'achever agréablement, si un horrible incident n'était venu semer le trouble parmi le groupe.

Soudain, la porte de la ferme s'ouvrit brutalement, laissant entrer le maître des singes, titubant et bredouillant des paroles incompréhensibles. Il était ivre mort. L'homme balaya l'assemblée du regard en bavant, eut un rire gras, et s'avança dans la direction de Bowbaq. C'est alors qu'ils remarquèrent qu'il traînait quelque chose derrière lui.

Léti se leva et crispa la main sur la poignée de sa rapière. Yan se leva également et tenta de se rappeler dans quel sac il avait mis son glaive. Lana, Corenn et Bowbaq restèrent immobiles.

— Tu as volé mon singe ! beugla l'autre en grimaçant. Je te donne les autres !

Et il jeta sur les genoux du géant les trois mimastins fraîchement égorgés.

Bowbaq contempla en silence les petits corps ensanglantés et toujours pendus à leurs chaînes. Léti et Yan s'écartèrent, non pas de Tonk, mais bien de leur ami arque.

— C'est horrible… murmura Lana.

— Bowbaq, il ne sait pas ce qu'il fait, tempéra Corenn. Il est soûl.

— Moi, pas, lança le géant en se relevant doucement, après avoir posé les petits corps à côté de lui.

Le plancher grinça comme Bowbaq y pesait de tout son poids, toisant le Romin d'un regard qui en disait long. Même dans son ivresse, le maître des singes comprit qu'il avait peut-être fait une erreur.

Léti se précipita pour réveiller Grigán. Mais Bowbaq avait déjà posé ses immenses mains sur les habits de Tonk, et le soulevait comme il l'aurait fait d'un sac vide.

— Si je dois encore te revoir… articula-t-il lentement. Je te fais la *même chose.*

Il conserva le Romin en l'air encore quelques instants, puis le reposa en se maîtrisant difficilement. L'homme regarda à gauche, à droite, fut tenté de rassembler ses affaires, puis se dit qu'il ferait tout aussi bien de partir aussitôt et vida les lieux.

— Grigán ! appela Léti sur un ton empreint de panique. Grigán ne se réveille pas !

* * *

Passage en revue des troupes d'élite, à la lueur des torches. Chebree adorait contempler les formations ordonnées des puissants guerriers de la plus grande armée du monde. Leur armée. *Son* armée, bientôt, si elle continuait à manœuvrer sans faux pas.

Une enseigne la suivait un peu en retrait, lui nommant chacune des quatre cents compagnies représentées par autant d'hommes. Chaque compagnie comprenait, selon son origine, entre dix et deux cents guerriers. Et Chebree admirait avec envie, parmi les piquiers, les cavaliers, les fantassins et les archers en tout genre, les fiers *gladores*, les *chardonniers*, les *barbus*, les *dragons d'Oo*, les *Wa'r'kal* à la précision légendaire, les *Yep*, les *Farikii* et leur horde de rats, les *Yalamines*, les *Sans-Tête*, les *Chevaliers d'Egosie*, et tant d'autres encore… Wallattes en majorité, mais aussi une bonne part de Solenes, quelques Thalittes, Sadraques, Grelittes ou même Tuzéens.

L'enseigne ne faisait que lui répéter ce qu'elle savait déjà, et elle n'écoutait que d'une oreille distraite. Seul comptait le plaisir de voir ces hommes issus de peuples différents se mettre en rang pour elle. *Pour elle seule.*

Avant la venue de Saat, elle était la reine *Che'b'ree Lu Wallos* d'un petit clan wallatte au territoire peu étendu. Elle n'était *que* la reine Chebree. Vassale de Gors'a'min Lu Wallos. Et sans autre ambition possible que de conserver ses terres malgré la convoitise des Thalittes, des Solenes ou de son propre suzerain.

Elle avait rallié l'armée de Saat dès les premiers jours, alors que celle-ci n'était encore qu'un groupe disparate de mercenaires et de vagabonds bannis de leurs clans. Le Goranais avait pourtant réussi à les ordonner en une troupe assez puissante pour inquiéter les plus défendus de ses villages. Chebree l'avait rencontré et avait choisi de devenir son alliée… plutôt que son ennemie, dans un conflit où la victoire pouvait lui échapper.

Son espoir secret d'alors était d'utiliser leur armée commune contre Gors le Douillet, et de faire ainsi main basse sur l'ensemble des territoires wallattes. Mais le colossal roi barbare, célèbre pour son ivrognerie, ses fréquents accès de colère, son sadisme et *surtout* sa hache à deux mains, déjoua naïvement ce plan en s'alliant à son tour avec Saat.

En tant que vassale, Che'b'ree baissa ainsi d'un grade dans la hiérarchie des capitaines de celui qu'on appelait déjà le *Haut Dyarque*. Pour rester au plus haut, elle devint l'amante de leur maître… La seule concubine qui ne soit pas une esclave… et qui ait survécu plus de cinq lunes à son contact.

Cinq lunes, déjà, songea-t-elle les mâchoires crispées. *Et toujours rien.*

Saat avait deviné en elle une ambition et une intelligence peu communes, et l'avait proclamée Grand Emaz d'un nouveau culte, dont personne n'avait jamais entendu parler : celui de Sombre, *Celui qui Vainc*, le dieu noir des conquérants.

Chebree y avait aussitôt investi toute son énergie, multipliant les prêches, les cérémonies et les références à Sombre à chaque harangue des capitaines – rebaptisés apôtres pour l'occasion. Après une lune seulement, la moitié de l'armée s'était convertie à cette religion promettant richesses et pouvoirs aux combattants méritants. À la lune suivante, chaque guerrier commençait sa journée en jurant fidélité à Sombre, aux Dyarques et aux apôtres.

Emaz Chebree s'était alors attelée à la conversion des esclaves avec autant de succès. Son discours n'était bien sûr plus le même : le dieu restait leur conquérant, mais les vaincus qui se soumettaient seraient libérés quand viendrait l'ère de sa paix établie : le Nouvel Ordre.

Saat s'était déclaré satisfait. Saat, son maître. Saat, qui régnerait bientôt sur les royaumes estiens, les Hauts et les Bas-Royaumes. L'ensemble du monde connu.

Saat, à qui elle n'avait qu'une chose à offrir pour s'attirer sa reconnaissance éternelle. Pour régner à ses côtés. Pour avoir droit de vie et de mort sur toute l'humanité.

Inconsciemment, elle passa sa main gantée sur le plastron d'or recouvrant la cotte de mailles de son ventre. Et songea à cet homme qui, jamais, ne laissait voir son visage. Le Haut Dyarque, leur maître, qui ne se dévêtait que dans la plus profonde obscurité, et dont la peau était aussi sèche et ridée qu'une pomme flétrie. Celui qui avait un corps de vieillard et une force de lutteur tuzéen.

Celui qui attendait un fils, qu'aucune concubine, libre ou esclave, consentante ou forcée, ne parvenait à lui donner.

* * *

La franche-ferme, si calme encore quelques instants auparavant, connaissait maintenant une agitation digne d'un marché lorelien. Les héritiers s'étaient regroupés autour de la forme inconsciente de Grigán, bientôt rejoints par les bateleurs et jusqu'aux deux vagabonds. Et chacun retenait son souffle, interdit, en contemplant les efforts conjugués de Lana et Corenn pour ranimer le guerrier…

— Il est si pâle ! commenta Bowbaq à mi-voix, en blêmissant à son tour.

— Il est glacé, Corenn, avertit Lana. Il faut le rapprocher du feu et le couvrir de notre mieux.

Dix paires de bras se tendirent pour soulever le malade, mais le géant l'amena à destination avant qu'ils n'aient pu seulement le toucher. Il posa délicatement le corps du guerrier le long de l'âtre et s'effaça pour laisser ses amies l'examiner.

— Deremïn est notre guérisseur, lança l'une des écuyères. Il est en ville avec les autres. Je vais essayer de le retrouver.

La jeune femme ne prit que le temps de se recouvrir d'un manteau avant de sortir dans la nuit. Léti décida soudain de l'accompagner. Elle saurait hâter les choses si le besoin s'en faisait sentir. Et elle n'aurait plus à supporter ce spectacle horrible : celui où l'homme à qui elle devait la vie, à qui tous devaient la vie, luttait contre un péril les laissant impuissants.

C'est dans les pires situations que l'on reconnaît ses amis : bien que romins en majorité et plutôt chauvins, les bateleurs firent preuve de solidarité en multipliant les propositions d'aide et les suggestions de traitement. Mais Grigán n'était pas un malade ordinaire : il n'existait aucun remède connu à la maladie de Farik, le guérisseur de Trois-Rives l'avait confirmé. La seule chance du guerrier résidait dans sa résistance.

Ils l'avaient cru tiré d'affaire : à tort, de toute évidence. Grigán montrait les mêmes signes que lors de ses crises sur l'île Sacrée des Guoris, ou chez Sapone. La maladie fonctionnait peut-être selon un cycle particulier : cinq jours s'étaient écoulés entre chaque alerte. Ou alors, elle profitait d'une fatigue consécutive à de grands efforts pour se manifester… Quoi qu'il en soit, le guerrier était toujours atteint.

— Lana, regardez ses yeux, demanda soudain Corenn.

La Maz se pencha sur la paupière soulevée par la Mère, changea de position pour éviter le reflet de la lumière, puis eut un mouvement de recul. Les spectateurs dont Yan et Bowbaq faisaient partie la pressèrent de questions.

— Ses yeux… répondit Lana en essayant de maîtriser sa voix. Ses yeux sont *rouges* !

— C'est sûrement la fièvre, proposa Yan en se frayant un chemin pour se rendre compte par lui-même.

En effet, l'iris des yeux de Grigán tenait, à la lumière des braises de la tourbe, plus du grenat que du bleu nuit familier. Yan passa un doigt devant le visage du guerrier, mais celui-ci ne suivit pas le mouvement. Le jeune homme se releva tristement, et Corenn libéra la paupière qui se referma avec douceur.

Yan regarda ses amis entasser sur le malade les diverses couvertures, étoffes et fourrures que leur apportaient les bateleurs avec compassion. Lui *savait* le guerrier condamné. Usul avait dit avant *un an*. Pourquoi, déjà, au terme d'une simple décade ? Grigán survivrait-il seulement à cette nuit ?

— Tenez-le, demanda-t-il sur une soudaine inspiration. Je vais essayer quelque chose.

Bowbaq et Corenn agrippèrent chacun l'un des poignets du malade, avec toute la douceur possible, sans quitter Yan de leurs regards interrogatifs. Le jeune homme s'agenouilla au niveau des pieds, soupira bruyamment et agrippa la cheville de son ami, avant de lui tordre brutalement un orteil.

Le guerrier eut un spasme violent et lui lança un coup de talon dans le visage, en se débattant comme un dors-debout mouillé. Corenn laissa échapper sa prise mais Bowbaq la rattrapa et s'en assura également. Il fallut néanmoins quatre hommes supplémentaires pour tenir les jambes du malade au sol, le temps qu'il se calme et se rendorme. Pas un instant, Grigán n'avait reconnu ses amis.

— Il vivra, annonça Yan avec certitude, en se frottant la joue et le menton. Il n'abandonnera jamais.

Corenn, Lana et Bowbaq regardèrent le jeune Kaulien s'éloigner en silence. Découvrir une telle vigueur dans le corps glacé du vétéran les avait quelque peu rassurés. Vingt années d'une vie de fugitif avaient marqué le guerrier jusque dans son inconscient, le pourvoyant de réflexes et d'un instinct de survie exceptionnels.

Ils ignoraient, bien sûr, que Grigán luttait contre rien moins que l'accomplissement d'une prophétie divine.

* * *

Léti et l'écuyère serviable furent de retour peu de temps après cet épisode, accompagnées de Rey et des bateleurs qui avaient passé la soirée en ville. L'acteur et la jeune femme ne furent que partiellement soulagés au récit de l'énergie dont avait témoigné le malade. Eux qui n'avaient pas assisté à la scène voyaient toujours le guerrier fiévreux et inconscient.

Ledit guérisseur Deremïn n'était autre que le bateleur à la robe brodée de runes et au grimoire d'or. S'il n'était pas vraiment magicien, invocateur ou thaumaturge, l'homme avait toutefois quelques réelles connaissances sur les blessures et maladies humaines. Mais le résultat de son examen apporta peu d'espoir aux héritiers, sa conclusion étant qu'il fallait « attendre que la fièvre passe », et ses conseils se résumant à « prendre beaucoup de repos » et « lui éviter les contrariétés ».

S'il avait mieux connu Grigán et leur situation, songea Corenn, le Romin aurait ri de ses propres âneries...

Comme ils ne pouvaient rien de plus pour le guerrier, chacun se prépara à terminer au mieux cette nuit déjà bien entamée. Bowbaq hésita longuement avant d'aller s'excuser auprès de Nakapan pour avoir renvoyé son maître des singes. Le colosse ne fut pas surpris par l'épisode, et s'en excusa à son tour. Il avait lui-même congédié Tonk au cours de la soirée, las de ses querelles avec les membres de la troupe, qui avaient atteint leur point culminant dans la taverne.

— S'il avait lancé *à moi* ces cadavres de singe, je lui aurais flanqué mon poing dans la figure, conclut le Romin.

— Il n'était pas armé, bredouilla Bowbaq comme pour s'excuser, avant de rejoindre ses amis.

Le chef de troupe regarda s'éloigner avec jalousie cet homme si sûr de sa force, qu'il préférait voir ses adversaires munis d'une lame pour tranquilliser sa conscience.

La nuit parut longue, surtout pour Yan, Rey, Lana et Bowbaq qui se relayèrent auprès de Grigán, et plus encore pour Léti et Corenn qui le veillèrent toute la nuit. Si l'une cédait de temps à autre au sommeil, elle reprochait à sa parente de l'y avoir laissée si longtemps. Le guerrier avait pourtant, au bout d'un décan à peine, retrouvé une respiration régulière, un visage apaisé et jusqu'à la couleur de ses yeux. Mais les deux Kauliennes s'entêtèrent à le garder jusqu'à l'aube.

Celle-ci vint sur une principauté de Semilia engourdie par la neige et s'éveillant doucement à la vie. Un garde vint visiter la franche-ferme dès le deuxième décan sonné : mission pour lui de constater le nombre d'occupants et la bienséance de leur cohabitation. Nakapan mentit sur l'état de santé de Grigán, sur lequel on l'interrogeait : il expliqua plus tard que les étrangers atteints de maladies graves étaient immédiatement reconduits aux portes de la ville.

Le chef de troupe avait projeté de donner une représentation avant l'apogée, puis d'entamer aussitôt après la dernière partie de leur voyage qui les mènerait au Pont. Par solidarité, et après avoir écouté les arguments de Corenn, il accepta de reporter le départ au lendemain. Les festivités du Jour de la Terre ne commençaient pas avant quatre jours, de toute manière, et il allait trouver cent façons de mettre cette halte à profit : approvisionnement, entretien des chariots, mise au point de quelques numéros et autres travaux.

Grigán ne s'était toujours pas réveillé, même s'il réagissait aux secousses données par Corenn et les autres en se retournant et en grommelant. Que le guerrier ait assez de force pour manifester son mauvais caractère était plus que rassurant, aussi la Mère s'accorda-t-elle enfin un peu de repos, enjoignant Léti à en faire autant.

Rey entraîna Lana à la suite des bateleurs afin qu'elle assiste enfin à leur spectacle. Bowbaq et Yan se chargèrent de brûler les corps des mimastins, le sol gelé empêchant tout ensevelissement. Par pudeur, le géant s'était séparé d'Ifio le temps de s'acquitter de cette tâche pénible. C'était la première fois en quatre jours. Le petit singe fêta son retour comme l'aurait fait un jeune chiot.

Bowbaq s'amusait de voir courir l'animal sur ses épaules et le long de ses bras immenses. Dans la franche-ferme, ils n'étaient plus que deux sans occupation… et le jeune Yan l'observait jouer avec le mimastin avec envie.

— Tu veux toujours être erjak, mon ami ? demanda le géant en souriant. Je crois qu'Ifio est prête, maintenant.

* * *

La première réaction d'un animal soumis au pouvoir d'erjak était toujours une peur intense, doublée d'une colère féroce. Si l'on envisageait une « relation » durable, il convenait d'atténuer ces effets néfastes en accoutumant, avant l'expérience, la bête à la présence des hommes. Ce qu'avaient fait Yan et Bowbaq.

Le géant s'était montré un modèle de prévenance et de gentillesse envers la petite Ifio, si bien que la femelle mimastin, loin de craindre la proximité de l'Arque barbu, s'ingéniait à se percher sur sa tête et ses épaules, ou se réfugier dans les amples fourrures dont se vêtait Bowbaq. Yan n'était pas en reste de ces marques d'affection et accueillait souvent, à son tour, le petit singe dans son cou et entre ses bras.

— Mieux vaut quand même que je l'attache, réfléchit Bowbaq. Peu de chances qu'elle nous blesse, mais elle pourrait se sauver et mourir de froid.

Joignant le geste à la parole, il fixa la laisse ôtée la veille au collier de lanières tressées dont Ifio était toujours munie. La petite bête vit en cela les prémices d'une séance de torture, et s'enfuit au plus loin que lui permettait la longe. Il fallut plus d'une décime aux deux hommes pour récupérer un peu de sa confiance, à grand renfort de sucreries, de paroles douces et de jeux divers.

— Essaye, maintenant, si tu veux, annonça le géant. Le plus important est d'y aller doucement.

Yan déglutit avant de commencer sa concentration. Il avait au moins espéré recevoir quelques conseils de Bowbaq, avant sa première tentative. Mais le géant l'avait prévenu : il ignorait *comment* fonctionnait le pouvoir d'erjak. La seule chose qu'il pouvait lui apprendre, c'était à interpréter les images lues dans les esprits animaux… Et qui pouvaient se transcrire, suivant quelques règles précises, en un simulacre de dialogue.

Si Yan pouvait atteindre l'esprit animal, alors il serait erjak. Dans le cas contraire, Bowbaq ne pourrait rien pour lui.

Le jeune homme se remémora les divers avertissements et leçons de Corenn. Chaque chose, objet ou être vivant pouvait se définir par une composition spirituelle de cinq éléments : l'Eau, le Feu, la Terre et le Vent principalement, complétés par une cinquième notion : celle du récept, proportionnel à la résistance à la magie dudit objet. Yan avait le rare pouvoir, lorsqu'il se concentrait, de s'imaginer cette composition spirituelle : celle que la Mère appelait *l'essence sublime*.

La Volonté des magiciens leur permettait de puiser de la force dans leur corps, pour altérer l'une ou l'autre de ces composantes. L'exemple le plus typique étant celui de la Terre, symbolisant la *matière* véritable, que l'on pouvait déplacer, déformer ou détruire assez facilement… du moment qu'on en avait fait l'apprentissage. Du moment, aussi, que l'on supportait la langueur en retour du sort, consécutive à la perte d'énergie nécessaire à son accomplissement.

Lire dans un esprit requérait peu de concentration : il suffisait d'observer, d'effleurer, de caresser l'élémentaire Vent de la cible. Un rocher quelconque n'en possédait qu'une parcelle infime ; le même rocher, dans lequel on aurait taillé une statue, en détiendrait un peu plus… Les végétaux n'en avaient que très peu, la part la plus belle allant aux arbres les plus vieux, ou aux espèces à qui l'on attribuait l'un ou l'autre pouvoir magique : *moäls*, *pommiers stériles*, *sapins bleus* ou autres *porte-cœurs*.

Le Vent devenait l'élémentaire exclusif des espèces animales, où s'affirmait encore une hiérarchie. Les insectes étaient les plus mal lotis, possédant parfois moins d'esprit que certains feuillus aux larges branches. Venaient ensuite les poissons, mollusques et crustacés, à peine plus éveillés qu'une quelconque mouche argentée. Au-dessus, les reptiles, puis les oiseaux. Enfin : les espèces nourricières, dont l'humain faisait partie. Ceux qui *allaitent*, comme aimait le répéter Bowbaq.

Le géant n'était jamais parvenu à pénétrer un esprit d'une autre catégorie. Certaines légendes arques mentionnaient des dialogues entre des erjaks et des oiseaux de proie, mais il n'en avait jamais été témoin. On disait que l'esprit animal grandissait en même temps que son possesseur, et que s'il se trouvait un moustique long de trois pas, on pourrait l'interroger sur la saveur du sang humain. Lui-même ne s'y essaierait pas…

Yan avait déjà effleuré la composante Vent d'un être vivant : celle de Grigán. Par sa perception de *l'essence sublime*, il était capable non seulement de lire, mais de modifier l'esprit d'un être pensant : ses souvenirs, sa personnalité, ses facultés intellectuelles, ses convictions, ses sentiments les plus enfouis… Corenn l'avait mis en garde à plusieurs reprises contre l'utilisation de ce pouvoir, à tel point que Yan n'osait même plus, lorsqu'il s'exerçait, pousser sa concentration jusqu'à ce stade. Surtout lorsqu'il songeait aux dégâts irréparables qu'il aurait pu causer dans l'esprit du guerrier.

Ses derniers exercices, en matière de magie, se résumaient à faire exécuter diverses cabrioles à une trois-reines commune du Matriarcat… celle qu'il avait affrontée pendant son épreuve, et qu'il conservait maintenant comme fétiche. À présent, il allait à nouveau explorer un esprit. Il résolut d'y aller avec beaucoup de précautions.

La facilité avec laquelle il se représenta *l'essence* d'Ifio l'effraya un peu. Même en se freinant volontairement, cela ne lui avait pris que quelques instants. Et contrairement à un sort basé sur la Terre, Yan restait conscient du monde extérieur. Il avait très bien vu le petit singe se figer subitement et s'éloigner de lui avec une terreur indicible.

— Sage, demanda-t-il langoureusement en tendant la main. Ce n'est rien. C'est moi.

— Tu y es ? demanda Bowbaq avec intérêt.

— J'y suis, oui. La pauvre bête est morte de peur.

Ifio vint se réfugier sous le bras du géant, qui l'éloigna doucement. Elle devait comprendre qu'il ne s'agissait pas d'une torture. Dans quelques instants, la surprise serait passée.

— Que vois-tu ? demanda-t-il au jeune homme.

— Une sorte de sphère, répondit Yan, les yeux dans le vague. Du sable, en bas, qui s'égrène par une fente et disparaît. Au-dessus, un morceau de glace entouré de flammes. La vapeur qui s'en dégage est l'esprit d'Ifio.

— Je n'ai jamais rien vu de tel, commenta Bowbaq en secouant la tête. D'habitude, je m'imagine une sorte de brouillard.

— C'est cela, confirma Yan en observant les vapeurs du haut de la sphère. C'est bien cela.

Il tendit la main plus avant vers Ifio, qui ne se calmait pas. Se croyant acculé, le mimastin bondit et mordit le jeune homme à la main, avant de reculer encore en poussant des cris stridents.

— Ne la laisse pas! prévint Bowbaq, alors que son ami tressaillait sous la douleur. Si tu arrêtes maintenant, ce sera encore plus dur la prochaine fois.

Yan reprit donc sa concentration, suivant le conseil de son nouveau professeur. À ce stade, si Ifio avait été capable de maîtriser sa pensée, elle aurait fermé son esprit à toute intrusion... comme l'aurait fait un humain. Mais le petit mimastin ne concevait pas d'autre moyen que la fuite, pour échapper à ce qu'il considérait comme l'ultime agression.

Yan s'investit plus avant dans son monde mystique pour contempler le spectacle rare des évolutions d'un esprit vivant. De minuscules courants de vapeur tournaient, changeaient de direction, s'entrechoquaient; de largeurs, d'épaisseurs et de longueurs diverses. En agrandissant leur représentation — ou en se faisant plus petit auprès d'elle — Yan put en discerner quelques-uns, les suivre des yeux, les observer ralentir, se déformer, puis repartir soudain avec un aspect légèrement différent. La palette de couleurs supposée pauvre, du transparent au blanc opaque, était impressionnante de nuances et de dégradés. Si l'on n'y prenait garde, l'ensemble pouvait certes être décrit comme un simple «brouillard» : mais Yan voyait, lui, tellement de finesse dans le jeu de ces volutes dansantes qu'il songea à quelque chose de divin.

Que devait être l'esprit d'un humain !

Il entendit vaguement Bowbaq lui annoncer qu'Ifio s'apaisait. Mais cela, il l'avait deviné, en remarquant que les courants se faisaient moins rapides.

Bientôt, il en fut assez proche pour pouvoir les effleurer. Il imagina son propre corps à côté de la sphère et tendit une main éthérée à travers la paroi du *récept*, souple comme la surface de l'eau, sans consistance comme la porte de Ji.

Sa main frôla un courant et Yan *sut* les douleurs des cicatrices dans le dos d'Ifio, comme si le singe lui en avait fait part. Il en caressa un autre, et ressentit l'affection encore mêlée de crainte qu'elle portait à Bowbaq.

Il s'enhardit et passa un autre de ses bras imaginaires dans la sphère, puis le reste de son corps. Il était le petit Yan dans l'esprit du singe. Les courants le traversaient en lui livrant leurs informations, pour la plupart concernant des préoccupations physiques, mais où surgissaient parfois quelques émotions: peur, peur, faim, peur, gratitude, peur, froid, faim...

Yan volait à travers cette tempête avec la joie d'une expérience nouvelle. Bien sûr, il était conscient de ne pas vivre cela réellement : seule sa perception de *l'essence divine* lui permettait un tel voyage, qui n'était après tout qu'un rêve éveillé. Son corps était toujours dans la franche-ferme, assis à côté de Bowbaq, mais son esprit était plongé dans celui du singe.

Il continua sa progression avec le pressentiment d'une découverte prochaine. Au cœur de la partie supérieure de la sphère, les vents se faisaient plus violents, plus nombreux, plus chargés en informations. Yan eut soudain la sensation fugace du bois sous les pattes d'Ifio ; l'instant d'après, il aperçut Bowbaq, *son propre corps* et le mur derrière eux, comme à travers les yeux du singe. Cette sensation se répéta de plus en plus souvent, et Yan prit bientôt conscience, un par un, de chaque membre du mimastin, ainsi que de tous ses sens. Son propre corps lui paraissait bien lointain : en fait, il ne le sentait plus du tout.

Il vit son ami Bowbaq — encore plus géant, rapporté à cette échelle ! — se pencher sur sa forme immobile et lui parler doucement. Qu'il serait drôle, songea-t-il, de le surprendre maintenant !

Il fit trois galipettes en avant en s'étonnant de si bien maîtriser ce corps étranger. Puis se redressa et s'inclina plus ou moins grossièrement devant le géant.

— Yan, bégaya Bowbaq avec affolement. Tu es *dans* Ifio ! Tu as atteint son *esprit profond* !

Devant l'expression paniquée de son ami, Yan sortit un peu de l'ivresse qui l'avait gagné et rompit brutalement sa concentration. C'est à ce moment que la langueur le terrassa.

* * *

La première chose que vit le jeune homme en se réveillant fut le visage contrarié de Corenn, avec, en arrière-plan, celui de Bowbaq anxieux. À l'idée du sermon qui l'attendait, Yan eut une soudaine migraine qui le replongea aussitôt dans les ténèbres.

Son deuxième réveil fut plus réussi, pour ce qui était, en tout cas, de rester conscient. Car la forme physique du jeune homme était peu enviable : il se sentait faible, glacé, courbatu, et avait les sens endormis… hormis ceux qui l'informaient cruellement de ses différentes douleurs. S'il n'avait déjà été allongé sur le dos, il se serait écroulé.

Il savait parfaitement de quoi il s'agissait. La *langueur*, l'état de faiblesse général dans lequel sombrait un magicien après chaque utilisation de sa Volonté. Mais jamais cela n'avait duré plus de quelques instants, même s'il avait déjà perdu connaissance à une occasion. Ce qu'il ressentait actuellement, Corenn le lui avait décrit : une langueur persistante, *l'apathie*. Celle sanctionnant un trop grand prélèvement de force dans le corps du magicien, que les échanges avec les objets environnants ne suffisaient à compenser.

— Yan ? Tu m'entends ? lui demanda la Mère, sa voix résonnant comme dans un rêve.

Le jeune homme voulut parler mais sa gorge était sèche. Il hocha lentement la tête.

— Est-ce que tu vois mon doigt ?

Corenn promena son index devant le visage du jeune homme, qui le suivit des yeux avec difficulté, et en clignant souvent ses paupières.

— Il a un temps de retard, annonça-t-elle à Bowbaq avec une moue de reproche. Il a encore besoin de repos. Et nous voilà avec deux malades ! Je suppose que vous êtes fiers de vous !

Yan ne pouvait répondre, contrairement au géant qui avança un timide :

— Il a touché *l'esprit profond*…

— Et alors, demanda la Mère, soudain radoucie. Cet exploit vaut-il la peine de mourir ?

— Non, non, amie Corenn, bredouilla Bowbaq qui était intervenu autant pour s'excuser que pour se mettre hors de cause. Il n'aurait pas dû, c'est vrai… Et j'aurais mieux fait de le mettre en garde… Mais tout de même, *il a touché l'esprit profond* !

La Mère commençait à se faire une idée de ce que cela représentait pour le géant, à la façon dont il insistait sur ce fait. Mais elle songeait surtout, alors, au corps sans réaction de Yan auprès duquel Bowbaq l'avait mené peu avant. Aux mains glacées et aux yeux vides du jeune homme. À la peine de Léti et à sa propre responsabilité dans l'affaire.

Même si son élève semblait hors de danger, elle devait contrarier sa propre curiosité et remettre à plus tard une discussion sur ce fameux *esprit profond*. Yan et Bowbaq, au-delà de leurs découvertes, devaient comprendre la gravité du danger de leurs expériences.

— Je me soucie de tout cela comme d'une peau de margolin, Bowbaq, déclara-t-elle. Ne vois-tu pas que Yan aurait pu perdre la raison, parce que vous êtes allés trop loin ?

Le jeune homme s'abandonna à sa faiblesse en méditant sur cette dernière réplique. Les héritiers n'étaient-ils pas tous devenus fous ? Le seuil réputé « trop loin », ils l'avaient dépassé de plusieurs lieues, depuis longtemps. Depuis qu'ils avaient assisté au prodige de l'île Ji.

* * *

En découvrant Yan indisposé, Léti ne manqua pas de railler sa tante à propos des prétendus dangers de ses propres entraînements avec Grigán. Si la jeune femme subissait régulièrement divers coups et blessures, cela guérissait vite et ne l'avait jamais obligée à garder le lit toute la journée… contrairement à l'apprenti magicien.

Lana revint enchantée du spectacle des bateleurs auquel l'avait conduite Rey. Léti nota que l'acteur tenait encore la Maz par la taille, alors qu'ils pénétraient dans la franche-ferme, et en fut modérément jalouse. Pas de l'affection de l'acteur : mais du fait que Yan et elle vivaient rarement de pareils moments.

Avant les massacres des Züu, oui, peut-être… Mais plus depuis. Que représentait-elle pour lui, exactement ? Maintenant qu'il avait traversé une bonne partie du monde connu, quel souci Yan pouvait-il avoir d'une petite Kaulienne ?

Comme d'habitude, elle chassa ces idées angoissantes pour se concentrer sur la réalité du moment présent : après plus de quatre décades d'un voyage périlleux, les héritiers étaient toujours au complet et, même si l'avenir était plus qu'incertain, au moins semblaient-ils destinés à le vivre *ensemble*.

Aussi écouta-t-elle, faussement intéressée, le récit du spectacle des bateleurs par une Maz Lana transportée. Si la prêtresse avait trouvé peu d'intérêt aux numéros des amuseurs ridiculisant l'assistance, tout le reste l'avait émerveillée. Les acrobates, les écuyers, Cavale le jongleur, Anaël et son loup, et jusqu'à la partie finale mettant en scène le guérisseur Deremïn et son assistante, à laquelle les autres n'avaient pu être présents.

Son numéro était bien sûr basé sur une supercherie, et le Romin ne prétendait le contraire que pour plaire aux badauds. Outre divers escamotages, son tour favori consistait à rendre aux spectateurs surpris les divers effets que les nains amuseurs avaient subtilisés par avance. Deremïn avoua sans vergogne gagner un revenu complémentaire avec les bourses des spectateurs partis avant la fin.

Nakapan récoltait généralement peu d'oboles à Semilia, mais donner une représentation dans cette ville était une coutume, une loi non écrite, visant à remercier le prince en titre pour l'octroi de la franche-ferme et du franc-passage, qu'il pouvait retirer à tout moment.

Cette journée de repos passée devant une cheminée fit beaucoup de bien aux voyageurs et s'acheva plus vite que prévu. Yan et Grigán s'éveillèrent presque en même temps, peu avant la tombée de la nuit : et si tous deux écoutèrent attentivement leurs amis leur narrer leurs propres malheurs, ils ne s'en sentaient pas moins en forme. Si bien que, lorsque vint le moment de se coucher pour ceux qui avaient vécu cette journée normalement, le jeune homme et le guerrier se retrouvèrent un peu désappointés.

Ils passèrent une partie de la nuit à discuter, essentiellement des multiples expériences et voyages de Grigán. Tranquillement, comme s'ils n'étaient pas recherchés par la Grande Guilde, sur la liste noire de Zuïa, pourchassés par un démon invincible et menacés par un homme aux pouvoirs démesurés. Comme s'ils n'étaient que deux amis pouvant faire encore des projets domestiques.

Le temps passant, Yan se sentit proche d'avouer la vérité à Grigán; celle concernant son avenir plus que sinistre. Mais il n'en trouva ni le courage… ni les prétextes justifiant qu'il se libère de ce fardeau.

— Vous vous sentez encore malade ? demanda-t-il seulement, un peu maladroitement.

— Je ne sais pas… Non, je ne crois pas, ajouta le guerrier après réflexion. Pourquoi ? J'en ai l'air ?

— Non… Je me demandais seulement comment on pouvait s'assurer de votre guérison…

Il n'eut pas besoin de poursuivre. Tous savaient que Grigán pouvait être sujet à une autre crise, un jour prochain. Peut-être plus grave que celles qu'il avait traversées jusqu'alors. Mais ils étaient impuissants à y remédier.

* * *

Les bateleurs et les héritiers quittèrent Semilia peu après l'aube, pour une nouvelle journée de voyage au terme de laquelle ils se sépareraient. Grigán et les autres prendraient la direction de la Sainte-Cité, tandis que Nakapan et sa troupe s'établiraient au Pont, pour la durée des fêtes de la Terre.

C'est avec une certaine tristesse qu'ils entamèrent cette ultime étape, chacun s'étant fait des amis dans l'autre groupe, malgré l'indifférence affichée des Romins quelques jours plus tôt. Les héritiers allaient particulièrement regretter Anaël et son loup, Cavale le jongleur, Nakapan le colosse, et jusqu'au faux mage Deremïn, qui s'était montré un compagnon agréable et plein d'humour. Personne n'avait revu Tonk, le «maître des singes», et les bateleurs eux-mêmes en étaient soulagés.

La route de montagne reliant Semilia au Pont était plus agréable que la dernière qu'ils avaient empruntée, car plus large, dégagée et descendant en pente douce. Ils dépassèrent la dernière bande de neige bien avant l'apogée, et cheminèrent bientôt entre des collines couvertes d'herbe rase et de rocailles éparses. Si le froid se faisait toujours sentir, au moins pouvaient-ils voyager dans les chariots et jouir du paysage, au lieu de peiner dans une neige épaisse de deux pieds.

Malgré les conseils de Lana, Grigán refusa de quitter sa selle de toute la journée. Se réfugier dans une roulotte lui paraissait un signe de faiblesse, et le guerrier n'en voulait montrer aucun. D'autant plus qu'il se sentait *parfaitement bien*, comme il se plut à le répéter. Corenn, qui connaissait bien son caractère, n'essaya pas de le convaincre. Même son pouvoir de persuasion ne pouvait rien, face à la fierté exacerbée de Grigán.

Le repos de la veille avait aussi été profitable aux chevaux, qui supportèrent une allure soutenue. Tout semblait indiquer que les voyageurs arriveraient en vue du Pont dans le cinquième décan, bien avant les prévisions de Nakapan, qui ne pouvait que s'en réjouir.

La progression monotone du convoi fut pourtant troublée à une occasion, alors qu'ils croisaient deux carrioles semblables aux leurs. Nakapan salua les huit personnes — deux familles romines — comme des pairs de la *confrérie des amuseurs*. Mais ceux-ci étaient porteurs de mauvaises nouvelles.

— Faites demi-tour, lança l'un d'entre eux avec dépit. Ils ont bloqué le Pont-Régent !

— Ils vous ont refusé le passage ? s'étonna Nakapan.

— Ça grouille de miliciens ! On dirait la guerre, là-bas !

Les voitures furent ensuite trop éloignées pour qu'ils puissent poursuivre cette conversation. Grigán, qui n'en avait pas perdu un mot, tint conseil avec le chef de troupe. Après quelques échanges stériles, ils allèrent demander l'avis de Corenn.

Le *Pont-Régent*, qui avait donné son nom à la ville lorelienne, avait été construit par les Romins au temps des Deux Empires. C'était, avec le *Palais de la liberté* de Goran et la *statue couchée d'Hamsa* à Cyr-la-Haute, l'une des trois plus grandes réalisations humaines. Le pont enjambait une faille longue de plus de douze lieues, large en cet endroit de six cents pas, et profonde de quatre cents. Par ces chemins de montagne, contourner la faille prenait environ trois jours… Trois jours, pour seulement six cents pas à vol d'oiseau.

L'ouvrage, entièrement en bois, ne reposait sur aucune fondation : il était impensable de bâtir des piliers de quatre cents pas. La largeur de la faille empêchait également l'installation d'un pont de cordes, qui n'aurait pas même supporté son propre poids. Aussi les Romins avaient-ils eu l'idée d'un pont suspendu placé *vingt pas* sous le bord de l'abîme, et retenu par de solides filins attachés aux parois. Unique en son genre, le Pont-Régent était d'une importance tactique capitale… et les Loreliens qui en avaient hérité le préservaient jalousement.

Son accès était réservé aux seuls soldats ou membres de la noblesse du royaume marchand. Suivant la tradition millénaire du franc-passage, on laissait également circuler les bateleurs et les messagers de tous pays. Mais ce privilège n'était qu'une tolérance, à laquelle la couronne pouvait mettre fin à tout moment. Ce qui venait de se produire.

— Nous ne pouvons pas nous permettre de perdre trois jours, constata Grigán agacé, sans pouvoir s'en expliquer en présence de Nakapan.

Chaque détour représentait autant de temps perdu pour les héritiers et leur quête. Temps que Saat pouvait mettre à profit pour la réalisation de ses desseins… quels qu'ils soient.

— Vous a-t-on déjà refusé le passage, maître Nakapan ? demanda Corenn en réfléchissant.

— Jamais encore. Les miliciens se font parfois prier, mais seulement pour arrondir leur solde. Par Odrel, j'ai déjà franchi ce pont une bonne vingtaine de fois !

— Et moi à deux reprises, renchérit Grigán. Il suffit de se prétendre messager. Ils ne sont pas trop regardants, d'ordinaire. S'ils ont fermé l'accès, c'est qu'il se passe quelque chose de grave…

La Mère observa la position du soleil pour juger du temps restant avant la nuit.

— Nous sommes encore loin de ce fameux pont ?

— Deux lieues, environ, répondit le bateleur après réflexion. Peut-être moins.

— Bien! À être si près, nous ne perdrons pas grand-chose à essayer tout de même. Et nous serons au moins informés des raisons de cet état de guerre… ajouta-t-elle avec un regard entendu pour Grigán.

Le guerrier comprit sans qu'elle ait besoin de s'expliquer. La Mère n'avait eu qu'un pressentiment, mais le même lui torturait l'esprit depuis le début de leur conversation.

Lorelia, le plus libre des Hauts-Royaumes, fermant ses frontières : cela pouvait être le premier signe de la mise à exécution des plans de Saat.

* * *

Afin de mettre toutes les chances de leur côté, Corenn suggéra de présenter Cavale et Reyan, tous deux typiquement loreliens, comme les chefs de la troupe. L'idée n'enchantait guère Nakapan, mais il s'y plia sous la pression de sa femme, peu désireuse de passer deux nuits encore dans les monts Brumeux.

La Mère proposa aussi que chacun des bateleurs revête son costume de scène, dans la mesure où ceux-ci n'étaient pas trop légers. Elle emprunta divers effets fantaisistes et colorés et s'en attifa elle-même, enjoignant Yan, Lana et surtout Rey à faire de même. L'important était de convaincre les miliciens de leur condition de bateleurs : si l'un seulement des gardes avait le moindre respect pour le franc-passage, il se montrerait peut-être plus clément envers une troupe aussi représentative des *amuseurs*.

Par sa grande taille, Bowbaq fut dispensé de déguisement : n'importe qui imaginait sans peine le géant participant à un numéro quelconque. De même, le semblable habit ramgrith de Léti et Grigán pouvait les faire passer pour une paire d'acrobates.

Pour éviter tout œil curieux d'un *frère* de la Grande Guilde, qui se serait trouvé là par hasard, Corenn dispersa également les héritiers parmi les huit chariots composant le convoi. Elle-même prit place avec Rey et Cavale dans la voiture de tête, et donna le signal du départ.

Ce furent des bateleurs peu joyeux qui parcoururent les derniers milles les séparant du Pont-Régent. Pourtant, alors qu'ils approchaient du fortin gardant cette extrémité, les voyageurs s'animèrent et des airs de flûte coudée et de lunes-à-corde s'élevèrent bientôt de plusieurs voitures, couvrant à peine les conversations animées et les éclats de voix joyeux.

Cela faisait partie des plans de Corenn; si les ordres des gardes n'étaient pas stricts, ils agiraient selon leur seul jugement : mieux valait alors paraître sympathique.

Une sentinelle sonna une cloche dans une tour alors qu'ils approchaient. Les portes du fortin n'étaient pas fermées, ce qui était bon signe. Sept cents pas plus loin — à l'autre bout du monde ! — brillaient quelques faibles lumières : les lanternes tôt allumées du fort gardant l'autre extrémité. Un peu plus loin encore, la ville du Pont. Le royaume lorelien.

Onze gardes surgirent et se placèrent sans discipline à l'entrée des murailles, tous regards tournés vers les arrivants. Deux seulement étaient armés de piques, les autres conservant leurs lames au fourreau. Mais tous étaient sous tension, se déplaçant beaucoup et parlant fort.

Corenn avisa avec horreur la présence d'un *jelenis* parmi eux. Les maîtres-chiens formaient l'un des corps royaux d'élite, et celui-ci n'était pas à sa place dans un poste-frontière : quoi qu'il se passe à Lorelia, ce devait être grave. Mais surtout, les héritiers avaient déjà été confrontés aux jelenis. Ils possédaient même encore une partie du trésor du Petit Palais !

Elle regarda s'approcher l'homme avec angoisse. S'il était présent ce jour-là, s'il reconnaissait Rey, ou elle-même…

— Bien le bonjour, messire soldat, clama l'acteur sans se démonter. Que voilà beaucoup de gens pour nous accueillir !

Le jelenis passa sans répondre et remonta la colonne jusqu'à la dernière roulotte, avant de revenir auprès d'eux. La seule parole qu'il eut fut un rappel pour son dogue, qui tirait un peu trop la chaîne à proximité du loup Merbal.

— Qui est le chef de cette troupe ? demanda-t-il avec beaucoup d'autorité.

— Moi-même, et mon jeune frère ci-présent, soldat. Nous avons hérité cette charge de notre père, un artiste dont vous avez sûrement entendu parler : Grigán le Radoteur ? Les gens le nommaient ainsi, parce qu'il avait l'étrange habitude de…

— Ça ne m'intéresse pas. D'où venez-vous et où allez-vous ?

— Nous venons de Romine, pour les fêtes de la Terre, bien sûr ! conclut Rey avec enjouement, en simulant quelques coups donnés à un tambour imaginaire. Mais pourquoi tant de questions ? D'ordinaire, nous franchissons le pont sans difficultés !

— Lorelia se prépare à la guerre, l'ami, annonça le jelenis avec condescendance pour l'ignorant. Les Goranais ont déjà pris les armes. Si nous ne réagissons pas très vite, ils pourraient camper place des Cavaliers à la prochaine décade.

— *La guerre contre Goran ?* s'exclamèrent Rey et Corenn d'une seule voix.

— Peut-être. Peut-être pas. Le Grand Empire prétend avoir besoin d'hommes au val Guerrier, mais on n'a jamais vu lever une armée pour repousser quelques pillards thalittes… En attendant, le roi se prépare au pire. Si les Goranais ont vraiment des problèmes à l'est, on ira peut-être les aider. Mais s'il s'agit d'autre chose… on sera prêt à les recevoir, conclut-il avec un sourire impatient.

Corenn buvait les paroles du garde, le cœur battant. La seule chance de leur côté, c'est que ni les bateleurs, ni les héritiers ne comptaient de Goranais dans leurs rangs. Le reste n'était que mauvaises nouvelles.

Saat était-il responsable de ces malheurs ? Se trouvait-il au Grand Empire, projetant d'envahir Lorelia ? Ou chez les Thalittes, avec l'ambition de s'attaquer aux Hauts-Royaumes ? Comment ? Pourquoi ?

— Si une guerre se prépare, mieux vaut pour nous rentrer dans nos frontières, avança Rey avec beaucoup de sérieux.

— C'est impossible, s'opposa le jelenis. Pour éviter toute infiltration d'espion, personne ne peut franchir le Pont-Régent jusqu'à nouvel ordre.

— Un détour nous coûtera au moins trois jours, insista l'acteur désolé. Trop tard pour les fêtes.

— Je regrette, déclara l'autre, heureux du respect témoigné à son autorité.

— Et si je vous assure qu'il n'y a aucun espion parmi nous ? lança l'acteur avec un clin d'œil.

— Vous êtes trop nombreux. Je ne peux pas prendre ce risque.

— Mais enfin ! Nous sommes *loreliens* ! protesta Rey, utilisant ainsi son argument majeur.

Corenn intervint avant de voir leurs chances définitivement réduites à néant. Si Rey était bon comédien, il n'avait pas le talent diplomatique de la Mère.

— Messire soldat, commença-t-elle, je suppose qu'au terme de notre détour, nous rencontrerons un autre poste-frontière ?

— C'est plus que probable, répondit le jelenis d'un air soupçonneux.

— Je suppose également que, pour les mêmes raisons que vous, ils hésiteront à nous laisser entrer ?

— Ils vérifieront simplement que vous êtes bien ce que vous prétendez. Les frontières ne sont pas fermées, elles sont simplement *surveillées*, insista l'homme, comme s'il s'adressait à une simple d'esprit.

— Eh bien ! Pourquoi ne pas vérifier *ici* ? s'exclama Corenn. Vous nous éviterez un détour, et gagnerez notre… reconnaissance. Tout le monde y trouvera son compte.

L'homme dévisagea la Mère avec plus d'attention. Corenn le gratifia d'un petit sourire entendu, en espérant qu'il ne s'y méprendrait pas : elle tentait de le soudoyer, non pas de le séduire.

— C'est une *grosse* responsabilité, répondit-il, un ton plus bas. Accorder le franc-passage à une troupe si nombreuse… J'y risque ma tête.

— Seulement si nous n'étions pas des bateleurs, messire soldat, le rassura Corenn. Nous cherchons simplement à gagner le Pont à temps pour les fêtes de la Terre. Quels malheurs cela pourrait-il vous apporter, quand tous deux nous aurons oublié cette conversation ?

L'homme jeta un regard derrière lui, pour voir si personne ne l'entendait. Mais les gardes s'étaient dispersés le long des roulottes, autant pour repérer d'éventuels espions goranais que par curiosité pour ces étranges voyageurs.

— C'est une *grosse* responsabilité, répéta-t-il enfin.

Corenn fouilla dans son bagage et remit au jelenis une bourse lourde de pièces, qu'elle avait préparée en prévision d'une telle éventualité. L'homme enfouit prestement l'objet sous ses vêtements. Rey et Cavale eurent l'intelligence de n'intervenir d'aucune façon.

— Cette bourse ne contient que de belles terces loreliennes, glissa Corenn à mi-voix, argumentant encore pour éviter à l'homme de changer brusquement d'avis. Soyez tranquille, nous ne sommes pas des traîtres.

Cette dernière remarque visait surtout à tranquilliser la conscience du jelenis, afin qu'il leur facilite les choses. Mais l'homme semblait n'avoir cure de l'innocence ou de la culpabilité des bateleurs. Il affichait un sourire tellement réjoui qu'on ne pouvait s'y tromper : c'était déjà un profiteur de guerre.

Qu'osera-t-il se permettre, si le conflit éclate vraiment ? songea Corenn avec tristesse. Qu'oseront tous les sadiques, les ambitieux, les pervers, les orgueilleux, les intolérants, les jaloux, frustrés par le canevas fragile de quelques lois inégales, quand celui-ci n'aura plus de valeur ?

Elle pensa soudain à Kaul. Le Matriarcat, épargné par les famines et les conflits depuis tant d'années… Ravagé par des bandes de pillards goranais, loreliens, ou pourquoi pas *kauliens* ? Était-ce cela, l'avenir des Hauts-Royaumes ?

— Vous pouvez passer, annonça le jelenis en la tirant de sa rêverie. Si on vous interroge de l'autre côté, dites que vous êtes de la famille d'un des gardes. Et ne venez plus ici avant la fin de la guerre, ordonna-t-il en guise de conclusion.

Il tourna les talons, donna quelques ordres à un subordonné et disparut à l'intérieur du fortin sans se retourner.

— Je vous parie qu'il est déjà en train de compter ses pièces, lança Rey, sarcastique.

— Je ne prends pas, répondit Cavale. Trop facile.

— Combien y avait-il dans cette bourse, Corenn ?

— Juste assez. Trop, il se serait méfié. De vrais bateleurs n'achèteraient pas leur franc-passage à prix d'or.

— Rey avait raison, s'enthousiasma Cavale. Vous êtes *vraiment* une femme d'esprit !

Corenn sourit du compliment du jeune Lorelien, alors qu'ils guidaient leur chariot à l'intérieur du fort, suivis par les autres voitures. Ils ne s'arrêtèrent que pour laisser aux gardes le temps d'ouvrir la porte de l'enceinte intérieure, donnant sur la voie inclinée menant au Pont-Régent… vingt pas sous le bord de la falaise.

La pente étant assez raide, tous durent mettre pied à terre pour alléger les chariots. Ce fut l'occasion pour les voyageurs de se renseigner auprès de Corenn, Rey et Cavale sur les raisons de ce barrage. Les nouvelles furent accueillies de différentes manières : les bateleurs se réjouirent d'éviter les trois jours de détour… et les héritiers s'attristèrent des menaces de guerre planant sur les Hauts-Royaumes.

Yan, surtout. Car il partageait le savoir inhumain d'Usul. Le dieu avait *prédit* ce conflit. Il en avait même révélé l'issue.

— Les Hauts-Royaumes perdront, songea-t-il à voix haute. Avant un an… Un an, seulement…

— Que dis-tu ? l'interpella Grigán, intrigué.

Le jeune homme réalisa son erreur en avisant les six regards attentifs fixés sur lui. Il en avait déjà trop dit pour se rétracter. Et puisque cette prophétie semblait devoir s'accomplir, il n'avait plus grand-chose à risquer en la divulguant.

— Usul me l'a laissé entendre, expliqua-t-il évasivement. Je ne voyais pas bien où il en voulait en venir, mais je comprends, maintenant.

— Saat est-il derrière tout cela ? s'enquit aussitôt Corenn.

— Probablement, oui. Usul n'a pas été clair à ce sujet.

— Où est-il, à Goran ou à Thallos ? demanda Rey.

— Je n'en ai aucune idée ! Je n'aurais pas gardé ce renseignement pour moi !

Ils acquiescèrent, en songeant que le jeune homme n'avait pourtant rien dit de ces allusions à une guerre prochaine, jusqu'alors. Mais personne ne savait exactement ce qu'avait vécu Yan sur l'île Sacrée des Guoris. Ses cheveux blancs laissaient deviner une expérience plus qu'éprouvante.

Le convoi se mit en branle à faible allure, à la suite des deux gardes descendant au pont. Ces hommes n'étaient là que pour leur éviter un faux pas, et ils s'arrêtèrent aux abords de la construction. C'est donc seuls que les voyageurs s'engagèrent au-dessus du vide, à la simple lueur de leurs lanternes, dans le vacarme des attelages, du bois craquant sous la torture de leur charge et des hurlements du vent.

Quelques bateleurs s'émerveillaient du spectacle de leurs propres feux flottant entre les étoiles et le sol. D'autres s'attachaient plutôt à la manœuvre, craignant que l'un des chevaux bascule par-dessus la modeste rambarde. Les héritiers avaient, eux, l'esprit tout ailleurs.

— Si Saat dispose vraiment d'une armée, nous ne pourrons plus grand-chose contre lui, remarqua Bowbaq avec gravité.

Personne ne démentit le géant. Sa réflexion, même pessimiste, était pleine de bon sens.

— Toutes les frontières seront bientôt fermées, annonça Grigán après quelques instants. Il faut qu'on galope droit sur Ith, sans plus s'arrêter.

Ils acquiescèrent tristement. Le journal de Maz Achem représentait malgré tout leur seul espoir. Un cahier vieux d'un siècle, dont le contenu pouvait s'avérer complètement inutile.

* * *

Sombre rêvait, et rêvait encore. Il avait de moins en moins besoin de dormir pour cela : il lui suffisait d'ouvrir un peu son esprit pour que des milliers de pensées humaines viennent s'y engouffrer, porteuses d'images de guerre, de conquête, de domination… et d'adoration.

Le dieu commençait à prendre le contrôle de sa puissance.

Au début, les esprits mortels s'étaient imposés dans ses rêves, y prenant racine, poussant, s'incrustant profondément dans sa conscience encore vierge, comme des parasites avides de perversion. Sombre luttait vainement contre ces intrusions dans son sommeil, et regrettait le temps où Saat seul partageait ses errances oniriques… Quand ils se cachaient, tous les deux, sous la montagne du Jal'karu.

Peu à peu, Sombre avait appris à puiser sa force dans les prières, les peurs, les cruautés et les ambitions humaines. Il s'en était nourri. Il y avait trouvé son identité : il était *Celui qui Vainc*. Depuis toujours, au plus profond de lui-même, il l'était. Mais la révélation lui était venue des mortels. Il était dès lors *né des hommes*.

Plus puissant. Plus fort. Et aussi plus éveillé.

S'il pénétrait facilement tous les esprits, il apprenait aussi à reconnaître plusieurs visages, retenir quelques noms. Emaz Chebree, sa grande prêtresse. Gors'a'min, le chef de guerre de Saat. Zamerine, son stratège. Dyree, son bourreau… Auxquels il fallait ajouter leur allié dans les Bas-Royaumes, au visage encore inconnu, mais dont le nom était souvent cité.

Tous ces personnages s'inclinaient devant lui en l'appelant le jeune Dyarque. Pendant longtemps, leurs desseins lui avaient été étrangers, obscurs, confus, indifférents. Mais Sombre s'ouvrait à la conscience. Il découvrait les ambitions. Devinait les plans. Réalisait sa supériorité, l'étrange concours de circonstances qui avait fait de lui un dieu parmi les hommes. Et l'immortel n'ayant vécu que dans les rêves envisageait alors un avenir fait de batailles, de tueries et de conquêtes, toutes valeurs dont on l'avait imprégné.

Il comprenait parfaitement les projets de Saat. Ils allaient, ensemble, conquérir le monde des mortels et y imposer leur règne. Le Nouvel Ordre. Pour l'éternité.

Sombre se réjouit en songeant à la puissance que lui donnerait la foi de l'humanité entière, réduite en esclavage. Et à la façon dont il briserait toute résistance.

Il était Celui qui Vainc.

Mais en s'éveillant à la conscience, Sombre s'était aussi rappelé le passé. Jal'dara. Ses frères, ses sœurs. Nol. Jal'karu. Et de mauvais présages.

Il se souvint du contact douloureux avec l'esprit d'Usul. L'immortel s'était montré méprisant et railleur envers le plus jeune de ses semblables. Usul *savait*. Que savait-il ?

Les Ondines. Le lac aux murmures. Sombre se rappelait une Vérité des créatures noires du plus profond de Karu.

Il naîtrait un *Adversaire*. Seul capable de triompher de Celui qui Vainc.

Il ignorait qui, quand, et comment même il pourrait faillir. Les humains étaient ridicules de faiblesse. Et ses semblables immortels étaient impuissants à agir.

Mais une Vérité n'entend pas de condition, et Sombre devait se préparer à la venue de ce dit Adversaire… le seul qui, de toute l'éternité, aurait *une chance* de le vaincre.

Aussi s'appliqua-t-il à la tâche avec une joie sauvage. Saat n'avait plus même besoin de le conseiller; Sombre était presque adulte, et comprenait parfaitement les intérêts en jeu. De sa propre initiative, il se mit en quête des esprits de leurs ennemis.

Il devint une ombre et survola montagnes, villes, fleuves et plaines à la vitesse de la pensée. Brassant et fouillant les consciences de milliers de mortels à chaque instant. Traversant des royaumes, suivant les routes, écoutant, espionnant, furetant, à la recherche de six esprits parmi une multitude d'autres.

Il les connaissait bien. Il les avait déjà visités plusieurs fois. L'un d'eux était peut-être l'Adversaire. Sombre en doutait, mais il n'était pas en son pouvoir de le vérifier.

Il mit quelque temps à les trouver, plusieurs divisions, peut-être même une décille. Mais qu'était le temps, pour lui?

Leurs ennemis avaient parcouru une grande distance, depuis leur dernier contact. Sombre les survola pendant quelques instants, sans difficulté aucune, immobile et invisible dans les cieux. Sept cavaliers, mortels, et aux pouvoirs si faibles qu'ils en étaient inexistants. Six d'entre eux représentaient l'ultime menace au règne des Dyarques.

Le dieu fouilla leurs esprits en grimaçant. L'un d'eux était particulièrement repoussant, entièrement dévoué à sa sœur, l'insipide déesse Eurydis. Sombre se réjouit en songeant que son culte serait bientôt anéanti. Il allait brûler tous les temples, exterminer tous les fidèles, torturer tous les Maz eurydiens. Ce serait une preuve éclatante de sa supériorité.

Les mortels étaient trop faibles même pour déceler sa présence dans leurs pensées, aussi trouva-t-il facilement ce qu'il voulait. Puis connut un moment d'hésitation. La situation requérait qu'il demande conseil à son ami.

Les centaines de lieues les séparant ne représentaient aucunement une difficulté. Après ce siècle passé en sa compagnie, Sombre atteignait l'esprit de Saat où qu'il se trouve. Et, si son ami dissimulait ses pensées les plus intimes, il était prêt à l'écouter. Il l'avait toujours été.

° Ils sont près de leur but, annonça-t-il sans introduction.

Le dieu n'était pas loquace. Point besoin de l'être : Saat et lui s'étaient toujours compris.

° Savent-ils où nous sommes ?

° Non.

° Bien. Je vais prévenir nos hommes à Ith.

L'incident semblait clos pour le Haut Dyarque. Mais Sombre ne quittait pas son esprit.

° Quelque chose t'ennuie, mon ami ? devina le Goranais avec intelligence.

° Pourquoi ne pas les tuer maintenant ? répondit aussitôt le dieu, comme un enfant boudeur.

° Peux-tu le faire sans te matérialiser ? demanda Saat avec espoir.

Sombre réfléchit, évalua sa puissance et la distance à laquelle son corps charnel se trouvait.

° Non. Je devrais beaucoup dormir, après.

° Alors, nous attendrons. Si l'un d'eux est l'Adversaire, il pourrait te vaincre et t'anéantir. Souviens-toi du Châtcau-Brisé.

° L'Adversaire est peut-être déjà mort, s'entêta le dieu. Sans m'avoir jamais rencontré.

° Dans quelques jours, ce sera un fait établi. Contrairement à eux, nous avons tout le temps, mon ami. Tout le temps.

Sombre eut un dernier regard pour les cavaliers et réintégra son corps, quatre royaumes plus loin. Le camp résonnait du travail des esclaves contre la montagne, et des prières chantées en son honneur.

Il était Celui qui Vainc, se répéta-t-il. Celui qui Vainc. Celui qui Vainc. Celui qui Vainc.

* * *

Il ne fallut que trois jours aux héritiers pour gagner, du Pont, la cité royale de Lermian. Ils campèrent dans les environs de la ville des artistes au crépuscule du Jour de la Terre. Les tambours de fête résonnant toute la nuit durant leur rappelaient cruellement leurs amis bateleurs, à qui ils avaient fait leurs adieux, non sans regrets. Chacun s'était fait la promesse d'une nouvelle rencontre… sans être sûr de pouvoir la respecter.

Chevauchant sans relâche, ils s'aventurèrent ensuite au Grand Empire, franchissant la frontière à la faveur de la nuit. Les provinces méridionales des deux nations sur le pied de guerre étaient encore, heureusement, épargnées par l'agitation régnant au nord. Les héritiers évitèrent de traverser les grandes villes et passèrent toutes ces nuits à la belle étoile, le plus loin possible du moindre hameau habité. En ces temps où les esprits s'échauffaient facilement, où quiconque voyait une invasion à la simple arrivée d'un étranger, ces précautions n'étaient pas de trop.

Jour après jour, Corenn se renseigna auprès de quelques voyageurs en provenance du nord. En séparant le vrai des nombreuses rumeurs fantaisistes, il ressortait que le Grand Empire avait réellement des problèmes sur sa frontière du val Guerrier, et qu'il ne projetait rien contre Lorelia. Le royaume marchand n'attendait donc qu'une requête officielle de l'empereur goranais pour envoyer quelques compagnies en renfort, et participer ainsi à la défense commune des Hauts-Royaumes. Mais la suspicion était de mise de part et d'autre... Aussi chacun se contentait-il de lever des troupes et de les masser aux frontières, attendant qu'il se produise quelque chose.

Tous les regards étant tournés vers le nord, les héritiers entrèrent sans difficulté dans le territoire ithare, la nuit du quarte de la décade de la Terre, sept jours après avoir franchi le Pont-Régent. Presque deux décades s'étaient écoulées depuis leur incursion dans la tour Profonde.

Les nuits succédant à ces journées de chevauchées harassantes avaient toujours semblé trop courtes. Les héritiers étaient fatigués et courbatus. Mais, enfin, ils étaient au but.

Lorsque Grigán donna le signal de la halte de nuit, ils s'exécutèrent avec soulagement. Et, comme à chaque veillée de cette partie du voyage, ils mangèrent rapidement et se couchèrent tôt, économisant leurs forces dans un seul souci : rejoindre Ith au plus vite.

Pourtant, personne ne put se reposer beaucoup, cette nuit-là. La journée du lendemain verrait leurs efforts récompensés par la lecture du journal de Maz Achem... Ou alors, elle verrait leur dernier espoir réduit à néant.

* * *

Ith était *ville ouverte*, ce qui signifiait, dans les Hauts-Royaumes, que l'on pouvait y pénétrer sans s'acquitter d'aucune taxe, ni subir aucun contrôle à ses portes. Bien évidemment, cela allait grandement arranger les héritiers, toujours soucieux de discrétion. Mais ils savaient aussi devoir pénétrer dans le quartier religieux, connu de par le monde comme la véritable *Sainte-Cité*... Et cela était une tout autre affaire.

Lana n'ayant pu aider Grigán à trouver un plan, le guerrier n'eut d'autre choix qu'attendre de se rendre compte par lui-même, pour improviser ensuite… Ce qu'il détestait devoir faire. C'est donc le cœur battant et l'esprit en feu qu'ils parcoururent la faible distance les séparant encore de la capitale du royaume ithare, au quinte de la décade de la Terre, deux lunes après que Yan eut entendu mentionner les héritiers pour la première fois.

Lana semblait renaître, à chaque mille qui les rapprochait des lieux de son enfance. Chaque ruine, chaque paysage des faubourgs de la ville lui rappelait un souvenir personnel ou une anecdote historique : là avait parlé le roi Li'ut, ici venait-elle souvent se promener, là-bas avait eu lieu la dernière bataille de l'Empire ithare…

Les héritiers écoutaient la Maz avec intérêt, enthousiasmés par la verve de leur amie, d'habitude si peu loquace. Rey fut le plus acharné à la questionner, ponctuant les réponses de Lana de commentaires gentiment moqueurs, déclenchant autant de rires parmi ses compagnons.

Corenn se perdit dans la contemplation du paysage : les eaux vives de l'Alt, les hautes montagnes du Rideau, blanches, grises, ocres, tranchant sur le ciel bleu du troisième décan, les dômes de la Sainte-Cité, ondulant la plaine comme pour offrir un tapis au mont Fleuri… Et les centaines de pèlerins qui, comme eux, cheminaient tranquillement jusqu'à la capitale, en quête de miracles, de spiritualité ou de paix. Dans une toute autre situation, Corenn eût trouvé la journée merveilleuse… Mais les héritiers n'allaient pas à Ith trouver la sérénité. Ils n'en reviendraient que déçus… ou choqués, comme l'avaient été leurs ancêtres, cent dix-huit ans plus tôt, au retour de Ji.

De cours d'histoire en plaisanteries, ils furent bientôt aux portes de la cité, simples voyageurs parmi des centaines d'autres venus rendre hommage à leur culte. Ils comprenaient bon nombre d'eurydiens, porteurs de masques et parés des robes aux symboles harmonieux de la déesse protectrice. Mais aussi des adeptes d'une foule d'autres religions, adorant autant de dieux : Ivie-la-Nocturne, Mishra à la tête d'ours, Wug Eeti, Dona, Triste-Odrel, les jumeaux de Serpale, Brassisse, Aliandra du Soleil… Et une vingtaine d'autres qu'ils ne purent identifier, sans compter les pèlerins qui ne portaient aucun signe distinctif, et dont on ignorait les croyances.

— Là-bas, montra Grigán d'un geste méprisant. Des Valipondes.

Tous les regards se tournèrent vers le groupe de quatre cavaliers qui attendaient à l'écart. Ils portaient des chemises vertes à lacets de cuir et un long collier d'argent dont ils arrangeaient les boucles de manière complexe. Le chargement de l'un d'eux comprenait une cage renfermant trois margolins cuivrés. Les badauds évitaient de s'approcher de trop près de ces personnages.

— Comment pouvez-vous tolérer les Valipondes, reprit Grigán en s'adressant à Lana. Des démonistes tueurs d'enfants, bannis de tous les royaumes !

— La Sainte-Cité est ouverte à tous, répondit la Maz avec une pointe de regret. Le roi veille à ce qu'ils se tiennent tranquilles. Mais, en dehors des sacrifices humains, chacun reste libre du choix de ses offrandes… L'interdiction ne s'étend pas aux sacrifices animaliers.

— Quoi ! se révolta Bowbaq, descendant aussitôt de sa monture avec un regard noir pour les hommes en vert.

Yan posa une main sur son épaule, lui signifiant ainsi de patienter. Le géant regardait alternativement le jeune homme et les démonistes, sans comprendre pourquoi Yan le retenait. Soudain, la porte de la cage des margolins vola en morceaux, permettant aux rongeurs de s'enfuir en semant le trouble parmi les pèlerins.

Leur propriétaire jura dans une langue inconnue et jura plus encore quand il subit les remontrances de ses compagnons. Bowbaq gratifia Yan d'un grand sourire de remerciement, auquel celui-ci répondit par un clin d'œil. Ouvrir cette cage par magie avait été des plus faciles. À peine avait-il senti la langueur en retour du sort.

Mais la punition était encore insuffisante, du point de vue du géant. Il utilisa son pouvoir d'erjak sur le cheval d'un démoniste, qui se tenait en équilibre sur sa selle pour mieux invectiver ses pairs. La bête apeurée se cabra, jetant son propriétaire au sol sous les rires moqueurs de l'assemblée. Bowbaq s'éloigna ensuite avec une expression satisfaite, ignorant le regard courroucé de Corenn.

Entraînés par le flot des pèlerins, ils passèrent bientôt la porte de la ville, qui pour être ouverte n'en était pas moins étroite. Lana les guida ensuite jusqu'à un proche enclos.

— Il est interdit de monter dans la Sainte-Cité, expliqua-t-elle. Et même dans la ville basse, les cavaliers sont assez mal vus. Les rues d'Ith sont plus anciennes encore que celles de Romine, et n'ont jamais été repavées ; le roi tient à conserver ces vestiges. J'ai toujours pensé que ces enclos étaient une bonne idée.

— Je croyais que la ville était dirigée par les Emaz ? s'étonna Léti.

— Les Emaz valident les décisions du roi et de ses conseillers. Il leur arrive de proposer quelques lois. Mais le pouvoir appartient toujours au porteur de la couronne de Li'ut. Les grands prêtres ne se soucient guère de traités commerciaux ou autres tâches ennuyeuses, et le roi n'intervient pas dans les affaires du Temple. Cela fonctionne très bien ainsi, expliqua Lana avec une conviction enthousiaste.

Corenn eut une moue dubitative en méditant sur la prétendue probité des Emaz, et sur la réelle part de pouvoir abandonnée au roitelet du petit territoire ithare. Mais il ne lui appartenait pas d'enlever à Lana ses illusions. La prêtresse aurait tout le temps de faire l'expérience de la vie et des hommes… s'ils parvenaient un jour à reprendre une vie « normale ».

Ils laissèrent leurs montures en gardiennage — moyennant quelques disques — et s'avancèrent dans les rues déjà très encombrées. Lana les y guidait avec assurance, y ayant passé toute sa vie.

— Vous nous menez à la Sainte-Cité, n'est-ce pas ? vérifia Grigán, soudain tiraillé par un pressentiment.

— J'aimerais d'abord que nous achetions des masques, expliqua la Maz. Sans cela, nous n'aurons aucune chance d'entrer.

— Et bien sûr, vous comptez acheter ces masques dans un endroit où personne ne peut vous reconnaître ?

Lana s'arrêta soudain et baissa les yeux en rougissant.

— Je n'y avais pas pensé, avoua-t-elle. J'allais vous mener chez le fournisseur de mes parents.

Le guerrier se détourna, s'éloigna de quelques pas et prit une grande inspiration. Il devait toujours penser à tout. Pour tout le monde. *Sept* fugitifs… Mais le risque était, lui, multiplié par *vingt*.

— Nous pouvons toujours y aller, dit-il en revenant auprès d'elle, se forçant au calme. Vous n'entrerez pas, voilà tout.

Lana se sentait complètement stupide. Alors qu'ils reprenaient leur marche, elle réalisa que retrouver Ith lui avait fait perdre toute prudence. La Sainte-Cité, ses rues propres et tortueuses, au pied du mont Fleuri… Les places ombragées, les jardins… Les ponts franchissant l'Alt… Pourtant, c'était bien là que les Züu avaient tenté de l'assassiner. Il ne fallait pas oublier pourquoi les héritiers avaient fait ce voyage. Et quels dangers ils encouraient.

Elle chercha les regards étrangers, derrière les masques polis. Y avait-il un tueur parmi ceux-là ? Plusieurs, peut-être ? Était-elle déjà reconnue ? Suivie ?

— Cette foule est beaucoup trop calme à mon goût, lança Rey en troublant sa réflexion. À Lorelia, moitié moins de gens feraient deux fois plus de bruit.

— *La foi est immobile*, cita Lana en essayant de fuir son angoisse. Mais ne vous fiez pas aux apparences, Reyan… Au crépuscule des prières, Ith vous paraîtrait beaucoup plus animée.

Ils parvinrent à l'échoppe du masquerand, profession exclusivement ithare, et Corenn et Rey se chargèrent d'acheter un masque classique pour chaque membre du groupe. Le visage reproduit était inexpressif et asexué, et d'une finition grossière. Grigán se plaignit qu'il gênait son champ de vision, et Bowbaq qu'il était trop petit pour lui.

— De toute manière, Bowbaq et moi sommes trop reconnaissables, ajouta le guerrier en ôtant l'objet. Et je n'ai aucune envie de changer de vêtements.

— Moi non plus, renchérit Léti, trop attachée à son habit ramgrith.

Le guerrier accepta tout de même d'enfiler la robe de novice que Rey avait subtilisée aux Züu, et Léti fit de même avec celle de Lana. Le spectacle de ces étrangers se changeant en pleine rue ne choqua en aucune façon les passants, qui avaient déjà été témoins de moult excentricités dans cette ville particulière.

Les héritiers eux-mêmes assistèrent à diverses étrangetés, alors qu'ils prenaient le chemin du quartier eurydien, procession anonyme parmi d'autres. Lana leur indiqua successivement des chanteurs de la célèbre mélopée luréenne, une famille des Charitables de Thébe, une auberge tenue par des «prêtresses» de Dona, le pont où, autrefois, un guetteur attendait l'arrivée sur l'Alt de l'armée des morts goranais…

Elle cria et détourna les yeux quand ils découvrirent un pendu au détour d'une ruelle. L'homme semblait s'être suicidé… mais le spectacle n'en était pas moins choquant.

— Ça remonte au moins à deux jours, commenta Grigán. Drôle de ville où on laisse les pendus pourrir à leur balcon…

— Détachez-le, Grigán, s'il vous plaît, demanda Corenn.

Le guerrier vérifia qu'ils étaient seuls, puis trancha la corde d'un seul coup de sa lame courbe. Le corps s'effondra à terre et Grigán en éloigna son groupe.

— C'est un Brassisse, expliqua Lana. Ils croient conserver leur aspect physique pour l'éternité, dans une certaine vie après la mort. Nombreux sont ceux qui se suicident en vieillissant.

— Mais les gardes ne font rien ? s'étonna Yan. Pourquoi l'ont-ils laissé là ?

— Il est probable qu'ils ne l'aient pas encore découvert, s'excusa la Maz. Les officiers ont déjà beaucoup à faire avec les Valipondes, les K'luriens ou les Yooses. Et ils sont si peu nombreux... Le Temple entretient moins de deux cents hommes pour garder la Sainte-Cité. Le roi, un peu plus... Peut-être trois cent cinquante. Mais ils sont répartis sur tout le royaume.

— Cinq cents hommes pour tout un royaume, commenta Grigán en secouant la tête. Avec mes cavaliers, j'aurais pu prendre cette ville en...

Il se rembrunit et laissa sa phrase inachevée. Le souvenir de la cavalerie ramgrithe lui en rappelait d'autres, beaucoup trop tristes.

— Goran nous protège, affirma Lana. Quiconque voudrait s'attaquer à la Sainte-Cité devrait déjà vaincre le Grand Empire. Et ce jour n'est pas encore arrivé, ajouta-t-elle en espérant ne pas se tromper.

* * *

L'Emaz Drékin se sentait vieux et las. Sa foi en Eurydis était intacte, mais le service de la déesse ne lui apportait plus autant de joies que dans ses premières années de noviciat. En accédant à certaines des plus hautes charges du Temple, il avait aussi découvert les intérêts que représentait le Grand Temple de par le monde... politiques, économiques ou tout simplement humains.

Cela aussi l'avait passionné, autrefois. Maintenant, il n'en restait plus que le goût amer de l'usage tortueux du pouvoir. En fait de grand prêtre, il se voyait plutôt comme un gestionnaire habile. Certes, il avait contribué à l'épanouissement du Temple... Mais pas à celui de la déesse.

C'est avec ces pensées qu'il poursuivait sa tâche, décade après décade, s'enfermant dans la plus ennuyeuse des monotonies pour expier ses propres fautes. Jusqu'à ce jour.

— Votre Excellence ? annonça l'un des novices délégués à son service. Des visiteurs demandent à être reçus. L'un d'eux prétend vous connaître ; il ne m'a pas donné son nom.

— Fais-les entrer, mon enfant, répondit l'Emaz en se réjouissant de cet imprévu.

Sa joie se mua bientôt en surprise, lorsqu'il vit un groupe disparate de sept personnes, dont un géant portant un petit singe, envahir son étude sans proférer la moindre parole. Puis sa surprise se changea en bonheur quand l'une des étrangères ôta son masque.

— Lana ! Vous êtes vivante, bredouilla-t-il, la voix trouble. Oh, vous êtes vivante…

Les deux prêtres s'étreignirent pourtant avec une retenue respectueuse. Mais les larmes de la Maz étaient suffisamment loquaces.

— Je ne peux le croire, reprit le vieil homme. Pourquoi avoir quitté Mestèbe ? Pourquoi nous avoir laissés si longtemps dans l'ignorance ?

— C'est une longue histoire, Votre Excellence, et le temps nous manque. Je ne puis vous dire grand-chose, de toute manière, dans votre propre intérêt… Vous n'auriez même pas dû me voir.

L'Emaz se rembrunit et fit un pas en arrière, en examinant les compagnons de son ancienne élève. Qui étaient-ils, et que voulaient-ils ? Tout de même pas…

— Nous avons besoin de votre aide pour entrer dans la Sainte-Cité, l'implora Lana. C'est la seule raison de ma visite ici. Et la seule requête que je vous ferai.

Drékin tressaillit. Il en était convaincu, maintenant. Ils cherchaient le livre. Ces étrangers voulaient *le livre*.

— Vous êtes Maz, répondit-il au hasard, pour se donner le temps de réfléchir. Vous n'avez pas besoin de moi pour entrer au Grand Temple.

— Je ne puis me découvrir, expliqua Lana. Ce serait trop dangereux.

— Et quelles sont vos intentions ? osa-t-il demander. Que ferez-vous, une fois là-bas ?

— Mieux vaut pour vous l'ignorer, répéta la Maz. Soyez seulement assuré que ce n'est en rien contraire à la Morale.

Drékin fit quelques pas en réfléchissant. Il ne devait pas donner l'impression de se méfier. Trente années d'usage du pouvoir l'aidèrent à donner le change.

— Vous êtes mon amie avant tout, déclara-t-il sérieusement. Vous avez besoin de mon aide, je vous l'accorde donc. En espérant que vous ne trahirez pas ma confiance…

Il étreignit une nouvelle fois la prêtresse.

— Je vais demander que l'on vous trouve une robe à chacun. Je suis bien aise de vous revoir, Lana, annonça-t-il sincèrement avant de quitter la pièce.

Il attendit derrière la porte que les étrangers entament une discussion pour faire jouer la serrure. Puis renvoya ses serviteurs sous divers prétextes, avant de quitter lui-même son domicile en direction de la Sainte-Cité.

Il n'avait que trop retardé ce moment. Remettant toujours au lendemain ce qui, au regard de l'enseignement d'Eurydis, était un crime des plus monstrueux.

Il allait détruire un livre. *Le* livre. Le journal que Maz Achem avait remis aux grands prêtres du siècle dernier, et qui pouvait bouleverser toutes les croyances religieuses du monde connu.

* * *

— Je ne sais pas si c'était vraiment une bonne idée, commenta Rey alors qu'ils patientaient dans l'étude du grand prêtre. Nous aurions mieux fait de nous en tenir au plan original et aller directement aux archives du Temple.

— L'accès de la Sainte-Cité est gardé, rappela Grigán. Vous avez bien vu.

— Le mur d'enceinte est mangé par les brèches et le lierre! Même un enfant pourrait s'infiltrer dans les jardins et se promener sans que personne ne s'en aperçoive.

— Je ne suis pas du même avis, réfuta Lana. Ith est pacifique, mais cela ne signifie pas que ses gardes sont incompétents.

La conversation mourut, faute d'arguments nouveaux. Les héritiers patientèrent en se promenant dans la vaste pièce, admirant les nombreuses peintures, tapisseries et sculptures représentant divers épisodes de la mythologie de la déesse. Corenn s'attarda devant une collection de manuscrits aux thèmes, bien évidemment, religieux.

C'est alors que le doute lui vint. Un doute horrible. Qu'elle aurait dû avoir bien avant.

— Lana, de quelle autorité dépendent les archives du Grand Temple? s'enquit-elle fiévreusement.

— De l'Emaz chargé du Trésor, par tradition, répondit naïvement la prêtresse. Emaz Drékin, justement.

La Mère échangea un regard avec Grigán, et le guerrier se rua vers la porte, pour constater que leurs craintes étaient fondées.

— Elle est verrouillée, annonça-t-il avec gravité. Nous sommes enfermés.

Il balaya la pièce du regard, mais les rares fenêtres étaient trop petites pour seulement laisser passer Léti. Il revint alors sur la porte et en testa la solidité en lui lançant deux coups de pied. Le bois était jeune et l'armature en métal. Même avec l'aide de Bowbaq, la défoncer prendrait du temps.

— Reyan, vous n'auriez pas une idée pour l'ouvrir ? implora Lana, très soudainement.

— Et pourquoi en aurais-je une, moi plus qu'un autre, je vous le demande ? s'étonna l'acteur. Ai-je à ce point des airs de mauvais garçon ? Croyez-vous, peut-être, que tous les Loreliens emploient leur jeunesse à crocheter des serrures ?

La Maz ne répondit pas, honteuse d'avoir vexé son ami. Elle s'était simplement montrée maladroite ; désespérée, elle s'était tournée naturellement vers lui, dans l'espoir qu'il lui viendrait en aide, comme il l'avait déjà fait souvent.

Bowbaq et Grigán se mirent en quête d'un objet pouvant faire office de bélier, pendant que Yan discutait avec Corenn du bien-fondé de l'utilisation de la magie pour les sortir d'affaire. Rey était toujours contrarié.

— Il se trouve que je possède *effectivement*, annonça-t-il soudain, les sourcils froncés, un passe-partout qui va se révéler bien utile. Mais n'allez pas croire que je suis coutumier du fait. J'ai pris cet objet sur le corps du *meurtrier* de mon cousin.

Joignant le geste à la parole, l'acteur exhiba une petite clé compliquée qu'il fit jouer dans la serrure. Le mécanisme résista quelques instants avant de céder sur un cliquetis libérateur.

Pour se faire pardonner, Lana gratifia Rey d'un sourire des plus tendres, auquel l'acteur ne put rester insensible. Il quitta aussitôt son expression maussade pour retrouver le visage qui lui convenait le mieux : sûr de lui, cynique, et très séduisant.

Grigán l'écarta de la porte et bondit dans le couloir, arme à la main, pour faire face à un éventuel gardien. Voyant le passage dégagé, il fit signe aux autres de le suivre.

— Il faut quitter cet endroit au plus vite, ordonna-t-il en ouvrant la marche. S'il n'est pas trop tard. Nous sommes peut-être déjà encerclés.

— L'Emaz Drékin ne nous livrerait pas, contesta Lana en essayant de rester à hauteur du guerrier.

— L'Emaz Drékin n'était pas non plus censé nous enfermer, rétorqua Grigán. Où croyez-vous qu'il soit, maintenant, si ce n'est en train de rameuter des gardes ? Peut-être même les Züu ?

— Il va chercher le livre, annonça Corenn d'une voix blanche. Il est le seul à y avoir eu accès depuis des décennies. Il connaît son contenu. Et il a deviné que nous le cherchions.

Grigán ralentit pendant que la Mère parlait, puis s'arrêta, perplexe. Si Corenn avait raison, ils devaient modifier leurs plans.

— C'est impossible! s'entêta Lana. Pourquoi me l'aurait-il caché, pendant toutes ces années? Pourquoi ce secret?

— Les réponses sont dans le journal de ton ancêtre, amie Lana, déclara Bowbaq avec sagesse.

La Maz tourna son regard vers le sol quelques instants. Grigán montra des signes d'impatience, mais Corenn le tempéra d'un signe.

Quand Lana sortit de son recueillement, ses yeux étaient pleins de larmes. Mais les Maz ne doivent pas s'apitoyer sur eux-mêmes. Et cela lui arrivait bien trop souvent.

— Eurydis veille sur nous depuis le début de cette quête, annonça-t-elle d'une voix qu'elle aurait voulue plus forte. La déesse désire la voir mener à bien, et c'est ce que nous ferons. Malgré les trahisons. Vous et moi, contre le reste du monde…

Les héritiers écoutaient la confession de la Maz, gênés par tant de franchise, et par la nouvelle crise de larmes qu'ils sentaient arriver. La prêtresse était déjà de nature craintive; désormais, elle savait ne plus pouvoir faire confiance qu'à ses compagnons de route. Ceux qu'elle comparait encore à une joyeuse bande de fous, quelques décades plus tôt.

— Nous devons trouver le journal avant Drékin, conclut-elle, enfin décidée. Grigán, ouvrez-nous le chemin, s'il vous plaît. Mes pas sont attachés aux vôtres, désormais.

Le guerrier s'exécuta sans répondre. Il n'était pas insensible à la déception de la Maz quant à son mentor. Mais ils avaient déjà perdu beaucoup de temps. Trop, peut-être.

* * *

Drékin ne portait qu'une robe usée et des sabots grossiers, et le vent du nord s'y engouffrant parfois le glaçait jusqu'aux os. Mais l'Emaz avait l'esprit occupé à bien autre chose qu'au confort de son corps malingre et fatigué. Depuis peu, il avait le sentiment d'être suivi. Et plusieurs fois, il pensait avoir vu des ombres s'effacer dans son dos.

Il n'aurait su dire si cela avait commencé devant chez lui, ou depuis qu'il était entré dans la Sainte-Cité. Les deux officiers du Temple gardant la *porte de la Tolérance* auraient bien sûr arrêté n'importe quel indiscret l'ayant pris en filature. Mais les gardes avaient aussi l'habitude de l'accompagner durant tout son séjour dans la Sainte-Cité, ravis d'aider un Emaz. Pourquoi ceux-là ne l'avaient-ils pas rattrapé, après s'être fait relayer? Pourquoi leur conversation s'était-elle interrompue si brusquement, alors qu'il les perdait de vue?

Drékin n'avait osé revenir sur ses pas pour s'inquiéter du sort des officiers. Personne ne le suivait. Les ombres glissant dans son dos n'existaient pas. Les gardes étaient toujours en place et vivants. Son imagination travaillait trop.

Seul comptait le livre. Ce maudit journal, que le destin lui avait fait découvrir par hasard, et qu'il avait mille fois rêvé de détruire sans jamais l'oser.

Aujourd'hui, il le ferait. Que lui importaient le Savoir et la Tolérance, si ces vertus protectrices des écrits troublaient la Paix? Comment l'enseignement d'Eurydis pouvait-il défendre quelque chose qui remettait en cause ses fondations?

Drékin se mit soudain à courir, ce qu'il n'avait pas fait depuis son enfance. Courir, pour échapper aux ombres, à la mort, à ses responsabilités de grand prêtre. Lana ne devait pas hériter d'un tel fardeau. Personne ne devrait avoir à le supporter. Et les secrets de ce journal ne devaient jamais, jamais tomber entre de mauvaises mains.

Courant toujours, l'Emaz traversa le verger de l'académie de théologie. Il dépassa le temple d'Aliandra, contourna les *stèles bariolées*, rejoignit les bâtiments du Trésor et fut enfin devant la Maison des vieilles archives.

À ce moment seulement, il s'arrêta pour reprendre son souffle. D'ombres, il ne voyait plus. Mais il était maintenant certain de leur réalité. Même l'écho de ses pas n'avait pu faire autant de bruit pendant sa course... Des gens l'avaient poursuivi tout au long.

Mais d'eux, on ne voyait trace.

Pris de panique, Drékin se rua sur le petit pont le séparant de l'édifice, et en parcourut les vingt pas aussi vite qu'il le put. Il se jeta sur la porte des archives et la déverrouilla avec frénésie, jetant fréquemment des regards derrière lui. Enfin, il s'engouffra dans le bâtiment et referma aussitôt.

Il ne se reposa pas pour autant. Haletant, le sang battant ses tempes, il alluma une bougie et l'empoigna pour descendre un escalier grossier et encombré d'immondices. Parvenu en bas, il traversa une grande salle déserte pour gagner un premier, puis un deuxième couloir.

Les ombres semblaient toujours glisser dans son dos. Le vieux prêtre songea qu'elles l'avaient peut-être suivi à chaque fois. À chacune de ses tentatives pour détruire le journal, toutes avortées par la faute de son manque de courage.

— Cette fois, j'irai jusqu'au bout! lança-t-il aux ténèbres, sur un ton mal assuré.

Mais il fut effrayé par sa propre voix résonnant dans les salles vides. Aussi tremblait-il en ouvrant la dernière porte, celle menant aux archives cachées. Les écrits dangereux. Ceux nés de la main de prêtres, aux convictions s'éloignant de la Morale d'Eurydis.

Drékin se précipita derrière une colonne, s'accroupit et fit jouer le secret d'une trappe. Descendre dans cette cave l'effrayait alors au plus haut point, mais il n'avait pas le choix. Aussi se laissa-t-il glisser le long de l'échelle, transpirant d'effort et d'angoisse. Il n'eut aucun besoin de fouiller les piles de carnets et de parchemins entassés pêle-mêle: le journal était toujours à sa place. Là où il l'avait reposé à chaque fois.

Il l'approcha de la flamme de sa bougie, tint quelques instants les deux objets à proximité l'un de l'autre, et se ravisa. Les ombres glissaient, tournaient, dansaient autour de lui. Elles se rapprochaient. Tels les démons tourmenteurs de sa conscience.

Drékin glissa le livre sous sa robe et sortit de la cave. Les ombres le suivaient, l'encerclaient. Il se disait qu'il devenait fou, qu'elles n'étaient que des illusions qui disparaîtraient s'il prenait le temps de se calmer. Mais il n'en avait *pas* le temps.

Il reprit les couloirs, retraversa la salle et remonta l'escalier en courant toujours. Il n'allait plus aussi vite qu'au début; il allait moins vite, même, qu'un marcheur dans la force de l'âge. Mais il ressentait le *besoin* de courir. Fuir, quitter cet endroit maudit où il venait de voler un puissant trésor.

Il déverrouilla la porte et se rua à l'extérieur. La lumière du jour l'aveugla et il se précipita sur le pont comme dans un rêve. De nouvelles ombres émergèrent du soleil. Lana et ses amis, courant dans sa direction les armes à la main. Ils semblaient lui crier quelque chose…

«Attention»?

Drékin s'arrêta au milieu du pont et se retourna lentement. Une douzaine de novices, comme il y en avait tant à Ith, s'approchaient de lui avec le pas lent des prédateurs.

Ils portaient tous des dagues fines comme des aiguilles. Et leurs yeux reflétaient les ombres qui dansaient toujours autour de lui, impatientes de s'emparer de son âme.

* * *

Grigán réalisa qu'il n'aurait pas le temps de rejoindre Drékin avant les Züu. Il ralentit sa course, se débarrassa de sa lame courbe et encocha une flèche à son arc en quelques instants.

— Poussez-vous ! hurla-t-il à ses compagnons.

Sans pour autant s'arrêter, les héritiers se décalèrent un peu pour laisser un angle de tir au guerrier. Un sifflement se fit entendre et ils virent un premier Zü s'écrouler. Puis, presque aussitôt, deux autres traits vinrent punir les plus agressifs des assassins. Mais Drékin lui-même gêna la manœuvre en se plaçant entre les Züu et Grigán.

— Quel imbécile ! lâcha le guerrier en abandonnant l'arc et en reprenant sa course.

En tête de ses compagnons, Bowbaq vit l'Emaz se percher sur le rebord du petit pont surplombant l'Alt, sans hâte, sans chercher à échapper à ses agresseurs. Comme s'il les attendait…

Le grand prêtre sortit un objet de sous sa robe et le contempla avec fascination, jusqu'au moment où dix *hati* vinrent semer du poison dans son corps.

Drékin tituba un court instant et tomba dans les eaux vives du fleuve, emportant avec lui le journal de Maz Achem et les espoirs des héritiers.

Lana trébucha, choquée par le spectacle d'une horde de Züu s'acharnant sur son mentor. Corenn revint sur ses pas pour l'aider à se relever. La meilleure chose à faire alors, de toute façon, était de fuir. Les héritiers n'avaient plus rien à attendre de la Sainte-Cité.

Grigán donna l'ordre de la retraite et Yan, Bowbaq et Rey obéirent aussitôt, conscients de l'inégalité d'un combat contre une douzaine de tueurs rouges. Mais Léti poursuivit sa course.

Le guerrier jura et regagna l'endroit où il avait abandonné son arc, pour constater avec dépit qu'il n'aurait pas assez de flèches. Il en encocha une et abattit le tueur le plus proche de la jeune femme. Mais combien accouraient encore vers eux ? Dix ? Douze ? Plus ?

Yan et Rey firent volte-face pour aller soutenir Léti, aussitôt suivis par Bowbaq. Grigán tira et tira encore, avec l'énergie du désespoir. Les Züu ne semblaient aucunement se soucier de leurs pertes. Même les blessés continuaient d'avancer, poussés par leur fanatisme religieux et une rage incompréhensible.

Ainsi, voilà donc comment je vais mourir, songea le guerrier. *À Ith, à un contre deux, sans même connaître le fin mot de l'histoire.*

Il abandonna l'arc inutile, faute de projectiles, et se lança lui aussi à la rencontre des Züu… Cinq héritiers plus ou moins inexpérimentés courant au-devant d'une bande d'assassins fanatiques. Léti en tête, impressionnante avec sa rapière et son habit de cuir. Yan, derrière, brandissant un glaive dont il ne s'était jamais servi. Bowbaq le non-violent. Et Rey qui était plus fort en paroles qu'en escrime.

Léti bifurqua soudain et longea le fleuve en fouillant ses rives, sans se soucier en apparence des deux tueurs qui s'étaient détachés des six autres survivants pour fondre sur elle. Bowbaq lança sa masse sur l'un de leurs adversaires du plus loin qu'il le put, brisant le crâne du Zü dans un craquement sec. Yan s'arrêta subitement et resta immobile, attendant que les tueurs viennent à lui.

Grigán bifurqua lui aussi pour venir en aide à Léti. Deux tueurs se détachèrent de la bande pour venir l'affronter. Le guerrier comprit qu'il n'atteindrait pas la jeune femme avant eux, et se rua à leur rencontre.

Rey et le géant s'arrêtèrent à hauteur de Yan et prirent place à côté de lui, contemplant les trois fanatiques restants entamer les derniers pas les séparant encore.

L'un d'eux eut un genre de spasme et émit un râle douloureux. L'instant d'après, il griffait le flanc de ses acolytes de sa *hati*. Les deux hommes s'écroulèrent, une lueur d'incompréhension dans les yeux. Le plus résistant trouva la force de poignarder son agresseur… et Yan perdit conscience en criant de douleur.

Léti avisa enfin ce qu'elle cherchait et sauta dans le fleuve. Le courant était assez fort et l'eau lui arrivait à la poitrine, aussi eut-elle un peu de difficulté à atteindre son but : le corps d'Emaz Drékin, retenu par une racine immergée.

Les deux assassins plongèrent derrière elle et progressèrent de leur mieux, gênés par les vêtements amples cachant leur tunique zü. Haletante, essayant de maîtriser son dégoût, Léti desserra les doigts crispés de l'Emaz et s'empara du journal. *Le* journal. Elle le lança sur la rive opposée et y grimpa à son tour.

Grigán n'avait rien perdu de la scène, mais ne pouvait intervenir. Ses agresseurs cherchaient à l'encercler, et ils n'échouaient que par l'extrême agilité du guerrier. *Pied ferme*, se disait-il, répétant les leçons qu'il donnait à son élève. Contre deux hommes armés de dagues communes, il aurait eu le dessus. Mais une seule égratignure des *hati* empoisonnées suffirait à le terrasser.

Rey vint bientôt à son aide en embrochant de sang-froid l'un des tueurs dans le dos. Grigán ne laissa pas passer l'occasion et lança un assaut sur le deuxième homme surpris. L'attaque fut suffisante. Le guerrier eut un peu de difficulté à dégager sa lame du corps.

Léti allait et venait le long de la rive en empêchant les tueurs d'y monter. Mais les deux hommes eurent rapidement l'idée de se séparer. Indécise, la jeune femme en choisit un et le transperça de sa rapière en sanglotant.

L'autre Zü se débarrassa de sa robe mouillée et s'avança avec la souplesse d'un chat. Léti lui fit face, les mains crispées sur son arme souillée et les yeux pleins de larmes.

Un carreau d'arbalète apparut soudain sur le front du tueur qui s'écroula en grimaçant. Léti se laissa tomber à genoux et chercha à qui elle devait la vie sauve.

Corenn était sur l'autre rive, tenant toujours l'arme tendue, incrédule quant à ce qu'elle venait de faire. Elle n'était même pas certaine de pouvoir la faire fonctionner. Elle n'avait jamais tué auparavant.

Léti se releva et ramassa le journal. Un volume de petite taille, mouillé, aux parchemins épais et tassés dans un cuir racorni par l'âge.

À la mémoire des hommes. Maz A. d'Algonde.

La jeune femme l'ouvrit délicatement et en lut les premières lignes, remerciant Yan de lui avoir donné quelques leçons. Avec un pincement au cœur, elle remarqua que l'encre s'était partiellement effacée dans le fleuve. Elle espéra que le plus important était intact.

« Ce que nous avons vécu sur l'île Ji, et au-delà, restera le plus grand bouleversement ayant menacé l'humanité... et qui la menacera encore. Car cette histoire n'est pas finie. D'autres porteront notre malédiction... À ceux-là, je dis : prudence ! Votre responsabilité est la plus lourde jamais portée. Car de vos choix, de vos actes dépendront toutes les générations à venir.

Je n'ai pas la prétention d'écrire un nouveau Livre de la Sage. *Pourtant, ce texte représente bien plus que mes propres mémoires. C'est une mise en garde éternelle. »*

LIVRE VII

À LA MÉMOIRE DES HOMMES

« *C*E QUE NOUS AVONS VÉCU SUR L'ÎLE JI, *et au-delà, restera le plus grand bouleversement ayant menacé l'humanité... et qui la menacera encore. Car cette histoire n'est pas finie. D'autres porteront notre malédiction... À ceux-là, je dis : prudence ! Votre responsabilité est la plus lourde jamais portée. Car de vos choix, de vos actes dépendront toutes les générations à venir.*

Je n'ai pas la prétention d'écrire un nouveau Livre de la Sage. Pourtant, ce texte représente bien plus que mes propres mémoires. C'est une mise en garde éternelle.

Contre toute logique, je commencerai mon récit par sa conclusion, celle qui effraie tellement, et à juste titre, les Emaz du Grand Temple. Nombreux sont ceux qui m'ont reproché de semer le trouble ; plus nombreux encore, ceux qui m'ont taxé de folie ou d'impiété. Je ne suis plus qu'un apostat, ayant perdu titre et fonctions. Un paria de la Sainte-Cité. Alors que ma foi et mon amour pour Eurydis n'ont jamais été plus forts.

Aux Emaz, aux Maz, à tous les prêcheurs du monde, à tous mes frères mortels, je délivre ce message : ce ne sont pas les dieux qui, les premiers, nous inspirent de mauvais sentiments. Ce sont nos mauvais sentiments qui engendrent des démons.

Chaque voix qui invoque Phrias lui donne un peu plus de puissance. Chaque prière adressée au Yoos rend les hommes plus malveillants. Chaque sacrifice des Valipondes matérialise les monstres de nos cauchemars. De plus en plus souvent. De plus en plus longtemps. Jusqu'au moment où les hommes ne songeront plus à l'âge d'Ys avec espoir, mais avec nostalgie, comme le souvenir d'un beau rêve jamais vécu.

L'enseignement de la Sage prône la Tolérance et la Paix. J'ai défendu ces valeurs toute ma vie; je les renie maintenant. Soigne-t-on le loup qui égorge les enfants? Non, bien sûr. Alors, pourquoi accueillir à Ith les âmes sombres qui se déclarent ouvertement les ennemis de la déesse? Pourquoi devrions-nous, dans notre quête universelle de la Morale, flatter le serpent contre lequel nous luttons?

Car il s'agit bien de cela. Une lutte sans trêve, qui verra l'anéantissement d'un des deux camps. Les moralistes et les démonistes. La vertu et la magie noire. Le bien et le mal.

J'ai le souvenir de m'être parfois emporté, au cours de mes discours. Laissant entendre que j'encourageais un recours à la force... à la guerre, même. Nous devions partir en croisade, pour n'en revenir que lorsque les noms des dieux noirs auraient été oubliés.

Bien souvent encore, cette idée me remplit de honte, et je me reproche cette violence contradictoire avec les raisons mêmes que j'invoquais. Mais parfois... parfois, je pense que cette entorse à la Morale ne serait qu'un moindre mal, difficile à accomplir, douloureux pour les consciences, mais peut-être nécessaire si la lente préparation des hommes à l'âge d'Ys s'avérait menacée.

Vous, les Emaz, m'avez déclaré apostat pour avoir défendu ces idées. Très bien, oubliez la croisade et laissez les âmes malignes proliférer dans la Sainte-Cité. Mais empêchez-les de convertir les esprits faibles, les égarés, les crédules, les laissés-pour-compte, et tous les naïfs désœuvrés dont se composent leurs rangs.

Je renie la Tolérance. Chaque mortel qui se dévoue aux dieux noirs fait plus que retarder l'avènement de l'âge d'Ys. Il en devient l'ennemi.

Je renie la Paix. Nous avons toujours cru qu'il nous suffirait d'attendre sereinement. Erreur. Il nous faut lutter.

La victoire ne nous est pas acquise d'avance, simplement parce que nous représentons le « bien ». Il n'existe aucune loi universelle qui nous donnerait l'avantage.

Tout est équilibre. L'autre camp a autant de chances de l'emporter. »

Lana cessa sa lecture sur cette dernière phrase. Ses compagnons crurent qu'elle avait besoin d'une pause pour remettre de l'ordre dans ses idées, la Maz subissant visiblement la pression d'une foule d'émotions. Mais il s'agissait d'autre chose.

— La suite est incompréhensible, annonça-t-elle. Je n'arrive pas à lire !

— Elle est effacée ? demanda Corenn avec inquiétude.

— Non… mais ces mots ne veulent rien dire. On dirait une langue étrange… peut-être un code.

La Maz passa le journal à ses amis, qui y jetèrent un simple regard avant de lui rendre. Lana, Rey et Corenn connaissaient ensemble l'orthographe de six langues. Mais aucun ne reconnaissait l'usage particulier de l'alphabet ithare employé dans la suite du texte.

— Voyez plus loin, proposa Grigán. Peut-être y a-t-il des passages plus clairs.

La Maz s'exécuta, désespérant de ne pouvoir satisfaire leur curiosité. Léti lui avait remis le journal moins d'un décan auparavant, mais elle n'avait eu depuis l'occasion de l'examiner, ce temps ayant été consacré à fuir au plus loin de la Sainte-Cité. Et, après quelques pages seulement, la déception ! Par la grâce d'Eurydis, non, que le destin était cruel !

— Achem a dû coder tout ce qui concernait le voyage des émissaires à Ji, suggéra Yan. Une manière de respecter son serment…

— Il l'avait pourtant déjà trahi, contesta Rey. En livrant certains des secrets du Jal'dara aux Emaz.

— Il n'a jamais mentionné le Jal'dara, précisa Lana. Ni dans ses discours, ni dans ce texte. Il n'a pas trahi.

— Il a quand même utilisé ce qu'il savait pour influencer la politique du Temple, rétorqua l'acteur. De toute façon, cela n'a pas d'importance. Qui d'autre qu'un Maz peut s'intéresser à ces discussions stériles sur le bien et le mal ?

Lana interrompit sa recherche pour dévisager l'acteur. *Elle* avait tout de suite saisi les implications du texte, et s'était imaginé qu'il en allait de même pour les autres.

— Cela va bien plus loin que des considérations théologiques, Reyan, déclara-t-elle sérieusement. N'avez-vous pas compris ? Le secret de nos ancêtres est là, dévoilé, *noir sur blanc* ! Tout ce pour quoi ils ont souffert !

— Je ne suis pas sûr d'avoir compris non plus, amie Lana, intervint Bowbaq timidement.

La Maz chercha le soutien de Corenn, espérant qu'elle au moins avait perçu l'importance de ces révélations. Heureusement, c'était le cas. Et la Mère résuma la situation beaucoup mieux qu'elle ne l'aurait fait elle-même.

— Si Achem dit vrai… La puissance d'un dieu serait liée à l'attention que les humains lui portent. En clair : plus son culte est pratiqué, plus l'existence et le pouvoir de l'immortel se confirment.

— Tout au moins, lorsqu'il est encore enfant, précisa Lana. Le poème de Romerij ne mentionne que les enfants.

— Si cela venait à se savoir, poursuivit Corenn, des hommes pourraient se grouper et *modeler* ensemble un nouveau dieu, le dotant d'un nom, d'un caractère et de pouvoirs particuliers… probablement utilisés à des fins personnelles.

— Excusez-moi… interrompit Rey. Comment *utilise*-t-on un dieu ? Corenn, sans vous offenser, réalisez-vous ce que vous êtes en train de dire ?

— Essayez simplement d'avoir l'esprit ouvert… Après avoir vu la porte de Ji, Usul, les spectres, le Mog'lur, vous croyez bien en l'existence des dieux ?

— Leur *existence*, oui. Maintenant oui. Mais de là à les invoquer d'un claquement de doigts pour les mettre à la corvée…

— C'est certainement possible, répondit Lana, si le dieu est *modelé* dans cet esprit… Sage Eurydis ! Tout cela est si… dérangeant ! Sacrilège !

— Impoli ? suggéra Bowbaq, de plus en plus inquiet.

— En quelque sorte, oui. Des hommes pouvant *créer* des dieux et en faire des esclaves… Quelle horreur ! Quel chaos ! Nous ne sommes pas prêts…

Chacun comprit enfin en quoi consistait la malédiction des sages de l'île Ji. Leur responsabilité. L'humanité avertie pouvait connaître une grande évolution spirituelle, ou sombrer dans la folie. Fallait-il livrer ce secret, ou non ?

Désormais, les héritiers auraient eux aussi à porter ce fardeau. Désormais, ils craindraient les Züu pour une nouvelle raison, beaucoup plus grave que leur propre survie. Et si Zuïa était un jour assez puissante pour descendre parmi les hommes ? Et si Phrias, à force d'être invoqué, devenait vraiment le démon persécuteur que l'on décrivait ? Et si Soltan, le Yoos, K'lur venaient un jour à se matérialiser ?

Peut-être le faisaient-ils déjà. Peut-être, les noirs sentiments des mortels permettaient-ils aux démons d'errer quelque temps, dans certaines contrées où ils étaient les plus craints. Peut-être même, la peur des hommes suffisait à leur donner force… autant que l'intérêt des adorateurs ambitieux et inconscients.

Désormais, les héritiers ne pourraient plus entendre invoquer un démon sans frémir. Sans penser que, quelque part dans ce monde, ou dans un autre tout proche, l'entité existait et qu'elle était attentive.

— Dévoiler ce secret flanquerait une belle pagaille, commenta Grigán, songeur.

— Mais ça ne peut pas être aussi facile, refusa Léti. Il faut sûrement des milliers, des centaines de milliers de croyants pour *créer* un dieu. Pendant plusieurs siècles.

— Peut-être. Peut-être pas. Comment savoir ?

Personne ne répondit. Les implications de cette découverte étaient si nombreuses, et il leur manquait tellement d'éléments, qu'ils pourraient en discuter encore des journées entières sans progresser. Comme l'avaient fait, probablement, leurs ancêtres avant eux. Mais là où les émissaires n'évoquaient que des théories, les héritiers étaient, eux, confrontés à un cas bien réel. Une menace immédiate. Ce que rappela naïvement Bowbaq.

— Quelque chose dans tout cela peut-il nous aider à vaincre Saat ? demanda-t-il sans trop d'espoir.

Corenn secoua la tête d'un air désolé. Rien de ce qu'ils avaient trouvé, dans la tour Profonde de Romine ou dans le journal de Maz Achem, n'expliquait comment le Goranais avait pu réapparaître un siècle après sa mort, nanti de pouvoirs immenses et décidé à exterminer les héritiers.

— La solution est peut-être dans la suite du texte; reste à en trouver le code.

— Et que ferons-nous d'ici là ? demanda Rey. Ça peut prendre des jours !

Ils se tournèrent vers Grigán et Corenn, attendant la décision des doyens du groupe. Pour la première fois depuis plusieurs décades, les héritiers étaient indécis.

— Nous ne pouvons pas rester à Ith, affirma Grigán. Pas après ce qui s'est passé. Les Züu vont retrouver notre trace.

Tout le monde comprenait cela très bien. Ils ignoraient même comment les tueurs avaient pu les précéder dans la Sainte-Cité. Leur ennemi semblait prévoir tous leurs déplacements.

— Saat est quelque part derrière le Rideau... avança doucement Corenn, en guettant la réaction du guerrier.

Grigán ouvrit de grands yeux surpris puis adopta une expression pensive. Il se leva, fit quelques pas et contempla les hautes montagnes qui semblaient surgir de la forêt où ils s'étaient cachés.

— Je ne pense pas… commença-t-il en revenant parmi les autres.

Six personnes attendaient qu'il décide pour eux. Six personnes comptaient sur lui, pour leur montrer la route à suivre. Mais Grigán n'en voyait pas d'autres que celle suggérée par Corenn. S'il avait été seul, il n'aurait même pas hésité.

— D'accord, annonça-t-il à contrecœur. Allons trouver Saat. De l'autre côté des montagnes.

Pour la première fois depuis longtemps, le guerrier allait s'aventurer en territoire inconnu. Dans l'espoir d'y rencontrer l'homme qui s'acharnait à leur nuire… et qui partageait, avec eux, le secret du Jal'dara.

* * *

Le soir même, les héritiers campèrent près des rives du Beremen, l'un des deux fleuves qui traversaient la capitale du Grand Empire pour aller grossir les eaux de l'Alt. Ils avaient parcouru en quelques décans le tiers du territoire goranais oriental.

Bien que les montagnes du Rideau soient réputées infranchissables, particulièrement en ce début de saison froide, quelques patrouilles quadrillaient la région pour éviter toute infiltration ennemie. Grâce à l'expérience de Grigán, les héritiers avaient pu en éviter deux, et s'étaient soumis aux contrôles de routine de la troisième sans opposer de résistance. Les Goranais ne leur ayant fait aucune difficulté, Corenn en déduisit qu'ils étaient bien en guerre contre les Thalittes, et non contre Lorelia. Ce qui confirmait également la présence de Saat derrière le Rideau.

Ils n'avaient fait aucune halte depuis celle où Lana avait lu l'introduction de son ancêtre, et n'avaient pas abordé alors d'autres sujets que ceux concernant leur problème immédiat : la prochaine direction à prendre. Mais pendant cette chevauchée, chacun avait eu le temps de méditer sur les événements récents, plus qu'éprouvants pour tout le monde. Aussi ne parlèrent-ils ce soir-là que de leur combat contre les Züu de la Sainte-Cité, et de la chance qu'ils avaient d'être tous indemnes.

Grigán et Corenn reprochèrent à Léti, plus pour la forme qu'autre chose, d'avoir ignoré l'ordre de retraite et d'avoir ainsi mis le groupe en danger. Mais comme son initiative s'était avérée payante, le sermon était inutile : Léti acquiesçait à chaque accusation, mais lisait de la reconnaissance dans tous les regards. Particulièrement dans celui de Lana.

La Maz avoua être choquée de la façon dont Rey était venu en aide à Grigán.

— Abattre un adversaire dans le dos, tout de même… Reconnaissez que ce n'est guère loyal.

— Ce type venait de poignarder Drékin, rappela Rey, quelque peu vexé. Croyez-vous qu'il méritait d'être combattu loyalement ?

— *Le sot s'enivre, le sage en a le désir*, cita la Maz sur un ton docte. Nous ne devons pas agir comme eux, Reyan.

— Et qu'aurais-je dû faire, selon vous ? Lui demander de se retourner ? Au risque qu'il me terrasse ?

Lana ne sut que répondre. L'enseignement d'Eurydis défendait les vertus de la Paix. Mais il était muet quant à la conduite à tenir quand celle-ci était impossible.

— Pardonnez-moi, Reyan, demanda-t-elle bientôt. J'en parle à mon aise, je n'ai pas combattu. Je n'ai aucune envie de vous perdre, ajouta-t-elle timidement.

L'acteur accepta les excuses d'un sourire et l'incident fut clos. Il changea de sujet en plaisantant sur les talents jusqu'alors ignorés de Corenn à manier une arbalète.

— En vérité, vous y êtes plus habile que moi, insista-t-il. Si vous le désirez, je vous en fais cadeau !

La Mère refusa d'un signe de tête avec une expression embarrassée. Elle ne regrettait pas ce qu'elle avait fait; elle regrettait simplement d'avoir dû le faire. Tuer un homme de sang-froid…

Quoique, de sang-froid… quand elle avait vu Léti prise au piège entre deux assassins, la Mère avait perdu toute maîtrise d'elle-même. Si un reste de lucidité ne l'en avait empêché, elle aurait utilisé la magie contre ses ennemis… se dérobant ainsi à la règle qu'elle avait, maintes fois déjà, répétée à Yan : *ne te sers jamais de la Volonté sous l'emprise de la colère, de la souffrance ou du vin.*

Elle observa le jeune homme timide qui intervenait rarement dans leurs discussions. Chacun savait, sans qu'il l'ait dit déjà, qu'il avait eu recours à la magie pour terrasser trois des assassins. Yan avait pénétré un esprit étranger et pris possession de son corps. En quelques instants de concentration seulement. Avec une apparente facilité déconcertante.

Quand vint le moment de raconter cet épisode, la conversation mourut. Pour les non-magiciens, les pouvoirs de Yan devenaient trop grands, trop… *effrayants*, pour être évoqués avec désinvolture, et ils choisirent tacitement d'éviter ce sujet. Pour Bowbaq, c'était une nouvelle preuve de son aptitude à toucher *l'esprit profond*, et il n'en ressentait que plus de respect pour son jeune ami.

Pour Corenn, c'était une joie immense… et une angoisse plus grande encore. Cela la dépassait. De plus en plus de choses la dépassaient.

Si Yan, magicien depuis moins de deux lunes, était capable de tels prodiges, de quels pouvoirs disposait un sorcier deux fois centenaire ? Et que pouvait désirer encore un tel homme ?

* * *

Une cérémonie d'exécution. La plus grande jamais organisée par Zamerine et Emaz Chebree, à la fois à titre d'exemple, et pour renforcer encore la crainte respectueuse que les esclaves avaient pour Sombre.

Cinq prisonniers thalittes avaient tenté de s'évader; trois avaient été ramenés le lendemain même par les messagers züu lancés sur leur piste. Les deux autres n'avaient pas connu meilleure fortune; simplement, leurs têtes s'étaient ajoutées à celles ornant déjà l'autel de Sombre.

Le bruit courait que le temple du dieu, une fois achevé, pourrait contenir les crânes des quatre-vingt mille esclaves employés à sa construction. Un bâtiment gigantesque. Pourtant, là n'était pas la raison d'être des travaux… Même en ordonnant la construction de l'autel de Sombre, d'un palais pour Saat et ses capitaines, de baraquements et de fortifications diverses, Zamerine ne savait comment employer les centaines de quintaux de pierre extraits de la montagne.

Cédant à une fantaisie, il avait ordonné la construction d'arènes semblables à ses souvenirs du Lus'an. L'idée avait beaucoup plu au Haut Dyarque et ce chantier était devenu prioritaire, au même titre que l'élévation du temple. Cet encouragement avait également contribué à décider l'organisation de cette cérémonie…

Pour insister sur son importance — la première du Nouvel Ordre — Zamerine avait ajouté aux trois fugitifs une dizaine d'agitateurs et de semeurs de troubles, dont deux Wallattes issus de leur propre armée. Ce qui portait le nombre des suppliciés à quatorze, devant suffire à un spectacle mémorable.

Le grand jour était enfin arrivé. Une fois encore, après toutes ces années, Zamerine siégeait comme judicateur. À des milles et des milles du

Lus'an terrestre. La loi de Zuïa s'étendait sur le monde, pour son plus grand bonheur.

Derrière lui, les Dyarques, l'un portant son éternel heaume, l'autre au visage toujours fermé. Des chefs intransigeants. Décidés. Respectés.

Craints.

À la droite de Saat, Emaz Chebree. La reine barbare promulguée grande prêtresse se pavanait à côté du maître avec un sourire carnassier. Comme les autres — plus que les autres? — elle attendait le début du supplice avec une fascination morbide.

Zamerine avait été placé à la gauche du jeune Dyarque, mais n'avait eu le courage d'y rester. Quelques décades plus tôt encore, le judicateur se plaignait du mutisme et de l'indifférence absolue du jeune homme laconique, qui l'effrayaient sans qu'il puisse l'expliquer. Cette angoisse était pire, maintenant que le Dyarque s'éveillait. Ses rires étaient méprisants et cruels. Son regard semblait transpercer l'âme. Et sa voix, dans les heureusement rares occasions où il se manifestait, était lourde et oppressante, porteuse d'une menace latente. Le Zü faisait tout pour éviter sa proximité.

Le reste des gradins supportait pour moitié des représentants de chacune des quatre cents compagnies guerrières. Ces hommes devaient cet honneur envié à un tirage au sort, ou à une récompense attribuée par un capitaine.

Sur l'autre hémicycle siégeait une assemblée beaucoup moins braillarde : quelques centaines d'esclaves, désignés pour être les témoins de la puissance de Sombre, des Dyarques et des apôtres.

Un premier condamné fut amené au centre de l'arène par un groupe de *chevaliers d'Egosie*, choisis par Zamerine pour le prestige de leur compagnie et l'admiration que leur portaient les autres guerriers, les fiers *gladores* y compris. Le prisonnier fut laissé nu et désarmé sur le sable, inquiet du sort qu'on lui réservait. Il ne fut que trop vite fixé.

Trois *Farikii* entrèrent bientôt en scène sous les acclamations des conquérants. Les dresseurs de rats vampires retenaient chacun cinq bêtes qu'ils libérèrent simultanément, au grand plaisir de l'assistance.

Le condamné hurla et s'enfuit inutilement au fond de l'arène, bientôt poursuivi et rattrapé par les quinze monstres assoiffés de sang. L'homme frappa, cria, se débattit, put se dégager quelques instants, subit de nouvelles attaques, trébucha, hurla de douleur… sous les rires gras des guerriers wallattes, sadraques, solenes, tuzéens et grelittes, et au grand désespoir des esclaves témoins.

Ce n'était qu'une introduction, une entrée en matière. Bientôt les rires se calmèrent, et les Farikii renchaînèrent leurs rats avec un luxe de précautions, laissant le condamné agoniser au sol, presque exsangue et souffrant de cent plaies.

Saat prit alors la parole pour une harangue de courte durée. Ce discours, Zamerine le connaissait bien : même reformulé avec beaucoup d'invention, il s'agissait toujours de galvaniser les hommes en évoquant conquêtes, richesses et pouvoirs. Comme toujours, les brutes au crâne épais qui composaient leur armée se laissèrent envoûter par les talents d'orateur de Saat, et ses derniers mots furent acclamés par le bruit de cinq cents lames martelant des pièces d'armures. Lui-même versé dans l'art diplomatique, Zamerine s'ennuyait presque. Aussi la suite l'étonna-t-elle beaucoup.

Saat invita d'un signe Chebree à le rejoindre à la tribune, et l'Emaz s'exécuta avec empressement. Cela n'était pas prévu au programme. Elle ne devait parler qu'à la fin de la cérémonie. Avaient-ils changé leurs plans sans le prévenir ?

Développer le culte de Sombre n'avait jamais été une des priorités de Zamerine, qui désirait rester fidèle à Zuïa. Pour autant, il tenait compte de chacune des exigences de Chebree en ce sens. Que ce soit au sujet des esclaves, de l'armée ou de leurs grands projets. Il ne faisait pas partie des adorateurs du nouveau dieu… Mais était-ce une raison suffisante pour le tenir à l'écart des décisions le concernant ?

— Aujourd'hui est un grand jour, clama Chebree avec emphase. Aujourd'hui commence le vrai règne de Celui qui Vainc !

Un tonnerre d'acclamations salua cette introduction, qui pourtant ne révélait pas grand-chose. La suite fut plus ovationnée encore…

— Aujourd'hui, Sombre descendra parmi nous ! Devant vous, dans cette arène ! Châtier les infidèles qui s'opposent à ses apôtres !

Zamerine entendit les guerriers crier leur joie en toute stupidité. Un *dieu* ? Un dieu allait leur apparaître, invoqué par une barbare qui ignorait jusqu'à son nom l'année précédente ?

L'étrange couple reprit place, et le Zü fit signe de poursuivre la cérémonie, à la fois incrédule et impatient quant à l'événement promis.

Les deux hommes qui entrèrent alors en scène furent accueillis avec les plus hauts vivats. Ceux-ci s'adressaient plus certainement au géant Gors le Douillet, leur chef de guerre, qu'au Zü Dyree, le bourreau officiel de Saat. De toute manière, si Gors se pavanait et saluait la foule comme un bateleur, Dyree se souciait peu de popularité et attendait, immobile, qu'on leur envoie les condamnés.

Huit furent poussés dans l'arène. Affamés, harassés, désespérés. Gors les insulta dans toutes les langues estiennes, rapidement imité, avec autant de fougue, par l'assemblée déchaînée.

L'un des suppliciés décida d'en finir au plus vite et s'approcha lentement des apôtres. Le géant wallatte le chargea alors qu'il n'était plus qu'à quelques pas et l'envoya au sol d'un violent coup de poing. Comme il restait à terre, Gors le battit à coups de pied, le releva et lui brisa la nuque bruyamment.

Les barbares l'acclamèrent et le Douillet les remercia en saluant, très fier de lui. Les suppliciés restants conversèrent à voix basse, et cinq se détachèrent du groupe pour avancer lentement vers les apôtres. Ceux-là voulaient essayer de survivre.

Le géant s'empara de sa hache à deux mains avec un sourire cruel. Au contraire, Dyree eut l'air ennuyé en saisissant une simple dague, laissant sa *hati* au fourreau. Contre toute attente, il lança cette lame aux pieds des deux esclaves encore indécis qui étaient, d'après lui, les plus lâches ou les plus intelligents. Le Zü aimait croire qu'un adversaire pouvait être à sa hauteur.

Le plus grand des deux la ramassa et s'approcha à pas lents, passant le plus loin possible de Gors et des moulinets de sa hache. L'autre était sur ses talons.

Les deux hommes tentèrent en vain d'encercler Dyree, qui s'esquivait simplement, à chaque fois, d'un ou deux pas de côté. Le Zü finit par croiser les bras et rester immobile, laissant l'esclave désarmé le contourner, les nerfs à vif. Quand enfin il fut assez sûr de lui, l'homme bondit sur le tueur pour l'entraver et permettre à son compagnon de le poignarder.

Mais Dyree fut plus rapide. Il tourna sur lui-même et frappa de sa paume la gorge découverte de l'esclave qui s'écroula, la respiration coupée. De trois pas rapides, le tueur se mit ensuite hors de portée de l'homme armé, pas assez vif pour avoir profité de l'occasion.

Le géant Gors menait son propre combat avec autant de maîtrise. Il aurait pu se débarrasser de ses adversaires en quelques mouvements de son immense hache, mais le géant se plaisait à «jouer» avec les suppliciés, se contentant d'abord de les blesser, de les mutiler d'au moins un membre, avant de leur trancher la tête d'un mouvement précis et sous les acclamations des guerriers barbares.

L'homme à la dague fixait Dyree avec inquiétude. Le tueur s'était posté à trois pas seulement, mains dans le dos, et lui souriait d'un air entendu. Tous deux attendaient que l'autre se décide à agir.

Dyree présenta ses mains vides et fit signe à l'esclave d'avancer. Comme l'homme, terrifié, n'osait bouger d'un pouce, le tueur fit lui-même les quelques pas les séparant. L'esclave tenta soudain le tout pour le tout en se jetant sur son adversaire. Il n'eut même pas le temps d'apercevoir la *hati* avant qu'elle ne lui perce la gorge. Avec une rapidité extraordinaire, le tueur avait esquivé, dégainé et frappé.

L'homme à la dague était le dernier de ce groupe de suppliciés, Gors ayant également achevé son «combat». Les barbares ovationnèrent leurs capitaines — dont l'un était aussi le roi des Wallattes — et ces derniers quittèrent l'arène le front haut, avec la satisfaction du travail bien fait.

Emaz Chebree revint à la tribune pour une nouvelle allocution. Chose incroyable, le silence se fit en quelques instants. Bien que barbares et méprisant beaucoup de choses, les guerriers estiens étaient des plus superstitieux. Était-il possible qu'un dieu leur apparaisse *vraiment*?

Les cinq derniers suppliciés furent poussés dans l'arène déjà encombrée de neuf corps, de quelques membres et de beaucoup de sang. Devinant ce qui les attendait, les esclaves tombèrent à genoux et implorèrent la pitié du Haut Dyarque, au nom de Celui qui Vainc.

Ils ignoraient qu'ils allaient lui être jetés en pâture.

L'Emaz demanda le plus grand recueillement et l'obtint sans peine. Elle invoqua bientôt le nom du dieu noir à voix basse, puis de plus en plus fort, exhortant par gestes les autres à en faire autant. Toute l'arène, tout le camp résonna bientôt de «Sombre! Sombre! SOMBRE! SOMBRE!» clamé par des milliers de voix amplifiées par l'écho des montagnes.

Même les suppliciés priaient, par désespoir, par folie. Ils cessèrent pourtant, lorsqu'une forme se matérialisa au milieu de l'arène, des corps meurtris et du sang. Tous cessèrent, même les barbares, pour mieux contempler l'horrible monstre issu du néant.

La mort des derniers esclaves fut somme toute assez rapide, comparée à ce qu'avaient subi les autres. Mais chacune fut un raffinement de cruauté implacable.

Il était Celui qui Vainc. Pas Celui qui Prend-Pitié.

Alors que la foule observait, fascinée, l'objet de sa foi faire la preuve de sa puissance, Zamerine risqua un regard sur le jeune Dyarque. Et il sut. En contemplant le visage d'habitude impassible et alors déformé par la haine, en comparant l'expression rêveuse coutumière au regard perçant et intéressé, il sut.

On ne connaissait aucun nom au fils présumé de Saat. C'était simplement, le jeune Dyarque.

Maintenant, il en avait un. Son règne venait de commencer. Sombre. Sombre. SOMBRE.

* * *

Au quinte de la décade de la Terre, les héritiers firent halte pour la nuit dans une auberge des abords du val Guerrier. L'étroite bande de terre serrée entre les montagnes du Rideau et l'océan des Miroirs était la meilleure route menant aux royaumes estiens… en fait, la seule praticable, l'autre consistant à s'aventurer près des côtes de Yérim, puis dans la mer de Feu, avant de traverser à pied la moitié désertique d'un continent nommé la *mer de Sable*.

Mis à part l'aubergiste et sa femme, l'établissement était vide, ces temps de guerre étant peu propices au commerce. Aussi les héritiers furent-ils accueillis en véritables rois, jusqu'au moment où les Goranais eurent vent de leur destination prochaine… et exigèrent d'être payés comptant à chaque service rendu.

— Vous ne semblez guère avoir confiance dans nos chances de retour, commenta Rey. Votre auberge me paraît pourtant le point de départ idéal des expéditions vers l'est; vous l'avez sûrement construite en ce but…

— Messire, j'ai fait crédit à quelques-uns de ces voyageurs, qui avaient gagné ma confiance après plusieurs années de clientèle. Ils visitaient Thallos, Sole, Grelith et d'autres endroits mystérieux. Ils faisaient du troc, apprenaient des langues, des coutumes, revenaient de ce côté en rapportant des souvenirs… Puis ils repartaient, la tête pleine de rêves de découvertes et de richesse facile. *Messire, depuis six lunes, pas un n'est revenu.* C'est vraiment la guerre, là-bas, vous savez. En une décade, il est passé plus de soldats devant ma porte que je n'en ai vu de toute ma vie.

Sur cette tirade, l'aubergiste tourna les talons, montrant qu'il n'avait aucune envie de discuter plus avant ses exigences quant au règlement de ses services. Rey n'ayant fait cette remarque que par curiosité, il n'insista pas.

Corenn redoutait que Grigán ne change d'avis, après cet avertissement, et observa de biais sa réaction. Mais le guerrier s'en tiendrait à leur décision. Il connaissait les dangers de l'entreprise *avant* de s'y être engagé.

Les héritiers se restaurèrent dans la petite salle commune de l'auberge, décorée de divers objets d'origine estienne. De nombreuses armes et pièces d'armures, quelques tapisseries, divers outils, des trophées de chasse et autres curiosités étaient ainsi exposés, suspendus au mur ou reposant sur des étagères. Léti reconnut un *chardon* et un *cracheur*, toutes armes qu'elle avait déjà contemplées à Junine. Mais cela n'était qu'une faible représentation du génie guerrier des Estiens. Chaque lame, chaque pointe de flèche, chaque tête de lance était barbelée et munie de crochets visant à aggraver les blessures. L'aubergiste leur montra même un bouclier *yalamine*, que les bords des plus tranchants permettaient d'utiliser comme une faux.

Bowbaq donna la preuve de ses progrès avec Ifio, faisant exécuter divers tours au petit mimastin tels que rapporter des objets, arracher du pain à la miche ou, plus difficile, remplir les godets vides. Ils s'amusèrent beaucoup, le plus heureux étant toutefois le petit singe, qui semblait préférer de loin les méthodes de dressage de Bowbaq à celles de Tonk.

Yan n'avait plus fait appel à ses pouvoirs d'erjak depuis l'épisode de la Sainte-Cité. Pénétrer l'esprit d'un singe était une chose, mais dans le feu de l'action, Yan avait envahi et *contrôlé* un esprit humain. Celui d'un assassin, qui plus est. Et ce souvenir lui laissait un goût amer dans la bouche. Il avait hâte d'en parler avec Bowbaq… mais le géant craignait les réprimandes de Corenn. Ne lui avait-elle pas conseillé de le préserver de cette histoire *d'esprit profond*?

Le repas achevé, Lana prit congé pour se retirer dans sa chambre. Chacun devinait que la Maz n'avait qu'une hâte : s'atteler encore au décryptage du journal de son ancêtre, entreprise dans laquelle elle avait jusque-là échoué.

Grigán l'imita bientôt, au grand étonnement de ses compagnons qui craignaient une nouvelle manifestation de sa maladie. Gêné par leur inquiétude et leur prévenance, le guerrier assura qu'il se sentait bien, mais que les jours prochains promettaient d'être fort éprouvants. Aussi les enjoignit-il à prendre également un repos préventif.

Bowbaq se pliait à chaque conseil de Grigán comme à un ordre, aussi gagna-t-il aussitôt sa chambre en emmenant Ifio. Corenn et Rey le suivirent de peu, laissant seuls Yan et Léti, pour la première fois depuis longtemps.

Les jeunes Kauliens se souriaient timidement, gênés par cette intimité retrouvée. Aucun n'avait envie de gâcher ce moment. Mais ils ignoraient comment l'exprimer.

Léti jouait machinalement avec le médaillon que Yan lui avait offert, et le jeune homme empoigna distraitement sa trois-reines fétiche, puis la fit tourner entre ses doigts.

— Tu me montres un tour? demanda la jeune fille en avisant l'objet.

Ravi de pouvoir lui faire plaisir, Yan posa la pièce kaulienne sur la table et y appliqua sa Volonté. L'instant d'après, le disque métallique s'élevait doucement dans les airs avant de pivoter lentement sur lui-même.

Comme Léti s'émerveillait, Yan fit également planer un godet, puis une paire de couverts, puis un plat, puis un pichet à moitié plein... et ce fut bientôt presque toute la vaisselle qui volait à un pied de la table, projetant autant de reflets sur les murs de l'auberge, devant une Léti éblouie.

— C'est magnifique, murmura-t-elle, des étincelles dans les yeux.

C'est à ton image, songea Yan. Vas-y, dis-lui maintenant, s'encouragea-t-il. Dis-lui. Demande sa Promesse. Maintenant.

— Horreur! s'écria une voix dans son dos.

Yan rompit sa concentration et la vaisselle rebondit bruyamment sur le bois, avant de se fracasser au sol. L'aubergiste se tenait à l'entrée de sa cuisine, les yeux ronds comme des noyaudes. Usul seul savait ce qu'il avait pensé en découvrant la scène.

— Je suis navré, je me suis levé brutalement... bredouilla Yan, rouge jusqu'aux oreilles. Je vous paierai...

L'homme acquiesça, bouche bée, en contemplant tour à tour les dégâts commis à son auberge, et la jeune guerrière qui riait à en perdre haleine.

Yan aida l'homme à nettoyer, et Léti vint se joindre à eux. La jeune femme ne cessait de lui sourire; ce même sourire complice qu'ils avaient, étant enfants. Mais lui ressentait plutôt une grande tristesse. Il semblait que seules les plus noires des prophéties d'Usul devaient se réaliser.

* * *

Quelqu'un frappa doucement à la porte de la chambre de Lana, et elle l'entrouvrit avec curiosité, pour découvrir un Rey tout sourire et porteur d'une bouteille de vin vert junéen.

— L'enseignement d'Eurydis encourage l'hospitalité, rappela-t-il avec effronterie. Puis-je entrer?

Lana s'effaça pour lui céder le passage, mi-amusée, mi-ennuyée. Elle n'était pas aussi naïve que Rey voulait bien le croire. Il était clair que l'acteur faisait tout son possible pour qu'elle succombe à son charme...

Puis, en observant le port noble du Lorelien, sa démarche gracieuse, sa manière de la couvrir d'un regard… en se remémorant son courage, sa prévenance, son optimisme inaltérable… elle s'avisa que c'était déjà fait. Rey lui plaisait. Et dès lors, elle devait redoubler d'attention.

— Les Maz ne boivent jamais, Reyan, prévint-elle en désignant la bouteille.

— De toute façon, c'était seulement pour moi, rétorqua l'acteur sans se démonter. Je plaisante, je plaisante, ajouta-t-il devant la mine rougissante de son amie. Comment se passe la transcription du journal ?

— Pas très bien, j'en ai peur, répondit la Maz, ravie que la conversation s'engage sur un autre sujet. Désirez-vous des détails ?

— J'en serais heureux.

Lana rassembla ses notes, consciente que Rey se fichait de son travail de décryptage comme d'une peau de margolin.

— Voyez, dit-elle en exhibant le journal, l'endroit où se termine l'introduction. Le reste est rédigé avec des mots comportant moins de *quatre* lettres, pour la plupart. Un sur cinq environ n'en comprend qu'une seule. Et ils n'ont aucun sens, dans aucune des langues des Hauts-Royaumes.

— Vous résumez cela fort bien, commenta l'acteur, les yeux fixés sur le visage de la Maz.

— J'avais espéré trouver d'autres passages lisibles, poursuivit-elle, dans les pages collées par l'eau du fleuve. J'ai fait de mon mieux pour les sauver… mais cela n'a pas suffi, il était trop tard. Constatez vous-même…

À regret, Rey baissa son regard vers le carnet vieilli. Sur la page ouverte, le texte était presque entièrement effacé. Illisible. L'encre délavée ne représentait plus qu'une succession de lignes sales et mélancoliques sur le parchemin gondolé.

Rey prit doucement l'objet et en tourna quelques feuillets avec précaution. Le même phénomène s'était répété sur toute la partie centrale du journal. Plus des trois quarts de la confession de Maz Achem étaient perdus à jamais. Seules les premières et les dernières pages, partiellement protégées par l'épaisse couverture de cuir, avaient échappé au désastre.

— Il faut prévenir Corenn, affirma l'acteur, soudain très sérieux. Et Grigán.

— Pas encore, Rey, tempéra Lana. Cela changerait-il quelque chose à nos projets ? Non, en rien. Je me suis fait une raison sur ce drame, il n'est pas si urgent d'alerter les autres.

— Mais… pourquoi pas maintenant ? Si Grigán a vent de cette cachotterie, vous pouvez parier qu'il me la mettra sur le dos !

— Nous devons préserver l'espoir, Reyan. Ne serait-ce que pour la jeune Léti, qui a pris beaucoup de risques pour nous rapporter ce livre. Rey, je ne les préviendrai pas avant d'avoir réussi à décrypter le reste, conclut-elle avec détermination.

L'acteur acquiesça, tout songeur. Il n'était pas certain de partager l'avis de la Maz. Cette histoire d'espoir à préserver lui paraissait un peu farfelue.

— *Vérité cachée est mensonge courtois*, admit-il pourtant. Mais alors, pourquoi me l'avoir dit ?

Lana rougit de nouveau et évita de croiser le regard empli de convoitise du Lorelien. Elle chercha une réponse innocente, n'en trouva aucune, et ignora finalement la question. Pour une fois, Rey eut le tact de ne pas insister et se plongea dans l'observation des pages codées.

— Si Achem a rédigé une première version, qu'il a ensuite recopiée dans ce journal en la cryptant, il est probable que nous ne trouverons jamais la clé, affirma-t-il après quelques instants de réflexion. Mais s'il écrivait *directement* sur ces pages…

Lana écoutait Rey avec admiration. Elle-même, qui travaillait sur le texte depuis deux jours, n'avait pas eu l'idée de se placer dans la situation de son ancêtre. Elle s'estimait intelligente, tout au moins éveillée : le Lorelien était *malin*.

— S'il écrivait directement, reprit-il, inutile de chercher un code compliqué de chiffres, de lettres décalées ou échangées. Il devait pouvoir écrire *presque* naturellement. Comment aurais-je fait…

La Maz n'avait jamais vu Rey aussi sérieux. Cet intérêt soudain pour le journal d'Achem l'avait même fait oublier son amie. S'il parlait à voix haute, c'était plus pour s'aider à réfléchir que pour lui donner des explications. Et Lana découvrit une facette de l'acteur qu'elle ne connaissait pas : s'il était rebelle, insouciant, parfois grossier et souvent cynique, il était aussi capable de respect et appréciait visiblement les choses de l'esprit. Elle était convaincue, maintenant, qu'elle pourrait lui faire apprécier les Vertus d'Eurydis… Et cette idée, pour des raisons très personnelles, l'emplissait de joie et d'espoir.

Rey contemplait en silence une des pages couvertes des mots succincts. Il eut bientôt la certitude qu'ils ne correspondaient pas à des syllabes, à la condition que le texte soit rédigé en ithare, comme l'était l'introduction. Inutile donc de chercher à les mêler d'une manière ou d'une autre.

En s'adonnant à un examen plus attentif des signes, il s'aperçut qu'ils avaient été tracés un à un, les déliés hésitants prouvant qu'Achem avait relevé la main après chaque lettre. *Le Maz devait épeler ses mots.* Comme il fallait repousser l'idée d'un code remplaçant un signe par un autre, on pouvait espérer que chaque lettre correspondait exactement à ce qu'Achem voulait écrire… Épelait-il ses mots sur plusieurs lignes ? Peut-être, sur toute la page, ou sur plusieurs pages ?

Enflammé par cette découverte, Rey essaya d'associer la première lettre de la première ligne avec celle de la deuxième, puis d'y accoler la deuxième de la première ligne… sans aucun résultat. Il renouvela l'expérience en alternant les lettres empruntées en haut de la page avec celles de la troisième ligne… et lut mentalement, le cœur battant, le mot *jamais*.

— J'ai trouvé, annonça-t-il fébrilement. Un coup de chance, ajouta-t-il par égard pour Lana qui s'y essayait en vain depuis deux jours.

Mais la Maz n'avait rien de cette fierté malsaine, qui consistait à ne pas admettre la réussite d'un autre après avoir connu l'échec. Elle se fit expliquer la solution et transcrit, sur un nouveau parchemin, le début du récit d'Achem : « Jamais je ne m'étais attendu… »

— Merci, Reyan, s'exclama-t-elle soudain avec émotion. Merci de *me* redonner espoir, *Rey.*

L'acteur jugea le moment bien choisi pour improviser un baiser… et Lana s'y abandonna timidement, avant de repousser gentiment son ami devenu plus pressant.

— Ne m'en veuillez pas, Rey, déclara-t-elle avec un sourire des plus ravissants. Mais… il faut que je sache, conclut-elle en désignant le journal. J'en ai besoin.

Rey lui enjoignit le silence en plaçant un doigt sur ses lèvres, l'embrassa doucement une nouvelle fois et sortit de la pièce avec un clin d'œil complice.

Restée seule, et malgré le torrent d'émotions qui l'emportait, Lana se précipita sur le journal de son ancêtre et en commença la transcription.

Elle n'attendit pas la fin de la nuit pour réveiller Corenn.

* * *

« *Jamais je ne m'étais attendu à une absence de six décades, lorsque j'acceptais du Grand Temple une mission diplomatique en Lorelia. Jamais non plus, je n'avais imaginé que nous allions quitter l'île Ji, lieu du rendez-vous, pour une destination des plus lointaines... où notre assemblée aurait à statuer sur un sujet aussi important que les relations entre les hommes et les dieux.*

J'avais d'abord pris Nol l'Étrange pour un mystificateur, chérissant les aspects mystérieux d'une mise en scène grotesque en se complaisant dans ses secrets. Quoi, nous étions là, au jour du Hibou de l'an 771 de notre calendrier, et l'homme nous fit patienter jusqu'à la nuit sans donner la moindre explication. Si ce n'avait été ma crainte de désavantager le peuple ithare, j'aurais immédiatement repris le bateau pour le port de Maz Nen, laissant là ledit Nol et ses fantaisies. J'appris par la suite que beaucoup, parmi les émissaires, s'étaient fait la même réflexion.

Beaucoup de nations étaient représentées, ce jour-là : j'y rencontrais le prince Vanamel Uborre et son conseiller Saat l'Économe, que je connaissais déjà par mes fonctions d'ambassadeur au Grand Empire. On me présenta nombre d'autres hauts personnages, dont la plupart allaient devenir mes amis les plus chers : le roi Arkane de Junine, le duc lorelien Reyan de Kercyan, l'honorée Mère Tiramis et son protecteur, Yon, fils de l'Aïeule de Kaul. Sans oublier le chef Ssa-Vez de la lointaine Jezeba, le stratège Rafa Derkel de Griteh, et enfin le sage Moboq d'Arkarie.

De nous dix, sept seulement allaient revenir de cet étrange voyage. Le roi Arkane devait y laisser un bras. Et tous, nous y perdîmes situations, titres, terres, richesses, ou simplement l'estime de nos pairs. Notre serment de silence a fait de nous des parias... alors que nous ne songeons qu'à la sauvegarde de l'humanité.

Mais j'anticipe sur la fin de mon récit. Ce jour-là, alors que le crépuscule approchait, et notre curiosité finalement piquée, nous ne pensions qu'à Nol et ses mystères; aux révélations prochaines qu'il avait laissé entendre bouleversantes. Aussi, quand vint le soir, c'est sans hésitation que nous le suivîmes à travers le labyrinthe rocailleux de l'île.

Sans hésitation, mais avec étonnement. L'homme n'avait-il pas promis de nous mener en un autre lieu ?

Nol nous entraîna très loin dans l'île; je le soupçonne d'avoir volontairement fait des détours pour décourager toute filature. Les émissaires, échauffés par tout ce mystère, plaisantaient à voix basse sur tous les sujets leur venant à l'esprit. Pour ma part, j'engageais une conversation avec le sage Moboq, trop heureux de mettre à profit mes connaissances de la langue arque.

Mais après quelque temps, seule notre destination occupa les esprits et, gagnés par le mutisme obstiné de Nol, nous n'avançâmes plus qu'en silence et en prêtant attention à chaque élément du paysage.

L'homme étrange nous fit bientôt pénétrer dans une grotte, et nous obtempérâmes avec une pointe d'inquiétude. Et si tout cela était réellement une tentative d'enlèvement à grande échelle, comme beaucoup l'avaient prédit ? Allions-nous être séquestrés par quelques malandrins ?

Je découvris avec soulagement qu'il n'en était rien, et cherchais les raisons qui avaient poussé Nol à nous mener ici. Devions-nous parlementer à cet endroit, à la lumière de nos lanternes, assis à même le sol ?

Mais Nol ne fit aucune halte et s'enfonça plus loin dans la caverne, avant de bifurquer dans un petit couloir naturellement dissimulé par un renfoncement. Nous descendîmes ce nouveau passage — en pente douce — pour parvenir au bord d'un lac souterrain de plus de cent pas de diamètre.

Dès lors, les émissaires avaient cessé de plaisanter. Nous pressentions que nos escortes auraient déjà beaucoup de peine à nous retrouver, en cas de besoin… et Nol voulait nous emmener plus loin encore sous terre. L'aventure prenait une figure trop fantasque, trop extraordinaire, pour que nous continuions à la prendre à la légère. Et pourtant… nous n'avions pas été vraiment confrontés au surnaturel. Pas encore.

Nol nous guida sur une petite corniche surplombant la moitié gauche du lac, et se terminant au pied d'une paroi percée d'une faille. Il s'assura d'un regard que tous le suivaient, et s'engagea résolument dans le passage étroit.

J'y disparus bientôt à mon tour, entre Moboq et Rafa Griteh, en m'interrogeant sur la réalité de l'existence d'une issue à ce couloir. L'élargissement de la galerie me fournit la réponse que je désirais, et je débouchai avec les autres dans une nouvelle salle, aux dimensions honorables, mais plus petite que celle du lac. Je devais remarquer par la suite qu'elle était surtout remarquable par la hauteur de son plafond.

D'un signe, Nol nous proposa de patienter tandis qu'il traversait seul toute la caverne, se mouillant les pieds au passage dans une petite mare d'eau douce. Aux odeurs salées et aux lointains bruits des vagues, je devinais que la mer n'était pas loin : probablement au bas du gouffre sur lequel se penchait notre guide.

Je résolus de le vérifier par moi-même et rejoignais Nol avec précaution, accompagné de Moboq et de Vanamel. L'Étrange parut légèrement contrarié de notre présence ; pas en colère : mais inquiet. Assez pour nous adresser la parole, ce qu'il n'avait fait qu'à de rares occasions :

— *Quoiqu'il arrive maintenant, n'ayez pas peur, prévint-il. Ne criez pas, ne fuyez pas. N'intervenez pas. Vous ne courez aucun danger.*

Plutôt que de me rassurer, cet avertissement me fit l'effet inverse. Je me penchai sur l'abîme pour essayer d'en discerner le fond, en vain. Je fus tenté d'y laisser tomber ma lanterne, mais j'avais trop besoin de sa clarté rassurante.

Tous les émissaires nous ayant rejoints peu à peu, Nol nous fit nous écarter et attendre le long de la paroi rocheuse. Et il parla encore, mais ses mots ne nous étaient pas destinés. Il employait une langue inconnue et s'adressait au vide... répétant les mêmes sons en scrutant l'obscurité, comme s'il appelait quelqu'un... ou quelque chose.

Et quelque chose vint.

Quelque chose de vivant montait du gouffre. Nous l'entendîmes long-temps avant de le voir, et je crus ne jamais avoir le courage d'attendre son arrivée, tant les bruits étaient angoissants. Celui d'un corps immense se tirant hors de l'eau, tout d'abord, causant un vacarme de clapotis et de remous comparable à la levée d'une ancre de trirème. Puis une forte expiration, dix fois plus puissante que celle d'un aurochs sauvage. Puis les raclements de griffes géantes sur les parois du gouffre, entrecoupés de halètements, de râles et du ruissellement ininterrompu de l'eau.

Malgré les consignes, Ssa de Jezeba s'empara d'un arc et y encocha une flèche. Nol s'en aperçut et lui intima d'un signe de poser l'arme. Comme le Jez, au bord de la panique, ne s'exécutait pas, Nol baissa les yeux vers l'arc et celui-ci se brisa soudain. Vez s'accola alors à la paroi pour ne plus en bouger, sa peur muée en véritable terreur.

À vrai dire, je n'en menais pas large non plus, comme mes compagnons. Nous contemplions l'obscurité en comptant les instants qui nous séparaient de l'arrivée du monstre... et ce moment vint.

Nous vîmes d'abord une main énorme, ou plutôt une patte, s'agripper à la corniche formée par notre plancher. Une patte à la peau écailleuse, au cuir luisant d'un bleu sombre, comportant quatre doigts terminés par des griffes semblables à des fers de piolet. Puis vint le reste du bras, haut comme un homme et épais comme un tronc de feuillu. Enfin apparut la tête de la créature.

Nous ne respirions plus. Nous n'osions plus bouger. Le monstre nous fixa tour à tour de ses yeux gros comme des poings et gronda. Avec hosti-lité, pensai-je.

Nol lui parla et la créature se tut. Elle ne cessa pas pour autant de nous fixer, grimaçante, pendant que l'Étrange l'apaisait de sa voix douce dans une langue inconnue.

Ce que nous voyions de son corps pouvait ressembler à un être humain… sauf en ce qui concernait la tête, aussi grosse qu'un tonneau et aussi difforme qu'un fruit d'ozün. Il n'avait pas de paupières, pas de nez. Son cou était horriblement gonflé par d'étranges branchies qui se soulevaient régulièrement. Sa bouche était démesurée, et comportait plusieurs rangées de dents pointues, comme autant de pièges à loup que l'on aurait associés. Et cette créature des abîmes de la mer Médiane nous contemplait avec malveillance…

Elle se remit soudain en mouvement et Nol cessa de parler. J'espérai que c'était là un signe de victoire, et non d'insuccès. Je voulus observer l'Étrange, mais mes yeux ne pouvaient se détacher du monstre achevant son ascension.

Le reste de son corps n'avait plus rien d'humain. À partir des hanches, la créature avait tout d'un gigantesque crustacé. Huit pattes aux multiples articulations et protégées d'une épaisse carapace, dont quatre munies de pinces impressionnantes, supportaient son corps long et terminé par une queue qu'il repliait sous lui. Le monstre semblait issu d'un cauchemar et nous dominait de trois fois notre hauteur.

Il s'avança lentement et nous dépassa avec un regard indéchiffrable. Le cliquetis aigu de ses pattes et le souffle de ses branchies se répercutaient sur les parois, entretenant l'angoisse qui nous tordait les entrailles.

— Mais… qu'est cette chose ? trouva la force de demander Arkane.

— Un des Éternels Gardiens, lui répondit Nol. Un de vos dieux les plus anciens. Celui-là est Reexyyl, l'un des deux derniers Léviathans.

— Un de nos dieux ? Qu'entendez-vous par là ?

L'Étrange ignora la question. Nous eûmes, plus tard, toutes les réponses que nous désirions… et plus encore. Mais pour lors, nous ne pouvions détacher nos regards du monstre qui progressait vers le centre de la caverne.

Un léger bourdonnement naquit soudain pour monter en puissance, se muant rapidement en un sifflement strident. J'en cherchai l'origine en vain : le son semblait venir de partout. Et il se tut bientôt, aussi subitement qu'il s'était manifesté, sur une sorte de hoquet.

Les ténèbres du centre de la caverne, où le Léviathan s'était arrêté, furent agitées d'étrange façon. Elles s'éclaircirent, une lumière parut :

d'abord un petit point seulement, mais qui grandit rapidement à la taille de la salle pour l'illuminer entièrement. Jusqu'à vingt-cinq pas de hauteur.

J'avisai alors seulement les motifs gravés sur les parois et le plafond de la caverne, mais d'autres choses retinrent mon attention. La lumière décrut lentement, faisant place à une vision trouble, comme masquée par un brouillard qui se dissipa peu à peu. Et je vis un paysage. Ce n'était plus la caverne que nous avions en face de nous, mais bel et bien une vallée magnifique où se levait une aube prometteuse.

La créature ne parut nullement surprise par le phénomène; elle se tourna simplement vers nous, ou plutôt vers Nol, semblant à son tour attendre quelque chose.

— Qu'est-ce que... quel est cet endroit, que nous voyons contre toute logique? s'enquit Vanamel.

— Ce sont les jardins de Dara, répondit Nol avec douceur. Notre destination.

Tous, moi y compris, mouraient d'envie d'aller observer le phénomène de plus près. Mais la proximité de la créature refroidissait toutes nos ardeurs...

— Jusqu'à quel point maîtrisez-vous ce... Léviathan? demandai-je, peu rassuré. Par Eurydis, il ne semble guère nous aimer! Ne risque-t-il pas de nous attaquer dans un soudain accès de rage?

— Pas Reexyyl, assura Nol après un temps de réflexion. Pas tant que je serai avec vous.

Nous apprîmes plus tard que Nol avait parfois perdu le contrôle de certains de ces Éternels Gardiens, le dernier en date étant la Guivre du pays d'Oo. S'il nous l'avait dit alors, je crois que jamais nous n'aurions osé avancer.

C'est pourtant ce que nous fîmes, guidés par l'Étrange jusqu'à l'extraordinaire porte des jardins de Dara. Nol la franchit le premier, puis revint dans ce monde pour montrer qu'il n'y avait aucun danger. Il vint toucher chacun de nous, mystérieusement, puis nous enjoignit à tenter l'expérience. Le fougueux prince Vanamel fut notre éclaireur.

— C'est très étrange! annonça-t-il, exalté. Je vous vois dans la caverne, et je suis ici, de l'autre côté! Ne voyez-vous pas comme tout y est beau? On dirait une sorte de... d'envoûtement!

Oubliant toute prudence, Vanamel s'enfonça dans le paysage, s'ébahissant devant chaque fleur, pierre, arbre ou oiseau qu'il croisait. Son

*conseiller Saat l'Économe s'empressa de le rejoindre, et tous les autres,
un à un, franchirent l'étroite frontière entre ces deux mondes, avec un
semblable ravissement.*

*Je fus le dernier. L'enseignement d'Eurydis préparait les hommes à
beaucoup de choses, mais pas à cela. Bien que l'expérience fût excitante,
je pressentais quelque chose d'extrêmement grave. La suite me prouva à
quel point j'avais raison.*

*— Comment est-ce possible ? demandai-je à notre guide. Quelle est la
magie de cette porte ?*

*Nol sourit et leva les yeux très haut, vers le « visage » du Léviathan
impatient de regagner ses abîmes marins.*

*— La magie vient en grande partie de son Gardien, expliqua-t-il avec
douceur. Seule sa présence ouvre la porte, et pour la franchir, il faut oser
l'approcher... et avoir été béni d'un toucher divin.*

*Ce que Nol suggérait bouleversait déjà beaucoup de mes convictions, et
je restai sans voix. L'Étrange dut me prendre par la main pour m'entraîner à Dara. Dans son... »*

— Pourquoi vous arrêtez-vous ? bondit Léti, après quelques instants
d'un lourd silence. Maz, continuez, je vous en prie !

— C'est tout, révéla Lana tristement. À partir de là, le texte est illisible, les dix dernières pages exceptées. Je n'ai pas pris le temps de les
transcrire... Je voulais d'abord vous faire part de tout cela.

Les héritiers ne purent cacher leur déception. Ils avaient appris tant
de choses, avec quelques pages seulement, que la perte de la partie
centrale du journal, supposée très instructive, était pour eux un
désastre.

Et si leur dernière chance venait de disparaître à jamais ?

* * *

Bien que réveillés en pleine nuit par Lana, les héritiers n'avaient plus
sommeil. La lecture de la Maz avait été très vivante, et le récit d'Achem
n'en avait été que plus impressionnant.

Tous devinaient que ces informations appelaient à de nouvelles décisions sur l'avenir du groupe.

— La description correspond parfaitement, commenta Corenn, dont la
chambre servait de lieu d'assemblée. La caverne, la porte, le Jal'dara... En
aucun cas, il ne peut s'agir d'une mystification.

— C'est la première fois que nous entendons parler de ce Léviathan, remarqua Grigán, sans pour autant contredire la Mère. Après toutes ces années de quête?

— Le *poème de Romerij* cite déjà les Éternels Gardiens, rappela Lana. *« Jour promis où les dieux écouteront les voix, ouvertes les portes, enchaînés les gardiens... »* C'est cohérent.

— Mais comment expliquer que *nous* n'ayons jamais vu ce monstre? Ni nos pères, ni leurs pères avant eux?

— Je l'ignore, concéda la Maz avec regret.

— Peut-être fallait-il l'appeler, proposa Rey. Comme Nol l'avait fait, au-dessus du gouffre. Ou peut-être le Léviathan ne se présente-t-il qu'à certaines conditions?

— Comme?

— Une date précise, la couleur du ciel, l'influence de la lune, que sais-je! Peut-être aussi est-il mort, tout simplement!

— Cela m'étonnerait, marmonna le guerrier.

Personne ne le contredit. Même si ce Léviathan n'était pas un dieu, il était difficile d'imaginer quelque chose le terrassant.

— Voilà pourquoi nous n'avons pu franchir la porte, songea Yan. Son Gardien n'était pas là.

— Pourtant, nous avons vu le Jal'dara, s'entêta Léti. Tante Corenn, Grigán, vous l'avez vu à chaque fois! À chaque réunion!

— Peut-être le Léviathan n'était-il pas loin, suggéra Corenn gravement. Attendant notre appel.

L'image effrayante du monstre cramponné à la paroi du gouffre et surveillant leurs faits et gestes s'imposa soudain dans leurs esprits. Et s'ils avaient alors tenté quelque chose... de réprouvable, pour le Léviathan ou la porte? Comme détruire les signes marquant son emplacement? Ou essayer de la franchir sans l'accord de son Gardien? Bien qu'ils ignorent totalement si cela était possible...

— Je pense que la créature est morte, annonça Bowbaq, plus pour se convaincre lui-même que pour argumenter vraiment. Ils peuvent sûrement mourir. L'Arche Sohonne est aussi une porte du Jal'dara, mais on ne l'a jamais vue fonctionner, parce qu'il n'y a aucun monstre dans ses parages.

— Ah non? Et le Drak hypomane? rétorqua Grigán, que l'idée traversait. Il remplit parfaitement le rôle!

Bowbaq blêmit en présentant au guerrier un visage décomposé.

— Vous avez vu ce Drak? s'intéressa Léti. Vous-même?

— Non. Bowbaq non plus, d'ailleurs, ajouta Grigán. C'est une légende que les Arques ressortent à chaque mort inexplicable. Même un lion comme Mir ne peut lacérer un corps comme le Drak le fait… Et la légende est née dans les tribus sohonnes ! conclut-il, triomphant.

Les autres se laissèrent gagner par l'excitation du guerrier, d'ordinaire si maître de lui. Mais comment ne pas exulter alors que les indices s'imbriquaient, que les faits trouvaient une logique, une cohérence ? Alors que le secret de Ji, sujet de fascination de leurs ancêtres, se dévoilait peu à peu ?

— Dommage que le journal soit endommagé, regretta Léti. Nous aurions pu apprendre tant de choses encore… Achem y avait certainement décrit tout le séjour des émissaires.

— Il reste les dernières pages, la consola Yan. Elles sont peut-être intéressantes.

Tous les regards se tournèrent vers Lana, mais Corenn prévint toute demande en avisant les yeux fatigués de la Maz.

— Cela peut attendre demain, annonça la Mère. Ne trouvez-vous pas suffisantes les émotions de cette nuit ?

— Corenn, je peux… commença Lana.

— Je vous l'interdis, déclara Corenn, faussement grondeuse. Lana, c'est le journal de votre ancêtre. Prenez le temps de faire connaissance avec lui…

La Maz acquiesça, finalement soulagée de la tournure des événements. Si tous avaient pu dormir quelques décans, elle avait veillé toute la nuit, et ne se sentait pas le courage de déchiffrer encore plusieurs pages du manuscrit d'Achem.

Personne, heureusement, n'eut la grossièreté de lui proposer ses services. Bien qu'il représente leur meilleur espoir, le journal était la propriété de Lana : et tous connaissaient le serment que la Maz avait fait à son père sur son lit de mort de le détruire. Le lire *avant* était déjà une forme de parjure; aussi avaient-ils tacitement décidé de ne pas troubler plus encore la conscience de leur amie, en lui laissant le primeur de la découverte.

— Je suggère que vous retourniez dans vos chambres, maintenant, demanda Corenn. Évitez de trop penser à tout cela, et essayez de dormir. Demain, nous serons en pays estien. Nous aurons besoin de toutes nos forces.

Ils se séparèrent à regret avec des vœux de bons rêves. Mais peu réussirent à trouver le sommeil. Entre les portes, les Gardiens et le Jal'dara, les

Züü, Saat et les démons du Jal'karu, les secrets du journal, leur voyage de l'autre côté du Rideau, et les soucis familiaux ou sentimentaux de la plupart, il leur devenait impossible de se détendre.

* * *

Ils partirent tôt le lendemain, emportant de chez l'aubergiste — qui régissait également un comptoir — nombre de provisions et de pièces d'équipement pour remplacer celles qu'ils avaient perdues. Nul ne savait quand ils seraient à nouveau en contact avec une civilisation «avancée», et en quittant cette auberge goranaise, les héritiers eurent l'impression de faire définitivement leurs adieux aux Hauts-Royaumes.

Ils se lancèrent sur la piste du val Guerrier à bonne allure, Grigán désirant en sortir le plus tôt possible : si bataille il devait y avoir, elle avait plus de chances d'avoir lieu après le déjeuner. À l'aube, et sauf s'ils ont veillé toute la nuit, tous les hommes aiment la vie. Une guerre se gagne dans la journée mourante.

Le chemin était en piteux état, labouré par le passage récent des compagnies goranaises avec troupiers, chevaux, bœufs et chariots. Yan songea que Grigán avait pourtant choisi cet itinéraire pour sa discrétion, et que la route reliant la capitale impériale au val devait être dans un pire état encore.

Une pluie fine vint bientôt accompagner leur chevauchée, les contrariant tous, sauf le guerrier qui y vit une chance supplémentaire de passer le val sans tomber au beau milieu d'une bataille. La bruine s'intensifia rapidement et les inonda sur quelques milles, pour décroître et disparaître au fur et à mesure qu'ils s'éloignaient des dernières hauteurs du Rideau.

— Le royaume thalitte est par là, annonça Rey en désignant l'est. Pourquoi continuer vers le nord ?

— Nous ne pouvons pas foncer au hasard, et cette région m'est complètement inconnue, avoua Grigán à regret. Je pense qu'en suivant cette piste, nous finirons par tomber sur l'un ou l'autre campement de Goranais; ils nous renseigneront sur les positions ennemies.

L'incertitude du guerrier inquiéta ses compagnons. Ils étaient au fait de sa méconnaissance des territoires estiens, mais la constater ainsi... Ils s'étaient tellement habitués à ce qu'il les guide n'importe où, que pour l'occasion ils se sentirent vraiment perdus. Que serait-ce au beau milieu du pays thalitte, dont ils ignoraient la langue !

Ils continuèrent donc leur progression en portant plus d'attention au paysage, ne pouvant, cette fois, se reposer sur le seul Grigán.

La région était assez désertique, la proximité des barbares et leurs fréquentes incursions ayant fait fuir tous les habitants de cette province au cours des siècles. À peine s'ils discernèrent quelques pauvres chaumières tassées dans un sol gras, et dont les champs alentour avaient été ravagés par le passage des troupes. Aucune fumée ne sortait de ces habitations; les civils avaient fui les lieux des combats, élargissant à leur insu la terre maudite que les poètes avaient nommée *val Guerrier*.

Progressant toujours vers le nord, ils dépassèrent certains des vestiges faisant sa triste célébrité : armes rouillées à demi enfouies, ruines de fortifications d'une autre ère, et jusqu'à des morceaux d'ossements jaunis et tranchant sur la terre brune, témoins muets d'autant de batailles passées, depuis que le Rideau s'élevait vers les cieux.

Combien de guerres avaient vu cette lande ? Combien d'hommes y avaient péri ? Une légende ayant voyagé jusque dans le Matriarcat prétendait que, quel que soit l'endroit où l'on creuse dans le val Guerrier, il s'y trouverait un crâne. Combien de fois les Thalittes s'étaient-ils lancés à l'assaut de Goran ? Jusqu'où étaient-ils allés, avant d'être repoussés ?

Les milles se succédaient et ces signes morbides se firent de plus en plus fréquents. Lana prononça quelques prières, pour la paix des esprits des guerriers dont les chevaux des héritiers piétinaient parfois les ossements. Saat désirait-il vraiment cela ? Les Hauts-Royaumes n'avaient pas connu de guerre depuis la génération précédente… Devait-il les y précipiter, comme Usul l'avait prédit ?

La pluie avait cessé, et même si le ciel restait sombre, le regard portait loin sur la lande désolée du pied des montagnes. Si bien que les héritiers furent en vue d'un poste frontière longtemps avant de l'avoir rejoint.

Les soldats goranais s'étaient préparés à leur arrivée. Leur poste n'était qu'un fortin, muni de remparts en bois hauts de cinq pas à peine, et entouré d'un fossé peu profond. Pourtant, ces hommes semblaient prêts à le défendre jusqu'à la mort.

Dix archers menacèrent Grigán, Corenn et les autres alors qu'ils s'approchaient à faible allure, main levée en signe de paix. Les Goranais ne relâchèrent pas leur tension pour autant.

— Nous n'accueillons aucun civil ! prévint un capitaine, du haut du chemin de ronde. Alors, si vous n'êtes pas envoyés par l'Empereur luimême, passez votre chemin !

— Ainsi sera fait, messire soldat, tempéra Corenn en forçant sa voix pour être entendue. Mais nos affaires nous mènent à Sole, et nous voudrions éviter les lignes ennemies... Nous feriez-vous grâce de ce renseignement?

— Vous êtes fous, jugea l'homme en un instant. Ou alors, il s'agit d'autre chose... Quelles affaires, au juste, vous mènent chez les Wallattes? s'enquit-il d'un air soupçonneux.

— Vous faites méprise, messire soldat, mais cela n'a guère d'importance. Nos raisons sont bien tristes, en vérité, de passer la frontière en un moment si périlleux. Mon frère avait coutume de se rendre à Sole une fois l'an, pour y faire le commerce des joyaux. Or, son dernier départ remonte à quatre lunes, et il n'est toujours pas revenu. Avec mes compagnons, ses associés, nous partons à sa recherche.

— Vous mentez! décida le Goranais. Vous allez chez les *Wallattes*!

Grigán et Corenn s'interrogèrent du regard, étonnés et incompris.

— Pourquoi diantre voulez-vous que nous allions chez les Wallattes, alors que nous partons pour Sole? lança Grigán, légèrement agacé.

— Parce que vous êtes des espions! conclut l'homme en les montrant du doigt. De la vermine de Wallos!

— Vous êtes également en guerre contre Wallos? s'étonna Corenn.

La sincérité de la surprise de la Mère fit enfin douter le capitaine goranais, qui répondit avec moins de hurlements, mais avec autant d'hostilité.

— Qui croyez-vous que nous ayons en face? Les Kauliens, peut-être?

— Nous pensions qu'il s'agissait des Thalittes...

— Thallos a été rasée. Presque tous les barbares du nord ont disparu, ou se sont joints à l'armée wallatte. Comme si vous ne le saviez pas!

— Nous l'ignorions, bien sûr. Quel besoin aurions-nous de vous demander les positions des lignes ennemies, si nous-mêmes en faisions partie?

Laissant l'homme méditer sur la logique de sa réponse, Corenn engagea un conciliabule avec ses compagnons.

— *Voilà* où est Saat, révéla-t-elle. Chez les Wallattes. Mes connaissances de l'histoire estienne sont plutôt maigres, mais je crois savoir que leur civilisation est la plus évoluée après celle des Tuzéens.

— Ce qui en fait un adversaire d'autant plus redoutable pour les Hauts-Royaumes, commenta Rey à regret.

— Ils n'en restent pas moins obligés de passer par le val, rappela Lana. Les Goranais font bouclier à leur invasion, et les Loreliens ne tarderont pas à venir les aider.

— Où est votre armée ? demanda soudain Grigán à l'homme pensif.

Ce dernier eut un sourire cynique et balaya l'horizon nord du bras.

— Ne la voyez-vous pas ?

Plissant les yeux, Yan et les autres tentèrent en vain de discerner un relief sur le paysage sombre de la lande maudite.

— Je ne vois rien, déclara Léti.

Elle se tourna vers Grigán, qui avait la meilleure vue d'eux tous. Le guerrier promenait son regard du nord-ouest au nord-est, avec une expression des plus sérieuses.

— Elle est là, annonça-t-il. Tout l'horizon.

Incrédule, Léti reprit son observation, et en fut bientôt bouche bée. Ce qu'elle avait pris pour une absence de relief *était* un relief. Une masse compacte de camps, baraquements, chariots, compagnies, chevaux, troupeaux, indiscernables séparément, mais assez nombreux pour modifier la couleur du paysage et la ligne d'horizon.

— Êtes-vous satisfaits ? s'enquit l'homme avec une fausse sollicitude. Rentrez chez vous, cela vaudra mieux. D'ici à quelques décades, quand cette vermine wallatte aura massé ses troupes, cette lande devant vous verra les plus grandes batailles de ce siècle.

— Messire soldat, interpella Lana, par la Sage Eurydis, aidez-nous. Nous sommes décidés à passer, et n'y parviendrons jamais sans ces renseignements.

Le charme de Lana et sa condition de Maz, très respectée par les Goranais, décidèrent enfin l'homme à leur répondre.

— Les Wallattes sont pour l'instant massés près des côtes, révéla-t-il. Ils ont construit des balistes et nous empêchent de débarquer pour les prendre en tenaille, ce à quoi les Thalittes n'avaient jamais pensé. Si vous restez à proximité des montagnes, vous devriez pouvoir passer. Mais une fois derrière, je vous conseille d'aller tout droit sur Sole : gardez-vous loin de l'Océan et traversez Thallos jusqu'au Col'w'yr. Après le fleuve, la région devrait être moins agitée…

Ils le remercièrent et quittèrent le chemin pour prendre la direction de l'est, laissant derrière eux l'armée goranaise protectrice et les civilisations de leurs ancêtres.

Sans ne plus savoir où ils allaient vraiment.

* * *

Grigán les mena loin, très loin pour cette première journée de leur périple à travers les pays estiens. Utilisant sa boussole romine, il les guida droit vers le sud-est, en direction de Sole, comme l'avait conseillé le capitaine goranais.

Tous devinaient pourtant que Saat se cachait quelque part au sud, au cœur des royaumes wallattes, et que s'ils voulaient le rencontrer, ils auraient à s'enfoncer de plus en plus profondément dans les lignes ennemies. Mais Grigán remettait cette confrontation à plus tard : les abords du val étaient trop dangereux ; et mieux valait gagner Wallos par l'est que par le nord. Le guerrier n'osait avouer encore son pessimisme quant à la réussite de l'entreprise.

Le val Guerrier était également fui des natifs de ce côté de la frontière, si bien qu'ils franchirent plusieurs milles du paysage désolé sans rencontrer âme qui vive. L'expression étant à prendre au pied de la lettre. Car ce peuple barbare cultivait l'art de l'intimidation, et les trophées macabres ne manquaient pas le long du chemin… soldats goranais ou rebelles thalittes, pendus, empalés ou décapités selon les cas, et laissés en bonne vue comme autant d'avertissements à ceux qui prétendaient s'aventurer dans ces territoires.

Ils en croisèrent une quinzaine avant que Grigán ne fasse soudain bifurquer le groupe droit vers l'est, en les lançant dans un galop soutenu. Tous le suivirent en scrutant nerveusement les environs à la recherche de ce qui avait alerté le guerrier. Il ne leur permit de ralentir puis de faire halte qu'après les avoir menés sous le couvert de quelques arbres, premiers signes de la fin du val maudit.

— Vous avez vu quelque chose ? demanda Léti, alors que les chevaux soufflaient bruyamment.

— Un groupe de cavaliers, au sud, répondit Grigán en épiant toujours la lande découverte. Une dizaine, peut-être plus.

— Des Wallattes ? interrogea Yan.

— Je ne sais pas. Trop loin.

— Vous pensez qu'ils nous ont vus ?

— Si j'ai pu le faire, alors ils le pouvaient aussi. D'autant plus que nous étions sur leur horizon.

— Je me demande si vous n'avez pas un peu trop d'imagination, commenta Rey en scrutant le paysage. Même maintenant, je ne vois rien.

— Là-bas, annonça le guerrier agacé, en indiquant un point noir et distant. Ouvrez vos yeux, si vous ne voulez pas finir exposé sur un pal !

— Sage Eurydis, quelle horreur ! s'insurgea Lana, choquée par cette image.

— N'ayez crainte, Lana, répondit Rey avec insouciance. Grigán ne les laisserait jamais faire cela. N'est-ce pas ?

— Ne me tentez pas, rétorqua sobrement l'intéressé.

Il contempla la lande un long moment encore, avant de permettre un nouveau départ. Ils continuèrent leur progression sous les arbres, franchissant les espaces dégagés entre deux bosquets le plus rapidement possible. Bientôt, les bois se firent de plus en plus étendus, et le risque d'être pris en chasse plus faible. Les héritiers ne se détendirent pas pour autant, s'immobilisant à chaque injonction de Grigán, prêts à fuir ou à combattre dans l'instant s'il en était besoin.

Ils avançaient pratiquement depuis l'aube, mais la tension était plus forte que leur fatigue, et personne ne songeait à se plaindre. Tous comprenaient l'importance de s'éloigner avant tout du val Guerrier. Si bien qu'ils ne s'arrêtèrent qu'à la nuit tombante, ne voulant risquer de chevaucher à la lumière des lanternes.

Une fois encore, comme ils l'avaient souvent fait depuis deux lunes, Yan, Léti et les autres allaient dormir à la belle étoile. En installant ses couvertures sur la terre grasse et couverte de mousse, le jeune homme eut une pensée nostalgique pour les chambres princières du Château-Brisé, celles de Zarbone à Collection, du palais de Sapone à Romine, des diverses auberges qu'ils avaient fréquentées… et jusqu'aux caves de Raji le Passeur, sans oublier les cabines de *L'Othenor* et les chariots des bateleurs. Tellement de lieux différents, déjà… et combien encore à venir ? Peu, probablement.

Depuis qu'ils avaient pénétré les royaumes estiens, Yan avait le pressentiment que leur aventure touchait à son terme. Un *mauvais* pressentiment. Les prophéties d'Usul lui revenaient sans cesse en mémoire… *Grigán mourrait avant un an. Les Hauts-Royaumes seraient les grands perdants d'une guerre meurtrière.*

Certes, l'avenir s'altérait lorsqu'il était révélé à l'un de ses acteurs, mais Yan ne voyait pas comment s'interposer dans l'accomplissement de l'une ou l'autre de ces prédictions. Et en croyant bien faire, il pouvait empirer les choses… aussi était-il souvent tenté de se cantonner dans un rôle passif.

Pourtant, n'étaient-ils pas, lui et les héritiers, en train de réagir directement aux prophéties d'Usul ? Si Yan n'avait révélé l'imminence de cette guerre, Corenn aurait-elle décidé de leur faire franchir le Rideau ? N'étaient-ils pas en train de courir à leur perte, en croyant agir pour le mieux ?

Il laissa tomber les couvertures et contempla ses amis, les mains sur les hanches. Bowbaq soulageait les chevaux de leurs chargements. Grigán expliquait à Léti comment installer les «pièges» qui signaleraient toute approche, comme il en avait utilisé dans la garrigue kaulienne. Rey se préparait à allumer un feu en échangeant des sourires complices avec Lana; la Maz s'occupant de choisir quelques victuailles parmi leurs provisions. Corenn était juste à côté de lui, affairée elle aussi à disposer leurs couvertures aux meilleurs emplacements.

Jusqu'alors, et malgré les nombreux dangers encourus, ils s'étaient toujours tirés d'affaire. Et si cette fois, ils n'avaient pas fait le bon choix ? S'ils avaient pris la *mauvaise* direction ?

— Nous ne devons pas aller à Wallos, annonça-t-il soudain, lui-même surpris par sa décision.

Les héritiers interrompirent leurs activités pour le dévisager avec surprise. Mais Yan ne savait comment poursuivre, ni s'expliquer.

— Pourquoi ? demanda alors Corenn, très attentive aux réflexions de son élève. Ignorons-nous quelque chose ? Que t'a dit Usul que nous ne savons pas ?

— Rien d'autre, mentit Yan en songeant au triste sort de Grigán. J'ai seulement… un pressentiment. Je n'ai pas peur, ajouta-t-il pour se justifier. Enfin, pas plus que je ne devrais. Mais… je ne pense pas que nous pourrons rejoindre Saat, s'il est vraiment à la tête de cette armée. Nous n'y arriverons jamais.

— Il a raison, intervint Grigán, sautant sur l'occasion pour faire part de ses propres doutes. Avec les seuls Thalittes, nous avions une chance… Ils étaient derrière le val et peu nombreux, comparés aux Goranais. Mais là…

— Qu'est-ce que ça change ? objecta Rey. Nous n'avions pas l'intention de tous les combattre, de toute façon. Alors, Wallattes ou Thalittes, quelle importance ?

— Cela nous oblige à traverser beaucoup plus de lignes ennemies. À sept, alors qu'aucun de nous ne parle leur langue ? Alors que vous ne repérez même pas une patrouille en terrain dégagé ?

— Mais… s'étonna Lana. Je pensais que nous devions contourner ces lignes ? Arriver à Wallos par l'est ?

— Ça ne marchera pas, affirma Grigán en secouant la tête. Leurs stratèges ne me semblent pas être des idiots. S'ils ont pensé à mettre des balistes le long de l'océan, il est probable qu'ils surveillent également leurs flancs.

— Je ne comprends pas, Grigán… Pourquoi nous avoir guidés jusqu'ici, si vous ne croyiez pas en nos chances ? Qu'aviez-vous en tête ?

Le guerrier porta la main à sa moustache, signe de son embarras, avant de découvrir une fois de plus qu'il ne la portait plus depuis Trois-Rives. Les héritiers guettaient sa réponse avec impatience. *Aucun d'eux n'a connu la guerre*, songea-t-il avec philosophie. Deux jeunes Kauliens, une Mère, une Maz, un Arque pacifiste, un Lorelien fort en gueule… voilà le groupe de combattants qui projetait naïvement de défaire une armée entière, celle d'un peuple vivant *pour* les batailles.

— Ce matin, nous l'ignorions, annonça-t-il enfin. Nous n'allions pas faire demi-tour devant ce poste goranais… et je voulais me rendre compte par moi-même. C'est chose faite. À sept, nous n'y arriverons jamais.

— Grigán ! tressaillit Corenn, avant de poursuivre plus calmement : vous ne songez pas à…

— C'est notre meilleure chance, l'interrompit le guerrier. *Seul*, je pourrais me glisser jusqu'à Saat. Ensemble… c'est impossible.

— Vous ne devez pas y aller seul ! affirma Yan, joignant ses protestations à celles, bruyantes, de ses amis. Surtout pas !

— Qu'avons-nous comme autre choix ? rappela Grigán. *Fuir* est impossible. Saat peut nous retrouver n'importe où et envoyer les Züu, ou pire, le Mog'lur. Et nous précipiter ensemble à Wallos serait nous condamner tous.

— Nous pourrions peut-être faire parvenir un message à Saat… suggéra Lana. Proposer une discussion.

— Croyez-vous vraiment qu'il est homme à se laisser attendrir par une missive ? Seul le froid d'une lame sur sa gorge saura le rendre attentif, assura le guerrier avec une expression dure.

— Nous ignorons l'étendue de ses pouvoirs, rappela Corenn. Grigán, vous ne pouvez y aller seul. Ce serait folie.

— Bien. Que faisons-nous, alors ? Si quelqu'un a une meilleure idée, je serais heureux de la suivre. Sinon, je m'en tiendrai à la mienne, prévint-il très sérieusement.

Le moment de silence qui s'ensuivit fut très lourd, presque tangible. Chacun faisait travailler son intelligence pour trouver une alternative à ce qu'ils considéraient comme une catastrophe. Mais les solutions n'étaient pas légion.

— Je ne vous laisserai pas partir seul, avertit soudain Rey. Que cela vous plaise ou non. J'ai un ou deux mots à dire à Saat.

— Moi aussi, jura Léti, avec une expression dure mais les yeux brillants. Jamais je ne vous laisserai partir.

— J'irai avec toi, ami Grigán, s'empressa d'ajouter Bowbaq.

— Ce serait stupide, lança l'intéressé, contrarié. Vos sacrifices ne m'aideront pas.

— J'ai quelque chose à proposer, annonça soudain Corenn, alors que le ton montait. C'est peut-être tout aussi dangereux, mais au moins ironsnous *ensemble*.

Ils firent silence pour l'écouter. Quel que soit le projet de la Mère, il ne pouvait être que désespéré, songeaient-ils. Effectivement, il l'était.

— Aller à Sole, devina Yan. Trouver la porte du pays d'Oo.

— Exactement. Et rencontrer Nol au Jal'dara, conclut la Mère avec beaucoup d'aplomb.

— Cela me paraît plus difficile encore que de se glisser jusqu'à Saat, objecta Rey après un sifflement admiratif. Que faites-vous de cet Éternel Gardien, décrit comme *incontrôlable* même par Nol ? Et cette histoire de *toucher divin* ?

— Il faut avoir été touché du Gardien pour franchir la porte, expliqua Lana. C'est, du moins, ce que j'ai compris.

— Si cette Guivre ressemble au Léviathan, sa caresse doit être des plus mortelles ! Comment comptez-vous vaincre cette créature, Corenn ?

— Je ne sais pas, avoua la Mère. Ces choses nous dépassent. Le Léviathan ne nous a jamais inquiétés ; nous aviserons quant à ce Gardien-là.

— Mais, amie Corenn… la porte ne sera peut-être pas ouverte. Celle de Ji ne l'est pas toujours.

— Je sais, Bowbaq. Mais c'est notre meilleure alternative. La seule, en fait… Dans le pire des cas, nous aurons perdu une décade, ajouta-t-elle avec désinvolture.

— Dans le pire des cas, corrigea Rey, nous aurons servi d'Éternel Entremet à ce Gardien. Je me demande si je ne préfère pas les Wallattes.

Ils se tournèrent vers Grigán pour entendre son avis. Quoi que le guerrier décide alors, son choix serait celui du groupe. Il en était conscient et réfléchit longtemps avant de répondre.

— D'accord pour le pays d'Oo, annonça-t-il au grand soulagement des Kauliens. Sous réserve que la fin du journal d'Achem ne nous apprenne pas une autre catastrophe. Lana, pouvez-vous en terminer la transcription ce soir ?

— Je vais commencer immédiatement, assura la Maz. Cela ne devrait pas me prendre plus d'un décan.

— Bien. Réponse au milieu de la nuit, conclut Grigán. La Guivre et le Jal'dara, ou Saat et l'armée wallatte.

* * *

Le Haut Dyarque tourna la poignée de la porte pour vérifier qu'elle était bien verrouillée. Il ôta la clé du mécanisme et la posa sur le meuble prévu à cet effet. Aucun danger que l'on crochète la serrure. Elle n'était accessible que de l'intérieur.

Son palais était loin d'être fini, mais sa construction avançait vite. Il n'avait fallu que cinq jours aux esclaves « motivés » par leurs gardiens züu pour élever cette aile. Elle n'avait ni régularité ni finition… mais il n'y séjournerait pas longtemps, de toute manière.

D'ici à quelques lunes, Saat régnerait sur le monde connu depuis le Grand Temple d'Ith. Ou le Palais impérial de Goran. Ou, peut-être, le Château-Brisé de Junine. Il n'avait pas encore fait son choix. De toute manière, tout cela lui appartiendrait. Par fantaisie, il pourrait même se faire construire une demeure gigantesque avec les pierres de ces trois monuments. Mais il avait promis à Sombre de brûler la Sainte-Cité… Il lui faudrait composer.

Il souffla l'unique lanterne de la pièce et fut plongé dans l'obscurité la plus totale. Le noir fut pourtant insuffisant à l'aveugler. Saat se repérait dans les ténèbres profondes presque aussi bien qu'au grand jour. Un siècle passé sous terre avait développé sa vue en ce sens. Ses pouvoirs faisaient le reste.

Il ôta un gant de sa cotte de mailles et caressa de ses doigts flétris la pierre arrachée à la montagne. C'était la même montagne… mais pas la même pierre. Celle des fosses de Karu était bien plus noire, bien plus chaude, bien plus *imprégnée*. Du *gwele*, même là-bas. Même si bas.

Saat fut tenté de *modeler* un morceau de son mur, d'en faire un *Gwelom*, si la pierre s'y prêtait. Mais cette possibilité était faible. Et il avait d'autres projets immédiats.

Il ôta l'autre gant de son armure, puis son plastron, ses épaulières, et le ridicule fourreau à dague qu'il portait à son épaule, par diplomatie pour la compagnie des *gladores*, ses guerriers d'élite. Il se débarrassa de sa propre épée et de son poignard, puis acheva de se dévêtir entièrement.

Comme à l'accoutumée, il termina par son heaume. Ôtant le *Gwelom* lentement, avec délicatesse, goûtant avec un plaisir immense ce court moment de libération, l'air qui caressait son menton, sa bouche, ses joues, tout son visage enfin.

Il aurait aimé jeter ce masque et se présenter tête nue aux yeux de tous. Mais cela, il ne l'osait encore. Un reliquat de civilité. Qui, espérait-il, disparaîtrait avec le temps.

Il inspira profondément et le bruit de sa propre respiration haletante l'écœura. Il se comparait parfois lui-même à un chien essoufflé. Le heaume avait au moins l'avantage de dissimuler aux autres les efforts qu'il faisait pour survivre…

Il ferma les yeux, se concentra un instant et la vigueur lui revint, puissante, réchauffant son cœur, son corps, ses membres. Il l'apprécia avec un plaisir plus grand encore que celui de respirer librement. Ses muscles se dénouèrent, ses articulations s, et il se redressa en soupirant d'aise. Il avait déjà vécu cela un millier de fois, mais la jouissance de cette force retrouvée était chaque fois aussi parfaite.

Il franchit les cinq pas qui le séparaient de son lit et s'agenouilla sur les riches peaux tannées composant sa couche. Chebree s'y trouvait déjà, nue, immobile, silencieuse. Impatiente. D'en avoir fini au plus vite.

Saat posa une main sur son front et lui caressa le visage. Chebree frémit et bloqua sa respiration. Ce n'était pas le plaisir, qui la faisait réagir ainsi… mais le contact de la main du Haut Dyarque. De sa peau horriblement ridée, si fine que tous les os en saillaient. De son odeur de terre et de mort.

° Nos ennemis ont des doutes, mon ami, avertit soudain Sombre en s'imposant dans ses pensées.

Saat ferma aussitôt une grande partie de son esprit à toute intrusion. Il le faisait depuis si longtemps, avec une telle habitude, que le dieu ne s'en aperçut même pas.

° Que font-ils ? demanda le sorcier tout en embrassant la prêtresse wallatte.

° Ils parlent beaucoup. Ils devinent. Ils vont voir Nol.

° Le vieux ne leur sera d'aucune aide, assura Saat en déplaçant son corps. Et comment comptent-ils réussir ce tour de force ?

° La porte de Sole. Ils vont l'ouvrir.

° *Tu* n'en sais rien, rappela Saat. Tu ne peux lire l'avenir.

° Ils vont l'ouvrir. Il faut les tuer.

° Patience, mon ami. Qu'ils aillent à Sole. Et qu'ils en saluent le Gardien. Qu'ils aillent voir le vieux, même. Et alors ?

° Nol leur dira pour l'Adversaire.

Saat connut un moment d'hésitation.

° Ils ne seront pas plus avancés pour autant. Je vais envoyer une compagnie de *gladores* à leurs trousses. S'ils n'arrivent pas jusqu'à Nol, ils iront quand même rejoindre l'autre monde !

Ce fut le tour de Sombre de garder le silence un moment.

° Tu devrais me laisser les tuer, répéta-t-il avec colère.

° C'est trop risqué pour toi, mon ami. Si l'un de ces hommes est l'Adversaire, il pourrait te…

° Mais j'en ai assez d'attendre, coupa Sombre en quittant son esprit.

Le Haut Dyarque resta seul avec ses pensées, s'activant sur une Emaz Chebree désespérément tendue et inactive.

En s'éveillant, Sombre avait acquis une personnalité différant légèrement de celle à laquelle Saat l'avait préparé pendant des années. Il était comme un adolescent se révoltant contre ses parents. Mais il était aussi devenu plus fort et plus intelligent, et restait fidèle à leurs projets communs et à leur amitié. C'était tout ce qui importait.

Contemplant dans l'obscurité le visage crispé de la reine wallatte, Saat songea à quel point ceux qui l'entouraient, même les plus proches, étaient ignorants. Ignorants de ses projets réels. Ignorants de leur propre force. De leur héritage.

Chebree ne saurait probablement jamais pourquoi il voulait avoir un fils avec *elle*, plus qu'avec n'importe qui.

*   *   *

Bien entendu, les héritiers n'imaginaient pas dormir en attendant que Lana ait terminé la transcription du journal. Ils étaient beaucoup trop tendus, à cause de l'incertitude de leur proche avenir, de leur situation périlleuse dans le territoire ennemi, et de leur curiosité concernant les révélations de Maz Achem.

Pour tromper leur ennui, Grigán et Bowbaq entreprirent d'étriller les chevaux du groupe. La tâche, d'ampleur, devait les occuper un bon moment. Comme Yan lançait Corenn dans une nouvelle discussion sur la magie, Léti se joignit bientôt au guerrier, et Rey y adjoignit sa compagnie sans pour autant proposer son aide. Dans ce cercle-là, on débattit, comme de coutume, de l'art du combat.

— Quelqu'un possédant un point faible visera souvent ce même point chez un adversaire, révéla Grigán à son élève. S'il attaque aux jambes, vise les siennes : s'il menace ton bras gauche, concentres-y tes efforts.

— Je comprends pourquoi vous frappez toujours à la tête, plaisanta Rey. C'est bien là votre point faible !

— Et si je vous prenais au mot ? grinça le guerrier.

— Des menaces, maintenant ! badina l'acteur. Je vous préférais sur l'île Sacrée des Guoris. On se tutoyait, tu te rappelles, Grigán ?

— Un moment d'égarement, *messire de Kercyan*. Qui ne se reproduira plus.

Trop préoccupé pour se divertir des joutes verbales de ses amis, Bowbaq se débarrassa de l'étrille dès qu'il le put et rejoignit Yan et Corenn. Au moins pouvait-il participer à leur conversation… et tenter d'oublier, l'espace d'un moment, qu'il ignorait tout du sort de sa femme et de ses enfants, laissés au cœur du pays arque, à des milliers de lieues de là.

— …Puiser la force d'un sort ailleurs qu'en toi te permettra d'éviter la *langueur*, expliquait Corenn à Yan. Mais je te rappelle encore le danger d'une telle technique : tant de puissance à disposition fait souvent tourner la tête, mais elle n'est pas inépuisable. Il arrive toujours un point où l'objet mis à contribution se brise, créant à son tour un *appel de force*. Et tu as de grandes chances, dans ce cas, de tomber en apathie.

— Je comprends, acquiesça Yan, résumant mentalement la leçon que la Mère venait de lui donner.

La technique du vol de force n'était pas compliquée, somme toute. Il suffisait de se concentrer sur l'objet dont on allait tirer la puissance, accumuler cette dernière, puis se concentrer sur la cible du sort, et y appliquer sa Volonté : c'est-à-dire, relâcher la force amassée pour agir sur l'une ou l'autre des quatre composantes élémentaires, Terre, Eau, Vent ou Feu. La difficulté ne venait pas des opérations elles-mêmes, mais de leur succession. Échouer dans une étape seulement pouvait coûter au magicien jusqu'à sa vie.

— Pour anecdote, reprit Corenn, certains mages célèbres avaient coutume d'utiliser toujours les mêmes objets, qu'ils portaient sur eux en permanence. Les cristaux ayant la préférence : saphirs, émeraudes, rubis et diamants, bien sûr… même si un morceau commun de sel gemme a autant de propriétés, ou presque.

Yan acquiesça encore. Effectivement, les pierres précieuses recelaient une puissance extraordinaire; il avait eu l'occasion de s'en apercevoir en s'exerçant sur l'opale de Léti. Et travailler régulièrement avec un même objet le rendait familier et facilitait la concentration… L'idée de ce joyau fétiche était loin d'être mauvaise. Il se promit de tenter l'expérience avec un morceau de silex, s'il en trouvait.

— J'ai une question, annonça-t-il. Et si après avoir puisé de la force, je ne lançais pas mon sort? Que se passerait-il?

— Je n'en ai aucune idée, avoua Corenn après réflexion. Ça ne m'était jamais venu à l'esprit.

— J'essaye?

— Surtout pas! Ne penses-tu pas que tu devrais d'abord apprendre à utiliser cette technique normalement, plutôt qu'essayer déjà de la transgresser? Souviens-toi de ton apathie, après votre expérience avec Ifio!

Yan observa le petit mimastin perché sur l'épaule de Bowbaq. Ils s'étaient tellement habitués à sa présence qu'ils l'oubliaient parfois.

Il se souvint avoir pénétré l'esprit du singe et pris possession de son corps. Il avait fait la même chose avec un Zü, dans la Sainte-Cité d'Ith. Et il ne savait toujours pas de quoi il en retournait.

— *L'esprit profond est l'endroit où l'âme s'attache au corps*, dévoila Bowbaq avant que Corenn ne l'en empêche. Quand on peut l'atteindre, on peut y fixer son esprit et voler un corps. C'est ce que le spectre m'a fait dans la bibliothèque…

— Mais que devient l'esprit envahi? demanda Yan, soucieux de soulager sa conscience quant aux Züu abattus. Souffre-t-il?

— De frustration, oui, beaucoup. Il se révolte, il… pousse des cris dans la tête. Mais il ne peut rien faire, tant que l'autre domine.

— Le rapport de force peut changer? s'intéressa Corenn.

— Ça arrive, des fois. Il y a deux cas… L'erjak peut perdre et rester prisonnier dans le corps étranger, mais sans aucun pouvoir sur lui. Il reste juste là jusqu'à sa mort, où jusqu'à reprendre le contrôle.

— C'est horrible! commenta Yan.

— Oui. Il est possible aussi que l'esprit envahi s'enfuie dans le corps de l'erjak. On m'a raconté… Des hommes qui agissaient comme des loups, des ours, ou d'autres animaux. Jusqu'au moment où les esprits retrouvent leurs places.

Yan frémit en songeant que le Zü aurait pu se retrouver dans son propre corps, et surprendre Rey et Bowbaq qui étaient à ses côtés, comme lui-même avait griffé deux tueurs de la *hati* empoisonnée.

Il ne repensait à ce moment qu'avec honte et tristesse… Mais ce qu'il avait fait alors, la situation l'exigeait. Personne, parmi ses compagnons, n'avait l'envie ni l'audace de lui faire de reproches. S'ils n'avaient ressenti une crainte respectueuse pour la puissance de ses pouvoirs, ils l'auraient même félicité. Mais chacun s'était empressé d'oublier l'épisode doulou-reux.

— J'ai terminé, annonça soudain Lana, des sanglots dans la voix. Sage Eurydis ! Qu'ils ont souffert !

* * *

« *…que nous savions depuis. Saat aurait-il perdu la raison, s'il n'avait découvert les pouvoirs du gwele ? Même si Vanamel et Pal'b'ree n'avaient pas suivi Lloïol, ce maudit lutin, dans la troisième fosse, nous aurions été mis en danger tôt ou tard par la folie du Goranais…* »

— Amie Corenn, je ne comprends pas, interrompit Bowbaq. Qu'est-ce que ça veut dire ? Qui sont tous ces gens ?

— Ceci n'est que la fin du journal, rappela Corenn. Les explications se trouvaient certainement dans les pages centrales…

— C'est comme ça jusqu'au bout, confirma Lana. Il semble que nos ancêtres n'étaient pas seuls au Jal'dara.

La Maz attendit un instant qu'on lui pose d'autres questions, puis reprit sa lecture.

« *…nous aurions été mis en danger tôt ou tard par la folie du Goranais, avec des conséquences plus graves, peut-être, que la mort du sorcier. Pourtant, malgré le mépris qu'il nous inspirait, nous nous étions portés à son secours… et trois hommes y avaient trouvé la mort. Trois hommes choisis par leurs peuples pour les représenter auprès des dieux grandis-sants.*

Je n'éprouve guère de regrets pour Vanamel, le prince Uborre ayant, à mon humble avis, mérité son sort. Mais je pleure Vez de Jezeba et Fer't le Solene, deux sages attentifs et éveillés, qui avaient gagné la confiance de chacun et faisaient partie intégrante de notre petit groupe.

Nol pleura avec nous, lorsque nous revînmes à huit seulement, alors que douze étaient descendus à Karu. Il nous confia regretter encore la neutralité qui l'empêchait d'intervenir... mais nous en avions été si souvent témoin que nous ne pouvions lui en tenir rigueur. Il était Celui qui Enseigne, et là s'arrêtait son rôle.

Les enfants, toujours si placides, faisaient cercle autour de nous. Comme d'habitude, et malgré notre émoi, nous essayions de ne pas les brusquer... les laissant nous observer, nous toucher, en écoutant leur babil incompréhensible, dans l'espoir que l'un d'eux nous adresse directement la parole, comme c'était arrivé à Tiramis, à Fer't, à Moboq et... à Saat.

L'un des plus grands fixa soudain son attention sur le garrot rougi du moignon d'Arkane. Le courageux roi essaya de sourire, mais son autre blessure, à la tête, transformait la tentative en grimace.

Rafa souffrait de ses brûlures et lâchait de temps à autre un soupir de douleur. À chaque fois, les enfants sursautaient et fixaient, déconcertés, le Ramgrith aux cheveux sombres et à la face noircie.

Deux petits tirèrent Tiramis par la main, mais la Mère inconsciente ne leur répondit pas d'une caresse, comme elle le faisait d'ordinaire. Le courageux Yon déposa la Kaulienne dans l'herbe douce et tapota doucement les épaules de ces enfants dieux, comme pour les consoler. Ce fut insuffisant...

Plus aucun ne souriait. Les plus petits commencèrent de sangloter, bientôt imités par presque tous leurs aînés.

Les dieux pleuraient. Un désastre pour les hommes.

— Il vous faut partir, annonça Nol. L'Harmonie est rompue.

Il ne faisait qu'exposer ce que nous savions déjà. Rester encore aurait eu des conséquences désastreuses. Et pourquoi l'aurions-nous fait ?

Arkane devait également être soigné. Même au Jal'dara, une blessure comme la sienne était très grave. Je n'ose imaginer les implications qu'aurait eu la mort du roi aux pieds des jeunes dieux...

Nol nous mena tout droit à la porte. Cela me surprit sur l'instant, mais après tout, quelle cérémonie pouvais-je attendre ? Les enfants nous oublieraient rapidement... du moins fallait-il l'espérer. Et nous n'avions personne d'autre à qui faire des adieux, qu'au doyen de cette vallée.

Comme Nol s'approchait du but, le pouvoir de la porte se manifesta. Le sifflement, la lumière, le brouillard... Nous avions tendance à oublier que Nol était lui-même l'Éternel Gardien de la porte de Dara.

La brume créée sous l'arche se dispersa bientôt, pour dévoiler la forêt des arbres titans du pays d'Oo.

— *Et la Guivre ? protesta Pal'b'ree le Wallatte, alors que Nol lui faisait signe d'avancer.*

— *Dans votre monde, c'est la saison de la Terre, le rassura le doyen. Elle dort probablement.*

— *N'est-ce pas déjà ce qu'elle était censée faire, à l'aller ? rétorqua l'Estien avant de s'engager sous l'arche.*

Il n'avait pas même eu un adieu ou un regard pour nous, qui lui avions sauvé la vie. Son seul souci d'alors était d'échapper au Gardien rebelle qui avait décimé les émissaires estiens, trois jours avant celui du Hibou. Des huit sages envoyés par les peuples barbares, deux seulement étaient parvenus au Jal'dara... et Fer't le Solene n'en repartirait pas.

— *J'allais lui proposer d'ouvrir la porte de Tuze, commenta Nol alors que la vision se brouillait. Ou celle de Walloranta, ou de Grelith. Rien ne l'obligeait à repartir par le pays d'Oo.*

— *Qu'avez-vous dit, au sujet de la Terre ? fit répéter le sage Moboq.*

— *Elle a débuté depuis quelques jours, dans votre monde... Le Temps est le souverain des puissances qui régissent l'univers, expliqua le doyen. Mais il est des endroits où il est moins actif...*

— *Que voulez-vous dire ? s'enquit le duc Reyan. Combien de temps sommes-nous restés ici, exactement ?*

— *Six décades. De votre monde, s'entend. Si vous n'étiez allé à Karu, j'aurais pu vous renvoyer plus tôt. Je suis désolé.*

Nous nous observâmes en silence, abattus par la nouvelle. Le séjour nous avait semblé cinq fois plus court.

Nol fit un simple geste et le brouillard de l'arche se dissipa pour révéler, cette fois, la sombre caverne de l'île Ji. Il me semblait le moment venu de dire quelque chose, mais je ne sus trouver quoi, et franchis la porte après un petit signe d'adieu et un dernier regard à la vallée merveilleuse.

Je crois qu'elle resta visible un long moment... Mais, alors que nous pataugions dans l'eau froide de la terre lorelienne, nous nous sentions suffisamment mélancoliques pour ne pas souffrir en plus la contemplation de notre paradis perdu.

Le duc Reyan prit la tête du groupe et nous mena vers la lumière, où nous fabriquâmes une civière de fortune pour Arkane. Tiramis ne s'était toujours pas réveillée lorsque nous rejoignirent, à l'aube, les escortes qui nous attendaient depuis seize jours.

La suite est connue de tous... Notre vœu de silence nous causa déshonneurs et afflictions, à des degrés divers. Mais nous supportâmes ces maux sans nous plaindre. Ils n'étaient rien, comparés aux tourments de l'esprit que nous devions à ces secrets tant convoités. Rien non plus, face à la cruelle malédiction dont nous savions tous devoir souffrir.

Le pouvoir du Jal'dara avait fait de nous des Gweloms, en quelques décades seulement. Que serait-il advenu de nous, après plusieurs lunes? Plusieurs années? Je n'ose y songer.

L'idée d'une longévité accrue ne suffisait pas à nous consoler de la perte presque certaine de notre fécondité. Je crois que chacun de nous, à notre retour, chercha à combattre ce fléau de la seule manière qui soit...

Arkane excepté, peut-être. Le roi de Junine avait déjà un héritier, et contrairement à nous, s'était résigné à son sort avec philosophie. S'il fut le premier à disparaître, je crois que c'est parce qu'il n'avait plus envie de lutter. La mort lui paraissait un délectable moment de paix. Arkane avait embarqué pour l'île Ji en tant que roi des Baronnies; il en était revenu manchot, soucieux et injustement déshonoré. Si nous connaissions les mêmes malheurs spirituels, au moins étions-nous physiquement indemnes.

Quoi qu'il en soit, et après avoir échoué à me faire entendre des Emaz, je me consacrai à mes rêves de descendance. Moi qui n'avais connu que le célibat, je m'unis à Mièlane, une de mes anciennes disciples, et partis m'installer à Mestèbe, au plus loin de la Sainte-Cité et des souvenirs que j'y associais. Jamais ma jeune épouse n'eut vent de cette triste aventure; du moins, pas jusqu'à maintenant. Je prie Eurydis pour qu'il en soit toujours ainsi; pour que les Emaz, à qui je destine mon récit, la laissent en paix... avec mes enfants.

Nous vécûmes cinq ans avant qu'enfin me vienne un fils. Peut-être les pouvoirs du Jal'dara s'étaient-ils estompés avec le temps; peut-être la Sage avait-elle entendu mes prières. J'appris à notre réunion suivante que Tiramis et Yon avaient eux aussi été bénis par une naissance. Nous célébrâmes ces événements comme il se devait, notre joie pourtant entachée par la disparition d'Arkane, survenue la même année.

Par bonheur, notre stérilité n'était que partielle. À leur tour, Reyan de Kercyan, Moboq d'Arkarie et Rafa Derkel eurent des héritiers. Comment expliquer, après toutes ces années d'angoisse, le ravissement qui s'emparait de nous, à l'annonce de chacune de ces naissances? Plus loin que la joie personnelle d'assurer nos descendances, nous nous réjouissions de donner une chance à l'humanité d'atteindre un jour l'âge d'Ys. L'Harmonie de Nol. Même dans un millier de siècles.

Si Vanamel et le Pal'b'ree n'étaient descendus à Karu, s'ils n'avaient rencontré les Ondines… nous aurions ignoré notre responsabilité. Et il en eût été mieux ainsi, le poids du secret du Jal'dara étant déjà suffisamment lourd à porter. Mais puisque nous savions… nous ne pouvions qu'exulter à l'avènement de la génération suivante.

Notre seule crainte, maintenant, est qu'elle soit aussi faite de Gweloms. Nos enfants pourront-ils en avoir eux-mêmes?

Je suppose que je ne bénéficierai pas non plus d'une longévité accrue. Je ne verrai jamais mes petits-enfants, s'il en est… Puissent nos héritiers prospérer dans le bonheur et l'ignorance de ces maux; puissent-ils respecter la Morale d'Eurydis et la mémoire des anciens.

Nous n'irons plus jamais au Jal'dara. Mais nous montrerons la porte à nos fils et à nos filles, chaque fois qu'elle résonnera du reflet de notre passage, au jour du Hibou.

Nous irons montrer aux enfants dieux à quel point nous les aimons. Et à quel point nous sommes semblables. »

* * *

— Je n'ai pas compris grand-chose, avoua Bowbaq alors que Lana reposait ses feuillets. Un *Gwelom*? Qu'est-ce que c'est? Une sorte de maladie?

— Je crois, tenta d'expliquer Corenn, que Maz Achem désigne ainsi toute chose altérée par les pouvoirs du Jal'dara. Mais si nous en connaissons les conséquences sur les humains, nous ignorons en quoi consistent réellement ces pouvoirs…

En avisant les expressions préoccupées de ses amis, Corenn comprit que son interprétation ne leur avait pas semblé plus claire que le récit nébuleux d'Achem.

— En simplifiant: toute chose résidant assez longtemps au Jal'dara subit son influence et devient un Gwelom. Pour un humain, cela se traduit par l'accroissement de sa longévité et une perte partielle de fécondité. Mais le principe de ce changement, ce qu'Achem appelle le *gwele*, nous échappe…

— Et c'est *là-bas* que vous vous proposez de nous emmener! bondit Rey. Qui a envie de devenir un de ces damnés *Gweloms*?

— Nos ancêtres l'étaient, rappela Grigán. N'avez-vous pas entendu? Cela ne les a pas empêchés d'avoir descendance.

— Qui dit que nous aurons la même chance ? s'entêta l'acteur. Je déteste l'idée d'être modifié par une quelconque forme de magie, voilà tout.

— Il nous suffira de ne pas prolonger notre séjour, argumenta Corenn. Les effets devraient être minimes…

— *Devraient*, répéta l'acteur cynique. Sans oublier que chaque jour passé dans ce « paradis » compte pour cinq.

— Nous savons au moins pourquoi les héritiers sont si peu nombreux, songea Lana avec mélancolie. Nous sommes sûrement *déjà* des Gweloms…

La Maz pensait à son père, dont elle était la fille unique… À son grand-père qui n'avait eu que deux fils, malgré son désir avoué de fonder une grande famille. Elle-même, pendant cinq années d'Union, n'avait jamais été mère… Les héritiers portaient un peu de la malédiction de leurs ancêtres *dans leur chair*.

— Saat pourrait-il vous pourchasser pour cela ? proposa Yan timidement.

— À quoi penses-tu ?

— Je ne sais pas. Être des Gweloms vous donne *vraiment* une particularité. Saat sait peut-être quelque chose à ce sujet, que nous ignorons.

— Nous ignorons encore tant de choses… commenta Lana tristement, en contemplant les pages perdues du journal.

Corenn parcourut les feuillets sur lesquels la Maz avait fait sa transcription. Ils étaient riches d'informations et elle ne voulait passer à côté d'aucune.

— Achem mentionne une *seconde* responsabilité, remarqua-t-elle soudain. À propos d'une chance donnée à l'humanité d'atteindre l'âge d'Ys.

— Il s'agit certainement toujours du secret de la création des dieux, réfuta Grigán. Celui pour lequel il a alerté le Grand Temple.

— Non, non ! Il fait bien la distinction : « *le poids du secret du Jal'dara étant déjà suffisamment lourd à porter* ». *Voilà* ce qui motive Saat. C'est ce mystère que nous devons percer.

— Quel rapport entre nos naissances et l'âge d'Ys ? intervint Rey. Lana, corrigez-moi si je me trompe, mais n'est-il pas censé être amorcé par Eurydis elle-même ?

— C'est exact, Rey… Il est dit que la déesse viendra pour la troisième fois en ce monde, pour aider l'humanité à faire le dernier pas. Mais le *dernier* seulement… Les hommes doivent d'abord mener à son terme la quête universelle de la Morale. Peut-être l'un des héritiers est-il destiné à devenir son porte-parole ? Comme l'avait été Colmek, en son temps ?

— Des mots, tout ça, balaya Grigán d'un geste dédaigneux. Cela n'explique pas pourquoi Saat tient tellement à nous exterminer. Même si nos naissances contribuent, par je ne sais quel mystère, à l'arrivée de cet âge d'Ys, en quoi cela gênerait-il le Goranais ?

Le guerrier avait fait mouche. Son intervention ramena la conversation sur leur problème immédiat.

— Il veut peut-être se venger, proposa Bowbaq. Nos ancêtres le croyaient mort et ont quitté le Jal'dara sans lui. Peut-être s'est-il cru abandonné, ou trahi.

— Il ne se donnerait pas tout ce mal pour une simple vengeance, contesta Corenn. Haïrait-il ses compagnons d'alors au point de pourchasser leurs descendants de la quatrième génération ? Ce serait là un signe d'une profonde folie. Et Saat me semble, au contraire, disposer de toutes ses facultés de raisonnement.

— Mais pourquoi, alors ? *Pourquoi est-il notre ennemi ?*

— C'est ce que nous cherchons depuis le début. Nous ne pourrons répondre à cette question qu'après avoir rencontré Saat, résuma la Mère. Saat, ou Nol…

Ainsi faisant, Corenn invitait Grigán à leur faire part de sa décision sur la prochaine destination du groupe. Mais le guerrier réservait encore sa réponse.

— Il est chez les Wallattes, rappela Rey. Cela a peut-être un rapport avec les Estiens qui étaient alors au Jal'dara.

— Dire que nous avons toujours cru qu'il n'y avait que dix émissaires, commenta Lana.

— Nous aurions dû y penser, regretta Corenn. Il semblait logique que, si Nol conviait des représentants de tous les royaumes, il s'adresse aussi aux Estiens.

— Qu'ont-ils bien pu faire là-bas ? réfléchit la Maz. Nol avait certainement une bonne raison de les réunir… mais laquelle ?

— Vous aviez déjà entendu parler de *Celui qui Enseigne* ? demanda Yan.

— Jamais. Si Nol est un dieu, comme il semble l'être effectivement, son nom doit rarement être invoqué à la Sainte-Cité.

— Comme celui de Reexyyl, ajouta Grigán. Et du Drak hypomane, et de la Guivre du pays d'Oo. Et de tous les Éternels Gardiens dont nous ignorons l'existence. Ce sont tous des dieux.

Yan songea soudain que, deux lunes plus tôt encore, il ne croyait pas même à l'existence de la magie. Depuis, il avait appris à l'utiliser... et chaque étape de leur voyage lui apportait des preuves de plus en plus nombreuses de la réalité du « surnaturel ».

Et si *toutes* les légendes étaient vraies ? Partiellement, tout au moins ? Les Dragons, les Farfadets, les Chimères, les Griffons, les Fées, les Ogres, les Hydres, les Licornes, les Centaures, tant d'autres créatures extraordinaires encore... Devaient-elles *toutes* exister, quelque part entre ce monde et celui, luxurieux, de l'imaginaire ?

Puisque les hommes pouvaient créer des dieux, ne pouvaient-ils générer des monstres ? Les Éternels Gardiens étaient probablement nés des craintes profondes des premiers hommes. Matérialisations vivantes de leurs terreurs primaires...

Il voulut faire part de sa réflexion, mais n'osa interrompre Rey et Corenn au cœur d'une discussion très importante.

— Dame Corenn, vous savez à quel point je suis, habituellement, attentif à vos suggestions, expliquait l'acteur. Mais cette fois, je ne suis pas d'accord. Combien de chances *réelles* avons-nous de franchir la porte, à supposer qu'on la trouve ? Très peu. Pratiquement pas. La seule chose dont nous soyons certains, c'est qu'il est là-bas un monstre de très méchante humeur.

— Saat en est un autre, rétorqua Léti. Et plus intelligent.

— Saat est *mortel*, lui, précisa Rey. Qu'en est-il de cette Guivre ? Et comment comptez-vous lui faire ouvrir le passage ?

— Elle a fonctionné au Jour de l'Ours, au siècle dernier, expliqua Corenn. D'après Achem, elle devrait résonner du passage de Pal'b'ree. Comme sur l'île Ji.

— Et si c'est insuffisant ? Comme sur l'île Ji ?

— Le pouvoir de la porte se manifeste à l'approche de son Gardien. Il nous faudra l'attirer jusque-là...

— Rien de plus facile, en effet ! railla l'acteur. Et comment comptez-vous le convaincre de nous accorder son *Toucher divin* ? Vous savez, cette petite chose indispensable aux mortels, pour que la magie de la porte fonctionne ?

— Il nous suffira peut-être de toucher nous-mêmes la Guivre, proposa Léti. Et de courir au Jal'dara.

— Mes chers compagnons, pardonnez-moi, mais je ne partage pas votre optimisme. Je ne parierais pas ma vie là-dessus, pour emprunter l'expression de Grigán !

Le Toucher divin, songea Yan. *Le cadeau insolite d'Usul. « Tu ne le sauras qu'au moment opportun »*, avait-il dit.

Ce moment était arrivé.

— J'ai eu le Toucher divin, annonça le jeune homme en tremblant sous l'émotion. Usul me l'a donné.

Il avait déjà raconté cet épisode, mais comme lui, ses compagnons l'avaient oublié, accordant plus d'importance aux réponses du dieu. Maintenant, ce geste étrange prenait tout son sens et sa valeur.

— Pourquoi a-t-il fait cela ? s'interrogea Grigán. Par cet acte, il intervient lui-même sur l'avenir…

— Usul n'a jamais prétendu rester passif, avança Lana, aussi exaltée que les autres. Seulement, il n'a aucun pouvoir pour intervenir hors de sa caverne… Aussi ne peut-il agir que sur ses visiteurs.

— Il s'ennuie terriblement, confirma Yan, pensif. S'il nous a aidés… c'est simplement pour mieux se distraire. Pour ajouter du piquant à son terrible jeu.

— Quelles que soient ses raisons, conclut Corenn, qu'il en soit remercié. Rey, êtes-vous maintenant convaincu ?

L'acteur resta songeur un long moment, avec une expression dubitative. Trop d'éléments dans ce projet échappaient à son contrôle, et ce n'était pas pour lui plaire.

— Grigán, qu'en pensez-vous ? demanda-t-il enfin, en prenant le guerrier à partie. Ne trouvez-vous pas également que c'est trop hasardeux ?

Grigán leva son regard du feu de camp où il s'était perdu et contempla ses compagnons. Il n'avait jamais été si indécis. À son avis, les dangers étaient semblables, quelle que soit l'alternative choisie.

Mais s'il partait pour Wallos, il quittait Corenn. Et cet argument fut déterminant.

— Nous irons au pays d'Oo, annonça-t-il enfin. Si cela ne donne rien, alors j'irai trouver Saat. Seul.

Ils acquiescèrent, soulagés et inquiets à la fois. Yan passa le reste de la nuit à se demander s'ils n'allaient pas *maintenant* prendre la mauvaise direction. Comme Usul devait s'amuser !

* * *

Il leur restait neuf jours avant celui de l'Ours ; à peine assez pour rejoindre le pays d'Oo, dans le royaume Solene, en se souciant d'une certaine discrétion et du temps qu'il leur faudrait pour trouver la porte.

Yan avait en effet peu de renseignements à ce sujet; si le manuscrit trouvé dans la tour Profonde indiquait quelques points de repères, il restait sobre quant à l'emplacement de la porte par rapport à ceux-ci. Les héritiers savaient juste devoir trouver les ruines d'un donjon dans la forêt dite des Titans. La porte devant se situer non loin de là.

Il ne leur restait qu'à espérer qu'elle soit moins bien cachée que celle de l'île Ji.

Rey suivit le groupe en manifestant chaque jour son désaccord; entraîné par la majorité dans une aventure qu'il jugeait trop risquée, il laissait s'exprimer son côté rebelle. Un soir, il évoqua même la possibilité de quitter les héritiers, si l'expérience du Jal'dara s'avérait stérile. Chacun réagit à sa déclaration comme à une plaisanterie, et l'acteur n'insista pas, sur le moment. Mais dès le lendemain, il en reparla à Lana, priant la Maz de l'accompagner, ou tout au moins, de l'attendre quelque part.

— Mais où irions-nous, Reyan? le raisonna-t-elle. Nous ne pourrons nous cacher nulle part... Saat a le pouvoir de nous retrouver n'importe où!

— J'ai prévu d'aller d'abord voir ce sorcier, confia l'acteur. Je n'ai pas l'habitude de laisser les autres régler mes problèmes. Grigán veut y aller seul, très bien. J'en ferai autant. À voir qui sera le premier à Wallos... conclut-il avec un sourire.

— Reyan, cela n'a rien d'une compétition! s'affola Lana. Je vous en prie, promettez-moi de ne rien décider avant que nous n'ayons rencontré Nol.

— Pour vous... je promets. Aucune décision avant le pays d'Oo. Mais ensuite... nous n'avons plus rien à découvrir, Lana. Les héritiers ne vont pas continuer à courir tous les royaumes pendant que Saat entraîne son armée.

«Je crois que je donnerais ma vie pour n'importe lequel de nos amis... mais pas pour leurs erreurs. La solution n'est plus dans une quête. Elle est dans l'*action*.

«J'aimerais que tous me suivent... mais je ne changerai pas d'avis, même si je dois partir seul. Et c'est sûrement ce que ressent Grigán, également.

Ces paroles troublèrent la Maz plus profondément que Rey ne l'avait voulu. Il n'avait peut-être pas tort... Mais l'idée de quitter Grigán, Corenn, Bowbaq, Yan et Léti lui faisait monter des larmes aux yeux. Et celle du départ de Reyan lui semblait tout aussi tragique...

À leur cinquième jour de chevauchée, alors qu'ils s'approchaient du Col'w'yr, le fleuve marquant la frontière du royaume thalitte, Lana tint la promesse qu'elle avait faite à son père en brûlant le journal de Maz Achem. Tous assistèrent à cette petite cérémonie et compatirent au chagrin de la prêtresse, sans savoir qu'il avait également d'autres causes.

La destruction de ce symbole de leur quête était, pour Lana, un symbole en lui-même.

La Maz pressentait la fin des héritiers.

Les souhaits de Grigán et de Rey étaient les prémices révélatrices d'un déchirement inévitable. Bientôt, les membres du groupe auraient à prendre des chemins différents.

* * *

Grigán avait redoublé de vigilance pendant la traversée des territoires thalittes, et ils avaient pu, extraordinairement, éviter toute rencontre avec les autochtones. Certes, ils avaient vu la fumée de lointains foyers; certes, ils avaient aperçu hameaux, villages et même villageois, mais étaient parvenus à s'en tenir à l'écart. Les affrontements proches jouèrent cette fois en leur faveur : si les héritiers voulaient éviter le contact avec qui que ce soit, les Thalittes craignaient de mauvaises rencontres avec les Wallattes et se tenaient confinés dans leurs - villages.

Mais il ne restait que quatre jours avant celui de l'Ours, et les héritiers ne pouvaient pas se permettre de perdre plus de temps en détours et en chevauchées furtives. La facilité avec laquelle ils traversèrent le Col'w'yr à gué encouragea le guerrier à accélérer l'allure, le royaume solene semblant épargné par les guerres voisines.

Au cours de leur périple, ils purent se rendre compte à quel point les civilisations estiennes étaient peu avancées, par rapport à celles des Hauts-Royaumes. Les chemins étaient mal dessinés et nullement entretenus. Peu des constructions qu'ils pouvaient apercevoir étaient bâties en pierre. Chaque village disposait d'un haut mur d'enceinte en rondins, preuve de l'insécurité régnant dans la région.

Les Estiens, comme les habitants des Bas-Royaumes, avaient toujours l'une ou l'autre guerre en cours… mais rarement atteignait-elle l'échelle des nations. Le plus souvent, les inimitiés naissaient entre quelques-uns des plus grands villages, voire entre deux provinces. Rassembler tous ces protagonistes dans un même camp, comme Saat l'avait fait avec les Wallattes, était très exceptionnel.

Si le sorcier avait réussi ce tour de force, ne pouvait-il également donner la victoire à son armée ? La confiance des Goranais dans leur défense du val Guerrier était peut-être présomptueuse, songeait Grigán. Ayant lui-même vécu au Grand Empire, Saat ne pouvait ignorer les aléas d'un affrontement massif dans la lande désolée. Avait-il un autre plan en tête ? Et lequel ?

Le guerrier ne put que se perdre en suppositions, ne rencontrant dans les jours suivants aucun élément nouveau et révélateur. Mais cela le persécuta jusqu'à leur arrivée dans le pays d'Oo… À partir de là, il eut d'autres soucis en tête.

* * *

Ils pénétrèrent dans la forêt des Titans la veille du Jour de l'Ours, et cela était déjà en soi un exploit. Que Grigán les y ait menés, avec la seule aide de sa boussole et de ses souvenirs de cartes seulement entrevues, était tout à son honneur et chacun lui adressa ses félicitations. Mais ce but atteint ne marquait pas le bout de leurs peines, loin de là. Le plus difficile était à venir.

— Nous devons absolument trouver la porte avant demain soir, rappela Corenn. Si Achem dit vrai, le passage s'ouvrira en « résonance » de celui de Pal'b'ree, au siècle dernier.

— Et s'il ne le fait pas ? demanda Rey, pour la dixième fois de leur périple.

— Alors, il nous faudra attendre son Gardien. En espérant qu'il ne se soit pas endormi pour toute la saison froide, comme le laisse entendre Nol.

— En espérant surtout qu'il ne nous attende pas, *lui* ! corrigea l'acteur en mimant une grimace monstrueuse.

Ils commencèrent leurs recherches aussitôt, en s'avançant au hasard sous l'ombre des feuillages. La forêt des Titans devait son nom au fait que la plupart de ses arbres dépassaient les trente pas de hauteur, rendant ridicule quiconque se promenant à leur pied.

La plupart étaient des *écorciers*, reconnus par Bowbaq pour être également implantés au Blanc Pays. Mais il y avait bien d'autres variétés, que les héritiers ne purent toutes identifier : outre les *lénostores*, les *bouleaux d'eter* et les *fêles résonnants* dont on faisait les vigoles, ils différencièrent une dizaine d'autres espèces sans pouvoir les nommer. Mais il en allait ainsi depuis le val Guerrier… Même la nature semblait vouloir séparer les Hauts-Royaumes des pays du Levant. Yan n'aurait pas été étonné de découvrir là un margolin volant !

Si les cimes de la forêt étaient denses de végétation, le sol où s'enfonçaient ses racines était, au contraire, bien dénudé. Excepté plusieurs variétés de champignons et une mousse omniprésente, les arbres ne souffraient aucun voisin inférieur, jusqu'à hauteur de cinq pas, en tout cas. À partir de ce niveau, et au-delà, les branches et les feuillages d'hiver se mêlaient pour former comme une toile, unis de surcroît par une variété de lierre *très* parasite. Lorsqu'ils furent bien enfoncés dans la forêt, les héritiers sentaient pratiquement peser sur eux le poids de vingt pas de végétation enchevêtrée.

— Même quand il pleut, le sol doit rester sec, commenta Bowbaq en cherchant à discerner le ciel.

— Ça doit grouiller de vie, là-haut, ajouta Yan. Les insectes, les oiseaux… Ifio y serait à son aise, ajouta-t-il en plaisantant.

Bien sûr, il n'avait aucunement l'intention d'abandonner le petit mimastin. Ni Ifio de se laisser faire.

— Regardez un peu la taille de ce tronc ! demanda Rey, en désignant un écorcier véritablement titanesque. On pourrait y creuser une maison !

— C'est peut-être ce que la Guivre a fait, songea Léti. À quoi pensez-vous qu'elle ressemble ?

— À Grigán, répondit Rey aussitôt. En plus beau, avec une moustache.

— Ah, ah, très drôle, se vexa l'intéressé.

Mais la remarque de Léti avait donné une idée à Corenn.

— À quoi peut bien ressembler la porte ? demanda-t-elle à son tour. Celle de Ji est dans une caverne, mais ce sol ne s'y prête pas. L'Arche sohonne est en pierre… La porte du pays d'Oo pourrait-elle être taillée *dans un arbre* ?

— Cela me semble peu probable, rejeta Grigán. Celles que nous connaissons sont destinées à durer éternellement.

— Les écorciers vivent très, très longtemps, intervint Bowbaq, ravi de pouvoir apporter son aide. Et ils deviennent si secs et si durs, en mourant, qu'on ne peut les détruire qu'en les brûlant.

— J'imagine un incendie se déclarant ici, commenta Rey. Le lierre est sec et court sur tous les arbres. Pas une brindille n'en réchapperait !

— N'oublions pas que les portes sont magiques, reprit Corenn. Construites de main divine. À ce titre, elles disposent sûrement d'une certaine résistance. Ou, tout au moins, d'une protection…

— Celle de son Gardien, termina Lana. La Guivre doit veiller à empêcher tout feu de se répandre. Ou même, de se déclarer, dans tout le pays d'Oo.

Heureusement, les héritiers n'avaient encore allumé ni torche ni lanterne, malgré le peu de clarté que laissait filtrer l'épaisse couche végétale.

— Au moins, nous savons comment la faire venir, maintenant, avança Grigán.

— S'il n'est pas important de s'en faire une amie, oui, railla l'acteur.

— Si la porte est dans un arbre, nous allons la trouver plus vite, se réjouit Léti. Elle est certainement sous l'un des plus gros !

— Malheureusement, nous ne pouvons pas en juger d'ici, regretta Corenn en contemplant la chaotique mêlée végétale. Ces arbres sont trop hauts pour être escaladés.

— Pas pour Ifio, avança Yan timidement, déjà certain de ce qu'allait lui répondre la Mère.

— C'est hors de question ! Tu ne vas tout de même pas risquer ta raison pour nous fournir un simple renseignement ! Lis dans les pensées si ça te chante, mais plus d'*esprit profond* !

Le jeune homme acquiesça, un peu déçu, mais également soulagé. L'expérience du vol de corps était si éprouvante qu'il préférait ne pas la reproduire de sitôt.

— Je ne trouve pas cette escalade si difficile, annonça Rey. Le lierre offre tout un tas de prises, et les branches autant d'appuis. Nous avons une corde, je crois ?

L'acteur fit s'arrêter sa monture et en descendit, avant d'assouplir ses articulations par quelques étirements. Yan lui tendit la corde qui lui avait servi sur l'île d'Usul avec une vague inquiétude. Sans être superstitieux, il commençait à écouter ses pressentiments. Deux lunes passées en aventures portaient ses leçons. Voilà ce que Grigán avait dû développer pendant vingt ans.

— Reyan, vous n'allez pas monter là-haut *seul* ? s'émut Lana.

— Dans chaque auberge où nous avons séjourné, j'ai rêvé que vous me disiez cela, plaisanta l'acteur. Il a fallu que vous attendiez ce moment…

Tous mirent pied à terre et observèrent les préparatifs de leur ami. Ceux-ci se résumèrent à quelques délestages et un nœud sommaire à la corde passée sous ses aisselles.

— N'allez pas tuer Saat sans moi ! lança-t-il en entamant son escalade.

Six pas plus haut, il disparaissait de la vue de ses amis derrière l'enche-vêtrement vivant.

* * *

Comme il l'avait prévu, l'escalade était des plus faciles. Rey la compara à celle qu'il pratiquait pour ses fugues nocturnes, dans la maison familiale des de Kercyan à Lorelia. Au moins ne trouverait-il pas *ici* le cadavre de son cousin, songea-t-il avec amertume.

Bien qu'il aimât beaucoup se donner en spectacle, il n'était pas pour autant inconscient, et prit grand soin d'attacher la corde qui l'assurait tous les quatre ou cinq pas. Procéder ainsi ralentissait son allure, mais au moins ne chuterait-il pas de haut, s'il devait glisser.

Il avait continué à échanger quelques mots avec ses compagnons au début de son escalade, puis leur conversation avait cessé d'elle-même quand il était devenu de plus en plus difficile de se faire entendre. Rey avait aussi besoin de tout son souffle; s'il disposait de nombreux points d'appui, il ne s'en élevait pas moins à la force des membres.

À environ quinze pas de hauteur, alors qu'il pensait se sortir du laby-rinthe végétal, il eut la mauvaise surprise de le voir se compliquer encore. Bientôt, il fit face à un véritable cul-de-sac, dont il ne se sortit qu'à grand-peine, à l'aide de la seule dague qu'il avait emmenée.

La vie commençait au-dessus. Le lierre formait à ce niveau comme un tapis irrégulier, abritant colonies d'insectes, oiseaux, rongeurs, et même quelques reptiles, qui s'enfuirent alors que Rey émergeait à travers leur monde.

L'acteur domina sa répulsion et continua de grimper, semant l'émoi parmi cette vie grouillante et acrobate. Les plus écœurants étant les serpents, petits, craintifs, mais aptes à se dissimuler dans les feuillages, et les insectes les plus gros, qui ne trouvaient rien de mieux à faire que venir se cogner dans son visage. Mais enfin, après s'être abandonné à quelques coups de dague frénétiques et avoir lâché nombre de jurons, Rey atteignit un point d'observation digne de ce nom.

Dans tout ce qu'il voyait du pays d'Oo, il n'y avait pas de trace humaine. Ni fumée ni construction, pas même datant d'un lointain passé. Les arbres étant très hauts, on ne pouvait pourtant en être certain... Quelque part là-dessous, il devait y avoir au moins les ruines d'un donjon. Et, près de là, la porte menant à Dara.

Les arbres se démarquant par leur taille étaient malheureusement nombreux. En désespoir de cause, Rey nota mentalement l'emplacement des plus proches, par rapport à la position du soleil du quatrième décan.

C'est alors qu'il ressentit une forte douleur au mollet.

Un serpent le mordait de toute la force de ses mâchoires. Non pas un des petits animaux verts, marrons ou gris qui fuyaient son approche. Mais un reptile long et épais comme le bras, nanti d'une étrange collerette et le fixant d'un œil froid.

Rey se pencha, au risque de perdre l'équilibre, et lui planta sa dague dans la tête en serrant les dents sous la souffrance. S'il n'avait porté des bottes, l'animal lui aurait broyé les os.

Affreusement mutilé par la lame, le serpent enroula son corps visqueux autour du pied de l'acteur, malgré les efforts de Rey pour s'en dégager. C'est alors qu'il entendit les bruissements.

Un seul regard suffit à le décider. De main gauche, de main droite, d'en face, de derrière peut-être, plusieurs de ces étranges serpents à collerette glissaient vers lui. Rey en aperçut au moins cinq, mais ils pouvaient être trente.

Il plongea les pieds en avant à travers les nœuds du lierre et traversa deux des «niveaux» avant d'être brutalement retenu par la corde. Griffé, meurtri et le serpent toujours lové autour de son pied, il trancha les crins et se laissa tomber, plus qu'il ne descendit, sur les quinze pas le séparant encore du sol, sans prendre le temps d'assurer ses prises.

Il se laissa rouler sur le dos aux pieds de ses amis affolés. Courageusement, Grigán empoigna aussitôt le serpent derrière sa collerette et Léti lui fit ouvrir la gueule en utilisant un poignard comme levier. Heureusement, le reptile était déjà mort. Seul un réflexe lui faisait garder prise.

Rey ôta sa botte en gémissant, pendant que les petits rongeurs et insectes qu'il avait entraînés dans sa chute regagnaient, affolés, la relative sécurité des arbres.

La blessure était profonde, si l'on considérait qu'elle avait été atténuée par le cuir de la chausse. Assez pour avoir percé la peau et fait saigner l'acteur.

— Un serpent avec des dents ! s'étonnait Bowbaq, en étudiant le corps abandonné du reptile. Quelle chose étrange !

— On dirait une sorte de murène… ajouta Yan, avant de rejoindre ses amis autour du blessé.

Corenn examinait la plaie de Rey avec tout le sérieux requis. La peau conservant une couleur normale, et le reptile ne disposant pas de crochets, ils pouvaient espérer qu'il n'était pas venimeux.

— Ça va, Corenn, la remercia le Lorelien. Je crois que j'ai surtout eu peur, avoua-t-il. Ne vous inquiétez pas.

Pendant que Lana s'occupait de le bander, il contempla l'épaisse couche végétale qui les surplombait. Combien de ces serpents à collerette pouvaient s'y abriter ? Combien d'autres dangers les menaçaient, du haut de ces arbres ?

* * *

Les premiers écorciers auprès desquels ils se rendirent n'apportèrent rien quant à leurs espérances. Comme l'accident de Rey leur avait fait perdre un peu de temps, et que la nuit, sous l'ombre du lierre, semblait tomber plus vite encore que d'ordinaire, ils reportèrent la suite de leurs recherches au lendemain... en espérant que ce jour apporterait plus de chance.

Malgré le froid qui montait peu à peu de la terre, Corenn prévint qu'il faudrait se passer de feu, et même de lanterne, cette nuit-là. S'il n'existait qu'une chance pour que cela fasse venir la Guivre, ils ne devaient pas pour autant la courir.

Aussi ne cédèrent-ils au sommeil que très tard, lorsque la fatigue se fit plus forte que la douleur de leur engourdissement. Serrés les uns contre les autres dans les ténèbres les plus profondes, la clarté des étoiles n'osant descendre à travers le rideau du pays d'Oo... Alors que toute la forêt retentissait de bruissements, de craquements, de chants, de chicotements, de bruits de pattes, de mandibules, du festin des rapaces nocturnes et des insectes insomniaques.

— C'est peut-être notre dernière nuit en ce monde, murmura Yan, autant pour lui-même que pour Léti.

— Qu'est-ce que tu racontes ? le gronda la jeune femme. Nous n'allons pas mourir. Pas avant d'être vieux.

— Non, je veux dire... Demain soir, nous serons peut-être au Jal'dara. Nous allons voir des *dieux*, Léti.

— Tu en as déjà vu, répondit-elle sobrement.

— Oui, mais...

Il n'insista pas. Après tout, il était le seul à savoir vraiment quelles émotions apportait une telle rencontre.

Dans le berceau des dieux, elles seraient multipliées par cent.

* * *

Plus fatigués encore qu'avant la nuit, ils se remirent en route dès l'aube, conscients que du succès de cette journée dépendait tout leur avenir.

Cela faisait une décade qu'ils n'avaient eu une conversation avec quelqu'un d'extérieur au groupe. Pis, cela faisait presque autant de temps qu'ils n'avaient *vu* d'autre humain que leurs compagnons. Le pays d'Oo, désertique et monotone, silencieux et bruyant à la fois, leur faisait peu à peu prendre conscience de leur solitude. Dans cette forêt, il devenait même difficile de faire la différence entre le jour et la nuit. Les héritiers n'avançaient plus que dans un rêve.

Comme la veille, ils se dirigèrent grossièrement vers les groupes d'arbres remarqués par Rey. Mais les échecs se succédèrent, et le pessimisme commença de les gagner. Surtout lorsqu'il devint difficile de se repérer, alors qu'ils étaient loin de leur point d'observation initial.

L'apogée vint sans qu'ils aient obtenu un meilleur résultat. Ils se restaurèrent rapidement et reprirent leur errance, soucieux d'exploiter le plus possible les quelques décans qui les séparaient de la nuit.

— La porte s'illuminera comme à Ji, rappela Léti, comme l'idée la traversait. Il faudrait peut-être se poster dans un arbre et attendre de la voir.

— Plus personne ne grimpera là-haut, interdit Grigán. Sauf si je le demande.

— En supposant que nous la voyions, nous n'aurions peut-être pas le temps de la rejoindre, de toute façon, ajouta Corenn pour atténuer la frustration de sa nièce.

Le temps passait et ils ne trouvaient rien. S'il n'avaient eu la boussole de Grigán, ils auraient même pensé s'être perdus, et être passés plusieurs fois au même endroit. Certes, ils quadrillaient la forêt de leur mieux. Mais elle était si grande…

Dans le cinquième décan, alors qu'ils voyaient, avec angoisse, le soleil incliner sa course vers l'horizon, le lierre qui les surplombait s'agita bruyamment. Le temps que les héritiers s'écartent et tirent leurs armes, c'était terminé.

Ils conservèrent le silence un moment, chacun essayant de discerner quelque chose à travers les branches entremêlées. Mais le pays d'Oo avait retrouvé sa sérénité.

— Nous avons probablement effrayé un animal quelconque, suggéra Corenn.

Ils s'apprêtèrent à reprendre leur route, curieux de la nature de cet animal assez gros pour causer un tel vacarme. Même si le lierre était solide et devait pouvoir porter sans problème le poids d'un homme, il était inquiétant de penser que des animaux de cette taille résidaient également au-dessus de leurs têtes.

— Le donjon ! s'écria soudain Bowbaq. Il est là-bas ! J'ai trouvé les ruines !

Ils guidèrent leurs chevaux près du sien. Le géant, Ifio toujours grimpée sur son épaule, souriait tel un enfant. Effectivement, on apercevait nettement la forme grise d'une tour effondrée et abandonnée depuis des lustres.

— La porte est près d'ici, clama Léti avec enthousiasme. *Nous sommes tout près !*

— Pas d'affolement, tempéra Grigán, malgré l'envie qu'il avait de se laisser gagner par la joie de ses compagnons. C'est maintenant que nous devons redoubler d'attention. N'oubliez pas que nous sommes peut-être attendus…

Les héritiers parvinrent à se dominer assez pour faire silence, mais leurs airs excités et leurs sourires réjouis étaient plus bavards que n'importe quel discours.

— Nous ne devons pas perdre ce repère de vue, reprit Grigán. Nous allons en faire des tours de plus en plus larges, jusqu'à trouver la porte.

— Vous n'avez pas envie d'aller jusqu'au donjon ? s'étonna Rey.

— Si. Mais la Guivre y loge peut-être. Et c'est suffisant pour tuer ma curiosité.

Légèrement frustrés de ne pouvoir explorer les ruines si longuement cherchées, les héritiers firent ainsi que le guerrier l'avait imaginé. Comme Léti empoignait sa rapière, Yan en fit autant de son glaive, et Rey ne put résister longtemps à les imiter.

Le premier tour qu'ils firent les vit réjouis et nerveux tout à la fois. Au second, ils n'étaient plus que nerveux. Au troisième, ils perdirent les ruines de vue, se dirigeant à la seule boussole de Grigán.

Yan commençait à se demander si ses souvenirs du manuscrit romin n'étaient pas inexacts, si vraiment la porte se situait à proximité des ruines

de ce donjon. Et quelle interprétation fallait-il faire exactement de cette
«proximité»? Peut-être ses compagnons nourrissaient-ils pareils doutes.
Si c'était le cas, ils n'en disaient rien. Pas encore.

Ils découvrirent la porte ensemble. En même temps. Il ne pouvait en
être autrement, tellement celle-ci était imposante. S'ils ne l'avaient vue
plus tôt, c'est parce qu'elle était dissimulée par un couple de lénostores
plusieurs fois centenaires.

La porte était creusée dans un écorcier d'au moins quarante pas de haut.
Elle-même dépassait les vingt pas, et était large de huit. *Plus grande*
qu'une maison.

Grigán s'engouffra dessous à cheval, et caressa les signes ethèques
profondément gravés dans les fibres séchées. C'était les mêmes qu'à Ji.
Les mêmes qu'à Soho. La porte d'Oo était la troisième que le guerrier
voyait. Peut-être, cette fois, réussirait-il à la franchir…

Les autres mirent pied à terre et vinrent contempler le monument avec
respect. Lana, dont c'était le premier contact matériel avec l'aventure de
leurs ancêtres, sanglota sous le coup d'émotions diverses.

— Évidemment, ça doit être long à brûler… commenta Rey gauchement, en prenant la Maz dans ses bras.

— Que faisons-nous, maintenant, amie Corenn? s'enquit Bowbaq.

— Nous attendons la nuit, répondit la Mère sans hésiter. Nous nous
préparons.

Et nous prions, ajouta-t-elle intérieurement. Car si le Gardien se mêlait
de leur tentative, ils auraient perdu bien plus qu'une décade.

* * *

Personne n'avait faim, aussi sautèrent-ils le repas du crépuscule.
Pourtant, cet intermède aurait pu tromper leur ennui pendant un moment.
Car ils trouvèrent le temps long, très long, jusqu'à ce que le soleil dispa-
raisse complètement derrière l'horizon.

Pour Yan, surtout. Le jeune homme savait que la réussite de l'entreprise
ne dépendrait que de lui. Et s'il s'était mépris sur le cadeau d'Usul, ou sur
la magie de la porte, ou si encore elle ne s'ouvrait pas cette nuit, trompant
leurs espoirs…

Ses compagnons ne quittaient plus leurs armes; Bowbaq lui-même
trimbalait sa masse à chacun de ses déplacements. Corenn avait accepté
une dague de la part de Grigán, et Lana, à contrecœur, l'arbalète de Rey.

Lui-même portait le glaive et son fourreau contre sa cuisse... Mais Yan savait que tout cela serait inutile s'ils avaient à lutter contre le Gardien, probablement aussi terrifiant que le Léviathan décrit par Achem.

Ils bondissaient à chaque craquement ou bruit suspect, mais ceux-ci étaient souvent dus aux chevaux qu'ils avaient laissés libres et qui erraient de-ci de-là, broutant mousses et branches basses en s'éloignant de plus en plus. Si les héritiers franchissaient la porte, ils n'en auraient plus besoin... et dans le cas contraire, il serait toujours temps de les retrouver.

Ils avaient entassé leurs bagages auprès de l'écorcier millénaire, mais savaient devoir les abandonner s'ils avaient à fuir la Guivre. Aussi chacun portait-il sur lui les choses auxquelles il accordait le plus d'importance, et c'était là un étrange spectacle de voir Grigán armé des pieds à la tête, ou encore Lana transportant son exemplaire du *Livre de la Sage*, errer autour de la porte à l'instar de leurs chevaux.

Le froid de la nuit les poussa bientôt à se serrer les uns contre les autres, comme la veille. Mais cette fois, ils le firent debout. Et aucun n'avait sommeil.

— Nous pourrions tout de même allumer un petit feu, suggéra Rey en claquant des dents. Ça ne tuera personne.

— *Pas sûr*, refusa le guerrier. Il faut attendre.

Debout, gelé et dans le noir, Yan remarqua une fois de plus à quel point la vie était étrange. Il n'avait même jamais *imaginé* entrer un jour en territoire estien. Et non seulement il s'en trouvait au cœur, mais il y était pour attendre que s'ouvre un passage magique, en espérant échapper au monstre immortel qu'était son Gardien.

— J'ai entendu quelque chose, avertit soudain Léti.

Corenn se retourna pour fixer la porte, mais rien ne se produisait. Il ne s'agissait pas encore du sifflement annonçant l'ouverture du passage.

— Non, non! expliqua la jeune femme. J'ai entendu quelque chose, *dans les arbres*!

Leurs chevaux avaient perçu la même chose. Silencieux, immobiles, ils s'enfuirent soudain en même temps, commandés par le plus vieil instinct animal: celui de la survie.

Grigán se saisit de l'arc qu'il avait préparé et pointa une flèche vers les cimes environnantes. Curieusement, le lierre avait évité l'écorcier divin, sauf en ce qui concernait ses branches les plus hautes. Mais les arbres voisins croulaient, comme le reste de la forêt, sous le poids de la plante parasite.

Dans le silence qui suivit, ils crurent pouvoir entendre battre leurs cœurs. Mais celui-ci fut de courte durée. Le feuillage s'agita, des branches craquèrent, mises à l'épreuve par une masse imposante qui se déplaçait vite.

— Le Gardien… murmura Lana.

— Silence ! chuchota Grigán, sur un ton pourtant sans appel.

Il cherchait à deviner où le monstre se trouvait. Et, dans cette profonde obscurité, il n'avait que son ouïe pour l'aider.

Une branche craqua, à main gauche. Puis une autre, presque en face. Puis à main droite, l'instant d'après. Encore en face ? *Il ne pouvait se déplacer aussi vite*, songea le guerrier, troublé. I*ls étaient peut-être plusieurs…*

En écoutant plus longuement, plus attentivement, le bruissement de la toile végétale, sa plainte, étendue et uniforme… il en vint à ébaucher une autre théorie.

— *Un serpent* ! annonça-t-il à voix basse. Le Gardien a la forme d'un damné serpent !

Ses compagnons tressaillirent, effrayés par l'image du monstre ondoyant sur les différents tapis que formait le lierre. La créature gigantesque était la reine de cette forêt. Les arbres supportaient son poids, car celui-ci s'étalait sur un corps de dix pas au moins.

Ils écoutèrent, terrifiés, le glissement abominable à mesure qu'il se précisait.

La Guivre venait dans leur direction.

— Grigán, nous pourrions peut-être allumer un petit feu, maintenant, proposa Rey d'une voix blanche.

Un sifflement surgit soudain du néant, et monta en puissance pour se muer en vacarme assourdissant. Derrière eux, un petit point lumineux apparut sous l'arche de la porte, éclairant chichement Bowbaq qui s'activait sur un briquet à silex.

Une étincelle jaillit de ses mains et embrasa le petit tas de branches sèches qu'ils avaient amassées.

La lumière de la porte grandit jusqu'à son sommet en les aveuglant de sa clarté. Les arbres gigantesques qui leur faisaient face s'agitèrent comme l'herbe sous le vent.

Une petite flamme grandit sous le souffle du géant.

La lumière de la porte décrut et fit place à un brouillard. Yan s'en approcha au plus près, la gorge nouée.

Grigán encocha une flèche sans quitter des yeux la forêt.

De la petite flamme en naquirent d'autres, plus grandes, plus voraces. Bowbaq les nourrit avec des brindilles, tremblant de peur et de froid, entièrement consacré à sa mission.

Le brouillard de la porte se dissipa, laissant deviner un paysage montagneux. Il y faisait également nuit.

La pointe de la flèche modifiée fut trempée dans les flammes et elle s'embrasa.

La forêt s'écarta et le Gardien apparut.

Les héritiers firent un pas en arrière en retenant un cri d'horreur. Yan dut faire appel à toute sa volonté pour rester concentré sur la porte. Rey faillit en laisser tomber sa rapière.

Ils reconnurent un serpent semblable en tout point à ceux qui avaient attaqué l'acteur. En tout point, *sauf la taille*. Celui-ci était vingt fois, trente fois plus grand.

Le monstre ouvrit sa mâchoire et cracha comme un chat furieux. On eût dit qu'il voulait les avaler tous d'une seule bouchée. Pourtant, il était encore à quinze pas.

Le paysage derrière la porte se précisa. *Le Jal'dara*, reconnut Yan avec émotion. *De nouveau, devant nous.*

La Guivre se laissa glisser au sol et s'y redressa sur deux pas de haut. Le reste de son corps disparaissait encore dans les arbres. *Titanesque,* songea Corenn sans originalité. *Et furieuse.*

Le monstre déploya sa collerette et cracha de nouveau. Puis il reprit sa reptation. Beaucoup plus vite.

— Yan, vas-y ! implora Lana.

Yan tendit sa main tremblante devant son visage et contempla *l'autre monde* à travers ses doigts. Il paraissait tellement proche… S'il n'y avait eu cette étrange sensation de le voir à travers de l'eau, l'illusion aurait été parfaite.

Il avança sa main et ne ressentit rien. Dans l'obscurité trompe-l'œil, il se demanda s'il n'était pas encore trop loin de l'arche. Alors, il fit lentement un grand pas en avant.

Et fut au Jal'dara.

Grigán pointa sa flèche enflammée vers le monstre pendant un bon moment. Mais les armes des mortels n'impressionnaient pas le Gardien. Aussi le guerrier leva-t-il son arc pour tirer en l'air, traçant une courbe lumineuse à travers le lierre souverain de la forêt du pays d'Oo.

La Guivre s'arrêta et se redressa encore pour suivre la trajectoire du projectile. Elle glissa ensuite vers Grigán, plus furieuse que jamais.

Le guerrier encocha rapidement les flèches enflammées que lui tendait Corenn et tira encore, une fois, puis une autre, Léti agissant de même, allumant à eux deux autant de brasiers dans la forêt desséchée. Ils cessèrent pourtant, sur le signal du guerrier. Comme prévu, Rey noya alors leur propre feu sous le contenu d'une gourde.

La Guivre n'était plus qu'à cinq pas. Elle se dressa sur un tiers de sa hauteur, dominant les mortels de deux fois leur taille. Ils s'en écartèrent lentement, mais c'était inutile. Le Gardien ne leur accordait plus qu'une attention distraite. Il contemplait les proches lueurs rougeâtres menaçant son royaume.

Il eut un dernier regard pour les héritiers, puis pour le paysage dévoilé sous l'arche, et s'en retourna vers la forêt, pressé de lutter contre cette menace immédiate.

— Yan n'est plus là ! s'avisa soudain Léti.

Les héritiers se groupèrent sous l'écorcier millénaire et contemplèrent à leur tour le berceau des dieux. Comme à chaque fois, ils ressentirent un émerveillement inexplicable, une fascination enthousiaste, devant ce paysage qui, pourtant, ne recelait rien de plus que ce qu'était leur monde.

Yan revint soudain dans leur champ de vision, souriant et très excité. Il était accompagné.

— Bienvenue, déclara Nol en leur tendant la main à travers la porte. Bienvenue chez vous.

Deuxième partie

LE DOYEN ÉTERNEL

J'AI EU TELLEMENT DE NOMS, en deux siècles d'existence, qu'il m'est déjà difficile de me les rappeler tous. À combien s'élèvera leur nombre, dans vingt siècles ? Dans trente ? Dans mille siècles ?

En fait, je me soucie de cela comme d'une peau de margolin. L'important est que j'y sois encore. Le reste n'est que tumulte.

Lorsque j'étais enfant, mes parents m'appelaient Maajo, ou Maako, selon leur humeur. Mon précepteur et les autres domestiques, « messire de Quermond ». Mon premier maître magicien, « l'Économe ». Si j'avais su alors que je traînerais ce surnom ridicule tout au long de mon existence mortelle, je me serais débarrassé plus vite de cet âne barbu et de ses grotesques principes moraux.

Mon second maître m'interpellait rarement; il m'apostrophait plutôt, avec une prédilection pour le domaine des insultes. Je n'oserais seulement répéter la plupart des termes colorés qu'il utilisait pour me désigner. Mais il est d'usage pour les sorciers spécialistes du Feu d'enseigner l'humilité à leurs disciples. Aussi ai-je supporté ses offenses... jusqu'à ce qu'il n'ait plus rien à m'apprendre. Tout se paye un jour.

À l'académie impériale, on ne m'appelait plus que « Quermond ». J'eus parfois à supporter des sobriquets tels que Quer-mou, Quer-val ou autres stupidités. Le fait que ces étudiants, censés représenter la crème de la jeune génération goranaise, puissent s'amuser de telles idioties me dépassait. Je ne leur opposai que mépris pour me consacrer entièrement à mes études. Au terme de six années d'internat, j'atteignis ainsi mon but en entrant au service direct de l'empereur Mazrel.

Dès lors, et jusqu'à ma soixante-septième année, on ne m'a plus appelé que « votre Excellence ». Dans le cadre officiel, bien sûr. Car en petits comité, beaucoup des courtisans, des gardes et des serviteurs me désignaient en termes moins flatteurs : « le sorcier », « le félon » ou encore « le sournois » me sont souvent revenus aux oreilles.

J'ai toujours détesté les rumeurs. Elles ne font qu'ajouter au tumulte. Heureusement, la magie permet aux plus méritants de s'élever au-dessus de ces bassesses. Et, accessoirement, de châtier ceux qui s'en rendent coupables...

Somme toute, les Goranais ont le cœur bien fragile. Nombreux sont ceux qui se croyaient en sécurité dans le palais impérial, et qui sont morts dans un couloir, au milieu de leurs amis, alors que je les couvais du regard à une distance politiquement correcte. Plus sincère alors était la déférence des survivants à mon égard. Plus empressés, les « votre excellence », les « éminence », empreints de crainte respectueuse.

Tout compte fait... il semble qu'au cours de mon existence humaine, jamais on ne m'a appelé Saat.

À la façon dont débute ma vie divine, je crois qu'il en sera toujours ainsi.

* * *

Inlassablement, le Lorelien scrutait l'horizon et n'y voyait que la mer. Il soupira en songeant n'être qu'au début de son voyage. Combien de temps, encore, avant qu'il ne puisse débarquer au royaume marchand ? Six jours ? Huit ? Alors que chaque décan comptait... Alors que chaque retard pouvait précipiter la chute des Hauts-Royaumes.

Incroyable. *La chute des Hauts-Royaumes*, se répéta-t-il intérieurement.

L'homme faisait partie du très estimé corps d'armée de la *Légion Grise*. Les légionnaires, comme les Jelenis et la Garde Royale, dépendaient de l'autorité directe du roi Bondrian. Mais leur spécialité n'était pas celle des armes, du moins, pas uniquement. Les légionnaires travaillaient souvent seuls, et hors des frontières du royaume. Aussi bien en temps de paix qu'en temps de guerre. Et si la Garde Royale assurait la protection du souverain, les Jelenis celle de ses principaux bâtiments, la Légion Grise œuvrait pour la sauvegarde de ses *intérêts*... ce qui impliquait une quête constante d'informations. Qui avait dit *espion* ?

Dans ce domaine, d'une certaine manière, sa mission à La Hacque avait été couronnée de succès.

On n'avait signalé aucun trouble inhabituel aux Bas-Royaumes, et ce, depuis des lunes. Les Yussa menés par Aleb le Ramgrith poursuivaient leur guerre d'expansion au sud et à l'ouest, comme ils le faisaient depuis vingt ans. Mais même ces terribles pillards semblaient fatigués par deux décennies de raids. Tous les dirigeants du monde connu avaient pensé qu'ils s'attaqueraient un jour ou l'autre aux Baronnies, mais l'ambition du terrible roi de Griteh semblait s'être essoufflée, elle aussi, avec le temps.

La mission du légionnaire avait donc tous les aspects d'une inspection de routine... Elle s'était pourtant transformée en une course-poursuite désespérée, du port de Yiteh à celui de Mythr, en passant par les steppes ravagées de Quesraba, les rues profondes de Griteh et les avenues caniculaires de La Hacque. Une chasse à l'homme dont il était la cible, et à laquelle il n'avait échappé que de justesse, traqué par les mercenaires plèdes et les marins yérims du roi borgne.

Le Ramgrith cachait bien son jeu. Le légionnaire était allé de découverte en surprise, accumulant les preuves irréfutables qu'Aleb s'apprêtait à monter à l'assaut des Hauts-Royaumes. Et qu'il avait les moyens de l'emporter, si Lorelia et Goran ne s'apprêtaient pas à le recevoir.

Il reporta son regard sur la mer Médiane. Sa goélette était rapide, mais il aurait voulu se convaincre qu'elle l'était *suffisamment*. Pour être au plus vite à destination, d'une part. Mais aussi pour éviter d'être rattrapé. Et lui savait à quel point le Ramgrith en avait les moyens...

L'inaction et le silence de l'équipage lui tapaient sur les nerfs. Tous ces marins faisaient partie de la Légion Grise, à différents niveaux de la hiérarchie. Mais ils étaient éloignés depuis si longtemps de Lorelia qu'ils en étaient devenus étrangers. Entre eux, ils parlaient ramyith. Plusieurs vénéraient Alioss. Il soupçonnait l'un d'eux d'être *daïo*, drogué au venin de serpent daï. Et tous cultivaient d'étranges superstitions, dont celle du monstre noir qui hanterait les eaux sur lesquelles ils voguaient. La raison de leur trouble actuel.

Le légionnaire haussa les épaules et descendit dans sa cabine, pour continuer la transcription de ses notes codées en un rapport digne de ce nom. Mais cela l'ennuya aussi. Il ne pouvait dire *combien* de navires de guerre, galères, grand-voiles, cotres, caraques, galiotes, deux-coques et autres corsaires attendaient dans le port de Mythr. Il ne pouvait détailler par écrit, sans déformer la réalité, quel immense travail d'affrètement étaient en train de réaliser les Yussa et les équipages recrutés sur l'île-bagne de Yérim. Il ne pouvait décrire les troupes mercenaires campant à l'embouchure de l'Aòn, sans utiliser les mots *considérables*, *impressionnantes*, *immenses*, autrement qu'à voix haute et en agitant les bras.

Un mystère seulement restait inexpliqué. Comment n'avait-on découvert cela *plus tôt* ? Aleb devait se préparer depuis six lunes au moins.

Même en prenant toutes les précautions imaginables, un projet d'une telle ampleur devait obligatoirement filtrer… D'une manière ou d'une autre, Lorelia aurait dû avoir vent de tout cela.

Un cri de terreur retentit soudain sur le pont, aussitôt suivi d'une cavalcade et d'un bruit de plongeon. Le légionnaire se précipita à la huve la plus proche et n'eut que le temps de voir un corps s'enfoncer doucement dans les eaux sombres.

Un corps dont il manquait la moitié inférieure.

L'homme bondit sur sa rapière et s'empressa d'enfiler sa cotte de mailles, sans quitter des yeux la porte ouverte et l'escalier qui menait au pont. Avaient-ils été abordés ? Il n'avait rien entendu. Et la mer était vide. S'agissait-il d'une bagarre entre marins ? Elle n'aurait pas été aussi violente. Un accident ? Une corde trop tendue ?

Mais sur le pont, on se battait. Les hommes d'équipage criaient, hurlaient, imploraient une aide impossible à obtenir. Le légionnaire posa un pied sur la première marche de l'escalier et se raidit aussitôt. Il venait d'entendre la colère de leur agresseur.

Un grondement puissant, profond et hostile. Comme celui d'un ours mâle adulte, amplifié vingt fois. Toute la mer devait résonner de ce cri.

Alors que leur ennemi monstrueux réduisait au silence le dernier des marins, le légionnaire fit volte-face et commença de rassembler ses notes avec un tremblement incontrôlable dans les mains. Mais il cessa avant d'avoir fini.

À quoi lui servirait de cacher ces papiers, puisque s'il mourait, il n'y aurait personne pour les mener à destination ?

Le monstre noir des légendes lui apparut soudain. Il ne vint pas à lui : il *apparut* au milieu de la cabine, comme une tempête se lève sans que rien ne l'ait annoncée. Et le légionnaire sut que jamais Lorelia ne serait prévenue à temps.

Sa dernière pensée fut que cela ne changerait pas grand-chose pour sa majesté Bondrian. Même avertis, les Hauts-Royaumes ne pourraient résister à une armée comptant des démons pour alliés.

* * *

Mon vrai nom, je l'ai gagné dans les fosses de Karu.

Je suis le Haut Dyarque. Celui qui a réuni six des plus grandes armées estiennes sous une seule bannière. Celui qui va conquérir les Hauts-Royaumes. Celui qui ne peut mourir, murmure-t-on dans les troupes.

Ils ignorent que c'est déjà fait. J'ai déjà perdu la vie.

Je suis mort sous la montagne de Karu, celle au pied de laquelle mon armée campe en ce moment. À ce stade de mon récit, je me dois de préciser qu'il serait stupide de croire que cette montagne renferme, seule, le gigantesque labyrinthe des dieux noirs. La majeure partie du Jal ne se trouve pas dans notre monde. Les profondeurs de cette montagne en sont simplement le vestibule. Comme doit se trouver, quelque part vers son sommet ou l'un des pics voisins, l'orée des jardins de Dara.

Je ne peux donner la date exacte de ma mort. D'un point de vue philosophique… je suis mort au moment où j'ai tué le prince Vanamel, puis Fer't le Solene, perdant ainsi toute chance de revenir à Dara. Malheureusement, je n'ai compris cela que bien plus tard, alors que j'avais tout le temps pour y réfléchir.

D'un point de vue pratique… mon agonie a duré plus d'un siècle. Un siècle d'obscurité et de silence dans les profondeurs d'un sol maléfique, en compagnie d'un dieu-enfant en constante somnolence. Sombre. L'autre Dyarque.

J'ai puisé dans sa force pour me maintenir en vie, comme seule la magie me le permettait. Étouffant le Feu qui me dévorait en buvant à sa source divine.

Je crois bien, pourtant, avoir trépassé. Je dormais également beaucoup — que faire d'autre, en prison? Jusqu'au moment où je me suis éveillé avec la certitude d'être mort.

Cela ne m'a pas effrayé. Plutôt intrigué. Même me sachant le plus puissant de tous les magiciens du monde connu, tromper la mort me paraissait impossible. Pourtant, je l'avais fait. Le devais-je aux pouvoirs de Sombre? À celui du gwele, dont nous étions entourés?

Quoi qu'il en soit, cela ouvrait de nouvelles perspectives. Dans mes plans, le Temps avait perdu de son importance, pour n'être plus qu'un facteur secondaire. Quel que soit le nombre d'années que nous devions passer dans cette prison, j'avais acquis la certitude d'en sortir un jour. Il me suffisait de m'armer de patience.

Mes premières décades passées dans le labyrinthe, je les avais consacrées à une tentative de cartographie des lieux. Après avoir fui le plus loin possible des fosses et de nos dangereux voisins, après avoir vainement cherché à regagner le Jal'dara par des chemins détournés, mon esprit logique avait repris le dessus et j'avais commencé un repérage minutieux et prudent des secteurs que nous traversions. Malheureusement, cela ne m'était possible que pendant les rares moments de veille de Sombre. Je manquais de force pour le porter longtemps, et ne voulais m'en séparer, ne serait-ce que temporairement, pour rien au monde. Il était à la base de ma survie...

Pendant deux décades entières, je m'étais contenté de suivre une direction que j'imaginais droite, marquant notre passage de signes de piste que j'improvisais à la façon arque. J'admis bientôt, à contrecœur, que la magie du labyrinthe le rendait infini : derrière chaque détour se trouvait un autre couloir, une autre caverne, aux dimensions allant de l'étroit tunnel à des salles rivalisant avec le Palais de Mishra.

Autre signe, nous ne rencontrions plus aucune des noires créatures des fosses, pas même les plus petites. J'acquis peu à peu la conviction qu'il ne fallait espérer de sortie de ce côté. Je résolus donc de faire demi-tour, et connus alors la plus grande déception qu'humain puisse ressentir.

Mes signes de piste avaient disparu. Pas tous : les plus récents étaient toujours en place... mais des autres, il ne restait rien.

Le labyrinthe changeait. Le gwele au puissant récept annihilait toute trace de passage, toute altération, au bout de quelques décans seulement, comme la marée refaçonne sans cesse la plage. Les couloirs, les salles eux-mêmes semblaient différents de mes souvenirs.

J'ai dit que je connus une grande déception. Mais je ne sombrai pas dans le désespoir, comme beaucoup l'eussent fait à ma place. Il était forcément possible de quitter le labyrinthe, puisqu'ainsi faisaient les démons. Il me suffisait de m'accrocher à Sombre. De poursuivre son éducation...

Comme il était facile d'imprégner cet esprit encore vierge de toute influence ! Je lui parlais inlassablement, même dans son sommeil. Je le suivais parfois dans ses rêves, et poursuivais mon discours en l'illustrant de mes propres expériences. Je l'empêchais de s'abandonner à la nostalgie qu'il avait parfois de Dara. Et, au contraire, encourageais ses rancœurs lorsqu'il les manifestait.

Je commençai tout d'abord par des concepts simples. Je savais toujours dépendre de sa puissance pour me maintenir en vie. Il fallait qu'il soit redoutable. Je choisis son nom : Sombre. Celui qui Vainc. Et lui répétai inlassablement.

Je lui appris à haïr les humains. Il devait être invincible et impitoyable. Je lui appris à mépriser Nol, les dieux, le Jal'dara. Je lui appris le goût de la conquête, la volupté de la puissance, la satisfaction du commandement.

Je lui appris les joies de la victoire. Enfin, je lui appris à associer tout cela à moi… et rien qu'à moi.

Lui-même me parlait peu. Quelquefois réclamait-il un geste d'affection, en sortant d'un mauvais rêve. Je ne lui accordais qu'avec répugnance. Malgré les apparences, l'enfant n'était rien moins qu'un démon. Il l'était déjà bien avant notre rencontre; je n'avais fait que le révéler. Quel plaisir aurais-je pu avoir à serrer un démon contre mon flanc?

Les années passant, Sombre grandit, atteignit la taille d'un jeune homme. Il dormait moins; parfois restait-il éveillé pendant plusieurs décans. Je jugeais des progrès de sa formation, et corrigeais les points sensibles. Peu à peu, il laissa entrevoir ce qu'allait être sa réelle personnalité.

J'ignore d'où lui vient sa cruauté. Jamais je ne lui ai enseigné cela. Émane-t-elle de mon esprit, à mon insu? Vient-elle des « autres voix », celles des mortels en quête de nouvelles divinités, et qui se mêlaient à la mienne dans les pensées de Sombre? Ou a-t-il toujours eu cela en lui?

À vrai dire, je m'en soucie peu. Ce n'est que tumulte.

Comme mon démon s'éveillait, le labyrinthe se stabilisait. Alors que j'avais toujours mené notre marche, il arrivait à Sombre de choisir subitement une direction, répondant à une impulsion inexplicable. Je le suivais avec espoir et nous franchissions plusieurs salles et couloirs, secs ou humides, plus ou moins malsains, putrides et nauséabonds, comme l'était l'essentiel du labyrinthe. Puis Sombre s'arrêtait aussi brusquement qu'il avait commencé, indécis, et replongeait dans son mutisme.

Ces escapades soudaines se firent de plus en plus fréquentes et de plus en plus longues. J'eus parfois l'impression que nous descendions, mais j'avais eu si souvent cet espoir que je n'osais y croire. Haut et bas sont des notions utiles à l'orientation. Le niveau de notre labyrinthe variait peu, malheureusement.

De nouveau, je plaçai des signes de piste. Et quand une décade fut passée, je nous fis revenir sur nos pas.

Beaucoup des signes avaient disparu. D'autres étaient intacts, et je m'intéressais à ceux-là. Ces tas de pierres, ces marques que je laissais dans les parois et qui persistaient appartenaient, j'en étais sûr, au monde réel, et non pas au Jal'karu.

Je les multipliais, j'en laissais à chaque croisement, chaque tunnel, chaque salle où nous nous engagions. Il me devint bientôt possible de marcher pendant plusieurs décans suivant une piste balisée et persistante, ce que je n'avais pas vu depuis une éternité, me semblait-il.

*En suivant les errances de Sombre, en les recoupant avec mes repé-
rages, j'eus enfin le sentiment que nous progressions. Jusqu'au jour où,
comme j'avais eu la certitude d'être mort, j'acquis soudain celle d'être
sorti du labyrinthe.*

*Nous étions toujours sous terre. Mais je ne sentais plus le gwele. Je
revins sur mes pas d'un bon mille. Mais nous avions franchi une frontière,
invisible, surnaturelle. Mes repères eux-mêmes avaient disparu. Nous ne
pourrions plus retourner à Karu de cette manière.*

*Il ne nous fallut que deux jours pour sortir de la montagne. Pour la
première fois depuis longtemps, je respirais à l'air libre. À mes côtés, un
démon à l'apparence de jeune homme m'était entièrement dévoué. J'étais
immortel. Et j'avais des rêves de puissance.*

* * *

— Mir ?

Le lion ne se manifestait pas. Ispen avança encore d'une soixantaine de
pas, puis appela plus fort.

— Mir ? Prad ?

Seul le souffle glacé du vent lui répondit. Ispen contempla les collines
enneigées dont elle était entourée, morne horizon seulement brisé par
quelques bosquets d'arbres dégarnis. Son fils et le lion tacheté avaient pris
cette direction un peu plus de deux décans auparavant et n'en étaient pas
revenus.

Prad connaissait pourtant les dangers des escapades solitaires en pays
arque — surtout à la saison de la Terre — et s'absentait rarement aussi
longtemps. Ce n'en était que plus inquiétant. Savoir le lion en sa compagnie suffisait habituellement à rassurer la femme de Bowbaq, pour la
bonne raison que le lion accourait toujours au premier appel. Enfin, il
l'avait toujours fait… jusqu'à cette fois.

— PRA-AD ! cria-t-elle à la nature assoupie, les mains en porte-voix.

Aucune réponse. Les pires éventualités commençaient à lui venir à l'esprit. Même les plus invraisemblables, comme celle où Mir lui-même se
serait attaqué à son fils. Elle essaya de se raisonner en songeant que le lion
était pourtant plus fidèle qu'un chien. Mais alors, pourquoi n'accourait-il
pas ?

À moins qu'il ne soit arrivé malheur au lion lui-même. Le fauve, trop
coutumier de la compagnie des hommes depuis qu'il vivait aux alentours

du clan de l'Érisson, était-il tombé sous les coups de chasseurs étrangers ? Qu'en était-il alors du petit garçon de huit ans, seul et perdu dans l'immensité glaciale ? Pleurait-il sur le cadavre de son ami ? Avait-il cherché à le défendre ?

Ce doute devint bientôt certitude. Mir avait toujours répondu au premier appel. Sauf cette fois. Il était donc mort !

Peut-être même les responsables appartenaient-ils au propre clan d'Ispen. Beaucoup de chasseurs s'étaient plaints de la présence du grand lion autour du village, arguant que sa proximité avait fait fuir une grande partie du gibier. Ils n'avaient cédé qu'à contrecœur à la décision de leur chef. Celui-ci avait rappelé que le gibier avait depuis longtemps déserté les alentours du village, et que Mir les protégeait des grands prédateurs. Mais loin de ces réflexions pleines de sagesse, les hommes de l'Érisson — les plus braillards du monde, selon leurs propres dires — n'avaient vu qu'une chose. Osarok, le chef du clan, était le frère de Iulane. Sa décision ne pouvait donc être juste.

Ispen regrettait que son village n'abrite aucun erjak, qui puisse faire comprendre aux chasseurs la valeur d'un allié tel que Mir. Elle regrettait d'avoir, cette année encore, quitté le clan de l'Oiseau de Bowbaq pour passer la saison de la Terre à des milles de son bien-aimé. Et plus que tout, elle regrettait d'avoir laissé Prad s'éloigner ainsi.

— MIR ! PRA-AD, appela-t-elle encore, parvenue au sommet d'une colline.

Une brusque poussée la fit tomber paumes dans la neige et une odeur familière envahit ses narines, alors qu'une masse pesante se plaçait au-dessus de son corps. Ispen se retourna sur les coudes et ne put empêcher une énorme langue de lui mouiller tout un côté du visage.

— Mir, tu as fait tomber *maïok* ! gronda un jeune enfant, poussant sans ménagement le lion qui faisait deux fois sa taille. Tu n'as pas mal, maïok ?

— Ça va, *powchi*, répondit Ispen en accueillant son fils dans ses bras. Où étais-tu ? J'étais inquiète !

— On jouait aux Grandes chasses. On t'avait choisie comme proie. Mir et moi, on pourra aller avec païok, l'an prochain. Tu lui diras, hein, quand il viendra ? Tu lui diras ?

— Et Iulane ? demanda la mère, trop soulagée pour se mettre en colère.

Mais elle n'écouta pas les réserves que son fils faisait sur les capacités de sa petite sœur. Cela faisait déjà plus de deux lunes qu'ils étaient séparés de Bowbaq, et chacun trouvait le temps long.

Heureusement, ils n'avaient plus que quelques décades à tenir. Le glacier qui coupait le clan de l'Érisson du reste du monde serait bientôt stabilisé; alors, les chemins seraient praticables. Et Ispen sourit en anticipant la joie des retrouvailles de la famille, lorsque son bon et gentil géant descendrait la colline, comme il le faisait chaque année, le cœur empli d'amour et la bouche pleine de mots tendres. Elle sourit plus encore en songeant qu'il devait déjà s'y préparer.

* * *

J'avais eu beaucoup, beaucoup de temps pour réfléchir à ce que je ferais lorsque nous serions sortis du labyrinthe. Une vingtaine d'années, estimais-je, trompé par les pouvoirs du Jal'karu. Bien plus qu'il n'en fallait pour peaufiner mon plan. Et préciser mes objectifs.

Avec mon allié immortel et ma nouvelle puissance, décuplée par l'influence du gwele, j'allais imposer ma volonté à l'ensemble du monde connu. N'est-ce point là ce que ferait tout homme qui en aurait l'opportunité? Ceux qui prétendent le contraire sont des idiots ou des menteurs.

J'avais souvent réfléchi à la question. Trois obstacles seulement pouvaient retarder l'avènement de mon règne éternel. Et les dieux représentaient le moindre d'entre eux.

Qu'ils se nomment Mishra, Eurydis ou Hamsa, ils ne pouvaient intervenir directement contre Sombre, je l'avais appris à Dara. Et pourquoi s'en seraient-ils pris à moi? Les Grands Doyens sont passifs. Leur puissance est incommensurable, mais elle ne s'exprime qu'à travers les mortels. Or, je n'avais rien à craindre des mortels.

Excepté un. L'un des héritiers des sages émissaires serait l'Adversaire. Le seul qui, de toute l'éternité, aurait une chance de triompher de Sombre, Celui qui Vainc. Une chance, seulement. J'allais m'assurer que cela ne puisse jamais arriver.

Enfin, restait l'éventualité de ma propre mort. Je ne pouvais espérer que Sombre me soit toujours acquis, alors qu'en grandissant, il développait une personnalité beaucoup plus complexe qu'il n'avait paru. En toute logique, d'ailleurs : il entendait des milliers d'autres voix que la mienne, et celles-ci laissaient également leur trace dans son esprit. Ma plus grande crainte était qu'il m'échappe quand il serait totalement éveillé, me refusant la force qui me maintenait en vie... là aussi, j'allais m'assurer que cela ne puisse jamais arriver.

Alors que nous descendions les dernières pentes de la montagne, je méditais sur toutes ces choses avec l'espoir que me conférait notre délivrance. Mais j'avais à m'occuper de bien d'autres choses dans l'immédiat...

Il me fallut d'abord trouver où nous étions, ce dont je n'avais qu'un vague soupçon. Nous vécûmes une journée d'errance supplémentaire avant de faire enfin une rencontre. L'homme n'était qu'un chasseur à moitié sauvage, qui s'enfuit dès que nos regards se croisèrent. Mais je n'avais nul besoin de sa coopération. Il me suffisait de l'avoir vu une fois : et ses pensées m'apprirent qu'il était wallatte. Nous étions de l'autre côté du Rideau.

La chance était de mon côté.

Ainsi que je l'avais pressenti, une partie au moins du Jal'dara se nichait dans l'une ou l'autre vallée de ces montagnes. À une décade de cheval de Goran, à peine. Et le Jal'karu commençait dans les profondeurs des mêmes monts que côtoyait la Sainte-Cité. Quelle ironie ! Les Ithares vantaient les beautés du mont Fleuri depuis des éons, en ignorant qu'en étaient peut-être issus Phrias, Soltan, le Yoos et tous les autres démons !

Mais cela représentait une occasion inespérée. Plusieurs nouvelles idées vinrent se greffer à mon plan, pour s'y fondre totalement. L'établissement de mon règne devait être encore plus facile que prévu. Mon destin était tracé. Il ne me restait plus qu'à réunir une armée.

J'avais choisi depuis longtemps de conquérir le monde à la tête des barbares estiens, parce qu'ils disposaient de troupes innombrables, auxquelles il ne manquait qu'un commandement. Parce que leurs civilisations étaient moins évoluées, et donc plus faciles à manipuler. Et enfin, par goût du défi. Les Hauts-Royaumes étant bel et bien les plus puissants du monde connu, ils en devenaient le principal objet de ma convoitise. Mais je devais d'avantage faire la preuve de ma supériorité en soumettant ces nations ennemies de l'extérieur. Ce que personne n'avait même jamais osé entreprendre, j'étais, moi, déterminé à l'accomplir.

Les pensées du chasseur wallatte avaient aussi trahi son dégoût pour mon apparence. Je réalisai que, si la mort n'avait aucune prise sur moi, mon corps n'en continuait pas moins de vieillir. Pour éviter d'être constamment fui, moi qui cherchais des alliés, je me résignai à dissimuler mon visage. Utilisant l'une des roches dont se composaient mes signes de piste, dans le labyrinthe, je modelai un Gwelom et lui donnai la forme d'un heaume du type des chevaliers goranais. Par provocation, je le ceignis d'un bandeau noir, à la manière des ennemis déclarés de l'empereur. Après tout... voilà bien ce que j'étais devenu.

Alors que je terminais l'enchantement, dotant mon heaume de pouvoirs qui achevaient d'en faire un objet extraordinaire, je regrettai de ne pas avoir ramené plus de gwele en ce monde. Du peu qui me restait, je devais faire plus tard la garde de mon épée, sans certitude d'utiliser ce trésor de la meilleure façon... Après avoir été entouré du précieux matériau pendant si longtemps, je ne devais conserver de Karu qu'une arme incomplète et un heaume dont le port m'est chaque jour plus pesant.

Toujours accompagné de mon somnolent compagnon, je poursuivis ma route et tombai bientôt sur un village modeste, un de ces hameaux typiquement wallatte et regroupant quatre ou cinq familles en un clan mal défini. C'est à cet endroit que débuta ma conquête.

Je m'imposai facilement en seigneur auprès de ces barbares en changeant un morceau de silex en une pépite d'or. Un tour très facile, en fait, la base de l'apprentissage des spécialistes du Feu. L'élémentaire ne représente-t-il pas la tendance de toute chose à en devenir une autre ? Le seul problème est que la durée de cette transformation est proportionnelle à la puissance du sorcier, c'est-à-dire, pour les plus grands, rarement plus d'un demi-décan.

Mais j'avais moi-même été altéré par les pouvoirs du Jal'karu. Au bout de trois décades, mes silex étaient toujours en or. J'ignore ce qu'il en est advenu par la suite... toujours est-il que ce tour m'aida beaucoup à constituer mon armée, en tout cas jusqu'à ce que les pillages m'aient suffisamment enrichi pour que je cesse d'y avoir recours. Mais j'anticipe.

Je passai trois décades dans ce village, donc, à apprendre les rudiments de la langue wallatte et observer les réactions de Sombre au contact des mortels. Celles-ci me comblèrent. Ainsi que je l'y avais préparé, mon démon n'affichait qu'indifférence, ne ressentait que mépris et en recherchait d'autant mon amitié. C'était parfait. En tout point satisfaisant.

Pour mon retour chez les vivants, je ne connus, en fait, qu'une mauvaise surprise : celle de découvrir que j'avais été enfermé non pas deux décennies, mais bien plus d'un siècle. Cent-dix-huit ans exactement. Si je n'avais interrogé les villageois sur le roi wallatte Pal'b'ree, l'un des émis-

saires, j'aurais certainement ignoré cela jusqu'à ma rencontre avec Che'b'ree. Mais j'anticipe encore.

Au bout de trois décades, je proposai à mes hôtes de me suivre et d'embrasser mes projets de conquête. Moi, un inconnu constamment masqué, étranger de surcroît, je leur proposai de quitter leurs familles, leurs foyers, leurs cultures sur quelques promesses de fortune rapide.

Étonnant comme les hommes répondent à l'appel du combat. Bien que les civilisations estiennes soient toutes plus ou moins fondées sur la guerre — comme l'est également le Grand Empire, il est vrai — je ne pensais pas disposer de onze guerriers en moins d'une lune, comme ce fut le cas.

Pourtant, cette première compagnie devait bientôt s'enrichir de dix-sept recrues supplémentaires : une bande de vagabonds bannis de leurs clans, et qui vivaient de petits maraudages le long de la frontière thalitte. J'eus toutefois à imposer ma volonté sur leur chef en titre, mais ses hommes se rangèrent bien vite à mes côtés quand le cœur du dit chef cessa soudain de battre.

Je me laissai porter quelque temps par les initiatives de ces barbares, leur abandonnant le choix des cibles des pillages, sans pour autant relâcher mon autorité. Le bruit de ma puissance et de ma prodigalité se répandit bientôt dans toute la région, et chaque jour des hommes se joignirent à nous, au point qu'il devint impossible d'en tenir un compte exact. Vagabonds, brigands, aventuriers, malandrins, sauvages, paysans, mercenaires, auxquels vinrent bientôt s'ajouter quelques chefs de clan « réguliers » et leurs compagnies hétéroclites.

Si une grande majorité était wallatte, je commandais aussi à quelques Solenes, Thalittes et Sadraques. Mais ils ne représentaient pas une armée. Une telle diversité entraînait de trop fréquentes rixes, que je perdais beaucoup de temps à enrayer, même en usant de méthodes aussi radicales que la carène. Je devais passer à l'étape suivante de mon ascension. Trouver des capitaines. M'allier à des rois. Ne serait-ce que pour simplifier ma logistique.

Ce fut fait avec la reine Che'b'ree, l'arrière-petite-fille de Pal'b'ree elle-même. Une fois encore, la chance s'était placée de mon côté. Dona m'avait souri, comme disent les Loreliens. Même dans mes prévisions les plus optimistes, jamais je n'avais espéré trouver un soutien qui serve si bien mes plans.

Dès lors, les choses devinrent plus faciles. Je conservai la responsabilité stratégique de notre expansion, et déléguai le commandement de l'armée à la reine barbare. Je confiai ensuite cette tâche à Gors-le-Douillet quand il nous rejoignit quelques décades plus tard, et fis de Chebree la Grande Prêtresse de Sombre, afin de hâter la croissance de mon démon.

Je pus alors me consacrer à un tout autre problème. Celui de l'Adversaire. Un siècle étant passé, les sages avaient dû avoir trois ou quatre générations de descendants. Je ne pouvais prendre le risque, même dérisoire, que l'un d'eux défît Sombre et m'enlève l'immortalité. Il me fallait les anéantir jusqu'au dernier.

Sombre était malheureusement loin de sa maturité, et donc incapable de s'acquitter seul de cette tâche. Il eut déjà beaucoup de mal à nommer et à localiser chacun de ces héritiers; une lune après cet effort, il en ressentait encore la fatigue.

Mais la liste que nous avions établie me suffisait amplement. J'envoyais un messager à Goran, avec pour mission de proposer aux Züu le « jugement » de cent huit personnes. Il en revint accompagné d'un Judicateur tout à la fois curieux et méfiant, Zamerine, que j'ai depuis intégré à mon commandement.

Nous traitâmes l'affaire en moins d'un décan. Je payai l'intégralité de la somme réclamée par l'assassin, et acceptai même de faire convoyer l'imposante masse d'or jusqu'à l'île de Zuïa. Le Judicateur emporta la liste et les exécutions commencèrent.

Dans l'ensemble, je n'eus pas à regretter cette transaction. Les tueurs rouges atteignirent un peu plus de neuf cibles sur dix, en moyenne. Bien plus que je n'avais espéré.

Malheureusement, je ne peux plus envoyer Sombre nous débarrasser des quelques survivants. Regroupés, ils sont sur la défensive. Si l'un d'eux est l'Adversaire, l'affronter à travers un avatar est trop risqué. Si ce combat a lieu, c'est en personne que Sombre devra y participer.

Mais cette probabilité est tellement mince que ce souci n'en est pas vraiment un. Quand preuve sera faite qu'aucun des héritiers n'est l'Adversaire, ou quand enfin les rescapés auront été exterminés, il ne me restera qu'une seule véritable crainte. Celle qu'un jour, Sombre me refuse la force qui me maintient en vie.

La chance a jusqu'alors été de mon côté, mais je n'ai pas le tempérament d'un joueur.

J'ai porté le nom de l'Économe. Je suis prévoyant.
Il existe toujours une solution.

LIVRE VIII

JAL'DARA
JAL'KARU

Y AN TENDIT UNE MAIN TREMBLANTE devant son visage et contempla *l'autre monde* à travers ses doigts. Il paraissait tellement proche… S'il n'y avait eu cette étrange impression de le voir à travers de l'eau, l'illusion aurait été parfaite.

Il avança le bras et ne ressentit rien. Dans l'obscurité trompe-l'œil, il se demanda s'il n'était pas encore trop loin de l'arche. Alors, il fit lentement un pas en avant.

Et fut au Jal'dara.

Il sentit le crissement de l'herbe grasse sous ses chausses. Des effluves variés vinrent chatouiller son odorat de façon agréable. Un air différent caressait son visage. Moins sec, plus chaud que celui qu'il respirait l'instant d'avant encore. Il était au Jal'dara.

Un torrent d'émotions diverses l'envahit, dans lequel il s'efforça de faire le tri. En vain. Sa joie était inexplicable. Cette perception exaltante de sa propre vie était indicible. L'extase relayée par chacun de ses sens était indescriptible. Le secret de l'envoûtement n'appartenait qu'aux dieux. Il était au Jal'dara.

Cette euphorie dura quelques instants, pendant lesquels il oublia jusqu'à son nom. Le bonheur que les héritiers devinaient depuis un siècle, en contemplant ce paysage à travers la porte, Yan le vivait pleinement. À tel point que, possédé par son allégresse, il n'osait esquisser le moindre geste de peur de rompre le charme. Il était au Jal'dara.

Il dut faire appel à toute sa volonté pour se rappeler son nom. Et pourquoi il était venu. Des bribes de souvenirs s'immiscèrent dans ses pensées, et il s'y accrocha avant qu'elles ne s'enfuient encore. Le visage d'une jeune femme. Une caverne immergée. Un guerrier tout en noir. Des ombres rouges et menaçantes. Des gens, quelques noms. Corenn. Norine. Grigán. Boubac? *Bowbaq*. Rey. Maz Lena? Non, Lana.

Léti.

Tout lui revint en bloc. Les héritiers. L'île Ji. Les portes. Les Züu. Saat. Usul. Les Hauts-Royaumes, le val Guerrier. Ses amis, en danger dans la forêt du pays d'Oo. La Guivre. Il devait se hâter. Ils attendaient son aide. Vite, vite.

Mais seule une partie de son esprit parvenait à raisonner. L'autre semblait définitivement perdue à la béatitude, et même faire quelques pas dans la vallée demanda beaucoup d'efforts au jeune homme.

Il ressentait une forte envie de dormir. Un pressentiment lui disait que le sommeil devait l'aider à reprendre ses esprits. Mais il ne pouvait pas dormir maintenant. Pourquoi, au fait? Ah, oui. Parce que Léti était en danger. Il devait faire quelque chose. Quoi, déjà?

Mais plus il avançait, plus il avait sommeil. Son émerveillement l'avait étourdi, grisé, et sa mémoire fuyait de nouveau. Il fallait dormir. Ensuite, il irait mieux. Sa fatigue fut bientôt le principal sujet de ses pensées; il refusa pourtant de s'y abandonner, pour une raison qui se faisait de plus en plus vague. Pourquoi ne pas dormir, après tout?

Une main se posa sur son épaule, et Yan se retourna lentement pour découvrir Nol l'Étrange, tel qu'il était peint sur un tableau qu'il avait vu... Où était-ce, déjà? Il ne s'en souvenait plus.

Le fait qu'il se trouve de nouveau face à un dieu ne l'émut guère plus qu'il ne l'était déjà. Il avait sommeil. Il savait avoir un message pour l'éternel. Une demande importante. Mais tout ce qu'il pouvait faire, c'était sourire en s'enivrant plus encore à chaque respiration.

° Je suis le Gardien de la porte de Dara, annonça Nol avec bienveillance. Quel est Celui qui t'envoie?

La question s'imposant dans l'esprit de Yan dissipa un peu du brouillard qui menaçait de le couvrir. Et répondre à l'Étrange en devint une nécessité plus impérieuse encore que celle de dormir. Un des pouvoirs du dieu? Yan ne comprit même pas d'où lui venait la réponse. Il eut l'impression que Nol l'extrayait des profondeurs de son esprit.

— Celui qui Sait, prononça-t-il d'une voix pâteuse.

° Usul, commenta l'éternel. Un bon garçon, en définitive. Peut-être trop puissant. La clairvoyance est toujours un fardeau. Mais personne ne choisit les siens…

Yan acquiesça aux commentaires du dieu sans en comprendre un mot. La gentillesse de Nol l'exaltait. Son ivresse était passée à un niveau supérieur, celui où l'esprit et les sens sont désaccordés. Il aurait pu s'agenouiller dans l'herbe et se croire encore debout. Il avait toujours sommeil, et son corps finirait par l'y faire sombrer. Ses pensées s'en étaient détachées. Elles erraient dans la nuit, sur la colline, le long du paysage derrière Nol l'Étrange.

— La porte ! lança-t-il soudain, dans un simple murmure, alors que tout son esprit voulait crier. Mes amis ! ajouta-t-il en pointant une direction.

Nol suivit son regard et son expression bienveillante disparut un instant pour laisser place à l'inquiétude. Une vision de vingt pas de haut troublait l'harmonie de la vallée de Dara. Un aperçu de la forêt du pays d'Oo, où quelques mortels se défendaient tant bien que mal contre la Guivre.

Nol commença de remonter la colline qui menait à la porte, mais Yan le rattrapa bientôt, puis le dépassa. Ce mirage l'avait suffisamment dégrisé pour qu'il se rappelle l'urgence de la situation. Un relief le masqua à ses amis pendant un court moment. Quand il l'eut dépassé, la Guivre était partie.

L'instant d'après, Nol était à ses côtés, face à la porte et à ses amis. L'éternel avait retrouvé son sourire.

— Bienvenue, déclara-t-il en tendant la main à travers la porte. Bienvenue chez vous.

* * *

Usul frémit dans sa caverne de l'île Sacrée des Guoris. Il restait trois ans avant l'arrivée de son prochain visiteur, mais le dieu l'attendait déjà. Et pour tromper son ennui, il cherchait sous quelle apparence il allait l'accueillir. Pourquoi pas sous sa forme véritable, après tout ?

Il savait pourquoi, bien sûr. La vue de son aspect faisait succomber la plupart des mortels qui y étaient confrontés. Or, Usul tenait à en laisser une majorité en vie.

Observer les humains était sa seule distraction. Particulièrement, ceux à qui il avait livré une partie de son savoir… les seuls à même de *modifier* l'avenir.

Son dernier visiteur avait été des plus intéressants. Usul avait consacré une partie de son immense attention à suivre chacun de ses faits et gestes, réfléchissant, spéculant, imaginant leurs conséquences sur l'avenir, triant parmi l'immense foison des probabilités. Malheureusement, le temps passant, des constantes se dégageaient inévitablement. Et, de nouveau, Usul savait. Le futur se mettait en place.

La bataille du mont Fleuri aurait bien lieu. Elle entraînerait chaos, bouleversements et mutations pour la majorité des mortels du monde connu. Mais cela ne distrayait nullement le dieu. Ce n'était que fureur des hommes, qu'il avait prédit depuis longtemps.

Son attention s'était reportée sur l'issue du conflit. Son dernier visiteur avait une chance infime de donner la victoire aux Hauts-Royaumes. Même dérisoire, cette possibilité n'en créait pas moins une incertitude dans l'avenir. Voilà ce qu'Usul se plaisait à observer.

Malheureusement, les agissements du mortel lui étaient inconnus depuis qu'il avait franchi la porte du Jal'dara. Le seul endroit où le pouvoir des dieux était inopérant. Quoi que l'humain y fasse, Usul ne l'apprendrait qu'à son retour.

S'il en revenait toutefois…

Et le dieu improvisait une nouvelle forme. Et il attendait, et attendait encore…

* * *

Léti se réveilla la première. De peu, car Grigán la rejoignit peu après qu'elle se fut levée, et qu'elle eut parcouru quelques pas dans l'herbe douce de la vallée de Dara.

Ils avaient dormi dans cette herbe. La veille encore, ils se trouvaient dans la forêt du pays d'Oo, serrés les uns contre les autres pour lutter contre le froid sec qui tombait des arbres. Ils avaient affronté la Guivre, gardienne de la porte de l'écorcier. Et ils avaient franchi cette même porte, entraînés par un autre Gardien. Un dieu. Nol l'Étrange, comme ils l'avaient toujours nommé. Celui qui Enseigne, comme le leur avait appris le journal de Maz Achem.

Maintenant, elle contemplait le paysage enchanteur de *l'autre monde*. Le paradis que les héritiers admiraient depuis plus d'un siècle avec une mélancolie inexplicable… tant qu'on n'y avait pas posé le pied.

La vallée ne recelait rien d'extraordinaire en soi, si l'on exceptait le fait que le temps s'y écoulait différemment du reste du monde, et qu'elle semblait ne pas connaître d'autres saisons que celle de l'Eau. Non, le ravissement qui s'était emparé d'eux provenait d'ailleurs. De partout en même temps. Une sorte de magie. Un envoûtement. Comme si leurs sens s'étaient trouvés décuplés, pour accueillir un millier de sensations agréables. Une ivresse sans nausée.

Léti se frotta les yeux pour lutter contre un vertige subsistant. Dormir lui avait fait beaucoup de bien. Elle ressentait toujours une certaine allégresse, mais l'envoûtement semblait, à son tour, assoupi. À moins qu'elle s'y soit habituée pendant son sommeil... Mais peu importait l'explication.

Une fois que tous avaient franchi la porte, Nol ne leur avait pas laissé beaucoup de temps pour s'extasier et exalter leur réussite. L'Étrange avait suggéré qu'ils s'allongent et dorment. Sur l'instant, personne n'en avait eu l'envie. Léti ne se rappelait même pas s'être assise. Pourtant, à l'aube de ce jour nouveau, les héritiers reposaient tous sur un tendre matelas de verdure, s'éveillant doucement à la caresse des premiers rayons du soleil. Avaient-ils cédé à l'envoûtement ? Aux pouvoirs de Nol ? À cette question, elle ne pouvait pas mieux répondre.

Grigán se tenait à quelques pas devant elle, plissant les yeux en portant son regard vers le fond de la vallée. Bien que l'on ne puisse vraiment parler de fond : le Jal'dara ressemblait d'avantage à une plaine habillée de quelques reliefs, cernée par des murailles plus ou moins lointaines. On ne pouvait même affirmer que la vallée était entièrement fermée. Elle pouvait très bien s'étendre sur plusieurs dizaines de lieues.

— Vous voyez quelque chose ? demanda-t-elle à son maître d'armes.

— Beaucoup d'oiseaux. Des margolins. Des dors-debout, quelques fouisseurs. Un cerf balancier, là-bas, près des lubilliers. Et tout au bout, des enfants.

— Où ça ? bondit la jeune femme.

Léti suivit du regard la direction indiquée par le guerrier. Tout d'abord, elle ne vit rien. Puis, guidée par les explications de Grigán, elle discerna quelques contours plus sombres sur le paysage verdoyant. Comment le guerrier pouvait-il assurer qu'il s'agissait d'enfants ? Léti avait même du mal à reconnaître des formes humaines, dans ces taches éloignées.

— Par tous les dieux, quelle cuite ! commenta derrière eux la voix de Rey. J'ai tellement mal au crâne... J'ai l'impression d'avoir été frappé par Bowbaq toute la nuit !

— Je t'assure que non, intervint aussitôt une voix forte, mais qui modulait sur un ton embarrassé. Jamais je ne te frapperai, ami Rey !

— Je sais bien, gros ours, c'est une plaisanterie. Ah, je ne m'y ferai jamais ! conclut l'acteur avec une fausse résignation.

Léti se retourna pour contempler ses amis. Le géant Bowbaq, les surpassant tous en force et en gentillesse, alors penché sur le corps toujours endormi du petit singe Ifio. Rey le Lorelien, tour à tour charmant et agaçant. Maz Lana, la dévouée prêtresse d'Eurydis, dont tous avaient deviné les amours secrètes avec l'acteur.

Grigán, le guerrier ramgrith à qui chacun devait plusieurs fois la vie. Grigán, qui lui avait appris l'art du combat. Grigán, atteint d'une maladie dont chaque crise était plus dangereuse que la précédente… et à laquelle on ne connaissait pas de remède.

Corenn, sa tante au second degré, membre du Conseil permanent du Matriarcat de Kaul. Corenn, dont l'intelligence avait permis de percer nombre des secrets des sages. Corenn, sans qui ils ne seraient jamais parvenus au Jal'dara. Bien que l'on puisse dire la même chose de chacun d'eux…

Yan, enfin. Le jeune homme était le dernier à se redresser sur le tapis d'herbe et regarder autour de lui, vaguement hébété et clignant des yeux comme un bébé. Il croisa son regard et sourit chaleureusement.

Yan, dont Corenn vantait les pouvoirs magiques. Yan, son plus vieil ami. Yan, qu'elle aimait depuis si longtemps, qu'il lui semblait inutile d'en faire part au jeune homme. S'il ne venait pas à elle… c'est qu'il ne l'aimait pas. Quoi d'autre ?

Étrangement, cette pensée ne lui porta pas un coup au cœur, comme cela advenait d'ordinaire. Était-ce le fait des pouvoirs du Jal'dara ? L'ivresse dans laquelle ils baignaient encore devait atténuer toutes les douleurs…

— Tante Corenn, cet endroit est *dangereux*, s'entendit-elle prononcer très sérieusement.

— Je ressens la même chose, acquiesça la Mère, le visage grave. J'ignore de quoi il s'agit.

— Le Jal nous fait oublier, intervint Lana, soudain inspirée. J'ai le sentiment que… que mes souvenirs sont très lointains. Pourtant, certains d'entre eux ne remontent qu'à la veille. Comment est-ce possible ?

— Cet endroit agit comme une drogue, suggéra Rey. Voilà pourquoi j'ai aussi mal au crâne. Les herbes ne m'ont jamais réussi.

— C'est pire encore, reprit la Maz, pourtant toujours souriante. Si nous restons ici trop longtemps, nous oublierons jusqu'à nos noms. J'en ai le pressentiment. Nous… *disparaîtrons*.

Les quatre hommes du groupe échangèrent quelques regards étonnés.

— J'ai l'impression que ce phénomène a plus d'effet sur les femmes, commenta Grigán, sans savoir quoi en penser.

— Question de sensibilité ? se vexa Léti. Les hommes sont trop stupides.

— Apparemment, les choses ne vont pas si mal que ça, nota le guerrier devant la vivacité de la jeune femme. Nos ancêtres ont vécu ici plus de deux lunes et n'en ont gardé aucune séquelle. Nous aurons besoin de bien moins de temps que ça. Alors, ne nous créons pas des soucis supplémentaires.

Corenn acquiesça, en espérant que les choses soient aussi simples que Grigán les avait décrites. Ils ignoraient, en vérité, s'ils pouvaient trouver de l'aide au Jal'dara. Et ce qu'ils auraient à faire pour l'obtenir.

* * *

Ils s'étaient plus ou moins attendus à la visite de Nol, mais l'Étrange se faisait désirer. Pourtant, les héritiers n'osaient s'aventurer plus avant dans le Jal'dara. En partie, par crainte des dangers inattendus que cet endroit pouvait receler. Mais surtout par *respect*. Chacun rechignait à fouler le sol sacré du berceau des dieux, sans d'abord y avoir été invité par le maître des lieux.

Rey suggéra qu'ils profitent de ce temps libre pour déjeuner, et ils s'installèrent en cercle, assis dans l'herbe, maîtrisant la curiosité qui les poussait à l'exploration. Lana disposa quelques-unes de leurs victuailles sur une couverture, mais en contemplant les divers morceaux de pain, les fruits séchés, le lard fumé et les œufs, tous réalisèrent qu'ils n'avaient pas vraiment faim.

Grigán conseilla de manger malgré tout et chacun se força à avaler quelque chose, difficilement et sans plaisir car tous les aliments paraissaient indigestes. L'idée d'une infusion de *cozé* lancée par Corenn fut, en revanche, accueillie avec enthousiasme. Mais après une décime d'essais infructueux, les héritiers durent se rendre à l'évidence : il était impossible d'allumer un feu au Jal'dara.

— Arkane de Junine a pourtant été brûlé, s'étonna Bowbaq en s'escrimant sur le briquet à silex.

— C'était au Jal'karu, rappela Yan avec candeur. Quelque part sous nos pieds. Les choses y sont sûrement différentes.

Ses compagnons portèrent aussitôt leur regard au sol, comme s'ils pouvaient y voir les fosses aux démons citées par Achem. Bien sûr, il n'en était rien. Leur réflexe suivant fut de chercher, le long des murailles dorées cerclant la vallée, une faille ou une tache sombre trahissant l'entrée d'une quelconque galerie souterraine. Mais de cela, il n'y avait pas plus que de margolin volant.

Après Rey, Yan et Grigán, Bowbaq renonça également à allumer un feu. Pour seule boisson, ils durent se contenter d'eau tiède puisée dans leurs gourdes et plus insipide que jamais. Enfin, alors qu'ils buvaient lentement et sans plaisir, Corenn renversa une bonne pinte du liquide sur le sol, sous les regards intrigués de ses compagnons. Elle passa sa main dans l'herbe après quelques instants puis retourna un peu de terre du bout de son pied.

— C'est sec, annonça-t-elle très calmement.

Grigán tenta lui-même l'expérience, Léti et Rey confirmant après lui que le sol ne gardait aucune trace d'humidité.

— J'ignore pourquoi, mais ça me dérange, commenta le guerrier. Comment est-ce possible ? Il ne fait pas chaud à ce point-là.

— Nous avons déjà vu des choses bien plus étranges, rappela la Mère. Les jardins semblent se… *régénérer*. Ils reprennent leur forme, si vous préférez. Je m'en suis douté, en voyant que l'endroit où nous avons dormi n'en gardait aucune trace.

— Très pratique, commenta Rey avec un sourire en coin. Cet endroit reste toujours propre. Immuable. Le rêve suprême de ma grand-mère.

— Je doute que cela ait été conçu en ce sens, tempéra Corenn. En tout cas, cela explique peut-être pourquoi nous ne ressentons ni faim, ni soif, ni froid… Ce pouvoir semble déteindre sur nous.

— J'ai tout de même mal au crâne, rappela l'acteur avec une grimace. Ce n'est pas parfaitement efficace.

— Pas encore. Mais si nous restions deux lunes ? Trois ? Jusqu'à quel point serions-nous modifiés ?

— Nous deviendrons des *Gweloms*, répondit Lana, la voix pâteuse. Comme nos ancêtres. Avec une longévité accrue… et une stérilité partielle.

— Nous sommes *déjà* des Gweloms, rappela Léti. Les émissaires ont eu peu de descendants. Et ces derniers n'en ont pas eu beaucoup plus.

— Sauf Bowbaq, qui cache bien son jeu, intervint Rey avec un clin d'œil égrillard à l'intention du géant. N'est-ce pas, mon ami?

— Je ne cache rien du tout, s'excusa l'intéressé en rougissant sous sa barbe blonde.

— Et en fait de longévité accrue, je trouve que l'espérance de vie des héritiers a connu une chute pour le moins spectaculaire, poursuivit Rey avec un cynisme morbide.

Personne n'apprécia la plaisanterie. L'acteur lui-même ne la trouvait pas drôle.

— L'euphorie se dissipe, remarqua Corenn. Notre mémoire revient. Nous sommes de nouveau capables de souffrance.

— Je la ressens toujours, annonça Lana en souriant malgré elle. Tout est tellement beau, ici…

Les héritiers contemplèrent la Maz avec une envie mêlée d'embarras.

— Je… je crois que ça pourrait me revenir, si je me laissais aller, avertit Yan. J'ai l'impression que ça fonctionne par cycles.

— Nous allons tous nous surveiller, décida Grigán. Dès que l'un de nous sent qu'il commence à perdre la tête, qu'il prévienne les autres. Maz Lana, ça va aller?

— Oui… oui, Grigán, répéta-t-elle langoureusement. Je vais parfaitement bien. Tout est si beau, ici, répéta-t-elle sans originalité.

Le guerrier médita quelques instants sur la santé de la Maz, mais au-delà de son apathie, Lana semblait se maîtriser. Perdre du temps en précautions pouvait aggraver les choses…

— Mettons-nous en route, ordonna-t-il subitement. Marcher nous fera du bien. Et j'en ai assez d'attendre le bon vouloir des dieux. Allons voir à quoi ressemble cette vallée!

* * *

Les héritiers n'allèrent pas bien loin dans leur exploration. Lana désirait contempler de plus près la porte du Jal, qu'ils n'avaient qu'entr'aperçue la nuit précédente. Elle fut donc leur première destination, à deux cents pas à peine de l'endroit qui avait accueilli leur sommeil.

Elle n'était ni plus grande, ni plus large que celles qu'ils avaient déjà pu voir: la porte de Ji, celle de la forêt d'Oo, et l'Arche Sohonne pour le seul Grigán. Pourtant, alors qu'ils en étaient encore à plus de cent pas, des différences s'imposèrent. La porte était de loin la plus belle. Et la plus intrigante.

Comme tout le Jal'dara, elle avait quelque chose de commun et d'extraordinaire en même temps. On sentait en elle le même envoûtement qui émanait de tous les points de la vallée. Un pouvoir qui n'était perceptible, pour les autres portes, qu'à l'instant de leur ouverture, mais qui, ici, sourdait constamment.

C'est en approchant jusqu'à son pied qu'ils remarquèrent ses nombreuses autres particularités.

— Comment avons-nous pu manquer cela cette nuit ! s'exclamait la Maz, enthousiaste. Étions-nous envoûtés au point d'être aveugles ?

— La porte était « ouverte », expliqua Corenn, non moins émue. En pareil cas, les motifs sont invisibles… Dire que nous aurions pu passer à côté de cela !

Comme ses compagnons, Bowbaq contemplait les motifs ornant l'intérieur de l'arche. Lui avait seulement remarqué que l'ouvrage était entièrement taillé dans un bloc de marbre unique, ce qui en faisait probablement le plus lourd objet jamais façonné. Il avait également noté que les motifs couraient à l'intérieur *et* à l'extérieur de la porte, la différenciant ainsi de ses semblables. Mais, ne voyant pas là-dedans de quoi se mettre dans un tel état de fébrilité, il se décida finalement à poser la question à Lana.

— Les couleurs, Bowbaq ! répondit la Maz passionnée. Ne vois-tu pas ? Les motifs sont *colorés* !

— Je les vois, amie Lana, assura-t-il. C'est très joli, ajouta-t-il poliment, sans avoir compris encore en quoi cet ornement basé sur sept ou huit teintes primaires méritait tant d'émerveillement.

— C'est bien plus que joli ! reprit la prêtresse. Ces couleurs sont la clef de la langue ethèque !

Bowbaq implora Corenn du regard, et la Mère comprit que le géant avait besoin d'une meilleure explication. Tous ses compagnons écoutèrent celle-ci avec attention.

— Les motifs de toutes les autres portes sont usés, rappela Corenn. Effacés par les millénaires. Heureusement, cela ne semble pas altérer leur magie… mais personne n'a jamais pu leur trouver une logique. Nous avons toujours pensé qu'ils représentaient plus qu'une simple décoration. Maz Achem, le premier, leur avait trouvé une ressemblance avec la langue ethèque. Mais cette dernière est elle-même très mal connue, et les portes sont bien plus anciennes que les quelques vestiges que nous possédons de leur civilisation.

— Nous ne savons rien des ethèques, interrompit Rey. Deux ou trois ruines, quelques tablettes éparses aux quatre coins du monde… Peut-être même n'ont-ils jamais existé.

— Ces preuves me semblent suffisantes. Ils *ont* existé. De là à prétendre qu'ils représentaient le *premier peuple*… C'est un autre débat. Quoi qu'il en soit, même en utilisant les maigres connaissances que nous avons de leur alphabet, il n'a jamais été possible de traduire les textes des portes.

« Ces motifs sont intacts, affirma la Mère en désignant l'intérieur de l'arche. Pas seulement bien dessinés : ils sont colorés. Observez de quelle manière… Ici, trois dessins rouges, un bleu, un vert. Ici, plus loin : les mêmes, dans les mêmes couleurs. Ici : quatre verts, deux jaunes.

— Comme les dés ithares, nota Rey, spécialiste de la question.

— Peut-être. Pourquoi pas ? Regardez comment sont disposées les teintes, et vous comprendrez qu'il ne peut s'agir d'une simple décoration. *La couleur est un élément indispensable de l'alphabet ethèque.*

— Lana, vous pouvez traduire les inscriptions ? demanda Grigán sans se leurrer sur la réponse.

— Malheureusement non, répondit la Maz, toujours enjouée. Je n'ai pas étudié cette langue. Et même si c'était le cas, il faudrait trouver comment sont utilisées les teintes. Changent-elles une syllabe en une autre ? Influent-elles sur le sens du mot ? C'est un travail de plusieurs années, Grigán. Sans assurance de réussitc.

Le guerrier se rembrunit et leva les yeux vers le haut de la voûte, comme pour y lire la solution. Mais l'arche devait garder ses secrets.

— Vous croyez que les autres portes étaient également colorées ? demanda Yan.

— Oui, répondit Lana, en même temps que Corenn annonçait « probablement pas ».

— *Vérité arque, mensonge jez,* cita Rey avec amusement, évitant ainsi à ses amies un long débat stérile. Je me demande quand même ce que tout cela raconte, ajouta-t-il en contemplant les motifs colorés. Peut-être une histoire drôle ?

— Bien sûr, railla Grigán. Des types ont taillé un bout de montagne pour raconter celle du roi qui cherchait son trône. Ou celle du Lorelien qui voulait emprunter une demi-terce, ajouta-t-il avec malice.

— Je préfère celle-ci, répliqua l'acteur sans se démonter : c'est un Ramgrith, un Junéen et un Goranais qui vont au Grand Temple. Le Junéen entre et…

Yan n'attendit pas la fin de l'histoire qu'il connaissait déjà, Rey la servant à la moindre occasion. Il fit lentement le tour de l'impressionnant édifice, en s'interrogeant sur les moyens qu'il avait fallu mettre en œuvre pour parvenir à ce résultat. Combien de temps ? Quelle part de magie ?

Combien d'hommes ? Peut-être aucun.

— Qui a bien pu construire les portes ? demanda-t-il en rejoignant ses amis, sans vraiment attendre de réponse à une question qu'ils se posaient depuis deux lunes.

— Et pourquoi ? renchérit Léti. Pourquoi, après tout, permettre aux humains de venir au Jal'dara ?

La jeune femme n'avait pas encore terminé sa phrase qu'un léger sifflement retentissait pour se muer en vacarme assourdissant. Grigán et Rey quittèrent l'arche, puis s'en éloignèrent d'une bonne dizaine de pas avec leurs compagnons.

— Que se passe-t-il ? demanda Bowbaq avec inquiétude. Pourquoi la porte s'ouvre-t-elle ?

— Je ne sais pas, lui répondit Lana dégrisée, sans quitter des yeux le point lumineux qui venait d'apparaître entre les piliers.

Mais celui-ci n'envahit pas toute la hauteur de l'arche, comme ils l'avaient toujours vu faire. La magie de la porte se manifestait… mais aucun passage ne devait s'ouvrir.

Alors que tous contemplaient le prodige, Yan lui tourna le dos et observa les environs. Il ne lui fallut que quelques instants pour trouver ce qu'il cherchait.

— Nol, prévint-il en tirant Grigán par son gilet. Il approche.

Les héritiers se retournèrent et s'apprêtèrent à rencontrer le Doyen du Jal'dara. Tout comme leurs ancêtres, avant eux. Tout comme Saat, en son temps.

* * *

Sombre est en son temple et jouit de sa puissance divine. Le dieu chasse. Il est Celui qui Vainc.

Une rumeur prétend que le bâtiment, une fois achevé, pourrait contenir les crânes des quatre-vingt mille esclaves ayant participé à sa construction. La rumeur s'est faite persistante. Cent vingt mille voix la crient chaque jour dans l'esprit du démon. Alors, Sombre commence à compter.

Il bondit dans les couloirs, franchit les murs, lance ses griffes et fait claquer ses crocs. Il épargne toutefois la tête de ses victimes, même si leur agonie en est d'autant allongée. Il déchire, écorche, brise et arrache. Et chaque trophée vient s'ajouter aux piles déjà immenses qui s'élèvent le long des murs.

Mais les choses sont trop lentes. Il lui reste énormément de place. Et plus encore de colère. Le dieu souffre, et entend communiquer sa souffrance.

Il s'est enfin libéré du sommeil. Mais sa puissance a également cessé de croître. Le dieu a atteint sa maturité. Il est *abouti*. Enrageante frustration.

Il ne grandit plus. N'est plus altéré qu'à petites touches, selon la fantaisie des mortels. Mais sa conscience est parfaitement éveillée. Et Sombre sait maintenant que ses pouvoirs n'égaleront jamais ceux des Grands Doyens, ses frères et sœurs. Pour cela, il aurait fallu qu'il reste au Jal plus longtemps. Mais il fut parmi les hommes *avant* d'être né des hommes. Le dieu est un prématuré.

Il ne peut pas lire l'avenir, comme Ekmis, Usul, Quarm Y'lor ou les Ondines. Il ne peut pas se transporter à distance; tout juste y matérialiser un *avatar*, à peine une ombre de lui-même. Il ne peut pas changer le climat, faire trembler les montagnes, assécher les fleuves ou déchaîner la mer, comme Hamsa, Éi, Lirtl', Phrias et tellement d'autres.

Il ne peut ni *créer*, ni *procréer*. Aucune plante ne naîtra jamais de son esprit. Aucun animal ne le représentera dans la nature, comme Mishra engendra l'ours, et Jeth le margolin. Aucune figure légendaire ne naîtra de sa semence, car le dieu n'en a point.

Sombre peut seulement *entendre*. Mais tous les dieux en sont capables. Il peut *inspirer* les mortels. Mais cela ne le distrait, ni ne l'intéresse.

Enfin, il peut *combattre*. Et en cela… il est le plus grand.

Il est Celui qui Vainc, de par la volonté des hommes. Là s'arrêtent ses pouvoirs. Alors Sombre combat. Et triomphe. Terrasse. Conquiert. Détruit.

Son temple a l'odeur de la montagne de Karu. L'obscurité y est presque semblable. Sombre s'y sent bien, ou plutôt, il s'y sent moins mal qu'ailleurs. Il n'en sort plus que très rarement. Il entend les hommes, rumine sur son destin, converse avec son ami. Et chasse.

C'est devenu son seul plaisir. Le dieu a pris goût aux cérémonies d'exécution organisées en son nom… et dont il est également le principal acteur. Mais elles restent trop rares. Et l'attente est longue.

Saat a trouvé une solution, comme toujours. Il est un ami précieux. Le seul, en fait. Parfois, le dieu songe qu'il est également responsable de la faiblesse de ses pouvoirs. Sombre n'est pas naïf. Mais du plus loin qu'il se souvienne, il a vécu avec cette amitié. Il n'imagine pas qu'il puisse en être autrement.

Son ami. Ils sont les Dyarques. Deux têtes sous une seule couronne.

Saat a eu l'idée de ces chasses dans le temple. Régulièrement, il fait enfermer des hommes dans ce qu'ils appellent le *Mausolée*. Aucun n'en ressort jamais.

Ce sont rarement des esclaves. Le jeu en serait moins amusant. Sombre préfère chasser des guerriers. Prisonniers goranais, Wallattes indésirables, renégats, lâches, traîtres... peu importe. Ces notions le dépassent. L'important est qu'ils courent dans son labyrinthe. Qu'ils essaient de se défendre. Que leur terreur et leur souffrance soient tangibles.

La divinité est mortellement ennuyeuse. En attendant de rencontrer son véritable Adversaire, Sombre se distrait. Et des hurlements d'agonie résonnent dans les ténèbres de son temple. Au pied de la montagne de Karu.

* * *

Nol gravissait tranquillement la petite colline qui supportait la porte de marbre. Les héritiers, muets, ne pouvaient détacher leurs yeux de celui en qui ils plaçaient tant d'espoirs. Celui qui avait *vécu* avec leurs ancêtres. Celui qui, vraisemblablement, veillait sur les enfants du Jal'dara. Celui qui avait vu grandir tous les dieux de l'humanité, et qui verrait également l'avènement de tous les autres. Le Doyen éternel.

Le portrait qu'en avait fait un peintre junéen, un siècle plus tôt, était tout à la fois ressemblant et lointain. Les héritiers devaient plus tard comprendre que Nol leur était apparu différent à chacun. Un seul corps, mais plusieurs apparences...

Bowbaq le vit grand, et Lana petit. Corenn l'imaginait ridé, Grigán l'affirma entre deux âges. Ils devaient le décrire courbé et droit, maigre et bien portant, chauve et grisonnant, pâle et hâlé... Les contradictions étaient pires encore en ce qui concernait ses vêtements. Rey devait jurer l'avoir vu nu. Mais ses compagnons citaient qui un pagne, qui une toge, une robe ou une tunique. Bien sûr, ils ne prirent conscience de leurs différences de perception que bien plus tard, alors que le sujet tombait par hasard dans la conversation. Et toute tentative d'explication devait les ramener à l'envoûtement du Jal.

Seul le regard de l'éternel Gardien fit l'unanimité. Alors qu'il franchissait, le plus simplement du monde, les derniers pas le séparant de ses visiteurs, ces derniers se sentirent gagnés par sa bienveillance… et sa mélancolie. Yan se rappela quelques-uns des mots du dieu, lors de leur première rencontre. Nol avait dit : « la clairvoyance est toujours un fardeau. Mais personne ne choisit les siens… » Quelles pouvaient être les préoccupations d'un tel individu ? Les mortels étaient-ils seulement à même de les comprendre ?

— Bienvenue chez vous, annonça l'éternel avec douceur, se rendant auprès de chacun pour effleurer de qui la joue, la main ou l'épaule, en guise de salut.

Instinctivement, Grigán, Rey et Léti lui répondirent de la même manière. Les autres n'osaient bouger, alors que l'Étrange les gratifiait de son toucher divin pour la deuxième fois en deux jours.

Ils s'étaient plus ou moins attendus à une sensation particulière, chaleur, picotements, magnétisme ou autres appréciations. Mais il n'y eut rien de tout cela. Rien d'autre que le contact agréable d'un geste empreint de tendresse.

Rey s'éclaircit la gorge et fit un pas vers leur hôte, sous les regards suppliants de ses compagnons, affolés à l'idée que l'acteur puisse commettre un impair aux conséquences inimaginables.

— Excusez-moi, heu… Nol, n'est-ce pas ? Pourquoi nous saluer avec « bienvenue chez vous » ? Et pas « bienvenue au Jal'dara », ou quelque chose dans le genre ?

— N'estimez-vous pas être ici chez vous ? répondit l'Étrange avec un sourire sans malice.

— Maître… bafouilla Corenn, profondément troublée par cette rencontre… pardon, votre Excellence… divine… heu… Mère Eurydis, comment s'adresse-t-on à un *dieu* ?

— Le nom de chaque être vaut plus que tous ses titres, la rassura-t-il avec douceur. Usez simplement du mien.

Derrière Grigán, Lana éclata en sanglots, et Rey la rejoignit pour la bercer dans ses bras. La Maz s'y abandonna complètement, pleurant à chaudes larmes sur la poitrine de l'acteur.

— Tout va bien, répétait-il pour la réconforter. Pourquoi pleurez-vous ? Tout va bien, Lana.

— C'est… c'est comme un rêve, chuchota la Maz entre deux sanglots. Ces paroles… elles font partie de l'âge d'Ys, Reyan. C'est trop beau. Tout est trop beau. Oh, pourquoi les hommes sont-ils ainsi… conclut-elle en pleurant de plus belle.

Sensible à l'émotion de la Maz, Léti sentit également quelques larmes perler le long de ses joues, et Bowbaq lui-même y vit plus trouble que de coutume. Pendant cet échange, Nol n'avait pas bougé d'un pouce. Par la suite, les héritiers devaient souvent remarquer la passivité de l'éternel, lors de leurs débats. Il pouvait rester souriant et immobile, les mains jointes devant la poitrine, sans même qu'aucun signe ne vienne confirmer qu'il suivait la conversation.

— Nol… reprit Corenn en s'efforçant de maîtriser sa voix, autant que le flot de ses émotions. Savez-vous qui nous sommes ?

— Les hommes ne m'ont pas donné le pouvoir de la clairvoyance… annonça le Doyen pour seule réponse. Est-ce important ? s'enquit-il doucement, devant l'expression déçue de Corenn.

— Nous allons vous surprendre, intervint Grigán, trop heureux de pouvoir en remontrer à un dieu. *Nous sommes les héritiers des sages de l'île Ji.*

Nol l'Étrange perdit son sourire et dévisagea chacun des mortels qui lui faisaient face. Yan aurait juré avoir vu une ride apparaître sur le front du Gardien. Et ses yeux exprimaient plus que jamais la mélancolie.

* * *

Il fallut un demi-décan à Corenn pour raconter, sans trop entrer dans les détails, ce qu'avait été le destin des sages et de leurs descendants depuis qu'ils avaient croisé la route de Nol. Un demi-décan seulement, pour résumer la vie de deux cents personnes appartenant à quatre générations différentes. Un récit volontairement court, et qui s'achevait sur une note sinistre : celle des Züu, de Saat et de la guerre qui menaçait les civilisations humaines les plus avancées.

Cela permit au moins aux héritiers de s'accoutumer à la présence du Doyen, si ce n'est de s'y familiariser. Après un démarrage laborieux, Corenn avait retrouvé tous ses talents d'orateur, et sa narration était redevenue claire, aisée et précise. Elle avait captivé l'éternel aussi bien que ses compagnons, pourtant eux-mêmes acteurs de l'histoire. Elle avait retracé leur quête pas à pas, marquant régulièrement des pauses dans l'espoir que Nol manifeste approbations, démentis ou éclaircisse-ments. Mais l'intéressé était resté muet jusqu'à la fin. Attentif, mais désespérément passif.

Enfin, Corenn s'était tue. Son récit avait rejoint le moment de leur entrée au Jal'dara. Nol savait presque tout de la quête des héritiers. Alors, ceux-ci attendaient, angoissés, un signe quelconque du dieu. Un espoir. L'aide qu'ils étaient venus chercher, sans certitude de la trouver. Et Nol médita longuement, en fixant le sol où ils étaient assis.

— Avec quelques petits changements, cette histoire pourrait faire un conte assez original, lança Rey pour briser ce trop lourd silence.

Mais les héritiers n'avaient pas le cœur à rire. Toute leur attention était consacrée au Doyen et à ses réactions. Et celles-ci se faisaient attendre.

— Ainsi… Saat n'est pas mort dans la troisième fosse, commenta-t-il enfin, presque pour lui-même. Exceptionnel. Étrange destin que celui de cet homme…

— Vous voulez dire que… vous ignoriez cela *aussi* ! bondit Rey, un peu plus fort qu'il ne l'aurait voulu. Pardonnez-moi… reprit-il plus douce-ment. Mais n'êtes-vous pas censé disposer de pouvoirs immenses ? Comme, de pouvoir toucher n'importe qui, n'importe où ?

— Je ne suis qu'un Gardien, Reyan le Jeune, répondit l'intéressé sans rancœur. Je protège ma porte et le domaine qui l'abrite. Mes pouvoirs ne servent que cette fonction.

— Vous êtes aussi Celui qui Enseigne, rappela Lana. Vous êtes plus qu'un Gardien.

— Peut-être. Mais je n'en tire aucune puissance supplémentaire. Qu'en ferais-je, d'ailleurs ?

— Vous pourriez nous aider à arrêter Saat, proposa Léti.

— Je ne puis intervenir dans le monde des mortels, refusa Nol avec douceur.

— Mais vous le faites depuis toujours ! s'emporta Grigán, que cette passivité commençait à exaspérer. Tous nos ancêtres sont venus ici à votre demande ! Et leurs vies en ont été changées à jamais !

— Je regrette sincèrement, affirma l'Étrange, sans que son regard perde sa lueur bienveillante.

— Vous le *regrettez* ? Séhane de Junine a eu la nuque brisée par un démon envoyé par Saat. Et vous, assis dans l'herbe douce, vous *regrettez* ? Vous nous refusez votre aide ?

— Je ne puis rien faire, répéta Nol sans s'émouvoir. Pendant leur séjour au Jal'dara, les dieux n'ont aucune influence sur le reste du monde. Même le Doyen de cette vallée ne peut se soustraire à la règle…

— La belle affaire! s'emporta Grigán en se levant. Allez faire un petit tour dehors, alors! Essayez un peu de réparer vos erreurs! Car tout cela, c'est de *votre faute*, conclut-il en désignant l'éternel d'un doigt accusateur.

— Maître Grigán… asseyez-vous près de moi, je vous en prie, implora Corenn.

Comme ses compagnons, la Mère était surprise et embarrassée par la soudaine colère du guerrier. La passivité et l'impuissance de Nol étaient certes frustrantes, mais n'excusaient pas un tel comportement. Grigán avait-il oublié à qui ils avaient affaire, et où ils se trouvaient? L'envoûtement du Jal lui faisait-il perdre la tête?

Elle imagina un instant que le guerrier pourrait devenir violent. Puis se reprocha cette pensée. Grigán était susceptible, taciturne et ombrageux, c'était entendu. Mais elle le savait aussi attentionné, respectueux et fidèle en amitié. Il avait le sens de l'honneur et celui du sacrifice. Jamais, même dans la plus noire des ivresses, il ne pourrait donner le premier coup.

Par contre, la Mère ne répondait de rien si le guerrier les estimait en danger. Et tout le problème était là. Nol étant le Gardien du Jal'dara, il avait probablement les moyens de les en chasser. En imaginant l'Étrange se muant en un monstre tel que Reexyyl le Léviathan ou la Guivre du pays d'Oo, Corenn se leva à son tour pour tenter d'apaiser le guerrier qui faisait nerveusement les cent pas.

— Dans votre monde, je ne puis que visiter vos rois, s'excusa le Doyen. Comprenez-vous? Là se limitent mes pouvoirs. J'ignore ce qu'il adviendrait, si j'essayais d'agir autrement. En fait… *je ne le pourrais pas*. Ça m'est impossible. Comprenez-vous? répéta Nol, incapable de mieux s'expliquer sur ce fait qui mettait en cause sa propre origine.

— *De votre faute!* s'entêta le guerrier, titubant maladroitement pour échapper à l'étreinte de Corenn.

— Grigán, Nol ne peut rien faire! tenta d'expliquer Lana. Il est prisonnier du Jal! Comme Usul de sa caverne!

Bowbaq se leva pour prêter main-forte à la Mère, alors qu'il devenait évident que le guerrier n'était pas dans son état normal, au point de peiner à se tenir debout. Il s'effondra presque dans les bras du géant, la main crispée sur la poignée de sa lame courbe, comme si son arme pouvait l'aider à lutter contre le mal qui le rongeait.

Les héritiers reconnurent enfin de quoi il s'agissait. La maladie de Farik, que Grigán avait contracté au Beau-Pays, mordu par plusieurs dizaines de rats vampires.

C'était sa quatrième crise. Chacune ayant été plus terrible que la précédente, les effets de celle-ci ne pouvaient être que des plus redoutables.

Comme ses visiteurs, Nol vint se placer près du corps inanimé du guerrier. Yan étudia le visage de l'Étrange en espérant y trouver un réconfort, une moue rassurante. Mais il ne put y déchiffrer la moindre expression.

La mort pouvait-elle frapper dans le berceau des dieux ?

* * *

Grigán était glacé et affreusement, terriblement pâle.

Les héritiers avaient observé, angoissés, sa température chuter pendant presque une décime. Elle s'était enfin stabilisée. Mais si bas...

À la franche-ferme de Semilia, ils avaient placé le guerrier au plus près de la cheminée. Mais aucun feu ne prenait au Jal'dara, et les couvertures pouvaient être insuffisantes. Alors, en désespoir de cause, ils se relayèrent pour s'allonger auprès de leur ami et essayer de lui communiquer un peu de leur chaleur. L'opération se déroula dans une atmosphère de plus en tragique. Léti serra le guerrier de toutes ses forces et eut l'impression de s'agripper à un cadavre. Elle céda rapidement la place à Bowbaq, qui refusa de bouger pendant plus d'un décan, malgré le froid qui le gagnait.

— Vous ne pouvez vraiment rien faire pour lui ? implora Léti, la lèvre tremblante.

— S'il peut guérir, alors le Jal'dara y pourvoira, assura Nol en souriant. Gardez espoir.

La jeune femme tourna le dos à l'éternel et dénicha un briquet à silex dans leurs sacs. Elle fit jaillir une bonne centaine d'étincelles sans obtenir la moindre flamme, puis s'abandonna au chagrin, sourde aux paroles consolatrices de Lana et Corenn.

Nol ne semblait pas vouloir les quitter. Pourtant, son attention était ailleurs. Le Gardien ne cessait de fixer le fond de la vallée, là où quelques formes indistinctes déambulaient sans but apparent. Les enfants dieux.

— Pourquoi ne les rejoignez-vous pas ? demanda Rey, à qui cela n'avait pas échappé. On peut se débrouiller sans vous.

Nol jeta un œil au corps de Grigán, puis à la porte dont il était le Gardien. Il se pencha vers l'acteur pour lui parler à voix basse.

— Personne ne doit mourir au Jal'dara, annonça-t-il avec franchise. Si cela s'avérait inévitable, vous auriez à partir *avant*.

Rey dévisagea l'éternel, acquiesça puis décida de fouiller tous les sacs pour voir si, *vraiment*, il ne restait que de l'eau. À ce moment, il aurait donné tout son trésor pour une bouteille de n'importe quel mauvais vin.

Bredouille, il songea un instant à aller relayer Yan auprès de Grigán, mais le jeune homme venait juste de prendre son tour. Alors, il revint auprès de Nol et Corenn. L'Étrange avait repris son observation muette.

— Vous avez peur qu'ils se battent entre eux, ou quoi ? railla l'acteur, frustré par leur impuissance.

— Je crains que l'un d'eux ne vienne voir votre ami, répondit le dieu sans détours. Tous les enfants sont impressionnables, poursuivit-il en plongeant son regard dans celui de Corenn. Ceux-ci le sont *mille fois* plus.

La Mère se rappela le poème de Romerij qu'ils avaient trouvé dans la tour Profonde. « Homme ou dieu, même naïveté ». Quelles conséquences la vue du corps malade de Grigán pourrait-elle avoir sur l'esprit des dieux naissants ? Peut-être oublieraient-ils. Peut-être pas.

Elle eut envie de poser des questions sur leurs ancêtres, Tiramis, Yon, et surtout Saat. Mais n'en fit rien. Pour cela, ils attendraient que Grigán soit guéri. Ils mèneraient leur quête *ensemble*, jusqu'au bout. Ou pas du tout.

Le soir vint sans que le guerrier ne présente de signe d'amélioration. Yan observa le soleil se coucher derrière les montagnes avec une certaine appréhension : au Jal'dara, le temps passait cinq fois plus vite. Ils avaient perdu quatre jours de leurs vies, alors que le temps jouait contre eux.

Quelque chose dans cette réflexion le fit réagir. Comment le soleil pouvait-il se lever cinq fois dans le monde des humains, et une fois seulement au Jal'dara, dans le même laps de temps ? Seul le maître des lieux pouvait fournir une réponse à cette question.

— Le Jal'dara n'est pas dans votre monde, expliqua le doyen. Peut-être pourriez-vous le rejoindre, en gravissant ces montagnes. Mais vous passeriez alors à une autre réalité. Les saisons, par exemple, n'ont aucune influence de ce côté. Alors que l'autre versant est constamment sous la neige.

— Mais le soleil ? s'entêta Yan, jugeant cette interprétation insuffisante. Les cycles du soleil ?

— Ce soleil n'est pas le même que celui des mortels. Ce soleil est issu de votre esprit. Au fil des siècles, les humains ont imaginé qu'il faisait toujours beau au paradis. Alors, il en est ainsi.

— Ainsi, toute la vallée serait issue de la seule foi ? demanda Lana, qui n'avait rien perdu de la conversation. Mais… mais comment…

Cette révélation était riche de tellement d'implications que la Maz fut près de basculer de nouveau dans l'ivresse. Les humains auraient engendré le Jal'dara ? Ils auraient donc également donné naissance à tous les dieux… Mais alors… si les éternels n'étaient pas à l'origine de la création, d'où venaient les humains ? Quel était le premier peuple ?

— Les Ethèques ? songea-t-elle soudain à voix haute. Que sont les Ethèques ? Qu'est-il inscrit sur les portes ?

Le Gardien hésita un instant avant de répondre.

— Je l'ignore, répondit-il avec une voix aux accents de nostalgie. Ma propre existence m'est mystérieuse…

Ce fut la seule fois, pendant leur séjour au Jal'dara, que les héritiers eurent le sentiment que Nol éludait volontairement une question. Mais n'était-il pas, lui-même, plus petit que le mystère de la prime origine ?

* * *

Le crépuscule avait été de longue durée, mais il avait fini par céder la place à la nuit. Une nuit des plus belles, certes, parfumée et étoilée comme dans l'inspiration des poètes. Mais également une nuit *fraîche*. Probablement beaucoup moins que sur l'autre versant des montagnes : mais assez pour rendre plus soucieux encore les héritiers quant à la santé de Grigán.

Léti finissait son tour de veille aux côtés du guerrier. Pour oublier le contact froid, si froid du corps de leur ami, elle contemplait les étoiles. Et n'en reconnaissait aucune. Où étaient-ils donc ? Qu'allaient-ils devenir ?

La nuit du Jal'dara n'accueillait pas de lune. Mais la jeune femme était incapable de se souvenir si elle devait être *reine* ou *mendiante*, à cette époque. Le Jal'dara avait-il commencé à les altérer ? Effaçant leurs souvenirs, leurs personnalités, puis, peut-être, leurs personnes ? Il s'agissait d'une simple intuition. Mais Léti s'était persuadée que s'ils y séjournaient trop longtemps, le Jal les ferait disparaître. Les mortels n'y avaient pas leur place. L'endroit reprendrait sa forme en effaçant les intrus. Étrange et puissante magie…

Cette idée lui en donna une autre. Elle était prête à tout tenter pour sauver Grigán, et il lui était justement apparu l'un de ces plans un peu fous, auxquels on ne songe qu'en approchant du seuil du désespoir. Aussi quitta-t-elle son inconfortable position, soulagée d'être aussitôt remplacée par Rey, et se mit en quête de Yan.

Le jeune homme dissertait avec Nol, Lana et Corenn des étrangetés du Jal. Il faudrait longtemps avant qu'ils n'épuisent le sujet, songea-t-elle en s'approchant. Mais celui-ci devait également l'intéresser.

— …n'avons sommeil, expliquait la Mère. Le Jal semble figer nos organes, nos muscles, et nous mettre à l'abri de tout besoin physique. Même la faim nous est épargnée! J'ai encore en bouche le goût du pain que nous avons mangé à l'aube.

— Vous allez probablement mettre plusieurs jours à le digérer, précisa Nol. Les pouvoirs de conservation du Jal s'exercent sur chaque objet qui s'y abrite. Et la nourriture ne fait pas exception…

— Ce pain m'avait paru terriblement difficile à mâcher, avoua Lana.

— Mais alors… comment expliquer que ces jardins aient cette apparence? demanda Corenn. Je veux dire, personne ne s'occupe d'y tailler les vignes, par exemple, n'est-ce pas? Comment se fait-il qu'il n'en soit pas poussé partout ici, puisque même les plantes ne peuvent y mourir?

— C'est malheureusement faux, corrigea Nol. Ce qui n'appartient pas au Jal y est en danger, tout autant que dans le monde des humains.

— Mais le reste? insista la Mère. Nous avons vu des cerfs balanciers. Même s'il n'en naît qu'un tous les dix siècles, ils devraient être des milliers!

— Parfois, il y en a autant, répondit Nol avec une expression rêveuse. Les réalités sont trompeuses… Le Jal change selon la fantaisie des mortels. Par exemple, vos esprits conjugués ont créé ce bosquet de lubilliers. Mais dans dix millénaires, cette variété aura peut-être disparu de la surface du monde. Les lubilliers seront remplacés par une nouvelle espèce. Ou par une fontaine. Ou un animal. Ou même rien du tout. Comme le choisira l'imagination commune de l'humanité.

— J'ignorais jusqu'à l'existence du Jal'dara, interrompit Léti. Comment aurais-je pu en imaginer le paysage?

La jeune femme n'avait pas oublié le service qu'elle voulait demander à Yan. Mais cette conversation se rapportait, elle en était sûre, à ses propres angoisses.

Le Jal'dara les effaçait. Elle voulait savoir pourquoi.

— Comment l'esprit des hommes peut-il dessiner si précisément un lieu dont ils n'ont aucune conscience? renchérit Corenn.

Le Doyen eut un nouveau sourire, celui qu'il affichait, de toute évidence, lorsqu'il endossait le rôle de Celui qui Enseigne. Rôle qu'il semblait préférer à celui de Gardien.

— Les mortels ont toujours eu conscience de cet endroit. Dans leurs rêves, dans leurs religions, dans leurs arts. Dans le premier sourire des bébés, et l'ultime soupir des mourants. Dans vos pleurs et dans vos rires. Le Jal'dara est continuellement en mue. Chaque génération humaine y laisse son empreinte. Et pourtant, sous ses différents aspects… il est toujours le même.

— Voilà pourquoi il efface nos traces, raisonna Corenn. L'herbe se redresse derrière notre passage. La terre boit et reste sèche. Nous ne sommes ici que des intrus, conclut-elle avec tristesse. Les humains n'ont pas leur place au Jal'dara.

— Cela peut aller loin, remarqua Yan, qui avait parfaitement saisi la notion. Les sacs que nous avons laissés sur l'herbe n'ont rien à y faire. Ils ne *devraient pas* être là. Peut-être y a-t-il un risque qu'ils disparaissent ?

Nol examina les paquetages que les héritiers avaient amassés à quelque distance.

— Cela prendrait longtemps, concéda-t-il avec une moue appréciatrice. Si ces objets vous sont de quelque valeur, déplacez-les de temps à autre. Vos ancêtres n'avaient pratiquement rien perdu, précisa-t-il en se voulant rassurant.

Les héritiers étaient atterrés. Nol ne venait-il pas de confirmer une de leurs craintes ? La nonchalance du dieu était surprenante. N'aurait-il pu les prévenir de cela *avant* ? Sur combien de choses importantes, encore, attendait-il d'être questionné ?

— Longtemps, *comment* ? trouva la force de demander Lana. Plusieurs lunes ?

— Je l'ignore, avoua l'éternel. C'est très variable.

— Comment cet endroit peut-il être *conservateur* et *destructeur* en même temps ? réfléchit Corenn. C'est paradoxal.

— Les mortels l'ont fait ainsi, énonça Nol pour toute réponse.

Léti jugea la conversation terminée. L'issue en était plus qu'inquiétante pour Grigán qui, elle le savait maintenant, affrontait un nouveau danger en plus de sa maladie : celui de disparaître de la mémoire du Jal'dara.

La jeune femme attrapa Yan par la main et l'entraîna à l'écart de Nol et de Corenn. Elle ne voulait pas qu'ils puissent entendre sa demande. Et n'avait nul besoin qu'on les mette en garde sur l'utilisation de la *magie* au Jal'dara.

Elle était parfaitement au courant de tout cela.

* * *

Une fois encore, une compagnie de Goranais avait réussi à franchir les lignes du val Guerrier, et faisait route vers le sud dans l'espoir de couper les têtes des chefs de l'armée barbare. Gors'a'min lu Wallos, roi suzerain des clans wallattes, ruminait de noires pensées en songeant aux incapables à qui il avait confié la responsabilité du front.

Sa propension à infliger la douleur lui avait valu le surnom du « Douillet ». Gors détestait cela. C'était trop tortueux pour son esprit simple. Il eut mieux aimé qu'on l'appelle tout net : Gors le Sadique. Et en songeant à la passoire qu'était cette prétendue frontière du val Guerrier, il se jura d'entretenir sa réputation sur le dos des coupables. Pour lors, ils attendaient le passage des Goranais, embusqués à l'embouchure du Col'w'yr, sous un froid à faire tomber les dents d'un Tuzéen.

Gors songea soudain que la compagnie des *chardonniers* comprenait quelques Tuzéens, justement. Vérifier la véracité de ce dicton pourrait être amusant et, en tout cas, lui ferait passer le temps. Cela faisait presque deux jours qu'ils attendaient les Goranais, et le barbare dé*testait* attendre. Chaque décan d'inaction passé le poussait dans une colère sourde qui remontait à la moindre occasion. Ses subordonnés ne le savaient que trop, et évitaient de rester à portée de la fameuse hache à deux mains du géant wallatte… ce qui avait le don de l'agacer plus encore.

Pour oublier sa hargne et le froid, Gors buvait et buvait encore, attendant qu'enfin ses sentinelles donnent l'alerte. Il avait toujours considéré ces missions d'interception comme de véritables corvées. Au moins, quand ils attaquaient un village, tout se déroulait sans attente. Ils rasaient le bourg, enrôlaient ceux qui voulaient l'être, et disposaient des autres selon les besoins du moment : esclaves, concubines ou sacrifices religieux, leur dieu devenant de plus en plus exigeant. Malades, enfants et vieillards étaient toujours éliminés, bien sûr. Le Haut Dyarque faisait toujours les choses consciencieusement.

— *Misérable sorcier*, marmonna Gors, la voix pâteuse.

Quelque chose avait échappé au barbare. Six lunes plus tôt, lui et son allié se lançaient à la conquête des territoires estiens. Depuis, Gors s'était fait supplanter à plusieurs reprises. Par Saat, tout d'abord. Par Chebree, autrefois sa vassale, maintenant la putain qui se proclamait Emaz et lui volait la couronne en s'offrant au Dyarque.

Et par Zamerine, maintenant. Ce maudit Zü avait obtenu le titre de stratège général, repoussant Gors au rang de chef de guerre dans la hiérarchie de leur armée. Zamerine l'avait *envoyé* à cette corvée. S'il se gelait les fesses à côté du fleuve, c'était de la faute de ce maudit porteur de dague au visage peint.

Le géant tenta de chasser sa rancune en déracinant des arbres, sans qu'aucun de ses hommes n'ose le rappeler à plus de discrétion. Le pire était qu'il ne pouvait rien faire d'autre qu'attendre. Où qu'il prenne ses informations, Saat ne se trompait jamais. Une compagnie de Goranais descendait *obligatoirement* vers eux. Ils devaient l'intercepter pour éviter que les Hauts-Royaumes aient vent de leur véritable projet. Mais, par Celui qui Vainc, pourquoi devaient-ils être aussi *longs*?

Comme répondant à sa prière, une sentinelle thalitte déboula dans le camp provisoire, essoufflée par une course de plusieurs milles. Gors poussa sans ménagement le capitaine wa'r'kal qui commençait à l'interroger et toisa l'homme qu'il dominait de plus de trois pieds.

— Parle. Où sont-ils?

Le Thalitte ne put qu'indiquer une direction, trop essoufflé encore pour parler.

— Combien? À quelle distance?

— Soixante, pas plus, répondit la sentinelle en s'étouffant. À deux lieues, peut-être.

Gors remercia l'homme d'une claque dans le dos, virile et sonore, qui l'envoya à terre en lui coupant la respiration. Le barbare le laissa sur place et rit de l'entendre suffoquer pitoyablement.

— En place! ordonna-t-il en frappant deux fois dans ses mains, comme s'ils s'apprêtaient à donner une nouvelle représentation d'une pièce familière.

Bien sûr, tout avait été préparé pour accueillir les Goranais. Pour cette mission, Zamerine avait confié quatre compagnies à Gors, bien plus qu'il n'en fallait. Mais le Zü détestait laisser la moindre chance à ses adversaires, et il fallait bien occuper les hommes en attendant la fin des travaux.

Gors disposait donc de cent quatre-vingt *chardonniers*, de cent trente archers warkals, et de plus de deux cents guerriers de sa compagnie fétiche, celle des *barbus*. À peine un centième des effectifs de leur armée. Mais les grandes conquêtes seraient pour plus tard. Cette bataille serait une répétition.

Elle débuta sous les meilleurs auspices. Gors rit sous cape en observant les éclaireurs goranais s'avancer dans le faible courant du Col'w'yr. Ils les laissèrent passer sans rien tenter. Ces hommes seraient arrêtés une lieue plus loin, par les chardonniers aux poignards dentés que le roi barbare avait placés à dessein.

Les Wallattes patientèrent encore une décime dans le silence le plus parfait, mais les éclaireurs goranais étaient déjà loin. Fatigués, pressés par le temps, ces hommes avaient traversé les rangs de cinq cents guerriers sans en voir un seul. Erreur que leurs compatriotes allaient payer de leur vie…

Les Goranais apparurent enfin et s'avancèrent dans le fleuve avec une nervosité évidente. La cavalerie ne se prêtant pas aux missions d'infiltration, aucun d'eux n'était monté. Ces hommes projetaient probablement de se séparer avant Wallos, songea Gors avec un sourire cruel. Peut-être même juste après avoir traversé le fleuve.

Ils ne devaient jamais en avoir l'occasion.

Les Wa'r'kal lâchèrent leurs traits mortels un peu plus tôt que prévu, trop tôt même. Gors lâcha un juron et se promit de casser personnellement le crâne du capitaine des archers. Il les avait placés sur l'autre rive, de manière qu'ils abattent les Goranais dans le dos, et poussent ainsi les survivants à se précipiter contre les haches des barbus. Mais un tiers des soldats du Grand Empire, encore trop proche de la rive, revint sur ses pas pour courir au-devant des archers.

Gors bondit de derrière un tronc de lénostore et fit danser sa hache, traçant de sombres sillons dans les rangs des fuyards. *Là*, il était le meilleur. *Là*, personne ne viendrait le supplanter. Ni Chebree, ni Dyree, ni Zamerine. Ni même Saat. Le géant libéra toute sa hargne et les corps démembrés s'empilèrent à ses pieds comme autant de preuves de sa force brutale.

Ce fut très vite fini. Les chardonniers placés en cordon autour de la zone devaient se charger des rescapés, fuyards éventuels ayant miraculeusement échappé aux haches des barbus.

Gors posa son regard sur l'autre rive et découvrit que les archers n'avaient pu se défaire de tous leurs adversaires… bien qu'il ne s'agisse que d'une question de temps. Avec un sourire féroce, le géant bondit dans le fleuve glacé et courut aussi vite que lui permettait l'obstacle, hurlant et faisant tournoyer sa hache monstrueuse au-dessus de lui.

Immédiatement, ses hommes lui emboîtèrent le pas. Gors fut pris d'une joie sauvage à se savoir une fois encore dans le camp des vainqueurs. Que lui importaient les intrigues de la cour de Saat ? *Là* était sa vraie place. Sur un champ de bataille, il restait le maître.

En posant le pied sur l'autre rive du Col'w'yr, il regretta seulement ne pas être déjà à la fin de l'hiver. Quand, à la tête de l'armée tout entière, il réduirait en cendres la Sainte-Cité.

* * *

Yan suivait son amie avec curiosité. Il arrivait souvent à Léti, quand ils étaient plus jeunes, de l'entraîner à l'écart des autres gamins pour lui confier l'une ou l'autre cachotterie, ces aveux se finissant généralement en fous rires... Mais cette nuit, personne n'avait le cœur à la plaisanterie. Lui moins que quiconque.

Usul avait prédit que Grigán mourrait avant un an. Certes, l'avenir se modifiait lorsqu'il était révélé, le dieu trouvant sa distraction dans les efforts désespérés des mortels à lutter contre leur destin. Mais Yan ne voyait en aucune manière comment il pourrait influer sur la guérison du guerrier. Et cela lui torturait l'esprit depuis leur départ du Beau-Pays, trois décades plus tôt. Trois décades pendant lesquelles Grigán avait subi *quatre* crises de la maladie de Farik. Plus dangereuses à chaque fois.

Yan savait, mais était impuissant. Et il en ressentait de la culpabilité. Voilà pourquoi il devait accueillir l'idée de Léti comme une bouffée d'espoir. Voilà pourquoi il allait oublier toute prudence.

— Il fait trop froid, annonça la jeune femme quand ils furent assez loin. Grigán est glacé. Nous devons faire du feu.

— On ne peut pas, objecta Yan, surpris de l'entêtement de son amie. Nous avons essayé toute la journée !

— Je sais. Je ne pense pas à ce genre de feu. Tu crois que tu pourrais en allumer un par... magie ? chuchota-t-elle en plongeant son regard dans le sien.

Yan prit peu de temps pour réfléchir. Tout ce qui pouvait aider Grigán, il était prêt à le tenter.

— Peut-être... Oui, assura-t-il finalement, une profonde résolution dans les yeux.

— Tout est étrange, ici, rappela Léti. C'est sûrement dangereux. On va peut-être profaner quelque chose, s'attirer la colère de Nol et de ma tante.

— Je sais, répondit Yan en souriant, amusé malgré lui par cette idée. J'ai l'habitude.

— Mais si on ne fait rien, Grigán...

La jeune femme se rembrunit, son regard se brouilla. Instinctivement, Yan posa une main consolatrice sur son bras, et Léti se blottit contre sa poitrine en retenant ses pleurs.

— Ça n'arrivera pas, assura le jeune homme. Grigán va guérir, répéta-t-il plusieurs fois, déterminé à user de ses pouvoirs jusqu'à la réussite ou l'épuisement complet.

À cet instant, les Kauliens réalisèrent qu'ils n'avaient jamais été aussi proches, depuis leur départ du Matriarcat. Léti fit un pas en arrière, sans lâcher les mains de son ami, et ils se contemplèrent en silence.

La jeune femme portait l'habit noir en cuir d'acchor offert par Grigán, et qu'elle n'avait plus quitté depuis. Léti y avait apporté quelques améliorations. Point tant au niveau de l'efficacité, l'agencement des mailles, des clous et des plaques de métal conçu par le guerrier ramgrith étant le fruit d'une réflexion de longue expérience. Léti avait simplement ajouté une touche féminine à cette tenue de combattant, en l'ajustant, la cintrant, la doublant d'une chemise en étoffe de far, et en faisant des torsades des nombreux lacets qui en pendaient.

Elle portait également des bottes loreliennes qu'elle avait cirées pour leur donner la même teinte que son habit… et ses cheveux sombres qu'elle laissait tomber librement, à l'image de sa personnalité.

Surtout, Léti ne se séparait jamais de la rapière offerte par Rey, avec laquelle elle avait combattu des pirates romins, les rats vampires du Beau-Pays et tué un Zü. Elle ne quittait pas non plus le poignard qui l'avait vu égorger un tueur rouge à Lorelia.

Léti était devenue une *guerrière*, songea Yan avec admiration. Maîtresse de son destin. Fière et courageuse. Révoltée et passionnée.

Pourtant, ses yeux imploraient un soutien. Et à son cou pendait l'opale au papier doré. Le cadeau et la confession du jeune homme, fait au Château-Brisé de Junine. Léti avait une faiblesse…

Elle lui rendait son regard avec autant d'émotion. En trois lunes, Yan s'était endurci physiquement, même si lui-même n'en avait pas conscience. Ses cheveux plus longs et la mèche blanche qui lui balayait le front donnaient l'impression d'une certaine assurance, celle-là même que Léti avait admirée en Rey à leur première rencontre. Le soleil de la mer Médiane avait doré sa peau et éclairci ses yeux, l'éloignant un peu plus encore du type kaulien.

Le jeune homme avait changé de vêtements dans chacun des royaumes qu'ils avaient traversés, si bien qu'ils ne trahissaient pas son origine. Dans la forêt d'Oo, il s'abritait sous un épais cotteron tenu de leurs amis bateleurs. Il l'avait échangé, à leur arrivée au Jal'dara, contre un pourpoint junéen couvert par une chemise lorelienne qu'il laissait ouverte la plupart du temps. À la nuit tombante, il avait ajouté une houppelande ithare, avant de l'ôter pour en couvrir Grigán. Le seul vêtement kaulien qu'il ait conservé était un pantalon de travail épais et solide, resserré par des lacets à la taille et aux chevilles et tombant bas sur des chausses guories. Étrange mélange, néanmoins harmonieux : si Yan n'avait pas l'élégance de Rey, il était parfaitement à l'aise et Léti trouvait ce bien-être réconfortant.

Tout comme elle, il avait perdu de sa naïveté. Ce qu'ils avaient vécu et les secrets dont ils étaient dépositaires les avaient brutalement jetés dans le monde des adultes, des responsabilités, des décisions difficiles et de la souffrance. Pourtant, Yan ne s'était pas blasé. Il était toujours l'ami sensible et prévenant qui veillait sur elle depuis leur plus jeune âge.

Il avait quitté Eza pour la suivre. Il s'était rendu à Berce au milieu des tueurs züu. Il lui avait sauvé la vie sur l'île Ji. Il était descendu dans la caverne d'Usul. Il avait franchi la porte du Jal'dara. Il s'apprêtait de nouveau à prendre des risques pour sauver leur ami. Sans jamais s'en glorifier, ni manifester de regrets. Alors qu'il n'était pas même l'un des héritiers de Ji, et qu'il aurait pu rester étranger à toute l'histoire.

Léti n'y tint plus. Elle ignorait totalement quels pouvaient être les sentiments du jeune homme à son égard ; elle avait été trop souvent déçue, depuis le Jour de la Promesse. Mais ce qu'elle ressentait à cet instant était trop fort.

Elle leva la tête vers Yan et lui vola un baiser. Puis enfouit sa tête au creux de son épaule. Elle aurait voulu ne plus jamais bouger.

Pétrifié par la surprise, le jeune homme fit le même vœu sans le savoir. Ils restèrent ainsi quelques instants, à la fois heureux et honteux de l'être. Et se séparèrent à regret.

Ils n'avaient pas le droit de s'abandonner à eux-mêmes. Pas encore. Pas tant que leur quête ne serait pas achevée.

Mais ils y avaient trouvé une motivation supplémentaire.

* * *

Yan essayait de maîtriser ses émotions et de réduire les battements de son cœur. Corenn l'avait déjà mis en garde ; il ne fallait en aucun cas se servir de la magie avec un esprit troublé. La Mère n'avait cité que la colère, la souffrance et l'ivresse, mais Yan devinait qu'il aurait de gros ennuis s'il faisait appel à sa Volonté à ce moment, juste après que Léti l'ait embrassé.

Elle l'avait embrassé ! Était-ce dû à l'influence du Jal'dara, qui semblait décupler les émotions ? À un simple besoin d'affection ? Ou à l'expression d'un sentiment véritable, équivalent à celui qu'il ressentait, lui, depuis toujours ? *Léti l'aimait-elle ?*

Il se blâma en avisant qu'il ne pouvait songer à autre chose. Quoi qu'il se soit passé, la jeune femme attendait de lui un miracle. Et il était bien déterminé à le lui offrir.

Il ne traînait aucune branche morte au Jal'dara. Pour leurs tentatives précédentes, les héritiers avaient essayé d'enflammer quelques feuilles d'herbe-lune, suffisamment épaisses pour alimenter raisonnablement un petit foyer. Léti avait essayé de brûler une tunique déchirée, sans plus de succès. Yan se concentra sur le problème. Sur quoi allait-il appliquer sa magie ? Il décida finalement que le meilleur combustible avait toujours été le bois. Le seul à même de fournir des flammes assez fortes pour réchauffer Grigán.

Enhardi par ses expériences récentes, il n'hésita qu'un instant avant de casser quelques branches basses d'un *buisson généreux*, hors de vue de ses compagnons… et surtout de Nol le Gardien.

Ce faisant, il eut l'impression de commettre un premier sacrilège. Les branches n'étaient pas plus épaisses qu'un doigt, et il peina pourtant à les briser, d'autant qu'il rechignait à se servir de son glaive. Le Jal'dara refusait d'être déformé. Les humains y étaient plus importuns que jamais.

Pour tranquilliser sa conscience, Yan songea que le buisson reprendrait sa forme exacte avant peu de temps. Et Nol semblait peu inquiet des dégradations que ses visiteurs pouvaient causer aux jardins, ceux-ci se réparant d'eux-mêmes. Il en irait tout autrement si les héritiers s'attaquaient à la porte ou aux enfants dieux… mais cela était impensable.

Par respect pour ces mêmes enfants, qui n'avaient probablement jamais côtoyé de feu, Yan s'installa hors de vue du fond de la vallée. En cas de réussite, il leur suffirait de transporter Grigán jusque là. Et il *devait* réussir.

Il s'assit en tailleur dans l'herbe fraîche, baignant dans la douce lueur des étoiles et les effluves agréables des jardins. *Cet endroit est réellement beau*, songea-t-il en espérant ne pas succomber à une nouvelle crise d'euphorie. Pour éviter tout risque, il porta sans plus tarder son regard sur les brindilles et amorça sa concentration.

Il perdit l'usage de tous ses sens, un à un, suivant un processus maintenant familier. Le goût, d'abord. Puis l'odorat, et ensuite le toucher. Yan n'eut plus conscience de son propre corps. Son ouïe diminua progressivement, comme s'il était au centre d'une immense sphère dont la taille se réduisait. Enfin, ultime étape, sa vue se brouilla et disparut. Cela prit peu de temps, moins qu'il n'en faut à un homme pour s'endormir. Mais Yan avait atteint un tel niveau de conscience qu'il pouvait discerner chaque phase de sa concentration.

Le noir. Un battement de cœur. Puis l'image. Des sphères illuminées, flottant dans l'obscurité. Les *essences sublimes* des brindilles arrachées au buisson. Leur représentation spirituelle, qu'un petit nombre d'élus pouvait seul percevoir. La preuve de l'énorme potentiel de sa Volonté.

La plupart des magiciens lançaient des sorts comme se fait la cuisine. « En appliquant une force ici, j'obtiendrai cela. » Yan avait une telle sensibilité quant aux ingrédients que rien, en théorie, ne lui était impossible. *En théorie.* À condition que son esprit trouve en son corps suffisamment de force pour répondre à sa Volonté, s'il ne voulait pas succomber à la langueur en retour du sort.

Mais pour lors, Yan ne pensait à tout cela que distraitement, comme à une leçon cent fois apprise. Dans son monde fictif, il s'approchait de l'une des sphères. Et avait peine à croire à sa découverte.

Chaque chose pouvait se définir comme une association imaginaire de cinq composantes : la Terre, qui symbolisait l'aspect physique, le Vent, l'aspect spirituel, l'Eau qui différenciait les vivants des objets inanimés, et le Feu qui représentait la tendance de toute chose à se transformer.

Le cinquième élémentaire n'était pas le plus complexe — le Vent avait ce privilège — mais c'était de loin le plus méconnu. Corenn le nommait *récept*. Il représentait la sensibilité d'une chose à la magie. Il était dit que plus une chose avait été l'objet de l'attention humaine, plus son récept était fort, et plus il était facile d'y appliquer sa Volonté.

Dans la représentation de *l'essence sublime*, le récept n'était autre que la sphère contenant les quatre autres composantes. Plus la paroi de la sphère était épaisse, et plus l'objet résistait à la magie. Plus elle était faible, et plus l'objet était sensible.

Les sphères des brindilles étaient inexistantes ou presque. À peine dessinées. *Par la magie, avec peu d'efforts, on pouvait en faire pratiquement n'importe quoi.*

Cela expliquait beaucoup de choses. Si tous les éléments du Jal'dara avaient les mêmes propriétés, cela expliquait vraiment beaucoup, beaucoup de choses. De la malléabilité des jardins jusqu'à la création des dieux.

Yan sut maîtriser son émotion. Lui qui portait le surnom du Curieux était bien conscient d'avoir percé l'un des plus grands secrets au monde, et ne pouvait que s'en réjouir. Mais il remit cela à plus tard. Il avait une mission à accomplir.

Il altéra la composante Terre de quelques brindilles en attisant le Feu qu'elles avaient en elles. Ce faisant, il savait toucher à la magie noire. Deuxième sacrilège. À moins qu'avoir percé le secret du Jal'dara n'en fut un également ? Troisième sacrilège. Mais il pourrait vivre avec ça. Si Grigán guérissait, il n'éprouverait aucun regret.

L'importance du récept des brindilles fit que son esprit n'eut pas à puiser beaucoup de force dans son corps. Aussi émergea-t-il de sa concentration avec une langueur à peine sensible. Sa vision de l'essence sublime, ses réflexions et la mise en œuvre de son sort n'avaient duré que quelques instants. Pourtant, comme à chaque fois, Yan eut l'impression d'émerger d'un long sommeil.

Devant lui, quelques brindilles fumaient. Plusieurs rougirent. Enfin, elles s'embrasèrent.

Yan contempla les flammes en songeant à la puissance enivrante du Jal'dara. En cet endroit, même le magicien le plus médiocre avait autant de pouvoirs qu'un dieu.

* * *

Les réactions ne se firent pas attendre. Soit que la lueur fut visible de la colline, soit que Léti se soit chargée de prévenir tout le monde, soit encore que Nol ait *su*, d'une manière ou d'une autre… Yan vit tout le monde accourir, exceptés Grigán, et Bowbaq qui ne cessa de veiller le guerrier.

Le sourire reconnaissant de sa jeune amie suffit à peine à faire taire la crainte qu'il avait de la réaction de l'éternel. Mais celui-ci ne devait pas montrer plus d'émoi qu'il ne l'avait fait jusqu'alors.

— Vous êtes magicien, commenta-t-il sobrement. J'aurais dû vous mettre en garde.

— En garde contre quoi ? demanda Corenn, réjouie et contrariée en même temps.

La Mère savait que ce feu pouvait aider à sauver Grigán. Elle savait aussi que Yan avait pris un risque énorme, même si le résultat semblait lui donner raison.

— En garde contre vous-même. C'est après avoir utilisé la magie dans les jardins que Saat a perdu la raison. Cette connaissance était trop forte pour lui.

— *Quelle* connaissance ? demanda la Mère, adressant la question tout à la fois à Nol et à Yan.

— Le récept du Jal'dara est immense, répondit le jeune homme. On peut faire ce qu'on veut de n'importe quoi ! Je veux dire… sans effort ! C'est comme de la matière brute…

— Est-ce là ce que l'on nomme le *gwele* ? demanda Lana, se remémorant le journal de Maz Achem.

Nol ne répondit pas tout de suite. Les héritiers comprirent que le Doyen cherchait à deviner leurs intentions. Mais le dieu n'avait pas ce pouvoir.

— Vous ne pourrez en emporter, prévint-il avec gravité. En tant que Gardien… je dois y veiller.

Ses visiteurs échangèrent des regards intrigués. Rey gratta la terre du bout de sa botte en cherchant en quoi elle pouvait avoir de la valeur, à part comme souvenir.

— Je vais chercher Grigán, décida Léti.

La conversation qui s'annonçait ne l'intéressait guère. D'évidence, elle était du ressort des magiciens. Aux yeux de la jeune femme, le plus important dans l'immédiat était d'installer le guerrier près des flammes.

— Et qu'en est-il des *Gweloms* ? poursuivit la Maz.

— Les êtres et les choses soumis à l'influence du gwele, énonça l'éternel sur un ton didactique. Ou un objet *abouti*.

— Qu'est-ce que c'est que ce baragouin ? interrompit Rey, qui détestait être hors du coup. Corenn, ça vous dit quelque chose ?

— J'ai besoin d'y réfléchir, annonça la Mère. Donnez-moi quelques instants.

Elle fut amusée de voir le silence qui s'installa aussitôt sa requête énoncée, mais ce recueillement lui était apparu nécessaire. Devant l'avalanche de révélations qu'ils connaissaient depuis leur arrivée au Jal'dara, il était temps pour les héritiers de faire le tri dans leurs conséquences. Surtout quand celles-ci semblaient directement liées à Saat.

— Tout le Jal'dara est fait de gwele, annonça-t-elle bientôt. C'est bien cela, Nol ? Chaque plante, chaque rocher, chaque livre de terre et même, je suppose, chaque animal, ont cette propriété particulière : celle d'être *considérablement* sensible à la magie. En fait, ils ne pourraient même être plus sensibles… Exact ?

— Mais encore ? insista l'acteur, devant l'acquiescement du Doyen. En pratique ?

— Par exemple, nous pourrions transformer toute cette montagne en or, imagina la Mère en devinant où toucher le Lorelien. Ou la couvrir de fleurs avec une seule graine.

— Et le gwele s'infiltre en nous, renchérit Yan, très exalté. Voilà comment nous devenons des Gweloms. Plus résistants, moins fertiles.

— Et cette histoire d'objet *abouti* ?

— On le dit d'un objet sur lequel la magie n'a plus aucun effet, expliqua Corenn. Mais je n'en ai jamais rencontré.

— Les dieux… les dieux sont aboutis, songea soudain Lana. Quand ils cessent de grandir, plus rien ne peut les modifier. Voilà pourquoi Usul est prisonnier à jamais de sa caverne, s'anima la Maz. Voilà pourquoi vous êtes Gardien. Voilà même pourquoi vous êtes éternel… Oh, par la Sage…

— Le Jal'dara est-il abouti ? demanda Yan.

— Non, répondit le Doyen. Moi seul le suis, ainsi que la porte. Le reste varie selon les aspirations des mortels.

— Mais les enfants ?

— Ils partent quand ils sont nés des hommes. C'est la condition de leur aboutissement.

— Mais Usul, par exemple ? intervint Rey. Il n'est pas descendu tout seul dans sa caverne, quand même ?

Nol eut un léger sourire, de ceux que l'on présente à des élèves trop faibles devant une leçon pourtant simple.

— Les mortels ont créé un dieu dans cette caverne. Usul a grandi à chacune de vos générations. Quand il fut abouti, la caverne était sienne, comme s'il en avait toujours été.

— Mais comment… Comment…

Tous, ils avaient des questions à poser, mais ne savaient de quelle manière les formuler pour obtenir une réponse claire, et sans que celle-ci en appelle dix, vingt, cent autres.

Le retour de Léti et Bowbaq, chargé de Grigán, créa une diversion qui devait leur permettre d'y réfléchir. Ils installèrent le guerrier au plus près des flammes et de leur agréable chaleur, ainsi qu'Ifio, depuis la veille sous le coup du sommeil consécutif à l'ivresse. C'est alors qu'ils remarquèrent l'étrange phénomène.

— Il n'y a pas de braises, murmura Bowbaq.

Personne n'osa énoncer le « c'est impossible » qui leur venait tous à l'esprit. Après ce qu'ils avaient entendu, plus jamais ils ne devaient juger quelque chose *impossible*.

— Le bois ne brûle pas, constata Rey.

— Mais le feu s'éteint, se renfrogna Léti. Ces damnées branches se reforment. Yan, tu peux…

— Je vais le faire, annonça Corenn, désireuse d'aider Grigán au moins autant que ses compagnons, et curieuse de constater le pouvoir du gwele par elle-même.

Les flammes connurent soudain un regain d'activité et Corenn émergea de sa concentration le regard pétillant, à son tour enivrée par le formidable potentiel du Jal'dara. Elle comprenait mieux ce qui avait pu arriver à Saat. Comment le sorcier, probablement ambitieux, était devenu fou en découvrant cette inépuisable puissance.

Nol la contemplait avec une moue étrange. De désapprobation, imagina la Mère. Mais peut-être s'agissait-il seulement de curiosité…

— Pourquoi répondre à toutes nos questions? demanda-t-elle soudain. Ce savoir est si dangereux… Pourquoi le dispenser ainsi?

— Ne suis-je point Celui qui Enseigne? répondit l'éternel avec bienveillance. Il m'appartient de répondre à toutes les questions. Les mortels devront accepter toutes les vérités avant de parvenir à l'Harmonie.

— L'Harmonie? tressaillit Lana. L'âge d'Ys?

— Ainsi le nommait l'enfant Eurydis, commenta Nol sobrement.

La Maz voulut poser une autre question, mais elle resta sans voix. La mention de l'âge d'Ys touchait au plus profond de ses croyances. Le but ultime des Emaz et du Grand Temple. La finalité de la quête universelle de la Morale. Savoir, Tolérance, Paix. Toute la Création vivant dans le respect et pour l'amour des autres.

— Est-ce la raison des réunions des sages, tous les deux siècles?

— Quand dix générations humaines sont passées, corrigea le Doyen.

— Est-ce pour cela? répéta Lana, transportée. *Œuvrez-vous à l'âge d'Ys?*

— Je dois le faire, répondit Nol, signifiant ainsi qu'il répondait à un commandement plus impérieux que sa propre volonté. Je montre les enfants dieux aux mortels, puis les renvoie à la réalité. Le destin de l'humanité ne dépend que de l'usage qu'elle fait de cette connaissance…

— Certains créent des religions, réfléchit Corenn à voix haute. Moralistes… ou démonistes.

— Et d'autres choisissent de cacher ce secret, intervint Bowbaq en songeant à leurs ancêtres. Ce serait trop dangereux de tout dire maintenant, décida le géant avec une compréhension intuitive. Trop… *impoli.*

La Mère eut un regard pour la forme inanimée de Grigán, masquée par les flammes dansantes. Le guerrier aurait sûrement son opinion à ce sujet. Mère Eurydis, quand allait-il donc se réveiller ? songea-t-elle avec frustration.

— Voilà pourquoi vous avez été si accueillant, devina Yan. Vous enseignez à qui le désire.

— Il est pourtant rare que des mortels me rendent visite d'eux-mêmes, avoua le Doyen. Que vous soyez les envoyés d'Usul m'étonnait. Mais je reçois assez souvent des élèves de Luree ou d'Eurydis. Comelk fut l'un d'eux, ajouta-t-il soudain, à l'intention de Lana.

— Comelk ! Le fils du roi Li'ut ! répéta la Maz, subjuguée par cette révélation.

Combien d'hommes saints de l'histoire du monde étaient-ils venus au Jal'dara ? Et combien de tyrans, de despotes, de prêtres des dieux noirs ? L'histoire de l'humanité s'était écrite dans ces jardins…

Tout à ces réflexions, Lana ne remarqua pas tout de suite l'expression de surprise qui venait de se peindre sur le visage de ses compagnons. Ils observaient un point dans son dos. Malgré leurs expressions tendues, la Maz trouva le courage de se retourner, lentement, s'attendant à mille choses mais pas à ce qu'elle découvrit.

Un enfant. Un garçon de six ou sept ans, nu, propre comme au sortir de la rivière. Un des futurs dieux de l'humanité.

Il avait plongé son regard dans le feu dansant et paraissait fasciné. Sa contemplation dura quelques instants, pendant lesquels personne n'osa bouger.

Il inclina soudain son visage parfait vers Nol et tendit un doigt maladroit vers les flammes.

— Karu ! clama-t-il en souriant, comme attendant une récompense pour avoir deviné.

* * *

Le *Tol'karu*. C'est ainsi que Saat avait baptisé son palais. Les guerriers wallattes prononçaient *Tolt'k'aru*, qui pouvait se traduire par : *la forteresse nuisible*.

Zamerine ignorait s'il s'agissait d'un fait exprès, ou si Saat disposait d'une chance peu commune. Mais le Tolt'k'aru se trouvait être un lieu mythique des superstitions estiennes. En lui donnant vie, leur maître avait encore accru son prestige auprès de l'armée barbare. Il semblait ne jamais connaître l'échec…

Le judicateur attendait cet homme à la fois craint et admiré. Pour la troisième fois cette décade, le Haut Dyarque lui avait donné rendez-vous dans le vestibule du Tol'karu et se faisait désirer.

Seul le « fils » de Saat était autorisé à circuler librement dans le palais. Les autres, Chebree, Gors le Douillet, quelques capitaines et lui-même ne pouvaient entrer qu'en compagnie du maître. Alors, Zamerine prenait patience et méditait.

D'un seul regard courroucé, il rappela à une meilleure attitude l'un des messagers de son escorte qui s'était adossé à un mur avec une certaine nonchalance. Le Zü se redressa aussitôt, inquiet à l'idée que le judicateur pourrait lui envoyer Dyree pour cette seule faute. Le jeune assistant de Zamerine avait, dans les rangs même des assassins, une réputation de tueur exceptionnel et impitoyable. Il en faisait assez souvent la preuve dans les arènes.

À contempler ainsi les deux hommes composant son escorte, Zamerine chercha à deviner l'issue éventuelle d'un combat les opposant aux *gladores* gardant l'entrée du Tol'karu. Les guerriers d'élite, portant dague à l'épaule, succomberaient-ils aux *hati* empoisonnées des messagers ?

Cette question resterait sans réponse. Le judicateur n'était pas disposé à diminuer ses effectifs pour un simple caprice dicté par la curiosité. Et, moins encore, il n'était pas prêt à risquer la colère de Saat… pour finir le cœur broyé par une terrible magie noire. Si le Zü s'était muni de cette escorte, c'était bien pour lutter contre la peur que le Haut Dyarque lui inspirait.

Il reporta son attention sur les détails de construction du Tol'karu. Il avait fallu moins d'une lune à leurs esclaves pour l'élever, et la finition s'en ressentait, forcément. Les pierres étaient inégales, grossières et loin d'être toujours bien agencées. Sans travaux d'entretien, le bâtiment ne tiendrait pas plus d'un siècle, ce qui était ridicule par rapport à sa taille. Il semblait inconcevable de construire un palais de trente pièces pour qu'il s'écroule au bout de quelques décennies… c'était, pourtant, ce qu'ils avaient fait. Somme toute, le Tol'karu n'était qu'un campement temporaire qu'ils abandonneraient à la fin de la saison froide.

À deux cents pas à peine, le temple de Sombre — les guerriers l'appelaient le *Mausolée* — était trois fois plus large, et deux fois plus haut. Zamerine estimait qu'il tiendrait beaucoup plus longtemps, en partie grâce à sa forme pyramidale. Mais surtout, parce qu'un dieu y habitait vraiment.

Sombre errait dans les couloirs du labyrinthe et se nourrissait de la peur des hommes. Les esclaves, les guerriers, tout le monde le pensait. Mais Zamerine le *savait*. Depuis la première apparition du dieu, dans les arènes à peine achevées, il savait que le dit «fils» de Saat n'était autre que Celui qui Vainc. Le démon au nom duquel ils guerroyaient se trouvait dans leurs rangs. Et faisait peu de différence entre ses alliés et ses ennemis.

Cette pensée obsédait le Zü plus qu'il ne l'aurait voulu, au point de le rendre nerveux quand il s'y perdait, comme alors. Il sursauta quand la porte du vestibule s'ouvrit, et s'exhorta à recouvrer sa contenance pour accueillir son maître.

Mais Saat lui avait réservé une nouvelle surprise. Le passage ouvert révéla une nouvelle paire de gladores, ceux qui suivaient le Haut Dyarque dans tous ses déplacements. Et marchant fièrement au milieu de cette escorte : un enfant de sept ou huit ans, sale, malingre et les vêtements en désordre. Un des cinquante gamins que Saat avait fait enlever et mener au camp, sans en donner les raisons, comme d'habitude.

À en juger par son teint gris, celui-ci était un Solene, probablement capturé lors des dernières incursions de leur armée à l'est de Wallos. Il s'arrêta en face de Zamerine et le contempla d'étrange façon, les poings sur les hanches, laissant le judicateur perplexe indécis sur la conduite à tenir.

— Alors! protesta l'enfant. On ne salue plus son maître, mon petit Zü-zü?

Zamerine écarquilla les yeux et plongea son regard dans celui du gamin qui l'abordait avec tant de familiarité. Sa voix était fluette, et sa posture maladroite... mais son regard ne trompait pas.

Le judicateur mit un genou au sol et inclina la tête en signe de soumission, aussitôt imité par ses serviteurs. L'enfant tapota son crâne chauve comme pour flatter un chien fidèle. Jamais Saat n'avait touché Zamerine, avant ce jour. Jamais le Zü n'avait pu lire une expression derrière le heaume du Haut Dyarque. Pourtant, il ne douta pas un instant de se trouver en sa présence. *L'esprit de son maître était dans le corps de l'enfant.*

— C'est bon, relevez-vous, railla le gamin. Vous allez salir votre belle tunique rouge, et me faire honte sur le chantier.

— Vous voulez aller au chantier? s'étonna le Zü.

— Bien sûr. C'est bien de cela que nous allions parler, non? Et j'ai envie de me dégourdir les jambes, ajouta l'enfant avec un petit rire cynique.

Zamerine emboîta le pas au petit Solene encadré de ses deux gladores. Les gardes ne semblaient pas étonnés le moins du monde. Les autres compagnies prétendaient que leur efficacité résultait d'une exceptionnelle stupidité. Était-ce à ce point, qu'ils acceptent tous les ordres sans se poser la moindre question ? Le judicateur en avait des dizaines. D'où Saat tenait-il ce pouvoir ? Comment fonctionnait-il ? Avait-il l'intention de conserver ce corps ? *Où se trouvait le sien ?*

— Maître, comment… Comment… amorça-t-il alors qu'ils sortaient du Tol'karu.

— Ne cherchez pas, l'interrompit l'enfant. C'est trop compliqué pour vous. Et trop effrayant, ajouta-t-il en se retournant, avec un sourire mauvais.

Zamerine se le tint pour dit. À la réflexion, il ne tenait pas à être plus impliqué encore dans cette sorcellerie. Il se souvenait en avoir déjà fait l'expérience, quand Saat avait volé son corps pour l'obliger à lui remettre sa *hati*. Le Zü s'était vu, impuissant, agir à l'encontre de sa volonté. Conscient de tous ses gestes, mais sans aucun contrôle sur eux. Était-ce là ce que ressentait le petit Solene ? Cette torture était pire encore que celle de la carène, songea-t-il avec une gêne inexplicable.

Zamerine se prit à regretter sa propre intelligence. Des apôtres, il était le seul à connaître la véritable identité de Sombre. Le seul à réaliser la folie latente de leur maître. Et cette connaissance le faisait parfois douter… aussi s'acharnait-il au travail, pour s'empêcher d'y réfléchir. Son salut résidait dans l'obéissance aveugle.

Ils franchirent un nouveau cordon de gladores et s'avancèrent vers la montagne, traversant un paysage désolé. Sur plusieurs milliers de pas, les travaux avaient détruit toute végétation, probablement pour quelques décennies. Les bosquets de lénostores et d'écorciers, les futaies sauvages, les buissons de goyoles avaient fait place à une véritable ville, plus grande déjà que ne l'était la répugnante Wallos.

La colonne menée par l'enfant possédé dépassa le Mausolée de Sombre, puis les arènes du Nouvel Ordre. Elle franchit une enceinte démesurée, parcourut deux cents pas de terrain découvert et s'engagea entre les quarante « baraquements » des esclaves.

Même le froid ne parvenait pas à en tuer l'odeur. Des relents d'urine, de sueur et de putréfaction. La plupart des gardes postés à l'entrée des bâtisses portaient des écharpes leur couvrant la bouche et le nez, et Zamerine ne les en blâmait pas. Le simple fait de traverser cette zone lui soulevait le cœur. Il se consola en songeant qu'ils pourraient raser le tout avant quelques lunes, alors qu'il ne resterait plus un seul esclave en vie.

Des quatre-vingt mille prisonniers dont ils disposaient au début des travaux, il en restait moins de cinquante mille, répartis en quatre équipes tournant sur autant de chantiers. Le prioritaire restait celui du forage de la montagne. Le deuxième regroupait les travaux secondaires : le transport et la taille des pierres extraites, puis l'élévation des divers bâtiments de la ville neuve.

La troisième équipe, dont la gestion était la plus complexe, s'acquittait des nombreuses corvées générées par une telle concentration humaine. Parmi celles-ci, le creusage de charniers toujours plus profonds. Mais elle était également chargée de toutes les tâches concernant la cuisine, l'entretien des écuries et des latrines, et des autres travaux d'équipement indispensables à la bonne marche de l'armée de quarante mille hommes qui campait à quelques lieues de distance.

Enfin le dernier quart, réservé à la religion, se déroulait dans les baraquements. Les dévotions devaient obligatoirement s'adresser à Celui qui Vainc, bien entendu. Les prisonniers y dormaient beaucoup plus qu'ils ne priaient, mais Saat s'était déclaré satisfait si les esclaves songeaient à Sombre au moins une fois par jour. Ce qui était le cas.

— Chaque équipe travaille sept décans et se repose pendant deux, expliquait Zamerine, qui était à l'origine de cette organisation. Le dernier décan servant à l'inventaire et au convoi des hommes. Ainsi, les chantiers ne connaissent qu'une interruption par jour. Et la rotation gêne les tentatives d'évasion.

— Je sais tout cela, Zamerine, annonça l'enfant d'un ton blasé. Vous radotez en vieillissant, ajouta-t-il, amusé.

Ils dépassèrent enfin le dernier des baraquements et s'engagèrent sur le chemin en pente douce menant à la montagne. À la vue du judicateur et des gladores, les contremaîtres faisaient s'arrêter, avec force coups de fouet, les colonnes de misérables qui charriaient des paniers de gravats. Tous craignaient les inspections de Zamerine, annonciatrices d'imminentes cérémonies d'exécutions.

L'enfant possédé s'approcha d'un des esclaves et choisit un morceau de roche dans son chargement. Il le huma quelques instants, les yeux fermés, puis le remit en place avec une déception visible. Ils reprirent leur progression sans que Zamerine ose l'interroger encore.

— Gors répand des rumeurs, annonça soudain le Zü, croyant s'attirer ainsi les bonnes grâces de son maître.

— Il ne trahira pas, certifia l'enfant.

— Il est instable. Sans cesse enivré. Au bord du Col'w'yr, il a fait pendre le capitaine Wa'r'kal.

— J'approuve cet acte. Cet homme avait failli.

— Il est trop instable, répéta le Zü.

L'enfant s'arrêta soudain et dévisagea le judicateur, une expression courroucée sur le visage.

— Ma nouvelle apparence vous donne trop d'assurance à mon goût, jugea-t-il. Depuis quand contestez-vous mes décisions ? Le Douillet m'est utile parce qu'il est le roi de ces dégénérés, et qu'il m'est plus facile de les commander lorsqu'il est à mes côtés. Vous pouvez comprendre cela, j'espère ?

— Bien sûr, maître, s'inclina le Zü avec une certaine frustration.

Ils gagnèrent l'entrée de la carrière sans plus dire un mot et s'engagèrent sous la montagne, par le même chemin que leur armée aurait à emprunter pour partir à l'assaut des Hauts-Royaumes.

— Mon tunnel, murmura Saat d'une voix émue. Le labyrinthe.

— Les travaux avancent beaucoup plus vite que prévu, annonça Zamerine en espérant ne pas essuyer d'autres sarcasmes. Certaines galeries naturelles sont si larges qu'elles nous font parfois gagner plusieurs centaines de pas. Bien sûr, nous modifions régulièrement le plan de forage pour les récupérer à notre compte… Vous aviez raison, conclut le Zü avec admiration. Cette montagne est trouée de part en part.

— Plus encore, même, murmura l'enfant en caressant la pierre avec nostalgie. Plus encore… Ailleurs…

Il eut un étrange hoquet et, l'espace d'un instant, Zamerine put lire de la terreur dans le regard de Saat. Ou plutôt, dans celui du gamin solene dont il avait volé le corps.

— …dammnnéé… récept ! cracha-t-il avec difficulté, râlant et avalant ses mots. …paaas… bon ! Trooop…

Le Zü, interdit, regarda l'esprit de son maître se débattre dans un corps d'enfant. Le Solene poussa un dernier cri de rage qui ne pouvait émaner que de Saat. Puis l'enfant observa autour de lui, hébété, s'assit à même le sol et se mit à pleurer.

Les gladores semblaient avoir été prévenus de cette éventualité. Ils emmenèrent l'enfant sans dire un mot, en laissant Zamerine sous la montagne, au milieu des colonnes d'esclaves, s'interroger sur les projets secrets de son maître.

* * *

L'enfant dieu était fasciné par les flammes. Il les désigna à Nol d'un geste innocent.

— Karu ! clama-t-il en souriant, comme attendant une récompense pour avoir deviné.

Aucun des héritiers n'osait bouger. Les écrits de Maz Achem et les mises en garde de Nol étaient clairs : les enfants du Jal'dara étaient les plus impressionnables qui soient. Ils pouvaient tout oublier d'un événement, comme y accorder cent fois plus d'importance que souhaitable.

Le Doyen rejoignit son protégé auprès des flammes et l'en détourna doucement en le tenant par les épaules. L'enfant lui prit la main et ils s'éloignèrent hors de vue des héritiers.

— Je ne l'ai pas entendu approcher, avoua Léti quand ils furent seuls. Depuis combien de temps était-il là ?

— Pas longtemps, assura Bowbaq. Juste avant, il n'y avait rien. C'est comme s'il était apparu d'un coup.

— C'est peut-être le cas, remarqua Rey. Peut-être que les dieux poussent dans le jardin comme des champignons, ajouta-t-il en riant.

Ils interrompirent cette discussion alors que Nol revenait déjà. Si le Doyen était contrarié, il n'en montra rien. Il reprit sa place dans le cercle comme si la scène n'avait pas eu lieu.

— Alors ? demanda Yan, culpabilisant parce qu'il était à l'origine du feu. Est-ce que c'est grave ?

— Je ne crois pas. En fait, c'est impossible à dire. La simple vue des flammes ne devrait pas l'attirer vers les fosses… Mais j'ai déjà vu des choses plus bénignes avoir une influence décisive sur une personnalité.

Yan accueillit cette nouvelle comme un nouveau poids sur sa conscience. Indirectement, il avait agi sur l'esprit de l'enfant dieu. Peut-être cela n'avait-il aucune importance… il aurait aimé en avoir la certitude.

— A-t-il compris de quoi nous parlions ? interrogea Corenn.

— C'est peu probable, les enfants n'écoutent guère que les esprits. Ils accordent, par contre, beaucoup d'importance aux gestes. Si une telle rencontre devait se reproduire, n'adoptez aucune attitude qui pourrait sembler menaçante. Dans votre propre intérêt… tout autant que dans celui de l'humanité, ajouta le Doyen avec gravité.

— Pourquoi ? demanda Rey, enjoué. Le p'tit gars se transformerait en un monstre sanguinaire, quelque chose comme ça ?

— Quelque chose comme ça, confirma Nol très sérieusement. Frappez l'un des enfants et il est fort probable qu'il vous emmènera dans les fosses. Sans que ni l'un, ni l'autre ne puissiez en remonter.

— Qu'en est-il de ces fosses, au juste ? intervint Lana. Qu'y a-t-il exactement au Jal'karu ?

Nol fixa le visage de la Maz sans répondre. La prêtresse eut l'intuition d'avoir commis un impair.

— Mieux vaut ne pas prononcer ce mot au Jal'dara, prévint le Doyen. Ici, nous disons : « les fosses ».

— Mais… que sont-elles ? insista Léti. Nos ancêtres y sont descendus. Saat aussi. Que s'est-il passé là-bas ?

— Attendons que Grigán soit rétabli pour ces questions, proposa Corenn.

Elle n'eut pas besoin d'en expliquer les raisons. Malgré la curiosité qui les dévorait, les héritiers désiraient plus que tout achever leur quête en compagnie du guerrier. S'ils avaient survécu jusqu'alors, c'était en grande partie grâce à lui. Leur patience témoignerait de leur reconnaissance à son égard.

Un autre sujet préoccupait la Mère. La soudaine apparition de l'enfant les avait interrompus dans une discussion des plus intéressantes. Où ils méditaient sur les pouvoirs du gwele et la façon dont les éternels grandissaient. Quand les dieux *naissaient des hommes*.

— La magie et la religion se rejoignent ici, annonça Corenn, songeuse. Au Jal'dara.

— De quoi parlez-vous ? demanda Lana.

— De *foi* et de *Volonté*, répondit la Mère, cherchant elle-même à mieux comprendre des concepts aussi abstraits. Il semble qu'elles fonctionnent de la même manière. La foi des mortels est comme l'expression d'une puissante Volonté, précisa-t-elle, agissant sur des enfants au récept si grand qu'ils ne pourraient être plus sensibles à la magie. Lorsqu'ils ont été tellement influencés qu'ils en sont aboutis, ils sont véritablement des dieux et quittent le Jal'dara.

— Et qu'en est-il des prêtres, alors ? demanda Rey. Suivant cette explication, les magiciens auraient plus d'influence sur les éternels que les Maz eux-mêmes.

— Ce n'est pas le plus important, rappela Lana. Le culte d'Eurydis est une religion moraliste. Notre but n'est pas d'être entendus de la Sage, mais de faire respecter ses Vertus.

— Vous êtes vraiment charmante, commenta l'acteur avec sincérité.

La Maz rougit comme une enfant et rendit un regard tendre à l'homme qui la courtisait. C'est à peine si elle entendit la remarque de Nol.

— Les prêtres sont très importants, au contraire, expliquait le doyen. Les enfants entendent les esprits, mais ils n'écoutent pas. Le pouvoir de répétition des prières est tout aussi important que celui de la magie. Sans ses Maz, Eurydis serait toujours en train d'errer dans ces jardins.

— Peut-être la foi des prêtres a-t-elle fait du gwele ce qu'il est, proposa Yan. *Plus une chose est objet d'attention, plus son récept est fort...*

— C'est trop compliqué pour moi, avoua Bowbaq.

— Je comprends mieux une chose, annonça Corenn. Dans la tour Profonde de Romine, lorsque nous invoquions Eurydis pour repousser les spectres, j'avais eu plus de réussite en joignant ma Volonté à mes appels. La Volonté et la foi sont décidément liées...

— C'est trop compliqué pour moi aussi, déclara Léti, que ces considérations spirituelles ennuyaient.

— Mais comment la seule invocation de la déesse peut-elle être si efficace ? remarqua Rey. *Quels sont les réels pouvoirs des dieux ?* demanda-t-il soudain, fébrile à l'idée qu'il puisse obtenir une réponse.

Le Doyen prit son temps pour la fournir. Il semblait, en tout cas, avoir déjà été confronté à cette question... car son explication, au vu de la complexité du sujet, fut aussi claire que possible.

— Les dieux *inspirent* les mortels. Enfants, ils ne peuvent qu'entendre. Aboutis, ils savent écouter. Et à ceux qui leur parlent, les dieux inspirent les mêmes traits de caractère, la même personnalité dont les humains les ont crédités.

— J'ai vu des prêtres véreux louer l'honnêteté, contesta Rey. Et, pour autant que je sache, ils sont toujours restés véreux.

— Ce qui est en soi une preuve de leur duplicité, expliqua Nol. Comment un dieu aurait-il pu leur inspirer une plus grande honnêteté, si ces hommes ne croyaient pas à son existence ?

— Ça commence à se mélanger dans ma tête, annonça Rey en louchant et en tirant la langue. Sauf votre respect, je crois qu'après tout, je me soucie de tout ça comme d'une peau de margolin.

— Mais pourquoi l'invocation d'Eurydis a-t-elle repoussé les spectres ? insista Yan qui, jusque-là, suivait encore.

— Il existe une répulsion naturelle entre les enfants de Dara et ceux des fosses, expliqua sobrement le Doyen.

— Mais sur certains des spectres, cela n'avait aucun effet, rappela Corenn en songeant aux sirènes démoniaques.

— Ces revenants devaient être moins primaires que les autres. Vous ont-ils parlé ?

— Oui.

— Voilà l'explication. Aucun être doué de réflexion n'est foncièrement bon ou mauvais. Sa conscience l'emmène seulement plus ou moins loin entre ces deux pôles.

— Même vous ? demanda Léti.

— Bien sûr, confirma Nol avec gravité. Même moi. En tant que Celui qui Enseigne, je me dois de répondre à vos questions avec bienveillance. Mais en tant que Gardien… rien ne saurait m'émouvoir. Et cette mienne mission est prioritaire.

Rey soupira en faisant des vœux pour que Grigán se réveille au plus vite. Dans le cas contraire, les héritiers allaient être chassés du Jal'dara par un Doyen éternel impitoyable.

* * *

Le terrible roi des Ramgriths arpentait le port de Mythr avec une nervosité croissante. Le moindre prétexte lui était bon pour la manifester. En fait, peu des capitaines de son armada devaient échapper à ses reproches, même si ceux-ci étaient, le plus souvent, sans fondement.

Aleb Ier, dit le Borgne, roi de Griteh, de la Hacque et des territoires de l'Aòn, chef des mercenaires yussa et grand amiral de la *flotte rouge*, était anxieux car il devait embarquer au point du jour. Et il *détestait* chaque journée passée en mer. Et *abhorrait* sa destination.

Si son allié n'avait menacé de rompre leur pacte, jamais il n'aurait quitté sa selle, qu'il préférait même à son trône. Mais le Haut Dyarque avait manifesté la volonté d'une ultime rencontre avant l'assaut des Hauts-Royaumes. Aux yeux d'Aleb, Saat le Goranais était trop tatillon, trop soucieux de détails futiles. Il allait mettre plus de temps à préparer cette guerre qu'à la mener. Les Ramgriths — et surtout les Yussa — avaient une toute autre manière de procéder.

Il quitta la trirème avec un regard méprisant pour son équipage et passa au navire suivant, un grand-voile au mât d'écorcier, pour la suite de son inspection. Il avait vu tellement de bateaux, depuis l'aube, qu'il en avait perdu le compte. Les deux clercs qui le suivaient pouvaient lui fournir ce renseignement en un instant, mais leur babil l'ennuyait également. Aleb se fichait totalement de savoir les noms et histoires de ces embarcations. Seul comptait le nombre d'hommes qu'ils pouvaient emmener… et la quantité d'or qu'ils pouvaient rapporter.

L'or. Quand Saat le sorcier lui avait envoyé huit cents livres du précieux métal, Aleb avait cherché le piège. Pourquoi ce Goranais renégat, exilé derrière le Rideau à plusieurs centaines de milles de la Hacque, lui faisait-il allégeance ? Curieux de connaître la provenance de ces richesses, le roi ramgrith l'avait tout de même reçu. Et les deux hommes s'étaient alliés pour la plus ambitieuse des campagnes de conquête jamais entreprises.

Aleb avait peu à y investir, et c'était ce qui l'avait décidé. Sa part du marché se résumait à la constitution d'une flotte. Griteh n'en possédait aucune, mais la Hacque et Mythr, sur lesquelles il avait étendu son règne depuis plus d'une décennie, lui permirent de rassembler la moitié des soixante et un grands navires qu'il inspectait alors, et la plupart des bâtiments de taille inférieure. Il avait recruté des équipages à Yérim, soustrayant au Grand Empire les plus redoutés de leurs criminels. Enfin, il avait mis en chantier plusieurs galères, caraques et galiotes, et volé quelques autres jusque dans les eaux de Yiteh. Tout cela en moins d'un an. Sans avoir lui-même passé la moindre journée en mer.

De son côté, Saat devait lever une armée et mener à terme un certain projet de forage… De prime abord, un chantier inconcevable, même pour l'homme le plus déterminé du monde. Mais le Haut Dyarque n'était pas seulement patient, imaginatif et résolu. Il était également *sorcier*. Et, dans l'esprit du superstitieux roi de Griteh, il n'y avait aucune limite aux pouvoirs de la magie.

Le Goranais s'assurait également qu'aucun espion ne renseigne les Hauts-Royaumes. Aleb ignorait totalement comment il s'y prenait, mais le secret de ses préparatifs n'avait pas encore filtré. Les Yérims parlaient d'un monstre noir et à la forme changeante, hantant le canal de Mythr et les esprits des marins à la recherche de leurs secrets. On avait retrouvé plusieurs bateaux fantômes, promenant au gré des courants des cadavres horriblement démembrés. Le roi ramgrith préférait y voir l'œuvre d'un sagre particulièrement affamé, qu'une manifestation des pouvoirs de Saat.

Dans le cas contraire… il lui faudrait plutôt appeler son allié, son *maître*, et cette idée portait atteinte à sa fierté.

Lassé, il abrégea la visite du grand-voile et conclut ainsi l'inspection de *l'armada rouge* des Bas-Royaumes. Paradoxalement, il lui tardait maintenant de faire route vers l'autre continent et d'entamer la traversée de l'immense désert connu sous le nom de *mer de sable*. Plus vite il serait à Wallos, et plus vite il en aurait fini.

Son voyage ne devait pas dépasser deux décades. Lui et son allié allaient mettre au point les derniers détails du plan. Et surtout, fixer la date de son exécution.

Aleb l'espérait au plus tard éloignée de deux lunes. Sa flotte était constituée. Ses équipages étaient au complet. À l'affrètement, il ne manquait que les denrées périssables, que l'on ne chargerait qu'au dernier moment. Et les quinze mille Yussa qui campaient à l'embouchure de l'Aòn n'attendaient que son ordre pour embarquer et mettre Lorelia à sac.

Il pressa le pas pour rejoindre son grand-voile personnel, suivi trois pas en retrait par une cour d'une douzaine de personnes. Le roi ramgrith désirait se retirer seul, dans son immense cabine, avec ses soucis. Le temps ne passait pas assez vite pour lui. Il détestait naviguer. Les pouvoirs de son allié l'effrayaient secrètement. Enfin, cette journée de marche avait réveillé la douleur de sa jambe, pourtant blessée vingt ans plus tôt… et lui rappelait la frustration de n'avoir jamais pu s'en venger sur le responsable, ce damné Grigán de la tribu Derkel.

Aleb avait besoin d'un peu de réconfort. Lucide, il admettait la vérité : au fil des ans, le roi de Griteh était devenu daïo, drogué au venin de serpent daï. Incapable de se passer pendant plus d'une journée de ses vertus euphorisantes, et d'humeur exécrable quand il n'était pas sous son effet.Mais cette dépendance lui importait peu. Pour la deuxième fois, il allait rencontrer le sorcier goranais. Et il avait vraiment besoin d'un peu de réconfort.

* * *

Grigán rêvait. Du moins, l'espérait-il, car il n'avait aucune envie de vivre à nouveau l'épisode qui avait bouleversé sa vie à jamais.

Il se voyait à cheval, au sommet d'une colline, et espérait être mort ou endormi. Il faisait nuit ; derrière lui, trente cavaliers de sa tribu attendaient ses ordres, mais il ne bougeait pas. Il contemplait un village quesrade en train de brûler.

Des enfants étaient massacrés. Des femmes forcées hurlaient de désespoir et de douleur. Des hommes se faisaient torturer de la pire façon. Tous innocents. De ce village, rien ne devait survivre, pas même les animaux, égorgés par les plus fous des hommes du prince Aleb. Et Grigán ne faisait rien. Il était impuissant à agir.

Sur ce spectacle errait une image, comme un chaste brouillard masquant les scènes les plus terribles. Le visage d'une femme brune, au teint hâlé et aux yeux bleus, les lèvres minces figées sur un éternel sourire. Une femme typiquement ramgrithe. Une femme à qui il s'était promis.

— *Héline...* murmura-t-il dans son sommeil.

Mais la femme ne lui répondait pas. Son sourire était immuable. C'était le seul souvenir qu'il gardait d'elle. Avant qu'il ne quitte définitivement les Hauts-Royaumes.

Il l'avait abandonnée. Le mot résonna dans son esprit, comme porté par l'écho des falaises d'Argos. *Abandonnée. Abandonnée. Abandonnée.*

La rage s'empara du guerrier et il voulut agir, là-haut sur la colline, descendre vers le village et se porter au secours des Quesrades innocents. Mais il était paralysé. Il sentait la respiration de son cheval, le froid de la nuit, sa lame courbe pesant sur sa cuisse. Mais son corps refusait de bouger. Rien de tout cela n'était réel. Ce n'était qu'un souvenir.

Abandonnée. Un autre visage de femme vint errer sur les lieux du carnage. Moins jeune, moins enthousiaste. Non ramgrith. Mais tout aussi aimable et souriant. *Et vivant.* Corenn.

Abandonnée. Jamais plus. *Abandonnée.* Non !

Le guerrier se débattit avec ses souvenirs des morts et ses responsabilités envers les vivants. Il eut l'impression de mener le combat le plus difficile de sa vie. Il devinait qu'en le perdant, il n'aurait jamais plus l'occasion d'en mener d'autres. De toutes ses forces, il se concentra sur l'image de Corenn, et sur la peur qu'il avait *d'abandonner* encore.

Peut-être était-ce cela, la Volonté dont parlaient les magiciens. Il eut l'impression de lutter des journées entières. Puisant de la force dans les images du passé pour mieux les chasser au plus loin de lui. Exhortant son sens du sacrifice à un tel point, qu'il se persuada qu'il ne pouvait mourir ainsi, vainement et sans profit pour quiconque. Sa disparition ne pourrait être *qu'utile.* C'était la seule manière de racheter ses fautes. La seule façon d'oublier sa complicité dans la tuerie quesrade, et l'abandon des personnes chères qui avaient foi en lui.

Ce fut une certitude. Il ne pouvait continuer à dormir ainsi. La mort attendrait. Il avait bien plus pressé à faire.

Dans son sommeil, il ouvrit les yeux. Et découvrit le ciel du Jal'dara.

— Bougre de paresseux ! clama Rey, allègre. Voilà deux jours que vous vous la coulez douce !

* * *

Le réveil de Grigán causa un vif soulagement chez les héritiers, même s'il avait été annoncé par une amélioration de son état. Après la première nuit d'angoisse, pendant laquelle Yan et Corenn avaient entretenu un feu d'origine magique, une journée plus calme avait suivi, où le guerrier avait montré un visage plus reposé.

Nol s'était montré assez confiant dans le prochain rétablissement du malade pour abandonner ses visiteurs pendant plusieurs décans. À l'aube de leur troisième jour dans le Jal'dara, alors que s'achevait une nouvelle nuit de veille, le Doyen n'était toujours pas revenu. Bien que Grigán semblât hors de danger, ses compagnons attendaient avec impatience qu'il reprenne enfin conscience… et Rey avait eu la joie d'être le héraut de la bonne nouvelle.

Comme après chaque crise surmontée, les héritiers manifestèrent leur joie en rivalisant de plaisanteries et taquineries en tout genre. Seul, le héros du moment était d'humeur mélancolique, sans pouvoir l'expliquer. Mais il faisait des efforts pour participer à la joie de ses amis, et chacun savait qu'après une courte convalescence, le guerrier redoublerait d'énergie au point de leur en faire honte.

— Vous avez appris quelque chose ? demanda-t-il avec intérêt, entre deux échanges joyeux.

— Pas grand-chose, répondit Rey avec une grimace négligente. La création des dieux, les pouvoirs du Jal'dara, les fondements de la religion… la routine, quoi.

Corenn fournit un résumé plus sérieux et détaillé des informations qu'ils avaient obtenues auprès de Nol, et s'efforça de répondre aux multiples questions du guerrier, frustré d'avoir manqué d'aussi importantes discussions. Il fut touché par l'attention qu'avaient eue ses amis de l'attendre pour interroger Nol sur leurs ancêtres et Saat en particulier. Mais leur curiosité en était d'autant excitée. Ce jour encore, Celui qui Enseigne allait avoir beaucoup de réponses à fournir.

— A-t-il dit quand il reviendrait? demanda Grigán quand Corenn eut fini son récit.

— Non, affirma Léti avec enjouement, manifestement heureuse de la guérison de son maître d'armes. Il n'est même pas dit qu'il revienne, en fait.

— Nous a-t-il interdit de le rejoindre?

— Non plus, lança Rey en bondissant sur ses pieds. Allons-nous enfin bouger d'ici?

Le guerrier observa ses compagnons. L'inaction leur pesait à tous. Depuis le palais de Sapone, à Romine, ils n'avaient pas passé deux nuits de suite dans le même endroit. En restant coincés près de la porte ethèque, au bord du Jal'dara, ils avaient l'impression de piétiner dans leur quête.

— On bouge, décida-t-il, malgré la faiblesse qui le dominait encore. Où sont mes bottes?

Aux protestations de Corenn mentionnant le repos nécessaire qu'il avait besoin de prendre, Grigán ne répondit que par des sourires, ce qui réussit à désarmer la Mère, peu habituée à de telles réactions de la part du guerrier. Elle renonça finalement à le raisonner et rassembla son paquetage, finalement pressée, elle aussi, d'aller au bout du mystère.

C'est confiants et déterminés que les héritiers prirent la direction du fond de la vallée, à l'apogée de leur troisième jour dans le Jal'dara. Pour les autres mortels, il s'était écoulé presque deux décades.

* * *

Grigán les fit s'arrêter au bord d'une rivière peu profonde, à l'eau aussi claire que son cours était tranquille. Suivant son expérience, qui commandait de toujours se préparer à l'imprévu, il rassembla leurs gourdes et entreprit de remplir celles qui le nécessitaient.

— Vous ne garderez pas de cette eau-là, prévint Rey, vaguement moqueur. Elle aura disparu avant la nuit.

Le fait est que le phénomène fut même beaucoup plus rapide: à peine le guerrier avait-il rebouché l'un des récipients, qu'il se faisait soudain beaucoup plus léger. Yan trempa un bras entier dans l'onde pure et le montra au guerrier qui ne put que constater le prodige: il ressortait sec.

— Je déteste ça, marmonna Grigán en rangeant les gourdes. On pourrait mourir de soif au bord de cette rivière.

— Ça ne me plaît pas non plus, annonça très sincèrement Bowbaq.

Il se pencha, ramassa Ifio et la replaça sur son épaule. Depuis son réveil, la petite mimastin n'avait osé quitter cette confortable position, effrayée par la magie de l'endroit qu'elle était apparemment à même de percevoir.

Elle s'était pourtant précipitée à la rivière, pour y boire longuement sans comprendre le mystère de cette eau fantôme qui disparaissait au fur et à mesure qu'elle l'engloutissait. Tout juste avait-elle le temps de lui rafraîchir la gorge...

— Nous ne ressentons aucune soif ici, expliqua Lana au guerrier. Ni faim, ni sommeil, ni fatigue.

— Sauf vous, qui êtes vieux, railla l'acteur. Je plaisante, je plaisante. Vous avez été malade, il est normal que vous traîniez.

— Je *traîne*? Mais je vous attends! releva le guerrier en entrant dans le jeu du Lorelien.

Ils rirent, mais chacun savait que Grigán revenait de loin. S'ils ne s'étaient trouvés au Jal'dara, cette dernière crise aurait sûrement emporté le guerrier. Mais dans ces conditions... peut-être était-il guéri? Peut-être le pouvoir du gwele avait-il complètement effacé sa maladie?

Yan espérait de tout cœur qu'il en fut ainsi. Que la prophétie d'Usul s'avère erronée. Que l'avenir décrit par Celui qui Sait ait été altéré par leur séjour dans le berceau des dieux.

Mais seulement *cette partie* de l'avenir. Le dieu omniscient avait aussi prédit son Union avec Léti. Et ce futur-là, Yan ne souhaitait en aucun cas le voir modifié. Surtout depuis cet instant magique, deux nuits plus tôt, où ils s'étaient enfin embrassés.

Les héritiers se remirent en route avec un émoi grandissant. Les arbres qu'ils contemplaient, les fleurs qu'ils respiraient, les oiseaux et les insectes chanteurs qui les berçaient d'un concert improvisé, étaient les mêmes que l'on pouvait trouver dans diverses contrées du monde des mortels. Mais ils ne se trouvaient pas dans le monde des mortels. Et les éléments d'origine commune qui composaient les jardins de Dara étaient empreints d'une beauté indicible, éternelle et fugace à la fois, sensible même lorsqu'on n'y prenait garde.

Le pouvoir du gwele, se rappela Corenn. Il engendrait une certaine euphorie lorsqu'on s'y abandonnait. Heureusement, après trois jours d'accoutumance, les héritiers étaient à même de résister à l'ivresse des sens qui les menaçait à chaque pas.

Alors qu'ils s'avançaient dans la vallée, ils en perdirent de vue le fond. Le paysage était tout en collines, en bosquets et en pics de faible hauteur mangés par la végétation. Seule la porte, imposante, majestueuse avec ses vingt pas de hauteur, pouvait témoigner de leur progression en tant que repère. Si bien que, ne voyant pas vraiment où ils allaient, les héritiers ne virent pas non plus Nol venir à leur rencontre.

— Bienvenue chez vous, salua le Doyen suivant sa formule propre. Vous êtes guéri, ajouta-t-il à l'adresse de Grigán. C'est une bonne chose.

Le guerrier songea qu'il n'était pas guéri, simplement pour avoir échappé à une nouvelle crise. Mais il avait déjà été assez grossier avec l'éternel pour ne pas le contredire encore.

— Nol, heu… marmonna-t-il, gêné de devoir faire des excuses devant ses amis. Vous savez, près de la porte, quand je vous ai dit, heu…

— N'ayez pas d'inquiétude. Même les plus violents des mots sont, somme toute, inoffensifs. Et vous n'aviez pas tous vos esprits.

— Voilà. Merci, souffla Grigán, éminemment soulagé.

— Nous venons vous poser nos dernières questions, intervint Corenn pour changer de sujet. Ensuite, nous partirons.

— Voulez-vous voir les enfants ? proposa subitement le Doyen.

Les héritiers s'interrogèrent du regard, surpris par cette offre. Nol ne les avait pas habitués à de telles initiatives.

— J'en serais ravie, avoua enfin Lana, en espérant ne pas embarrasser ses compagnons.

Mais les héritiers partageaient son sentiment. Ils en étaient si près qu'ils ne pouvaient ignorer cette chance. Une occasion unique de comprendre ce qu'avaient vécu leurs ancêtres. Et matière à satisfaire leur curiosité.

— C'est d'accord, décida Grigán. Guidez-nous.

* * *

Le premier des enfants dieux qu'ils rencontrèrent était une blonde fillette âgée de trois ans — en apparence, en tout cas. Elle était accroupie dans l'herbe, son attention tout entière consacrée à un quelconque insecte en excursion. Elle releva seulement la tête au passage du Doyen et de ses hôtes, sans s'en émouvoir plus avant.

Comme elle affichait un sourire passif, les héritiers lui rendirent naturellement, et Léti et Rey allèrent même jusqu'à lui adresser un petit salut de la main, comme ils l'avaient fait sur l'île Ji. Mais ces civilités n'eurent aucun effet sur la fillette, qui reprit son observation dès que la colonne fut passée.

— Ils ne semblent pas si impressionnables que ça, commenta Rey, un peu déçu par ce premier contact.

— Vous vous méprenez en les imaginant curieux de tout. En fait, vous réaliserez qu'ils ne perçoivent même pas votre présence, la plupart du temps. Mais si cela devait arriver… si vous avez le sentiment que l'un d'eux vous suit du regard, je vous recommande d'observer la plus parfaite passivité. Les émotions déclenchées par les réactions des mortels sont toujours démesurées. Il se peut même que l'un d'eux vous adresse la parole. Ne lui répondez pas, même si cela vous semble anodin. L'instant d'après, il aura oublié sa question.

— Quelle est donc la langue des dieux? bondit soudain Lana, que la dernière remarque de Nol avait fait réagir. Je veux dire, vous nous parlez en *ithare*!

— Vous préférez une autre langue? Étant donné que vous tous la maîtrisez…

— Non, non! Mais comment la connaissez-vous? insista Lana, tout en réalisant le ridicule d'une telle question adressée à un dieu.

— *Nous naissons de l'esprit des hommes*, rappela le Doyen avec simplicité. Et si je ne puis plus écouter les pensées des mortels, au moins m'ont-elles bercé pendant très longtemps.

Bowbaq tapa doucement sur l'épaule de Yan et lui désigna, sans oser parler, une forme endormie masquée aux deux tiers par un saule de burak. Il s'agissait d'une autre fillette, brune cette fois, recroquevillée sur elle-même et sommeillant dans la plus parfaite innocence.

— À quoi les enfants s'occupent-ils? demanda Yan, en s'attendant à une réponse hautement philosophique sur les responsabilités des dieux naissants.

— Ils dorment beaucoup. Ils errent parfois quelques jours, sans but précis. Puis ils s'endorment de nouveau. N'importe où, n'importe quand.

— Ils ne jouent pas? s'étonna Léti.

La jeune femme avait peine à croire qu'autant d'enfants réunis, fussent-ils d'essence divine, ne fassent pas plus de bruit qu'il y en avait place des Cavaliers à Lorelia.

— Oh! Non. Pas au sens où vous l'entendez. Il arrive à certains de rire, pourtant… mais pour des raisons connues d'eux seuls. Et ils ne se groupent pas facilement. À part les plus petits, peut-être, si l'on considère que deux enfants dormant côte à côte forment un rassemblement.

— Sont-ils malheureux? demanda Lana, que ces détails sur la vie au Jal'dara rendaient mélancolique.

Nol réduisit son allure, pensif, puis s'arrêta et se tourna vers la Maz.

— C'est la première fois que cette question m'est posée, annonça-t-il avec gravité. De toute éternité. Ça n'était pas arrivé depuis longtemps… Je dois y réfléchir.

Le Doyen reprit sa marche et les héritiers lui emboîtèrent le pas. Il semblait que Nol n'entendait pas donner de réponse le jour même. Chacun manifesta son approbation à Lana, par un sourire ou un petit signe d'admiration. La Maz n'estimait pas mériter autant d'honneurs. Il semblait inconcevable que personne n'ait jamais posé cette question.

Ils dépassèrent une nouvelle fillette, puis un garçonnet, puis deux autres encore, tous endormis dans la plus parfaite sérénité. Après en avoir croisé autant, les héritiers pouvaient témoigner que les enfants dieux n'avaient aucun type physique particulier. Ils étaient tout aussi bien blonds que bruns, roux, châtains, noirs ou même blancs, comme ils le virent par la suite. Leur couleur de peau variait du rose pâle aux tons

les plus foncés de la création. Quelques-uns, rares, semblaient originaires des Hauts ou des Bas-Royaumes, ou encore

des territoires estiens. Mais pour la plupart, cette appréciation était impossible à faire, et aucune dominante ne s'en dégageait.

— Combien y en a-t-il? demanda Corenn à l'esprit pratique.

— Leur nombre varie selon les aspirations des mortels, répondit sobrement le Doyen. Il ne vous servirait à rien de les compter. Vous recommenceriez dix fois sans jamais trouver le même résultat.

— Et les plus grands? Les presque-dieux, non loin d'être *aboutis*?

— Vous ne les verrez pas. Quand des mortels visitent les jardins, ils se cachent, avoua Nol sans donner son opinion sur le sujet.

Ils parvinrent aux abords d'une clairière de grande envergure, qui aurait probablement pu accueillir le Château-Brisé de Junine dans son intégralité. Mais elle était seulement habillée d'un bosquet de grands arbres aux feuillages fournis et d'une espèce inconnue, situé plus ou moins en son centre. Plusieurs des enfants dormaient à l'ombre de ces branches; Grigán en compta six.

— Mais d'où viennent-ils? songea le guerrier à voix haute. D'où viennent ces gosses?

— Peut-être sont-ils *réellement* des enfants-dieux, proposa Léti. Je veux dire, avec des parents-dieux.

— L'immortalité rend stérile, rappela Yan.

— *Partiellement.* Ce sont peut-être des… demi-dieux, alors. Avec un parent humain, imagina la jeune femme.

— Nol, pouvez-vous répondre à cette question ? demanda Corenn, alors que le Doyen s'engageait vers l'autre côté de la clairière.

— Non, je regrette. Comme je l'ai déjà dit, ma propre existence m'est mystérieuse. Lorsqu'un enfant paraît ici, c'est comme s'il avait toujours été là.

Ils s'arrêtèrent alors qu'un autre garçonnet leur coupait la route, pour se diriger gauchement vers une mare couverte de nénuphars en pièce montée. Yan observa l'enfant dieu entrer dans l'eau avec force clapotis.

— Vous n'avez pas peur qu'il se noie ? demanda-t-il, bien que devinant la réponse.

— Rien de ce qui se trouve dans le Jal'dara ne peut leur causer du tort, expliqua le Doyen. Le danger ne peut venir que de visiteurs étrangers… ou plutôt, de leurs agissements.

— Mais… ils sont bien immortels, n'est-ce pas ? vérifia Rey. Je veux dire, en supposant que quelqu'un soit assez fou pour ça, on ne pourrait même pas les blesser avec une épée ?

— Vous ne pourriez les atteindre physiquement, confirma Nol sans ralentir l'allure. Il s'agit d'une autre sorte de danger. Vous risqueriez de les guider vers les fosses.

Le Doyen ne s'était pas même retourné pour répondre. Les héritiers commençaient à se demander où il pouvait bien les mener, la clairière paraissant être le centre de ces jardins. Ils le laissèrent prendre quelque distance.

Une odeur particulière vint soudain exciter leurs sens. D'abord de faibles effluves, puis un relent désagréable qui laissa rapidement place à de véritables émanations fétides, tranchant nettement avec les arômes parfumés embaumant les jardins. Ceux qui étaient allés au fond de la bibliothèque de Romine lui trouvèrent un petit côté familier… rappelant de désagréables souvenirs.

— Voilà, indiqua Nol en indiquant un point du sol qu'ils ne voyaient pas encore. C'est là que sont descendus vos ancêtres. Les fosses.

C'est en courant que les héritiers franchirent les derniers pas.

* * *

Nol était penché sur une dénivellation d'environ deux pas, aux parois tapissées de l'omniprésente herbe grasse des jardins. Il indiqua l'objet de son attention mais les héritiers l'avaient déjà trouvé et ne pouvaient en détacher les yeux. Comme si un monstre quelconque devait émerger de la zone d'ombre enfin révélée.

Le fond de la cuvette abritait un trou, ou plutôt, l'entrée probable d'une galerie, rocailleuse et à demi masquée par la végétation qui la surplombait. Manifestement, l'odeur fétide qui régnait en ces lieux en tirait sa provenance. Lana toussa à plusieurs reprises et finit par se couvrir le nez d'une étoffe.

— Cette trouée de cinq pieds à peine serait l'entrée du Jal'karu? demanda Rey, sceptique. Ce trou à margolin, le grand portail des fosses aux démons?

— La troisième seulement, précisa Nol sur un ton modérateur. Je vous rappelle qu'il faut éviter de prononcer certains noms dans les jardins… dans votre intérêt, autant que dans celui des enfants. Et tout particulièrement en cet endroit.

— C'est dangereux? s'enquit Bowbaq, peu rassuré. Ou seulement *impoli*?

— C'est dangereux. Nul ne sait quelle créature peut répondre à votre appel. Peut-être même qu'il en est déjà remonté jusqu'ici, qui n'attendent qu'une nouvelle invocation pour faire leur apparition.

Léti et Rey échangèrent un regard complice et se précipitèrent dans la cuvette pour tenter de discerner un mouvement dans les ténèbres. Baignant dans la sérénité de Dara depuis trois jours, ils en avaient oublié toute prudence.

— Léti, remonte, demanda Corenn d'une voix blanche, sans parvenir à se faire obéir.

— Combien de fosses y a-t-il? demanda Lana, alors qu'un vent d'excitation traversait le groupe des héritiers.

— Huit. Je suppose qu'elles ne sont, en fait, qu'autant d'entrées à un même endroit. Mais vos ancêtres ont emprunté celle-ci.

Grigán empoigna sa lame courbe et descendit à son tour dans la cuvette, avant de se frayer une place entre l'acteur et la jeune femme pour scruter les ténèbres. Mais on ne pouvait pas y discerner grand-chose.

Un air chargé du relent méphitique émanait du tunnel en agressant les sens. La galerie semblait descendre en pente douce, mais la seule manière de s'en assurer était de s'y aventurer sur quelques pas, ce que le guerrier n'était pas prêt à faire encore. Le passage n'avait guère plus de cinq pieds de hauteur, comme Rey l'avait estimé, pour une largeur plus faible encore. Si Nol disait la vérité, comme il l'avait fait jusqu'alors, leurs ancêtres s'étaient engagés sous terre accroupis et en file indienne. De quoi effrayer même les plus braves.

— Reyan, venez, implora Lana, voyant que l'acteur s'attardait au mépris du danger.

— Toi aussi, Léti, ordonna Corenn. Ça suffit. Maître Grigán ? demanda-t-elle, sur un ton plus doux.

Les trois combattants du groupe interrompirent leur observation à contrecœur et rejoignirent leurs amis, au grand soulagement de ces derniers. Grigán planta sa lame courbe dans le sol et s'y assit avec souplesse, s'orientant de manière à ne pas perdre de vue l'entrée du Jal'karu.

— Alors, annonça-t-il avec entrain. Allons-nous enfin connaître l'histoire de ce maudit Saat l'Économe ?

Nol s'assit en tailleur en face du guerrier, et ses compagnons s'empressèrent de fermer le cercle, le cœur battant d'émotion. Le Doyen allait redonner vie à leurs ancêtres.

* * *

La reine Chebree observait la concentration des deux voyantes avec une admiration doublée d'un certain agacement. Il s'agissait de deux Thalittes, mère et fille d'après la rumeur, mais il était difficile de la croire fondée tellement les deux femmes étaient âgées et dissemblables. Elles paraissaient même lutter contre toute coordination : alors qu'elles se balançaient d'avant en arrière, au-dessus de la table basse, l'une s'éloignait toujours pendant que l'autre approchait.

Chebree patientait en se rassurant sur leurs compétences. Les deux Thalittes étaient réputées jusqu'à Wallos, et ce bien avant la guerre. La reine barbare, Emaz du dieu Sombre, favorite du Haut Dyarque, avait dépensé beaucoup d'or pour les trouver et les amener jusqu'à elle. Mais enfin elle pouvait jouir de leurs dons. Enfin, elle allait avoir les réponses aux questions qui obnubilaient ses pensées.

Les voyantes se lancèrent dans un chant qui était plus une prière, incompréhensible à cause de la discordance des deux femmes. Chebree savait que ce chant était destiné à attirer l'attention des dieux, et ne doutait pas un instant, au vu du vacarme produit, qu'il eut l'effet escompté. Même les plus endormis des éternels ne pourraient faire la sourde oreille à une telle cacophonie.

La reine barbare songea que, peut-être, Sombre était lui aussi à l'écoute, et cette pensée la réconforta. Elle était l'Emaz officielle, la grande prêtresse, le chef du culte de Celui qui Vainc. Le dieu ne pourrait qu'être attentif à ses questions.

La voyante de gauche termina son couplet, imitée par sa parente quelques fausses notes plus tard. Elles se munirent chacune de quatre dés d'ivoire peints, qu'elles coincèrent entre leurs pouces avec une dextérité développée par l'habitude.

La divination par les dés ithares. Voilà peut-être ce qui avait fait la célébrité des voyantes thalittes. Cette méthode était tellement méconnue, à l'est du Rideau, qu'elle en était presque mythique. Et tout ce qui provenait des Hauts-Royaumes, exotique et mystérieux, était objet de convoitise et de fascination.

— Vous pouvez maintenant poser votre question, annonça la voyante de droite, devinant que la reine hésitait sur la marche à suivre. Choisissez bien ! La première réponse donnée par les dés est toujours la plus juste. Les démons, ajouta-t-elle avec emphase, se mêlent toujours de brouiller les suivantes.

Chebree fronça les sourcils et se concentra sur son problème. Depuis l'apparition de Sombre dans les arènes du Nouvel Ordre, elle avait une telle foi dans le surnaturel qu'elle décida de ne poser qu'une seule et unique question, afin de ne pas être trompée par les suivantes. Elle pourrait toujours renouveler l'expérience le lendemain, et le jour d'après encore.

— Porterai-je un enfant du Haut Dyarque ? demanda-t-elle en essayant de maîtriser sa tension.

Les voyantes lâchèrent leurs dés et les petits cubes d'ivoire s'entrechoquèrent et rebondirent plusieurs fois sur la table, avant de se stabiliser. Chebree se demanda, l'espace d'un instant, ce qu'il advenait lorsqu'un dé tombait ou cassait pendant ces manipulations. Mais rien de tel n'arriva, aussi chassa-t-elle cette idée derrière ses préoccupations.

Les vieilles thalittes inclinèrent la tête sur les objets en posant les mains sur leurs genoux. Chebree remarqua qu'elles avaient exécuté ce geste exactement en même temps. Et c'est toujours en parfaite harmonie qu'elles relevèrent les yeux vers la reine impatiente.

— Trois triangles, annonça l'une.

— Et le Feu, annonça l'autre.

— *Vous porterez cet enfant*, déclarèrent-elles en chœur.

Le cœur de Chebree battait à tout rompre, mais elle avait l'esprit assez clair encore pour s'étonner du changement soudain de comportement des deux voyantes. Elle se pencha sur la table basse et contempla ces dés étranges, qu'elle voyait pour la première fois.

Les deux femmes avaient obtenu le même résultat.

Cela même ne semblait guère les émouvoir. Elles ramassèrent les objets pour une autre demande et parurent, dès lors, perdre leur coordination.

— Je n'ai plus de question, annonça la reine après un long moment de silence, passé à contempler les visages des voyantes mystérieuses.

Qu'aurait-elle bien pu demander d'autre ? Du moment que son vœu devait se réaliser, ce n'était plus alors qu'une question de patience. Elle aurait un enfant de Saat et s'attirerait ainsi sa reconnaissance éternelle. Du moins, suffisamment longtemps pour qu'elle partage de droit la charge et les privilèges du Haut Dyarque.

Dès lors, il ne lui resterait plus qu'à attendre que le vieillard goranais quitte ce monde en lui léguant sa couronne. Enfin, elle pourrait oublier le contact froid, si froid de la peau ridée à l'odeur de terre et de mort.

※ ※ ※

Les héritiers attendaient, le cœur battant, que Nol leur livre les derniers secrets de leurs ancêtres. Mais le Doyen ne semblait pas pressé de parler, et se contentait de leur rendre son habituel regard bienveillant au-dessus d'un sourire paisible. Comme s'ils avaient tout le temps devant eux !

Corenn remarqua que, si Nol était Celui qui Enseigne, son savoir devait être quémandé. Les héritiers n'obtiendraient leurs réponses qu'en posant les bonnes questions, ce qui les obligeait à réfléchir et faire des suppositions. Il s'agissait certainement d'une bonne méthode de progression pour les élèves… mais selon l'avis de la Mère, elle était surtout due à la passivité du Doyen.

Malgré l'envie qui la brûlait de passer directement aux questions importantes, elle décida d'amener Nol à leur raconter l'intégralité de l'aventure de leurs ancêtres, pour s'assurer qu'ils ne passent pas à côté d'une information importante. Cela n'allait pas être facile. Mais Corenn avait de la patience. Et de la volonté.

— Qu'ont fait les sages à leur arrivée ? amorça-t-elle judicieusement, reprenant là où le journal de Maz Achem s'arrêtait. Ont-ils, comme nous, subi les effets de l'euphorie ?

Le Doyen perdit un peu de son sourire. La Mère devait comprendre pourquoi l'instant d'après. Elle venait déjà d'aborder un point sensible.

— Tous les mortels connaissent une extase des sens en pénétrant les jardins, expliqua Nol. Dans le cas contraire, mon rôle est de les en chasser. Quiconque ne s'émerveille pas de la beauté de cet endroit n'a pas sa place parmi les enfants dieux, ajouta-t-il en prenant les héritiers à partie.

— Mais nos ancêtres ont tous réussi cette « épreuve », n'est-ce pas ?

Le Doyen se rembrunit plus encore, ce qui, pour Nol l'Impassible, se traduisait par une légère inclinaison des sourcils.

— Là est peut-être mon erreur, annonça-t-il, hésitant. J'avoue avoir eu le sentiment que Saat simulait l'euphorie en singeant ses compagnons. Mais je ne puis lire dans les esprits, et jamais homme n'avait agi de cette manière. Il fallait qu'il soit tout à la fois faux, rusé et opportuniste… Or, les rois devaient me dépêcher les plus sages parmi les plus sages. Je lui ai donc laissé le bénéfice du doute.

— Voilà en effet ce qui s'appelle une belle erreur, commenta Rey avec cynisme. Nul n'est décidément parfait.

— Rien ne prouve que Saat ait simulé, précisa Lana, soucieuse de défendre le Doyen qui avait vu grandir Eurydis.

— Rien ne prouve qu'il ne l'ait pas fait, renchérit Grigán à son tour. Nous savons de quoi il est capable. Les assassinats de Séhane, Humeline, Xan et les autres héritiers sont autant de preuves de sa bassesse.

— Dire que nous parlons d'un homme qui a rencontré nos ancêtres ! songea Léti, pour la centième fois depuis le début de leur quête.

— Saat a-t-il fait quelque chose de répréhensible cette nuit-là ? reprit Corenn.

— Non, assura le Doyen. Comme les autres, il s'est allongé dans l'herbe pour dormir. Le jour suivant, il ne semblait ni hostile, ni agressif, aussi ai-je oublié mes craintes.

— Qu'avez-vous fait alors ? Vous leur avez montré les enfants ?

— Pas tout de suite. Je leur ai d'abord présenté les autres sages. Ceux que vous appelez les Estiens.

— Palbree et Fer't, confirma Lana, selon les indications du journal d'Achem.

— Deux sages seulement, confirma Nol à regret. La Guivre du pays d'Oo avait tué les six autres. Seuls Sole et Wallos s'en trouvaient représentés au Jal'dara.

— Wallos, répéta Rey en claquant des doigts. Saat aurait-il pu contracter une quelconque alliance avec l'émissaire wallatte ?

— À vrai dire, l'un et l'autre ne s'appréciaient guère, révéla le Doyen. Le roi Pal'b'ree ne semblait souffrir que le prince Vanamel. J'ai cru comprendre que Saat et Vanamel eux-mêmes se portaient peu d'estime, la présence du conseiller ayant été imposée par l'empereur goranais à son fils.

— Voilà qui est nouveau, nota Grigán. Saat avait-il, en fait, un seul ami parmi nos ancêtres ?

Les héritiers guettèrent la réponse de Nol avec anxiété. Personne ne voulait s'entendre dire que son aïeul avait une part de responsabilité dans leurs malheurs.

— Je l'ignore, annonça enfin le Doyen. Je ne l'ai jamais vu se fâcher avec quiconque. Mais il fuyait la compagnie de ses semblables, c'est un fait.

— Trêve de nostalgie, lança Rey en perdant patience. Enfin, que s'est-il passé, au juste ? D'où Saat tire-t-il ses pouvoirs ? Qu'ont fait nos ancêtres dans ce trou puant ?

— Mais… je ne sais pas, annonça Nol en hochant la tête, surpris et véritablement désolé de la méprise de ses visiteurs. Tout cela s'est produit dans les fosses. J'ignore évidemment tout de cet endroit…

Les héritiers restèrent sans voix. Avaient-ils choisi d'affronter tous ces risques, la traversée des royaumes estiens et du pays d'Oo, la confrontation avec la Guivre, la dangereuse influence du gwele, pour un si piètre résultat ? Pour ne rien apprendre sur les motivations et l'origine des pouvoirs de l'homme qui œuvrait à leur perte ? Pour n'en rien tirer qui puisse faire obstacle à ses projets ?

— Vous connaissez une partie de l'histoire, rappela Corenn. Saat a perdu la raison après avoir reconnu la puissance du gwele. Que pouvez-vous nous dire à ce sujet ?

— Peu de choses, je le crains. Tout comme vous, il était… il est magicien. Il m'a posé les mêmes questions que vous. Et il est parvenu aux mêmes conclusions, *plus vite* encore que vous ne l'avez fait. Plus vite que n'importe qui, d'ailleurs, depuis que les mortels visitent les jardins.

Yan songea que les héritiers disposaient pourtant d'indices, tels que le poème de Romerij ou les révélations d'Usul. S'ils en doutaient encore, ce qui n'était pas le cas, ils venaient d'en avoir la confirmation : Saat était intelligent. *Redoutablement* intelligent.

— Il est devenu fou à cause de ça ? interrompit Bowbaq.

— Plutôt *obsédé*. Alors que la plupart des autres sages débattaient de la conduite à tenir quand au secret du Jal'dara, Saat ne s'intéressait plus qu'au gwele. Il passait tout son temps à modeler des Gweloms : armes, bijoux, métaux précieux et autres, qui reprenaient invariablement leur forme au bout de quelques décans.

— Et il ne s'est pas découragé ? s'étonna Léti.

— Non. Il avouait franchement vouloir étudier les propriétés du gwele pour perfectionner son art. J'ignore s'il était déjà un magicien doué avant d'arriver ici. Mais il l'était assurément, à la fin de son séjour... Jamais mortel n'avait autant altéré les jardins.

— Vous le laissiez faire ? s'étonna Lana.

— De la même manière que je vous ai laissé faire du feu. Je suis Celui qui Enseigne, de par la volonté des hommes. Chaque visiteur est libre d'agir à sa guise au Jal'dara... tant qu'il ne nuit pas aux enfants ou à la porte.

— Vous nous avez pourtant interdit beaucoup de choses, rappela Rey. Comme de prononcer certains noms...

— Il s'agit de *conseils*. Je ne puis vous interdire quoi que ce soit. Pour la simple raison, que je ne puis prévenir quoi que ce soit. Malheureusement...

La voix du Doyen trahissait ses regrets. Les héritiers ne s'y trompèrent pas. Peu de tragédies pouvaient ainsi persécuter la conscience de l'Éternel Gardien.

— Saat a agressé l'un des enfants, n'est-ce pas ? devina Corenn.

Nol acquiesça lentement, comme portant le poids de ce crime à la place de son auteur.

— Il a profané son esprit, révéla-t-il avec gravité. *Il a essayé sa magie sur un enfant dieu.*

* * *

Corenn essayait de remettre de l'ordre dans ses idées. Le Doyen, si laconique jusqu'alors, s'était lancé dans un récit des plus détaillés sur ce drame aux conséquences démesurées. Et la vérité était plus effrayante encore que ce à quoi ils s'étaient préparés.

Saat avait très vite compris l'intérêt que l'on pouvait tirer du gwele. La matière brute, au *récept* immense, pouvait être modelée sous n'importe quelle forme, nantie elle-même de pouvoirs magiques. Ainsi le Goranais avait commencé de rassembler quelques livres du précieux élément, avec l'intention d'en rapporter dans le monde des mortels...

Le Gardien l'avait alors prévenu qu'il ne pouvait laisser ses visiteurs emporter quoi que ce soit. Des Gweloms légendaires tels que l'épée de Moccaret, la conque prolixe, la corde à trois bouts de Frugisse ou encore le Yalyal n'avaient pu être arrachés au sol du Jal'dara qu'à l'occasion d'exceptionnels concours de circonstances. Seuls les enfants dieux pouvaient de bon droit emporter du gwele en quittant les jardins. Et peu usaient de ce privilège.

Difficile de deviner quelles furent alors les pensées de Saat, après que Nol lui eut fait ces révélations. Voulait-il juger de la puissance de sa magie ? De ses chances d'obtenir une faveur ? Désirait-il satisfaire sa curiosité ? Ou avait-il déjà un plan bien plus retors ? Toujours est-il *qu'il lança son esprit dans celui d'un des enfants.*

Comme le Doyen l'avait expliqué aux héritiers, les dieux grandissants finissaient par s'habituer à la présence des mortels dans les jardins, c'est-à-dire qu'il leur était plus facile de la percevoir. Dès lors, il se pouvait même qu'ils leur adressent directement la parole. Au siècle dernier, c'était arrivé à Tiramis, à Fer't le Solene, à Moboq et... à Saat.

Les mots de ces dieux naïfs n'étaient guère originaux. Lorsqu'ils n'étaient pas dans cette langue inconnue des mortels et que l'on supposait l'idiome ethèque, il ne s'agissait que de variations autour d'une simple requête : « Parle-moi. »

Mais ces enfants étaient des plus impressionnables, et les réponses qu'on leur faisait pouvaient avoir des conséquences graves. Aussi, Nol demandait à tous ses visiteurs de respecter un certain mutisme... bien qu'il n'ait aucun moyen d'empêcher une transgression. Ni même, le droit de la sanctionner : le fait de donner la réplique aux dieux ne pouvait être considéré comme une violence à leur encontre. Le Doyen ne faisait que conseiller la passivité aux sages, pour éviter ce que Corenn nomma une « catastrophe théologique ».

Or, un enfant s'était adressé à Saat. À plusieurs reprises. Et, non content de lui avoir répondu à chaque fois, le sorcier s'était introduit au plus profond de son esprit. Profanant cette conscience encore vierge par ses pensées impures, et la transformant de manière irrémédiable.

Il fallait parfois des centaines de millénaires avant que le brouhaha des pensées humaines ne parvienne à s'infiltrer dans le sommeil d'un enfant dieu. Par sa proximité physique et la puissance de sa Volonté, Saat avait réduit ce délai à quelques jours. Et il eut peut-être fait bien pire, si Nol ne s'en était aperçu à temps.

L'enfant avait été *influencé*. En une nuit seulement, il grandit à la taille d'un garçonnet de six ans, alors qu'il paraissait jusqu'alors âgé de quatre.

Le nouveau dieu avait aussi acquis ses noms. Ceux que lui donneraient les générations successives des mortels, mais que Nol connut dès ce moment comme s'il les avait toujours sus. Et le premier d'entre eux serait Sombre.

Le Doyen ne pouvait lire l'avenir. Il ignorait quand aurait lieu l'avènement de ce nouveau dieu. Il ignorait ce que seraient ses vertus. Il ignorait de quelle façon Sombre pourrait *inspirer* les mortels. Mais une évolution rapide était toujours un mauvais présage.

Seuls les démons grandissaient si vite.

Nol ne livra pas le nom de Sombre au sorcier. C'eut été augmenter son emprise sur l'enfant perverti. Il avertit Saat qu'en continuant à altérer son esprit, il le pousserait vers les fosses. Cela n'effraya guère le Goranais qui, au contraire, poursuivit son « expérience » avec un intérêt redoublé.

Des dissensions commencèrent à l'opposer aux autres émissaires. En particulier, au prince Vanamel, dont il ignorait les ordres avec un mépris affiché. Si ces querelles avaient débouché sur une violence physique, le Gardien aurait pu utiliser ce prétexte pour chasser les indésirables. Mais il n'en fut rien. Ces conflits eurent pour seul résultat d'aggraver les choses.

Trop de mauvais sentiments avaient été exprimés dans les jardins. Jalousie, malveillance, vénalité, orgueil, colère… Si près des fosses. *Trop près* des fosses. C'était inévitable. Les créatures de Karu finirent par se réveiller.

Certaines remontèrent à la surface et haranguèrent les sages réunis. Elles promettaient richesses et puissance à qui les accompagnerait en bas. *Un piège grossier*, jugèrent la plupart des mortels. Malheureusement, tous les émissaires n'étaient pas aussi avisés…

Deux d'entre eux finirent par suivre Lloïol, un lutin harpiste, par le passage même que Nol avait montré aux héritiers. Pal'b'ree le Wallatte et le prince Vanamel avaient cédé à la plus basse convoitise, là où même Saat l'Ambitieux avait fait preuve de bon sens.

On ne les avait pas revus le lendemain, ni le jour suivant, pas plus que le lutin qui les avait entraînés. Les créatures des fosses semblaient être retournées au sommeil.

À l'aube du troisième jour, le sage Moboq avait avancé l'idée d'une expédition de secours, à laquelle s'étaient rangés massivement les ancêtres des héritiers. Aucun d'eux ne voulait avoir la mort de Palbree et Vanamel sur la conscience, même si les deux hommes, après les nombreux avertissements qu'ils avaient reçus, semblaient avoir mérité leur sort. Saat s'était gardé de participer aux débats, mais, quand la décision avait été prise de descendre, il n'avait émis aucun regret ni désaccord. Sans doute la curiosité l'avait-elle poussé à se ranger à l'avis de la majorité.

Contre l'avis de Nol, les émissaires s'étaient donc aventurés dans le pays des démons, disparaissant l'un après l'autre par l'entrée dite de la troisième fosse. Saat, Vez de Jezeba et Fer't le Solene ne devaient jamais en remonter. Pal'b'rcc scul put être sauvé par les sages, mais le roi wallatte se montra de la plus basse ingratitude.

L'aventure avait eu une autre terrible conséquence. Comme Nol l'avait craint, Sombre s'était retiré à Karu pour ne plus en revenir. Lorsqu'il l'avait vu emboîter le pas au groupe des mortels, le Doyen n'avait pu s'empêcher d'interroger le dieu sur ses raisons. Sa seule réponse avait été celle que donnent tous les enfants en quittant les jardins : « Ils m'appellent. » À moins que ce ne fût… *« Il m'appelle. »*

Nol ne savait rien d'autre. Pour tout le monde, avant sa réapparition, Saat était mort dans les fosses. Le mystère de la survie du sorcier, de sa puissance et de sa détermination à exterminer les héritiers restait donc entier.

* * *

— Nous avons fait tout ça pour *rien*, commenta Rey alors qu'ils méditaient sur les révélations du Doyen. Nous n'en savons pas plus maintenant qu'il y a trois jours, ajouta-t-il avec une mauvaise foi volontaire. J'étais sûr que ce n'était pas une bonne idée. Il fallait aller à Wallos.

— Cette visite à Dara n'a pas rempli toutes nos espérances, concéda Corenn sur un ton apaisant. Mais nous avons tout de même progressé…

— Vraiment ? Quelque chose a dû m'échapper ! Nous ne connaissons rien des projets de Saat, ni des raisons qu'il a de nous pourchasser. Je ne vois pas là-dedans matière à réjouissance !

— Erreur. Nous savons très bien ce qu'il veut, rappela Grigán. *Soumettre les Hauts-Royaumes.* Et vous ne gagnerez rien à vous laisser aller à la colère, de Kercyan. Nous sommes tous au moins aussi dépités que vous.

Le fait est que les héritiers présentaient triste figure. Des membres du petit groupe assis dans l'herbe, seul Nol affichait son habituel sourire bienveillant, qui ne signifiait rien en particulier. Aussi glissaient-ils peu à peu dans une certaine morosité.

Chacun attendait, sans grand espoir, que Corenn pose une nouvelle question suffisamment pertinente pour les lancer sur un aspect encore inabordé du mystère. Mais le Doyen n'avait plus rien à leur apprendre. Aussi se creusaient-ils la tête en vain, en quête d'alternatives qui n'existaient pas.

— Sombre est-il toujours au... dans les fosses ? demanda Lana, sans savoir ce qu'elle ferait de la réponse.

— Je l'ignore. Lorsqu'un enfant quitte les jardins, il échappe définitivement à ma conscience. Il en va de même pour les fosses.

— En supposant que Sombre soit *abouti*, aurait-il pu emmener Saat avec lui ? suggéra Yan.

— C'est peu probable. Voyez les presque-dieux des jardins : ils fuient votre présence. Même si Sombre avait pu évoluer si vite, ce qui est difficile à croire, il ne se serait pas embarrassé de la compagnie d'un mortel. D'autant plus qu'il n'est jamais remonté dans les jardins... ce qui le condamne à devenir un démon.

Bowbaq et Grigán n'échangèrent qu'un regard, avant que le géant ne traduise leurs pensées.

— Le Mog'lur, murmura-t-il dans sa barbe, comme si le seul fait de prononcer ce nom pouvait matérialiser son porteur.

— Le démon guerrier de Junine, ajouta Grigán sur un ton grave. Il a tué la reine Séhane. Il est sous le contrôle de Saat.

— C'est impossible, réfuta Nol. Aucun dieu ne pourrait rester si longtemps sous le contrôle d'un mortel. Même lié par le plus puissant des pactes.

— Sombre a évolué de façon très singulière, rappela Corenn. Placé sous la seule influence de Saat, pendant de nombreuses années. Cela s'était-il déjà produit ?

Le Doyen réfléchit longuement avant de répondre.

— Non, finit-il par avouer. C'est la première fois. Vous avez raison.

— Il a pu modeler l'enfant à volonté, reprit la Mère, effrayée par sa propre idée. Lui attribuer son nom, sa personnalité, ses pouvoirs, que sais-je encore... Éduquant le dieu comme son propre fils. Au point de le placer entièrement sous son contrôle.

— Même le plus puissant des sorciers ne pourrait faire cela, contesta Nol, que cette théorie ébranlait pourtant. Un esprit unique ne peut seul amener un dieu à maturité. Nous naissons toujours d'une multitude.

— Mais… intervint Lana. Dans les fosses, Sombre pouvait entendre d'autres voix, n'est-ce pas? *L'ensemble des pensées humaines*, disiez-vous, dont les enfants retiennent quelques bribes pendant leur sommeil. Il aurait donc pu évoluer normalement…

— Admettons une fois pour toutes que Sombre est le Mog'lur, sans chercher à finasser, décida soudain Grigán. Pour ma part, j'en suis convaincu.

— *Nous sommes traqués par un dieu!* songea Bowbaq à voix haute, le regard perdu dans ses souvenirs.

— Un simple démon, corrigea Grigán, seul à y voir une différence notable. Et il n'est pas invincible: nous l'avons déjà repoussé.

— *Repoussé,* oui… Mais quelles chances avons-nous réellement? demanda Rey. Comment triompher d'un dieu?

— Ce n'est encore qu'une théorie, rappela Corenn, soucieuse de ménager le moral du groupe. Jusqu'à preuve du contraire, Saat est seul à la tête du complot.

— Mais cela expliquerait beaucoup de choses, intervint Léti. L'immortalité de Saat, par exemple. Il la tient certainement de Sombre. Il l'a obligé à lui donner!

— Aucun dieu n'a ce pouvoir, démentit le Doyen. L'invulnérabilité est envisageable. Ou la jeunesse éternelle, ou la pureté du corps. Mais en aucun cas les trois à la fois. *Aucun être ne peut donner plus qu'il ne possède lui-même.*

— Le sorcier est donc mortel, conclut Rey en insistant sur ce dernier mot.

— Et invulnérable, rappela Yan, craignant que l'acteur ne suggère une expédition punitive, qui ne serait somme toute qu'un suicide.

— Mais pourquoi donc s'en prendre à nous? interrompit Lana, angoissée par cette injustice toujours inexpliquée.

La Maz les ramenait au problème qui les avait poussés dans cette quête. S'il s'agissait au début d'une seule question de survie, les enjeux n'avaient depuis cessé de croître, et représentaient alors rien moins que le destin des Hauts-Royaumes. Sidérés par leurs découvertes successives, les héritiers en avaient presque oublié le danger menaçant leurs propres existences…

— Je ne crois plus à la théorie de la vengeance, annonça Grigán, brisant ainsi le silence qui s'installait.

Il n'eut pas besoin de s'expliquer. D'après ce qu'ils avaient appris de Saat, il ne semblait pas dans le caractère du Goranais de commanditer plusieurs dizaines d'assassinats pour le seul mobile d'un orgueil bafoué. L'Économe avait été bourgeois du Grand Empire, courtisan et conspirateur. Ses actes servaient la raison, et non pas les sentiments.

— Quel dommage que vous n'ayez pas interrogé nos ancêtres, lorsqu'ils sont remontés des fosses ! commenta Léti pour la troisième fois.

Le Doyen ne répéta pas la réponse qu'il avait déjà donnée. La curiosité ne faisait pas partie de ses sentiments, ce que les mortels avaient peine à comprendre. Les enfants avaient pleuré quand les sages étaient remontés, et Nol avait agi en conséquence. Il avait ouvert les portes et les émissaires avaient quitté les jardins.

— Saat craint quelque chose, résuma Rey. Il *nous* craint. Mais, par tous les dieux et leurs put… par tous les dieux, *de quoi s'agit-il ?*

— Le journal de Maz Achem en parle vaguement, rappela Yan. Un passage parle des héritiers.

— C'est trop vague, soupira Léti. Même ma tante n'y a rien compris.

— Relisons-le, proposa Corenn. À la lumière de nos nouvelles connaissances, il nous paraîtra peut-être plus clair.

Lana s'empara donc des feuillets sur lesquels elle avait recopié les écrits de son ancêtre puisque, fidèle à la promesse faite à son père, elle avait brûlé le dit journal quelques jours plus tôt. Et la Maz fit une lecture à voix haute des paragraphes concernés.

« …À leur tour, Reyan de Kercyan, Moboq d'Arkarie et Rafa Derkel eurent des héritiers. Comment expliquer, après toutes ces années d'angoisse, le ravissement qui s'emparait de nous, à l'annonce de chacune de ces naissances ? Plus loin que la joie personnelle d'assurer nos descendances, nous nous réjouissions de donner une chance à l'humanité d'atteindre un jour l'âge d'Ys. L'Harmonie de Nol. Même dans un millier de siècles.

Si Vanamel et Pal'b'ree n'étaient descendus à Karu, s'ils n'avaient rencontré les Ondines… nous aurions ignoré notre responsabilité. Et il en eut été mieux ainsi, le poids du secret du Jal'dara étant déjà suffisamment lourd à porter. Mais puisque nous savions… nous ne pouvions qu'exulter à l'avènement de la génération suivante. »

— Ça n'est pas plus clair pour moi aujourd'hui, commenta Bowbaq, dans l'espoir que quelqu'un lui fournisse une explication.

Mais personne ne vint en aide au géant. Tous les regards étaient tournés vers Nol, dont l'expression avait subitement changé, au point de lui faire perdre son éternel sourire. Le Doyen regardait ses visiteurs avec un œil nouveau. Étonné, vaguement admiratif.

— Vos ancêtres ont vu les Ondines, répéta-t-il d'une voix monocorde.

Il n'ajouta rien. Celui qui Enseigne ne faisait que répondre à des questions. Même lorsque le sujet semblait l'intéresser au plus haut point, comme c'était alors le cas.

— Qu'est-ce que c'est? finit par demander Léti, agacée malgré elle.

— Ce sont des créatures du plus profond des fosses. Elles possèdent les Vérités sur l'avenir.

— Un genre d'Usul local? plaisanta Rey.

— Leur pouvoir est bien plus grand, poursuivit Nol très sérieusement. Usul est Celui qui Sait. Les Ondines détiennent les Vérités.

— La nuance m'échappe, marmonna Grigán. Pourriez-vous être plus clair?

— L'avenir que décrivent Usul et les autres dieux nantis de prescience peut être altéré de diverses manières, par exemple, lorsqu'il est connu de l'un de ses acteurs. Les Vérités n'entendent pas de conditions. Chaque fait annoncé par les Ondines se vérifiera, quoi qu'il advienne.

— Et nos ancêtres ont entendu une de ces révélations, conclut Corenn. Dont nous ignorons presque tout, si ce n'est qu'elle a un rapport avec nos naissances et l'âge d'Ys.

Yan éprouva une compassion tardive pour les sages du siècle dernier. Lui connaissait les tourments du savoir inhumain. Quel terrible secret les ancêtres de ses amis avaient-ils porté?

Ils avaient toujours cru qu'il s'agissait du seul secret de Ji. Mais le fardeau des sages avait été double. Et Saat avait pu tirer parti de l'un, comme de l'autre.

— Comprenez-vous cette référence à l'Harmonie? s'enquit Lana avec espoir.

— Cela n'est pas en mon pouvoir. Il semble que vos existences soient, d'une manière ou d'une autre, liées à son avènement.

— Mais comment? demanda Léti. *Que devons-nous faire?*

— Nos ancêtres seuls le savaient, répondit Grigán.

— Ainsi que les Ondines, ajouta Lana.

— Et Saat, aussi… renchérit Bowbaq.

Yan se leva et parcourut les quelques pas qui le séparaient de l'entrée de la troisième fosse. Une idée lui trottait en tête depuis un moment, mais il voulait en peser le pour et le contre avant de la proposer à ses amis.

Quand enfin il se décida à parler, ce fut presque timidement, comme à l'époque où il craignait de se faire renvoyer par Grigán à chaque mauvais pas.

— Quelqu'un d'autre peut nous renseigner. S'il est toujours là-dessous... On pourrait essayer d'appeler le *lutin* ?

Sa suggestion ne déclencha pas le débat auquel il s'était attendu. En avisant les visages méditatifs de Corenn et Grigán, Yan comprit qu'il n'en manquait pas beaucoup pour que son idée soit acceptée.

Quelques notes de harpe s'élevèrent soudain de la fosse, à point nommé pour mettre un terme à leur hésitation. Une voix nasillarde accompagna bientôt cet air d'un grotesque chant improvisé.

— *Ne cherchez plus, chers inconnus !*
Je suis ici depuis le début !

* * *

L'or. La mer. L'Armada rouge. Griteh. Mythr. Les Yussa. Le venin des serpents daï. L'or. Grigán Derkel. Le Haut Dyarque. Le plan. L'or.

Les pensées de l'humain tournaient autour d'un petit nombre de constantes seulement, et Sombre les identifia sans difficulté. L'esprit visité était incohérent, désordonné et, sur certains sujets, irrationnel. L'homme pouvait être endormi, malade, drogué ou fou. Ou tout cela à la fois, peut-être. Sombre reconnut là leur allié dans les Bas-Royaumes, le roi ramgrith Aleb le Borgne, naviguant vers la mer de Sable afin de rencontrer les apôtres et de mettre au point les derniers détails de leur campagne militaire.

Le dieu noir visita ensuite l'esprit de chaque membre de l'équipage, espérant y trouver un traître ou un espion lui permettant de laisser libre cours à sa rage. Mais il n'en fut rien. Le contraire eut été étonnant, sur le grand-voile personnel d'Aleb... Frustré, Sombre consacra deux batte-ments à visiter quatre autres navires des alentours, sans plus de succès. Leur secret était bien gardé, les Hauts-Royaumes ne le découvriraient que trop tard. Mais le démon s'ennuyait...

Il projeta son ombre au val Guerrier et étudia les mouvements des troupes goranaises. Depuis quelques jours, des compagnies loreliennes venaient grossir leurs rangs au point de rivaliser en nombre avec les formations du Grand Empire. Les deux armées les plus puissantes des Hauts-Royaumes seraient bientôt réunies au bord de l'océan, se préparant doucement à une bataille qu'elles estimaient devoir se dérouler bien après le Jour de l'Eau. Dans l'esprit des maréchaux goranais, la défaite n'était même pas envisageable.

Ils faisaient pourtant erreur. La guerre commencerait quelques décades plus tôt, à plusieurs dizaines de milles, frappant au point le plus sensible des Hauts-Royaumes : la Sainte-Cité d'Ith. Défendue par une garnison si faible qu'elle en était ridicule — à peine plus de cinq cents hommes — la ville devait être le point de départ de l'invasion wallatte.

Deux choses seulement seraient à même de l'enrayer. D'une part, l'intervention de la flotte lorelienne, et de l'autre, une réaction prompte de l'armée alliée cantonnant au val. Mais ni l'une, ni l'autre ne devaient survenir...

Aleb le Borgne se chargerait de brûler les navires du royaume marchand dans le port même de l'orgueilleuse Lorelia. La surprise serait totale : depuis quelques lunes, Sombre veillait à exterminer tous ceux qui avaient vent du secret. Et il agirait de même pour les troupes du val Guerrier... ignorantes du sort de la Sainte-Cité, elles seraient massacrées au bord de l'océan, prises à revers par l'armée combinée des Wallattes et des Yussa.

En survolant les trente et quelques mille soldats campant dans le val, Sombre songea que la coalition barbare aurait même pu l'emporter dans un affrontement direct. Mais son ami en avait jugé autrement... et son ami ne se trompait jamais.

Pourtant, il tardait déjà au démon de se lancer au plus fort de la bataille. Il voulait combattre, frapper, vaincre et tuer sans relâche. Abattre lui-même les colonnes du Grand Temple. Marcher dans ses ruines fumantes en écoutant les râles d'agonie des Maz. Et marquer ainsi l'avènement de son ère. Le Nouvel Ordre.

Mais Sombre ne pouvait qu'anticiper ce moment, et attendre, attendre *encore*, comme il le ferait toute l'éternité.

La plupart de ses frères, il le savait, trompaient leur ennui en observant les mortels. Sombre n'y voyait aucun intérêt. Il était Celui qui Vainc : sa seule distraction était le combat... et sa seule joie, l'*anéantissement* de ses adversaires.

L'un d'entre eux en particulier. Celui qui, de toute l'éternité, aurait une chance de le défaire. Celui que Sombre se languissait de voir mourir, d'une manière ou d'une autre.

Par habitude, il se mit en quête des esprits de ses ennemis. Mais il en avait perdu toute trace depuis qu'ils étaient entrés au Jal. Le démon avait beau parcourir le monde dans tous les sens, il ne trouvait toujours que deux des héritiers des sages émissaires. Et ceux-là étaient loin de représenter un danger, pour l'instant tout au moins : des enfants, descendants à la cinquième génération de Moboq du clan de l'Oiseau.

Plus que tout, Sombre désirait les broyer, les déchiqueter, leur arracher la tête. Mais Saat s'y était toujours opposé. L'un d'eux pouvait être l'Adversaire, et mieux valait alors le rencontrer en personne, plutôt qu'à travers un avatar. L'expérience du Château-Brisé avait prouvé la vulnérabilité de telles matérialisations du démon, même si sa puissance actuelle était bien supérieure à celle de cette époque.

Pourtant, sûr de sa force, Sombre ne pouvait croire aux dangers d'un tel affrontement. Il respecterait la volonté et les conseils de Saat, certes… mais pour la seule raison qu'il en avait toujours été ainsi. Parce que Sombre n'imaginait même pas qu'il puisse en être autrement.

Alors, frustré par des impératifs qui échappaient à sa compréhension, le démon faisait danser son ombre autour des enfants arques. Imaginant de quelle manière il déchirerait leurs petits corps mortels, quand ses ennemis quitteraient le Jal, et qu'il leur volerait le nom de l'Adversaire.

* * *

Nol et les héritiers s'approchèrent précautionneusement de la cuvette abritant l'entrée de la troisième fosse. S'il n'y avait eu l'insolite air de harpe qui s'en élevait toujours, ils auraient presque douté d'avoir entendu parler. Mais quelqu'un se dissimulait bel et bien dans le tunnel étroit et nauséabond. Un être à la voix nasillarde, au rire acide et qui semblait prendre plaisir à jouer faux de son instrument.

— Lloïol ? demanda le Doyen, en indiquant à ses visiteurs de rester à l'écart.

— *Ton meilleur ami, Nol !*

Eh oui, c'est moi Lloïol !

— Bienvenue chez toi, Lloïol. Mais nous ne pourrons converser que si tu sors.

La torture de la harpe cessa soudain, rendant sa quiétude à cette partie du Jal'dara. Le silence régna pendant quelques instants et semblait devoir s'éterniser.

— Les démons peuvent sortir des fosses ? chuchota Lana, sincèrement étonnée.

— Tous ne sont pas des démons, expliqua le Doyen. Quelques-uns des enfants hésitent longuement entre les fosses et les jardins, suivant les aspirations changeantes des mortels. Ils passent indifféremment d'un monde à l'autre jusqu'à ce que leur destin soit fixé.

— Le lutin fait aussi partie des enfants ? demanda Léti.

— Autrefois, oui. Lloïol est presque abouti, comme il ne manquera pas de vous l'expliquer. Son apparence évolue depuis plusieurs millénaires, déjà. Il devrait quitter le Jal avant quelques siècles.

— Alors, les lutins sont aussi des dieux, commenta Bowbaq en intégrant naturellement ce fait à ses croyances personnelles.

— D'une certaine manière… mais leurs pouvoirs ne sont pas comparables. Comme de nombreuses créatures du Jal, ils appartiennent à une… classe intermédiaire, située entre les mortels et les dieux. Vous les nommez parfois les *Grotesques*.

— Ce *Grotesque*-là ne semble pas vouloir se montrer, commenta Rey, impatient. Et en quoi est-ce si important ? On pourrait très bien l'interroger d'ici !

— S'il refuse de monter, c'est qu'il est sous l'emprise des fosses, expliqua le Doyen. Dans ce cas, mieux vaut pour vous ne pas l'écouter. Ne répétez pas l'erreur de Vanamel et Pal'b'ree.

— Et s'il vient ?

— Vous pourrez alors lui faire confiance. Tout au moins, pendant tout le temps qu'il sera dans les jardins. Mais à vrai dire, je doute qu'il en soit capable… cela fait si longtemps…

— J'irais bien chercher ce fauteur de trouble, susurra Grigán en tapotant sa lame.

— N'en faites rien, recommanda Nol. Vous ne voyez qu'un simple trou dans le sol, mais il s'agit bel et bien d'un passage vers un autre monde, *le pays des démons*. Y parcourir trois pas seulement pourrait vous coûter la vie.

— C'est ainsi partout où nous allons, plaisanta Rey.

— Le danger ne vient pas seulement des créatures. Tout acte de violence commis dans les fosses empêche son auteur de remonter à Dara. En malmenant Lloïol, vous vous condamneriez. Par le même principe, si Lloïol manque à venir, c'est qu'il est coupable d'au moins un forfait.

Sur cette dernière réplique, les héritiers reprirent l'observation du tunnel en espérant discerner un mouvement dans les ténèbres. La soudaine exclamation de voix qui en surgit les surprit tous.

— *Par ma musique, je n'ai rien fait !*

Quiconque m'accuse devra le prouver !

— *Pourquoi ne pas sortir, pour nous en conter ?* reprit Rey en entrant dans le jeu du lutin.

— *La lumière par trop m'effraie.*

Restez, à la nuit je sortirai.

— Il parle toujours comme ça ? interrogea Grigán. Par Alioss, c'est agaçant !

— Les mortels l'ont fait ainsi, répondit Nol selon sa formule consacrée, qui n'apaisa en rien le guerrier.

— Que pensez-vous de sa proposition ? demanda Corenn. Peut-on lui faire confiance ?

— Vous ne le pourrez vraiment que lorsqu'il aura mis les pieds sur cette herbe. Si vous choisissez d'attendre, je vous conseille de ne rien écouter de ce qu'il pourra dire jusque là.

La Mère consulta Grigán, mais ils n'avaient guère d'autre choix que de souffrir les caprices du lutin. La décision fut facile à prendre.

— Nous attendrons la nuit, messire Lloïol, cria-t-elle en direction du tunnel. Mais ne nous faites pas défaut.

Je suis penchée sur un trou à essayer de m'attirer les bonnes grâces d'un lutin, songea Corenn avec un remarquable détachement. Fallait-il que leur situation soit critique !

* * *

Les mises en garde de Nol étaient certainement avisées, mais les héritiers n'eurent, heureusement, pas le loisir d'en juger. Dès le rendez-vous pris avec le lutin, celui-ci ne prononça plus un mot, se rappelant occasionnellement au souvenir des humains par quelques morceaux de harpe tout en fausses notes.

Bientôt, le Doyen prit congé de ses visiteurs, non sans leur avoir répété ses nombreuses recommandations quant au respect des enfants et aux dangers des fosses. Les héritiers eux-mêmes montrèrent des signes de lassitude, ou plutôt d'ennui, puisque les pouvoirs du Jal les mettaient à l'abri de toute fatigue.

Après un trop court moment de calme, Rey proposa une promenade à Lana et la Maz se laissa entraîner en rougissant. Léti se leva alors et détailla le paysage jusqu'à l'horizon proche des montagnes. Désignant un point qu'elle jugeait intéressant, elle n'eut aucun mal à convaincre Yan de l'accompagner pour une excursion dans cette direction. Elle fit poliment la même offre au reste de ses amis et, tout aussi poliment, ceux-ci déclinèrent l'invitation. Ainsi les trois aînés du groupe restèrent-ils seuls auprès de l'entrée de la fosse, patientant en silence en goûtant cette trêve largement méritée.

Ce moment de quiétude fut pourtant troublé quelques instants par la course d'un garçonnet et d'une fillette à moins de dix pas de Grigán, Corenn et Bowbaq. Ils passèrent sans les voir, souriant et échangeant quelques mots aigus dans une langue connue des seuls dieux. Les héritiers les regardèrent s'éloigner avec une certaine mélancolie.

— *Powch ol gass'e lor metuït*, murmura Bowbaq. Ma famille me manque, reprit-il, doublement gêné.

Le géant troublé s'était exprimé dans sa langue natale, ce qu'il considérait comme une impolitesse vis-à-vis de Corenn qui ne maîtrisait pas l'idiome arque. Mais la Mère connaissait suffisamment le Nordique pour ne nourrir aucun doute quant à sa sincérité.

— Tu la reverras bientôt, Bowbaq, assura Grigán avec moins d'assurance qu'il n'aurait voulu.

Cela ne suffit pas à apaiser le géant, qui ne pouvait détacher ses yeux des enfants dieux déambulant. Comme comprenant sa tristesse, Ifio plaça ses deux bras malingres autour de l'énorme tête hirsute et barbue.

— Je suis sûr qu'ils vont tous bien, ajouta Corenn avec douceur.

Car là était le vrai problème. Bowbaq chercha du réconfort dans les yeux de la Mère… mais on ne pouvait faire mentir un regard.

— Nous ne pourrons pas échapper à Saat, constata le géant avec tristesse. Les Züu finiront par nous retrouver. Ou la Guilde. Ou le Mog'lur… Tu es fort, ami Grigán, ajouta-t-il pour épargner la fierté du guerrier. Mais aucun humain ne peut battre un Mog'lur. C'est impossible.

— Il existe forcément une solution, affirma Corenn. Saat n'aurait pas tenté d'exterminer les héritiers s'il n'avait craint quelque chose. Il nous faut seulement trouver *quoi*.

Ils reportèrent leur attention vers le fond de la cuvette, l'entrée de la fosse, où leurs ancêtres s'étaient engagés presque cent vingt ans auparavant. En espérant que les clefs leur viendraient de l'endroit même où s'étaient nouées les intrigues.

* * *

Lana se voyait glisser peu à peu vers l'ivresse du Jal'dara, une fois encore. La beauté des jardins était telle que l'on y succombait dès que l'on cessait d'y prendre garde. La Maz conservait heureusement un certain contrôle sur cette euphorie naissante, même si elle échouait à en attribuer l'origine aux pouvoirs du gwele ou… à ceux de Rey.

D'évidence, l'acteur usait de tout son charme pour lui plaire, riant, plaisantant, complimentant et taquinant sans trêve. Rien ne semblait trop ridicule au Lorelien, dans la mission qu'il s'était assignée de la distraire. Il fit d'abord semblant de s'endormir entre deux enfants dieux, au grand émoi de la Maz. Puis il tenta d'engager la conversation avec tous les animaux qu'ils croisèrent, dans une parodie innocente de leur ami Bowbaq. Il alla même jusqu'à imiter sur plus de trente pas la démarche nonchalante d'un cerf balancier peu farouche. Oui, d'évidence, Rey poursuivait sa cour et tentait de la séduire. Et elle se devait d'admettre qu'il y parvenait fort bien…

Pour éviter de succomber trop vite, elle ne l'encourageait que de sourires, se détournant adroitement à chaque tentative de baiser. L'acteur n'était pas dupe et multipliait les pitreries, feignant l'indifférence alors que la sincérité de son affection crevait les yeux. Ce jeu leur plaisait beaucoup. Pour la première fois depuis de trop nombreuses et longues journées, ils étaient prêts d'oublier Saat et leurs ennuis.

Mais comme toute bonne chose, ce repos devait prendre fin. Avisant qu'un enfant brun les observait avec insistance, Rey reprit sa contenance et ils passèrent devant le dieu en silence, calmement, sans que ce dernier fasse autre chose que les suivre du regard. Le temps parut long à Rey et Lana avant qu'ils n'échappent enfin à sa vue.

— Celui-là ne sera pas un dieu marrant, plaisanta Rey avec un petit sifflet admiratif. La dernière fois que j'ai vu des yeux aussi gros, c'était sur un crapaud baleinier.

— Les enfants ne choisissent pas, Reyan, répliqua la Maz avec une certaine tristesse. Nous, les humains, faisons d'eux ce qu'ils sont.

— Je suis curieux de rencontrer les idiots qui peuvent imaginer de telles créatures, commenta l'acteur. Un dieu avec des gros yeux. Ça rime à quoi ?

La question n'attendait pas vraiment de réponse, et Lana n'en donna pas. Cet épisode avait quelque peu terni la magie du moment, pour les ramener à des pensées plus mélancoliques.

— Pensez-vous que nous devons avoir pitié de Sombre ? demanda soudain la Maz.

— Certainement pas ! Pardonner au monstre qui a tué Séhane ? Et des dizaines d'autres personnes, probablement ? On ne gracie pas les démons. On les *chasse*.

— Mais il n'était qu'un enfant... sans Saat, il aurait pu évoluer autrement...

— Et peut-être pas. Il s'est adressé à Saat parce que leurs esprits correspondaient. Avant même que le sorcier ne «profane sa conscience», comme dit Nol, Sombre était *destiné* à devenir un démon. Par Eurydis, ne vous tourmentez pas, Lana ! Croyez-vous vraiment que cela ait une importance ?

— *Toute chose* est importante, Reyan, répondit l'intéressée avec gravité. Tout être est digne de respect et de pardon. Le plus vil fut-il.

L'acteur n'insista pas. Lana était Maz et solidement attachée à ses principes. Cela agaçait parfois le Lorélien... mais il l'admirait, pour les mêmes raisons. Lui qui venait d'un royaume où la plus considérée des valeurs était la richesse, nourrissait de plus en plus d'estime à l'égard d'une femme dont les préoccupations n'étaient que grandes causes.

Sa réflexion fut interrompue par Lana elle-même, soudain prise d'un rire naturel qu'elle s'efforçait de contenir.

— Vous me trouvez très désappointé, commenta l'acteur en feignant la colère. Vous boudez mes pitreries, et vous moquez de mes réflexions sérieuses.

— Pardonnez-moi, implora-t-elle en plaidant d'un sourire. Réalisez-vous que vous venez de jurer par la Sage, *devant moi, au milieu du Jal'dara* ?

Rey n'eut aucun mal à se rappeler ses propres paroles, prononcées sans réfléchir au cours d'une discussion dominée par les sentiments. Il ne trouva rien à répondre.

— C'est la première fois que je vous vois rougir, le taquina Lana.

— Continuez à me sourire ainsi et mon teint ne retrouvera jamais sa couleur, enchaîna l'intéressé. Prêtresse, vous faites brûler mon âme.

Ce fut au tour de la Maz de ne savoir que répondre. Rey avait une telle assurance, se jouait des mots avec une telle facilité, qu'elle songea qu'il ferait un professeur remarquable... s'il parvenait à dominer son goût pour la provocation. Elle admirait également son courage, sa prévenance – qu'il tentait de faire oublier par son arrogance – et sa fougue imprévisible qui semblait pouvoir venir à bout de toutes les difficultés, par l'humour à défaut d'autres solutions.

— Reyan… croyez-vous en la déesse ?

— Il faudrait être obtus pour nier *ici* l'existence des dieux.

— Non, je veux dire… Croyez-vous en *Eurydis* ? En son enseignement ? répéta la Maz pour mieux marquer la gravité de sa question.

L'acteur attendit un instant avant de répondre.

— Si les trois Vertus de la Sage peuvent amener l'humanité à vous ressembler, alors elles n'ont pas plus d'ardent défenseur que moi, annonça-t-il avec emphase.

La Maz se remit en chemin avec une joie affichée. Elle avait espéré cela de tout cœur. Dès cet instant, l'avenir lui apparut sous de meilleurs auspices. Tout était désormais possible. *Envisageable.*

— Pourquoi cette question ? minauda Rey, qui avait pourtant parfaitement saisi.

— Et bien, je, heu… Il était important pour moi de savoir si, heu… je… C'était *nécessaire*, pour, heu…

Lana se sentit soudain complètement idiote. Il lui était impossible d'avouer de vive voix qu'elle ne pourrait aimer un incroyant. Mais il lui était également impossible de mentir !

Rey sentit son trouble et l'attira auprès de lui avec tendresse. D'un baiser, il mit fin aux bredouillements de la Maz.

— Reyan, je…

— Ne pourriez-vous enfin m'appeler Rey ?

Ils s'embrassèrent de nouveau. L'ivresse, l'euphorie causée par le gwele, s'empara d'eux au fur et à mesure qu'ils s'abandonnaient l'un à l'autre. Une idée répandue veut que plus rien d'autre n'existe au monde, lorsqu'un homme et une femme vivent ce moment. Au Jal'dara, cette impression était centuplée. L'esprit troublé, ils n'étaient plus qu'amour.

Et désir.

Rey entraîna Lana dans une rivière peu profonde qui devait les masquer aux regards des enfants. Et ils firent l'amour dans une onde magique dont l'eau ne laissait pas de trace. Sous le soleil imaginaire du berceau des dieux.

* * *

— J'ai l'impression qu'on va manquer quelque chose, annonça Yan, alors que Léti avançait d'un pas ferme en direction de la falaise. On aurait peut-être dû rester avec les autres.

— Grigán viendra nous chercher si besoin, objecta la jeune femme. Nous écoutons Nol depuis l'aube, j'avais envie de bouger un peu ! Pas toi ?

— Si, assura le jeune homme, à moitié convaincu seulement.

Se retrouver seul avec Léti lui plaisait beaucoup, mais il s'était davantage représenté cette balade comme une promenade romantique que comme une randonnée à flanc de montagne. La jeune femme aux effets guerriers était toujours au moins deux pas devant lui et se souciait peu de vérifier s'il la suivait. Léti cherchait *réellement* à rejoindre un point précis du Jal'dara.

Yan leva les yeux vers leur destination supposée, mais il en voyait moins encore qu'au début de leur marche. Son amie était convaincue que les rides de la montagne dissimulaient un plateau, à soixante pas de hauteur environ. C'était là-bas qu'elle espérait pouvoir se rendre. Mais dans l'esprit du jeune homme, ce relief était bien incertain. Selon lui, dans ce terrain accidenté, ils risquaient surtout de glisser et chuter sur quelques dizaines de pas. Mais il suivait Léti sans regret, comme il l'avait toujours fait… car même les expériences les plus navrantes lui semblaient dignes d'intérêt en sa compagnie.

Ils furent pourtant bientôt forcés de s'arrêter, parvenus au pied des premières grandes murailles. Léti chercha, frustrée, un chemin susceptible de les emmener plus haut. Mais elle n'en trouva aucun sur plus de cent pas de longueur. Elle n'entendait pas renoncer pour autant.

— Nous sommes déjà très haut, la consola Yan, en admirant les jardins qu'ils surplombaient de trente pas.

Ils avaient atteint cette altitude en grimpant sur les premiers contreforts, s'aidant des arbustes et de la végétation vivace qui y avaient pris position. Alors à découvert, ils avaient du Jal'dara un panorama supérieur encore à celui qu'offrait le point de vue de la porte. Celle-ci paraissait même moins imposante, à cette distance, bien que les héritiers sachent à quoi s'en tenir à son sujet.

La clairière principale des jardins leur apparaissait parfaitement; si bien même qu'ils pouvaient y reconnaître les formes assises de Grigán, Bowbaq et Corenn, non loin de sa périphérie. Ils aperçurent Nol à quelque distance, errant paisiblement entre des enfants endormis ou prêts de l'être. Le Doyen se penchait parfois vers l'un ou l'autre, lui murmurant quelques mots que, bien sûr, ils n'entendaient pas.

— Est-ce que tu vois Rey et Lana ? demanda Léti.

Yan scruta les jardins de son mieux, fouillant l'ombre des arbres, les chemins entrelacés et les pics rocailleux. En vain.

— Non, avoua-t-il. Où sont-ils ?

— Je ne sais pas, annonça son amie, se désintéressant aussitôt de la question. Sûrement plus loin.

Elle reporta son attention sur la falaise. Son impuissance à satisfaire sa curiosité la contrariait sans qu'elle parvienne à se faire une raison. Il y avait quelque chose sur le plateau, elle en était presque certaine. Elle avait vu… comme un mouvement. Ne pouvoir s'en assurer lui causait une vive frustration.

Comme Yan était toujours perdu dans la contemplation des jardins, elle n'y tint plus et décida de se lancer à l'escalade, à mains nues puisqu'elle ne disposait de rien d'autre. *Pied ferme. Main sûre.*

Mais elle dut abandonner dès la première prise. À peine y avait-elle basculé son poids, que la roche s'effritait comme un pain de sel trop sec. Alors qu'au seul toucher, elle semblait plus dure que le meilleur acier…

La magie du Jal'dara était aussi gardienne de ses frontières. Même avec le meilleur matériel d'escalade, un humain ne pourrait franchir ces murailles. Elles s'y déroberaient inlassablement, pour reprendre forme et consistance à l'instant suivant. *Les mortels ne pouvaient altérer les jardins*, se souvint la jeune femme.

— Léti… appela Yan d'une voix enjouée. Viens voir !

Elle le rejoignit et observa la direction qu'il lui indiquait. Il lui fallut quelques instants pour trouver l'objet de son intérêt, mais ne put ensuite en détacher les yeux.

— Un presque-dieu ! murmura-t-elle. Qu'il est grand !

Yan acquiesça en cherchant à mieux discerner l'adolescent qu'il avait aperçu d'assez loin, presque de l'autre côté de la vallée. À cette distance, on ne pouvait pas même deviner s'il s'agissait d'un homme ou d'une femme. Et il était encore loin de la maturité… mais Nol mis à part, celui-ci était le plus âgé qu'il leur avait été donné de voir.

Ils l'espionnèrent quelques instants, conscients de la chance qui était la leur de contempler l'un des prochains dieux issu du Jal'dara. Le gwele amplifia leur émotion et ils cédèrent bientôt à une légère euphorie. Enhardi, Yan prit la main de son amie et ils restèrent ainsi, silencieux, souriants, à admirer cet endroit d'où tout malheur semblait banni.

Une voix enfantine vint soudain troubler leur quiétude. Tournant la tête, ils découvrirent une fillette qui les désignait gauchement, avec la même expression joyeuse qu'avait l'enfant découvrant le feu.

— Quoi? fit Léti gentiment, en succombant à un réflexe.

La fillette répéta sa phrase en riant et se dandinant, sans que ses mots soient plus compréhensibles. Léti se souvint enfin des recommandations de Nol à ce sujet et lâcha la main de Yan avant de se tenir parfaitement immobile, comme le jeune homme le faisait déjà.

L'enfant dieu leur adressa de nouveau ce qui semblait être une question, puis franchit la distance qui les séparait en titubant. Léti craignit qu'elle ne fixe son attention sur ses armes mais la fillette se tint simplement devant eux, souriant alternativement à l'un et à l'autre.

Yan se sentait très mal à l'aise. Il ne put s'empêcher de penser à Saat en train de violer l'esprit de Sombre. Curieux paradoxe, songea-t-il: l'extrême sensibilité de ces enfants en faisait les créatures les plus fragiles au monde… jusqu'à ce qu'elles en deviennent les plus puissantes. Et le jeune homme ne voulait faire le moindre geste susceptible d'influencer cette évolution.

La fillette attrapa deux de ses doigts et il se laissa faire docilement, espérant qu'elle se lasserait vite de ce petit jeu comme Nol l'avait assuré. Mais elle conserva cette main dans la sienne, attrapant de la même manière celle de Léti, pour les joindre comme elles l'étaient à son arrivée. Elle recula ensuite pour juger du résultat et leva les bras en riant, satisfaite de son œuvre.

Yan était certain que l'on pouvait entendre les battements de son cœur dans tout le Jal'dara. Il osa faire glisser son regard jusqu'au visage de Léti, et y lut l'allégresse, la passion, l'enthousiasme qu'il ressentait lui-même. Cet instant leur assurait une complicité éternelle. Leur amour devait-il suivre le même chemin…

Usul avait prédit que Yan prendrait Léti en Union avant qu'une année se soit écoulée. Le jeune homme hésitait à qualifier le geste de l'enfant dieu de cérémonie d'Union, mais l'euphorie aidant, jamais il n'avait eu autant de foi dans cette prophétie.

Machinalement, il y associa *l'autre* prophétie, beaucoup moins heureuse car annonçant la mort prochaine de Grigán. Son bonheur retomba quelque peu et il reporta son attention sur la fillette, pressé malgré tout de la voir s'éloigner afin qu'il puisse de nouveau agir normalement… c'est-à-dire, comme il en mourait d'envie, embrasser son aimée.

Mais l'apprentie déesse avait d'autres projets. Si elle avait perdu tout intérêt pour les épris, elle n'en quittait pas les lieux pour autant, absorbée dans la contemplation d'un point situé haut, très haut au-dessus de leurs têtes. Après un certain temps de ce manège, Léti n'y tint plus et se tourna lentement en cherchant à retrouver le plateau qui avait été son but.

Des bruits s'y firent entendre, raclements, petits éboulements, pierres chahutées, et d'autres qu'ils ne purent identifier… mais qui ne pouvaient avoir une cause naturelle.

— *Dragon* ! hurla l'enfant en désignant ce point, hurlant et dansant comme à l'approche d'une fête réjouissante.

Yan et Léti se retournèrent tout à fait et scrutèrent la paroi avec émotion. Malgré l'importance du vacarme, singulier en ces lieux, ils ne parvenaient pas à en définir la provenance.

Jusqu'au moment où l'extrémité d'une aile griffue et membranée se dessina sur le relief de la montagne. Ils n'en virent que trois pieds de long, mais les couleurs vertes, fauves et brunes du saurien légendaire devaient les marquer à tout jamais.

L'apparition ne dura qu'un instant… puis les bruits cessèrent et le calme revint sur les hauteurs masquées aux regards. Mais pas dans les esprits des humains.

Léti était presque décidée à questionner la jeune déesse, mais celle-ci avait, bien entendu, disparu au moment où ils souhaitaient sa présence. D'un signe, Yan lui fit signe qu'il valait mieux s'éloigner, et elle le suivit sans protester.

— Un dragon ! Tu te rends compte ? *Il y a un dragon au Jal'dara* !

— Peut-être même plusieurs, commenta le jeune homme. Et d'autres créatures, aussi. Nous avons bien rendez-vous avec un lutin ! expliqua-t-il, autant pour lui-même que pour son amie. Après tout, les dieux n'ont pas tous forme humaine…

— Mais un monstre tel qu'un *dragon* ! Au milieu de tous ces enfants !

— Il était certainement un enfant *lui aussi*, proposa Yan en hâtant le pas. Et nous n'avons rien à craindre des créatures des jardins. Par contre… s'il en est de même taille, là-dessous…

Il n'eut pas besoin de poursuivre. Léti avait compris et accéléra l'allure à son tour. Ils devaient s'assurer que leurs amis n'étaient pas trop près de la troisième fosse.

* * *

Les deux jeunes Kauliens arrivèrent près de leurs amis rouges et essoufflés, mais ils se détendirent vite en voyant que tout était en bon ordre. Ils avaient affronté tellement de dangers, au cours de leur quête, qu'ils avaient appris à se tenir constamment sur leurs gardes, et tellement de revers, qu'ils ne voulaient négliger aucune éventualité. Retrouver tout le monde sain, sauf et reposé les soulagea de quelques craintes.

Rey et Lana étaient déjà revenus. Bien qu'assez naïf en ce domaine, Yan ne manqua pas de remarquer la tendresse nouvelle qui réunissait l'acteur et la prêtresse, et se demanda s'ils avaient été, eux aussi, plus ou moins unis par un enfant dieu. Il évita pourtant de poser cette question beaucoup trop personnelle à son goût. Lui-même n'avait guère envie de partager le moment privilégié qu'il avait vécu avec Léti; pas avant quelque temps, en tout cas. Aussi se réjouit-il de voir la jeune femme éviter cet épisode dans son récit.

À la description du dragon, Bowbaq rentra un peu plus encore la tête dans les épaules, comme cédant au poids de la petite Ifio alors perchée sur son crâne. Depuis qu'il avait mis le pied sur l'île Ji, le géant avait côtoyé beaucoup de choses extraordinaires… plus qu'il ne l'aurait voulu, en fait. Oh, il n'éprouvait aucun regret quant à leur quête : en tant qu'ami et père de famille, il était de son devoir d'essayer d'arrêter la main des assassins. Mais s'il parvenait un jour à retrouver une vie normale… sa vision du monde, elle, ne serait jamais plus la même. Et Bowbaq se méfiait de tout changement dans ses habitudes.

Corenn avoua ne pas être très surprise. Tout comme Lana, qui croyait depuis longtemps en l'existence des dragons, le Livre de la Sage faisant état de la lutte d'Eurydis contre les huit sauriens de Xétame. Grigán fut, en revanche, très curieux de tous les détails, et resta longtemps le regard fixé dans la direction indiquée par Léti, espérant avoir la même chance que son élève.

Quant à Rey, il fut aussi enthousiaste qu'ironique, à son habitude. Comme ses compagnons, il considérait la découverte d'importance, mais semblait avoir trop de choses à l'esprit pour s'en soucier vraiment. Yan ne put trouver ce qui pouvait être *plus important* que la preuve de l'existence des dragons.

— Le Jal'dara doit avoir une toute autre allure, sans visiteurs, commenta l'acteur. Des dragons dans le ciel, des lutins dans les trous, des fées sous les arbres, pourquoi pas ? Je me demande ce qu'on trouverait dans les rivières, conclut-il avec un clin d'œil à l'intention de Lana.

La Maz lui rendit son sourire avec toutefois un regard grondeur pour le moqueur. Rey eut le bon goût de ne pas en rajouter.

Bien qu'il leur reste peu de temps avant la nuit, les héritiers se trouvaient quelque peu désœuvrés. Ne ressentant ni faim, ni soif, ni aucune autre dépendance physique, ils devaient cette fois encore sauter le repas, en espérant ne pas en subir les conséquences lorsqu'ils quitteraient le Jal'dara.

Chacun mourait d'envie de poser les premières questions au lutin, qui manifestait ponctuellement sa présence par quelques fausses notes de harpe. Mais Nol avait été clair : Lloïol ne serait digne de confiance qu'une fois sur le sol des jardins. Aussi les héritiers prenaient-ils leur mal en patience, en regardant le soleil décliner sur l'horizon.

Au crépuscule, le Doyen revint se joindre à eux, à leur grande satisfaction. Même si la neutralité de Nol était quelque peu déroutante — car engendrant certaines difficultés — l'éternel n'en avait pas moins l'esprit bienveillant et, plus que tout, une immense patience. Si sa connaissance s'était étendue au Jal'karu, cela aurait résolu beaucoup des problèmes des héritiers. Il se présentait en tout cas comme un excellent intermédiaire entre eux et le lutin.

Les morceaux de harpe se firent de moins en moins fréquents, au fur et à mesure que le ciel s'obscurcissait. Corenn craignit que le lutin ne revienne sur sa promesse et l'enjoignit plusieurs fois à les rejoindre, en usant de tout son art diplomatique. Mais les motivations d'une telle créature échappaient à son entendement.

— Il fait encore trop clair, annonça la voix nasillarde. Mes yeux sont fragiles, vous ne voudriez pas les blesser ?

— Certes non, messire Lloïol, assura la Mère. Nous patienterons. Mais ne tardez pas trop.

— Enfin, il se décide à parler normalement, glissa Grigán à Rey, en aparté. Je compte sur vous pour ne pas l'encourager à remettre ça.

— *J'ai entendu, ami Grigán.*

Point de rimes pour le profane.

— Vraiment très amusant, commenta le guerrier en se tournant vers Nol.

— Il a peur, annonça le Doyen, mais c'est bon signe. Je crois maintenant qu'il s'apprête réellement à remonter.

Encouragés par cette remarque, les héritiers firent silence et attendirent, impatients, sous la clarté naissante des étoiles. Il régnait alors une telle impression de tranquillité, qu'il était difficile de croire qu'ils s'apprêtaient à entendre un récit avec la violence pour fil conducteur.

— On dirait une chasse à l'arydelle, plaisanta Rey, décidément très en forme.

— Chut! lui demandèrent simultanément trois ou quatre voix.

Après un temps qui leur parut infiniment long, l'intérieur du tunnel connut enfin quelque mouvement. La harpe émit une plainte aiguë, alors que les cordes s'accrochaient probablement à une quelconque aspérité. Ceux dont l'ouïe était la meilleure purent entendre quelques pas légers se rapprocher. Et un visage grotesque fit une apparition soudaine dans la faible clarté de la nuit.

— On est venu nombreux, à ce que je vois, apprécia la créature. Tant de monde pour un lutin dont vous avez dit tant de mal !

— Venez parmi nous, messire Lloïol, invita Corenn. Nous serons plus à l'aise pour converser.

— J'en ai bien l'intention. Mais je dois d'abord vous mettre au fait d'un des aspects de la personnalité des lutins, que vous ignorez peut-être. Nous sommes *très susceptibles* quant à notre apparence. Si l'un de vous avait l'extrême indélicatesse de faire la moindre remarque à ce sujet, je me verrais dans l'obligation de vous quitter. À bon entendeur…

— C'est parfaitement clair, assura la Mère. Rejoignez-nous, messire.

— Ça commence bien, grogna Grigán à mi-voix. Vous disiez qu'il avait peur?

Nol n'eut pas le temps de répondre, comme Lloïol sortait de son trou et se présentait dans son intégralité. Les héritiers comprirent alors les raisons de cet avertissement.

Le lutin avait le corps d'un enfant de huit ans, en plus voûté et moins robuste. La minceur de ses membres faisait s'interroger sur leur efficacité, tant il semblait impossible qu'ils suffisent à le porter. Surtout en regard de la tête de l'étrange créature : disproportionnée, elle représentait bien un quart de sa hauteur. Et certaines parties de son visage, démesurées, faisaient inévitablement penser aux moins convenables des masques ithares : le nez, la moustache et les oreilles, en particulier, méritaient d'être mentionnés en tant que phénomènes.

Le lutin portait une tunique complète, qui avait peut-être été verte au millénaire précédent. Mais elle était alors, comme le reste de son corps, maculée d'une argile sombre et poisseuse qui se craquelait et s'effritait aux endroits les plus secs. À tel point qu'il était difficile de distinguer le capuce couvrant son crâne des quelques mèches filasse et répugnantes qui lui tombaient dans la nuque. Oui, Lloïol était, selon les critères humains, réellement très laid.

Avec une agilité surprenante, il bondit auprès des héritiers et leur fit face fièrement, les poings sur les hanches. Grigán remarqua que le poignard qu'il portait à la ceinture était parfaitement entretenu... à l'inverse de la harpe maintenue par une corde grossière, et qui était dans un état lamentable.

— Ainsi, lança la créature, en dévoilant une dentition aussi imparfaite qu'à l'odeur nauséabonde, à ce qu'il paraît, mes services vous sont indispensables ? Sachez déjà qu'en plus de mes dons pour la musique, les mortels m'ont donné celui du commerce. *Tout se paye en ce monde.*

* * *

Le prix demandé par Lloïol s'avéra heureusement raisonnable. Comme il l'expliqua aux héritiers, le lutin était destiné à habiter le bois d'Ehec, depuis qu'une peuplade installée à son orée avait commencé à nourrir cette croyance. Mais, alors même que la créature était presque à maturité, la population de la bourgade avait été complètement décimée par une épidémie de fièvre du fort-épice.

À son niveau d'évolution, Lloïol ne pouvait plus subir d'altérations majeures. Oublié, inconnu, perdu pour les hommes, aucun esprit ne pouvait aider à achever sa création... Le lutin se voyait donc prisonnier du Jal, avec peu d'espoir de s'épanouir un jour parmi les mortels.

Pour prix de ses services, Lloïol demandait que chacun des héritiers raconte, au moins une fois l'an, la légende du lutin harpiste du bois d'Ehec. Ces évocations devaient permettre, à la longue, qu'il finisse de *naître des hommes.*

— Et pas question de m'escroquer, conclut-il avec de petits coups de tête en direction de Rey, qu'il avait reconnu pour Lorelien. Je finirai bien par quitter cet endroit, un jour ou l'autre. Dès lors, malheur à ceux qui m'auront dupé ! La mémoire des lutins est infaillible.

— De telles pensées vont te ramener dans les fosses, avertit Nol.

— Oh ! Ma vengeance ne sera pas violence. Je n'envisage rien d'autre que quelques farces sans gravité... Rien n'est tout à fait bon ou mauvais, n'est-ce pas, ami Nol ?

Le Doyen ne répondit pas. Yan se souvint avoir entendu les mêmes paroles de la bouche du Gardien. Ces deux-là conversaient probablement depuis longtemps, et le lutin prenait un plaisir évident à railler l'impassible Nol.

— Votre offre me paraît équitable, messire Lloïol, décida Corenn. Nous ferons ainsi qu'il a été dit, à condition toutefois que vos services méritent vraiment notre engagement.

— Ils le méritent, soyez-en sûr, affirma le lutin en bondissant aux pieds de la Mère. Je sais *tout* de l'aventure de vos ancêtres dans les fosses. Je les y ai accompagnés de bout en bout.

Les héritiers se concertèrent du regard. Se pouvait-il que leur quête aboutisse enfin ? Nol avait assuré que Lloïol ne mentirait pas tant qu'il serait dans les jardins. Le lutin pouvait donc, vraisemblablement, apporter les quelques explications qui leur faisaient défaut. À l'idée de voir enfin le mystère résolu, le cœur de Corenn se mit à battre la chamade.

D'un instant à l'autre, ils allaient connaître la vérité.

Et savoir si Saat pouvait être vaincu.

— Comment savez-vous de quoi il est question ? se défia Grigán.

Lloïol gratifia le guerrier d'une œillade mauvaise et se munit de sa harpe sans prétendre donner de réponse. L'instrument était une création originale, un assemblage brinquebalant de racines tordues, de lanières de cuir et de cordes de différentes factures. Pourtant, le lutin feignit de l'accorder comme s'il s'agissait de l'authentique lyre de Moës. Enfin satisfait, il en tira quelques — fausses — notes à l'intention de Grigán.

« Point n'est besoin d'être malin !

Vous en parlez depuis ce matin !

Messire, ne soyez pas chagrin :

Vous ne pourrez gagner contre un lutin ! »

Discrètement, Corenn fit signe au guerrier de passer outre l'offense, ce que Grigán eut beaucoup de mal à faire. Comme Lloïol persistait à le défier du regard, il finit par lui tourner le dos et s'éloigner de quelques pas, ravalant son irritation en se concentrant sur leurs objectifs. Quand le Grotesque aurait confié tous ses secrets, il serait toujours temps de lui manifester sa façon de penser.

— Commençons-nous ? proposa Corenn en s'asseyant dans l'herbe, rapidement imitée par les autres. Au tout début, si vous le voulez bien.

— Assurément. J'ai justement mis la journée à profit pour composer une ballade ; le récit ne vous en sera que plus agréable. Ainsi... commença-t-il en pinçant son instrument.

« Douze sages étaient dans les jardins
  Dix prudents, et deux malins
  Le prince dans les fosses m'a suivi
  Le roi aussi, qu'il soit maudit !
  Parole donnée ne... »

— Messire Lloïol, interrompit Corenn. Je ne doute pas de votre talent, mais j'ai peur qu'une telle forme de narration nous prive d'aspects importants de l'histoire. Ne pourriez-vous poser votre harpe, et simplement converser ?

— Écrire cette ballade m'a demandé beaucoup d'efforts, bouda le lutin.

— Messire Lloïol, nous sommes trop pressés de voir notre curiosité satisfaite. Tenez-vous en à un simple récit, et je promets de répandre votre nom dans toutes les provinces du Matriarcat.

Les yeux du lutin brillèrent, comme la Mère lui faisait cette offre. Il contempla sa harpe à regret, avant de s'en défaire sur ses jambes croisées.

— D'accord. Que voulez-vous savoir ?

— Pourquoi avoir entraîné Vanamel et Pal'b'ree dans les fosses ?

— En aucun cas je ne les ai *entraînés*, s'insurgea le lutin. Nous avions conclu un marché, ainsi que nous venons de le faire. Et, au bout du compte, j'en fus pour mes frais. Jamais le roi wallatte n'a respecté sa promesse.

— Et quelle était la vôtre ? s'enquit Grigán.

— Mener ces hommes au lac aux Murmures. Leur permettre de rencontrer les Ondines, détentrices des Vérités. Quiconque se voit révéler l'avenir y gagne richesse et puissance, s'il sait se montrer malin... voilà quelle était mon offre.

Richesse et puissance, songea Yan. Oui, peut-être... en s'appuyant sur une moralité douteuse. Lui qui connaissait l'imminence de la guerre entre les Hauts-Royaumes et la coalition estienne aurait effectivement pu en tirer profit... s'il avait abandonné ses amis, trahi son peuple et ignoré ainsi ses principes les plus fondamentaux. À quel genre d'hommes appartenaient donc Vanamel et Palbree ?

— Au bout de trois jours, vous n'étiez pas remontés, poursuivit Corenn. C'est alors que les autres sages sont partis à votre recherche. Que s'était-il passé ?

— Rien. Nous étions en route, c'est tout.

— Les fosses sont donc si profondes ? s'étonna la Mère.

Le lutin la dévisagea comme pour juger de son sérieux. Pour lui qui ne connaissait que cet univers, la question paraissait réellement absurde.

— Elles sont *infinies* ! s'exclama-t-il en pinçant quelques cordes. Et toujours en mouvement ! Quiconque s'enfonce dans le Jal'karu s'y perd, obligatoirement. Ce n'est pas de ma faute.

— N'oublie pas qu'il faut éviter de prononcer certains noms ici, demanda Nol.

— Mais pourquoi vous justifier ? intervint Rey, à qui la remarque n'avait pas échappé. Qui vous accuse ?

— Le prince Vanamel m'accusait. Il se plaignait de la longueur du voyage. Selon lui, je n'étais pas un guide assez compétent. Il avait tort. Peu en savent autant que moi sur le labyrinthe et ses mouvances. En fait, nous étions vraiment très proches du but, quand les autres nous ont rejoints.

— Comment ont-ils pu vous retrouver ? s'étonna Léti. Comment même ont-ils pu vous *rattraper* ?

— Question de longueur de jambe, peut-être, chuchota Rey à l'oreille de Lana.

La Maz n'osa sourire, de peur de vexer le lutin susceptible. Il avait été très clair à ce sujet…

— Le labyrinthe a dû s'ouvrir devant eux, proposa l'intéressé, fournissant ainsi une explication plus obscure que la question.

— Qu'est-ce que c'est que cette histoire, encore ? s'impatienta Grigán. Que voulez-vous dire ?

— Il y a une chose que vous ne semblez pas comprendre, constata le lutin. Le labyrinthe des fosses est loin, très loin d'avoir l'immuabilité du Jal'dara. C'est même tout le contraire : a-t-on quitté un couloir, qu'en revenant sur ses pas on trouve une salle. Suit-on le cours d'une rivière, que soudain elle s'arrête et disparaît sans laisser de trace. Là-dessous, conclut-il en désignant le sol, c'est le *chaos*. Vos ancêtres n'ont eu aucune peine à nous retrouver, bien, parfait. *Je dis* que le labyrinthe s'est ouvert devant eux.

Corenn attendit un signe de Grigán, et le guerrier lui indiqua de continuer. Leur quête comportait tant d'éléments surnaturels qu'ils avaient souvent dû accepter les choses les plus étranges sans pouvoir les vérifier. Cette fois ne serait qu'une s'ajoutant aux autres…

— Y avait-il un enfant parmi eux ? reprit la Mère.

— *Sombre*, bien sûr, annonça le lutin, fier de ce petit effet. Il ne s'éloignait pas du sorcier de plus de deux pas. Comment aurait-il pu en être autrement ? Les dieux s'attachent toujours aux humains dont ils sont issus.

— Comment se portaient les autres ?

— À merveille, je pense. Le labyrinthe les ayant accueillis, ses… *occupants* les avaient épargnés. Même les moins « hospitaliers ». Soit dit en passant, le retour fut beaucoup plus difficile. Comme vous le savez, le Jez fut tué et le Junéen perdit un bras… Jamais je n'avais vu de *tarasque* aussi grosse ! J'ai bien cru qu'ils allaient tous y rester. S'il n'y avait eu…

— N'anticipons pas, rappela Corenn, tendue. Qu'ont fait les sages en se retrouvant ?

— Ils se sont disputés, bien sûr. Que voulez-vous que des mortels fassent au Jal'karu ? Ils ont discuté pour savoir s'il valait mieux remonter, ou rencontrer les Ondines. La plupart préféraient regagner les jardins, y compris le prince Vanamel, lassé par ces trois jours de marche. Seul le roi Palbree désirait poursuivre. Et Saat s'est finalement rangé à son avis. C'est là que le ton a commencé à monter. Le prince Vanamel s'est emporté et a menacé Saat d'une accusation officielle de haute trahison. Comme le sorcier ne répondait pas, le prince a tourné sa colère contre Sombre, dont il jugeait le regard *incommodant* et irrespectueux. Vous êtes sûr de ne pas préférer entendre ma ballade ? Je suis particulièrement fier de ce passage…

— Non ! s'écrièrent plusieurs voix à l'unisson.

— Les plus grands artistes sont toujours incompris ! Enfin, plus ça allait, plus le Goranais perdait son calme. Jusqu'au moment où ses yeux se sont révulsés et qu'il s'est écroulé tout d'un bloc, raide mort. Le sorcier n'avait pas bougé d'un pouce, mais tout le monde s'interrogeait sur sa responsabilité dans l'événement… et sur celle du démon qui s'accrochait à son bras.

« Profitant de la confusion, Saat a annoncé aller voir les Ondines, et nous nous sommes éloignés, avec Palbree et Sombre, alors que les autres hésitaient encore. Nous n'avons pas été séparés longtemps, en fait : le lac se trouvait à moins de trente pas de là. Le labyrinthe s'était ouvert devant nous…

« Pendant que Palbree appelait les autres, le sorcier fut pris par les Ondines qui tentèrent de l'emmener sous la surface. Les autres arrivèrent juste à temps pour le sauver, mais plusieurs furent brûlés à leur contact, dont un qui vous ressemblait, messire tout-en-noir. Votre ancêtre, sûrement ?

« Enfin, les choses s'arrangèrent, et quand ils furent tous à l'abri sur les rives, les Ondines dévoilèrent une Vérité. Nous voici au moment que vous allez préférer, annonça Lloïol. Je voudrais qu'à cet instant, vous renouveliez votre engagement.

Tendus, le cœur battant d'émoi, les héritiers assurèrent au lutin qu'ils l'invoqueraient au moins une fois l'an afin d'achever sa création. Cette promesse ne leur coûtait pas grand-chose. Si le renseignement s'avérait sans valeur, ils n'auraient que peu d'années devant eux…

— Parfait, jugea Lloïol, satisfait. Vous allez pouvoir juger de l'infaillible mémoire des lutins. Voici ce que dirent les Ondines à propos de Sombre : « Celui-là sera puissant. Le plus grand démon vivant parmi les mortels. Il en tuera des milliers. » Plusieurs de vos ancêtres ont alors reproché cette situation à Saat, qui ne daigna pas leur répondre. Mais les Ondines n'avaient pas terminé : « De toute l'éternité, seul *un* mortel aura *une* chance de le vaincre. Celui-ci sera issu de vos lignées et portera le nom de l'Adversaire. De sa victoire dépendra l'avènement de l'Harmonie. » C'est tout. Qu'en dites-vous ?

Les héritiers n'avaient rien, et tout à dire à la fois. Corenn voulait se réjouir de cette esquisse d'espoir, mais n'y parvenait pas. Grigán songea à l'ironie de cette situation qui avait vu son ancêtre risquer sa vie pour sauver celle de Saat. Bowbaq ressassait ses souvenirs du Mog'lur du Château-Brisé, essayant d'accepter le fait qu'il avait frappé le plus dangereux des démons. Rey se disait que la malédiction des sages était pire encore qu'il l'avait toujours cru. Lana ne rêvait qu'à l'Harmonie, l'âge d'Ys du culte de la Sage, but ultime de la quête universelle de la Morale. Et Léti n'avait de pensées que pour Yan, qui partageait leurs tourments de son plein gré. Jamais la non-appartenance du jeune homme aux héritiers n'avait été aussi flagrante.

— Les Ondines ont-elles dit autre chose ? demanda Corenn d'une voix blanche.

— Non. Quelques-uns de vos ancêtres tentèrent bien de les questionner, mais ils n'obtinrent aucune réponse. Alors, comme ils recommençaient à discuter, Sombre s'est soudain éloigné du groupe. Je sais, *moi*, ce qui lui a pris à ce moment. J'ai déjà connu ça. Quand le labyrinthe vous appelle, vous ne pouvez rien faire d'autre que vous y enfoncer…

« Saat l'a rattrapé en courant, mais comme il n'osait pas le brusquer, il s'est contenté de le suivre docilement jusqu'à disparaître de notre vue. Le nommé Fer't lui a conseillé de l'abandonner et de repartir avec eux pour les jardins. Comme le sorcier ne répondait pas, le Solene nous a demandé de l'attendre et s'est lancé sur ses traces. Nous l'avons entendu crier et, une fois sur place, nous n'avons retrouvé que son cadavre. De Saat et de son démon, il n'y avait plus trace.

« Comme Palbree devait vivre pour s'acquitter de sa part de marché, je l'ai guidé jusqu'aux jardins, sauvant les autres par la même occasion. Le retour s'est malheureusement moins bien passé que l'aller... Enfin, la plupart sont quand même remontés entiers, n'est-ce pas ?

Léti songea aux terribles secrets pesant sur les épaules de leurs ancêtres, aux déshonneurs, aux afflictions qui en résultèrent à leur retour parmi les humains. Entiers, oui. Mais à jamais tourmentés par leurs mémoires et consciences.

— Comment Saat est-il sorti des fosses ? demanda Yan.

— Cela ne fait pas partie de notre accord, bondit Lloïol. Je n'ai jamais prétendu avoir cette connaissance.

— Vous le savez, ou pas ? s'impatienta Grigán.

— Je ne sais pas, mais vous ne saurez m'en tenir rigueur ! Il n'était question que de vos ancêtres, et j'ai parfaitement respecté ma part du marché.

— Cela n'a guère d'importance, de toute façon, jugea Corenn. Nous connaissons l'essentiel.

Ils se turent quelques instants pour réfléchir. Leur situation ne s'était pas vraiment améliorée. Au contraire, ils semblaient désormais avoir plus d'ennemis et de responsabilités.

— Alors, que faisons-nous ? demanda Rey avec un sourire en coin. Qui allons-nous affronter en premier ? Le démon, le sorcier, les Züu ou l'armée barbare ?

— Que voulez-vous que nous fassions ? rétorqua Grigán, résigné. Vous avez entendu. Il ne s'agit plus seulement de nos seules existences. Mais de celles de plusieurs milliers de gens.

— Nous devons arrêter Sombre, confirma Lana, troublée. Si l'un de nous... si l'un de nous est cet Adversaire... Il faudra qu'il...

Ils acquiescèrent en silence, sans que la Maz ait besoin d'achever sa phrase. Enfin, ils savaient *pourquoi* les héritiers avaient été pourchassés. Saat ne voulait laisser aucune chance à l'Adversaire, la meilleure manière étant d'empêcher que ce dernier et son démon se rencontrent un jour. Le sorcier avait-il déjà réussi ?

— Nous ne pourrons pas vivre sans savoir, décida le guerrier. Je vais descendre dans les fosses et arracher la vérité à ces Ondines de malheur.

— Je viens aussi, avertit Léti, le regard farouche.

— Vous ne devriez pas, commenta Nol en secouant la tête. Vous risquez d'y perdre bien plus que la vie.

— Eurydis veille sur nous, assura Lana avec une foi plus forte que jamais.

— Et l'union a toujours fait notre force, renchérit Corenn avec courage. Ne nous blâmez pas, Nol. Aucun autre choix ne s'offre à nous.

Ils en étaient tous conscients. Saat n'abandonnerait jamais la poursuite, aussi l'affrontement était-il inévitable. Ne valait-il pas mieux, en ce cas, mettre toutes les chances de leur côté en s'informant sur l'identité de l'Adversaire ?

Personne ne soulevant d'objection, Corenn reprit la parole. Son ton était dur, presque sévère ; c'était celui qu'elle employait pour les décisions les plus impopulaires du Conseil permanent de Kaul, lorsqu'elle les annonçait dans les provinces du Matriarcat. Mais la Mère n'avait, cette fois, qu'une personne à convaincre… et il s'agissait d'elle-même.

— Les dernières réponses sont juste là, sous nos pieds, résuma-t-elle sobrement. Nous n'avons pas fait tout ce chemin pour hésiter si près du but. Si nos ancêtres ont survécu aux fosses, alors… nous le pourrons peut-être aussi.

* * *

Malgré les réticences de Nol, les héritiers s'en tinrent à leur projet, et la conversation ne tourna plus alors que sur les préparatifs de l'expédition. Il fallut d'abord convaincre Lloïol de se faire leur guide, le lutin exigeant un nouvel accord pour ce service supplémentaire. Après une âpre négociation, menée de concert par Rey et Corenn, les humains obtinrent gain de cause en promettant de faire élever une statue du lutin à l'orée de son bois.

Ils déterminèrent ensuite le moment du départ. Grigán désirait agir au plus vite, comme le temps jouait contre eux et que rien ne les retenait davantage au Jal'dara. Mais Lloïol jugea préférable de différer leur départ jusqu'à l'apogée du lendemain, soutenant que les conditions y seraient meilleures. D'après le lutin, c'était lorsque le soleil brillait haut que les démons étaient au plus profond de leur sommeil. Et il fallait laisser se rendormir ceux que l'animation inhabituelle des jardins avait éveillés…

Une fois ces détails réglés, ainsi que quelques autres, Lloïol regagna enfin la troisième fosse, non sans avoir gratifié les héritiers de quelques strophes d'adieu improvisées. Le Doyen ne cacha pas sa déception en voyant le Grotesque disparaître dans le tunnel étroit et empuanti. Il profita néanmoins de cette absence pour faire quelques ultimes recommandations à ses visiteurs.

— Vous pouvez croire en tous les éléments de son récit, annonça-t-il tristement. Les dieux ne peuvent mentir dans les jardins, et Lloïol était sincère même dans ses promesses. Mais une fois dans les fosses, restez sur vos gardes, et méfiez-vous de tout ce qu'il pourra dire ou faire. Vous n'aurez plus affaire à la même créature.

Corenn acquiesça, témoignant qu'elle tiendrait compte de ce conseil. La nuit et le début de la journée suivante allaient leur sembler affreusement longues, en partie parce qu'ils ne ressentaient nul sommeil. Mais surtout parce que leur prochaine étape serait — et de loin — la plus fantastique de leur voyage…

— Très déconcertant, tout de même, commenta Lana, que le simple fait de descendre de quelques pas sous les jardins ait autant de conséquences.

— Le gwele, répondit Nol, très sérieusement. Le gwele des fosses est différent de celui qui nous entoure. Les jardins sont structurés, composés, immuables. la Loi y règne. Les fosses… elles sont instables et chaotiques. Leur gwele est noir et malodorant; il a l'apparence de la simple glaise, mais c'est bien de cette boue que naissent les démons des hommes. Ne vous y trompez pas : vous vous apprêtez à descendre en un autre monde. Un autre univers.

— Simplement en passant par ce trou? plaisanta Rey.

— Exactement. Mais votre voyage sera autant spirituel que physique. Comme le gwele des jardins exacerbe les plus beaux sentiments et mène à l'euphorie, celui des fosses a un effet exactement inverse. Méditez sur le sort de Saat…

— Je croyais que vous ne saviez rien des fosses? lança Léti, de plus en plus impressionnée par le discours du Doyen.

— Je ne sais rien de ce qui s'y déroule, expliqua Nol avec douceur. Mais leur nature m'est parfaitement familière. Ne sont-elles point le reflet maléfique des jardins?

Il se tut un instant, alors que ses visiteurs méditaient sur sa réponse, avant de reprendre :

— Après tout, le Jal n'est entier qu'avec Dara et Karu. Leurs enfants s'affrontent depuis la nuit des temps, mais aucun camp ne pourrait exister sans l'autre. Et il en sera ainsi jusqu'à l'avènement de l'Harmonie… ou de son contraire.

Son contraire. Si aucun des héritiers n'était l'Adversaire, ou si l'élu échouait dans sa tâche, l'ère nouvelle appartiendrait sans doute possible à Saat et à une armée de démons.

* * *

Comme il était prévisible, l'attente jusqu'au moment convenu par Lloïol et Grigán fut longue, très longue. Nol les avait quittés peu après le départ du lutin, et les héritiers désœuvrés n'avaient pas poursuivi long-temps l'importante conversation qui les tenait en haleine depuis l'aube. Tout avait été dit, ou presque, et il leur faudrait du temps pour étudier la portée de ces révélations.

Bien qu'ils ne ressentent aucune fatigue, altérés qu'ils étaient par les pouvoirs du gwele, Grigán suggéra qu'ils essaient malgré tout de trouver le sommeil. Le Jal'karu ne leur offrirait sans doute pas le même avan-tage, alors qu'ils auraient probablement besoin de toutes leurs forces. Aussi, n'ayant rien de mieux à faire dans cette obscurité, les héritiers s'allongèrent-ils dans l'herbe douce à distance respectable de la troi-sième fosse.

Rey s'installa près de Lana, comme si de rien n'était, et Léti — à qui cela n'avait pas échappé — en fit autant auprès de Yan, au grand bonheur du jeune homme. Ils n'échangèrent aucune parole; en fait, plus personne ne parlait. Mais ce moment qu'ils passèrent main dans la main, à contempler des étoiles qui n'existaient qu'en ce lieu, fut plus expressif que n'importe quel long discours.

Pour sa part, Rey n'avait d'yeux que pour Lana… sans que la Maz ne s'en aperçoive, puisqu'elle était parvenue à s'endormir malgré le torrent d'émotions qui bouillonnait dans son esprit. Bowbaq s'assoupit également assez vite, poussant même l'obéissance jusqu'à ronfler bruyamment et faire naître ainsi quelques sourires. Enfin, Corenn lançait de fréquents regards à Grigán qui reposait, immobile et tendu, la main à proximité de sa lame courbe. Le guerrier se préparait à ses prochains combats…

Bien qu'ils aient volontairement évité le sujet, dans l'esprit de tous, l'Adversaire ne pouvait être que le vétéran ramgrith. Lui-même se faisait pareille réflexion, sans que cette idée lui plaise pour autant. Mais comment pouvait-il en être autrement? Si les héritiers devaient désigner un champion dans leurs rangs, tous choisiraient le fier Grigán. N'était-il pas, et de loin, leur meilleur combattant? Ainsi que le doyen du groupe, depuis la mort de la reine Séhane…

Toute à ces pensées, Corenn finit pourtant par s'endormir à l'instar de ses compagnons. L'aube devait les trouver détendus et déterminés… et ignorants du fait qu'ils venaient de vivre leur dernière nuit au Jal'dara.

* * *

Corenn eut la surprise, en s'éveillant, de trouver un petit garçon de trois ans — en apparence — blotti contre son flanc. Malgré ses efforts de discrétion, la Mère tira l'enfant de son sommeil en voulant se redresser. Le dieu se frotta les yeux, les ouvrit d'un quart, sourit aux humains et s'éloigna en titubant, en un spectacle attendrissant.

— Jamais homme n'a quitté aussi noblement le lit d'une femme, commenta Rey qui avait assisté au spectacle. Dame Corenn, faites attention à ne pas faire de jaloux, ajouta-t-il en désignant Grigán d'un signe de tête.

La Mère eut une moue faussement grondeuse à l'adresse du Lorelien polisson. Rey n'avait aucune pudeur, quant à se mêler de ce qui ne le regardait pas. Mais cela faisant tout son charme, pouvait-on vraiment l'en blâmer ?

— As-tu rêvé, ma tante ? lui demanda Léti en venant à sa rencontre. J'ai passé une excellente nuit.

— Moi aussi, répondit Corenn sans hésiter. En effet… je me sens bien. Reposée.

La Mère se souvint de rêves étranges, d'impressions agréables et fugaces, mêlées à certains événements de sa vie… et à d'autres lieux, personnes ou situations dont elle n'avait aucune connaissance, mais qu'elle avait pourtant vus très précisément. Qu'avaient-ils vécu, au juste ?

Une idée lui vint, qui l'emplit de crainte et d'excitation en même temps. Était-il possible qu'ils aient, comme les enfants dieux dans leur sommeil, perçu *l'inconscient* de l'humanité ? Avaient-ils été influencés ? De quelle manière ?

Nol n'ayant fait aucun avertissement à ce sujet, l'expérience n'était probablement pas dangereuse. L'espace d'un instant, Corenn regretta de quitter les jardins si tôt, sans avoir pu approfondir ce nouveau mystère. Mais ils avaient tellement de choses importantes à se soucier…

Bowbaq fut le dernier à s'éveiller, et encore, Ifio l'y aida grandement en le tirant par sa barbe. Le géant et Grigán furent les seuls, en fin de compte, à ne pas s'extasier sur leurs errances nocturnes. Le premier n'avait rêvé que de sa famille, dont le sort était incertain, et le deuxième refusa d'aborder le sujet. Ils admirent malgré tout être dans une forme exceptionnelle, ce dont ils ne pouvaient que se réjouir.

Les héritiers occupèrent les premiers décans de la journée à ce qui était devenu, au cours des trois lunes de leur voyage, une tâche de routine : la préparation et la vérification de leur équipement. L'entretien des armes représentait le plus gros de la corvée, et Grigán s'en était longtemps occupé seul, jusqu'à ce que Léti insiste pour l'aider... comme elle le fit encore cette fois.

Rey montra les premiers signes d'impatience à la fin du second décan, alors qu'il leur restait encore quelque temps avant le départ. Il commença de faire les cent pas autour de la fosse, s'arrêtant régulièrement pour écouter s'il n'en venait pas un bruit... en vain. Ces quelques jours d'inaction commençaient à lui peser, et la proximité de l'aventure le rendait nerveux. Lorsque l'acteur était dans cet état, ses railleries étaient des plus cinglantes. Ses compagnons le savaient et firent de leur mieux pour ne pas s'offrir en cible à ses sarcasmes.

Bowbaq tenta de s'intéresser à la conversation qui réunissait Yan, Corenn et Lana sur la nature de leurs rêves de la nuit passée. Mais il y était trop question de gwele, de magie, d'influence ou d'aboutissement pour qu'il puisse les suivre longtemps. Il ne retint qu'une chose : la théorie de Yan où le Jal'dara faisait disparaître peu à peu les mortels qui y sommeillaient trop longtemps, résolvant ainsi les problèmes de l'immuabilité des lieux et de la morale d'un tel acte. Vraiment, le géant trouvait tout cela excessivement *impoli*. Plus que tous les autres, il avait hâte de quitter cet endroit.

Grigán rangeait son dernier poignard quand Nol fit son retour parmi eux. Au regard du Doyen, chacun devina l'aversion qu'il avait pour de telles pièces d'acier.

— Ces armes vous seront inutiles, lança-t-il sans détour. Il en existe peu qui soient capables de terrasser un immortel. Vous ne vaincrez pas les démons avec celles-ci.

— Ils connaissent la souffrance, siffla le guerrier en se rappelant la tour Profonde de Romine. Ce sera suffisant pour les tenir à l'écart.

— Je souhaite que vous puissiez vous tenir à l'écart de vous-même, répondit Nol l'instant d'après, de manière étrange.

Il n'ajouta rien d'autre et s'assit face à la fosse, visiblement pressé d'en finir avec cette aventure qu'il désapprouvait. Impressionnés par son mutisme, les héritiers eux-mêmes perdirent de leur excitation et les conversations se poursuivirent un ton plus bas, avant de mourir, faute de réel intérêt.

Cette attente leur faisait songer aux nuits pendant lesquelles ils avaient guetté l'ouverture des portes : mais l'événement présent ne s'annonçait aucunement spectaculaire, encore moins enthousiasmant. Vêtus pour la marche, et les armes à portée de main, les humains se languissaient d'un lutin capricieux qui devait les mener dans une région des plus dangereuses.

Le soleil fut bientôt si haut dans sa course que l'apogée semblait dépassée. Comment Lloïol pourrait-il en avoir conscience, de toute façon ? songea Bowbaq. Sous terre, il ne connaissait que la nuit...

Quelques notes, ou plutôt des *bruits* émanant d'une harpe les rassurèrent sur la ponctualité de leur guide. La voix nasillarde maintenant familière s'éleva peu après :

— *Allons-y, messires aventuriers.*

Le voyage est commencé !

— Messire Lloïol, demanda Corenn d'une voix ferme, j'aimerais auparavant que vous nous rappeliez les conditions de notre accord.

La « musique » cessa, témoignant de la surprise du lutin. Cela faisait partie des précautions que la Mère tenait à prendre. Si leur guide se dérobait à cette vérification, les héritiers devraient annuler l'expédition.

— La mémoire des lutins est infaillible, rappela Lloïol avec un petit rire. Je vous guide jusqu'au lac aux Murmures par les chemins les plus sûrs. En échange, vous faites élever une statue à ma gloire à l'orée du bois d'Ehec.

— Bien, commenta la Mère. Maintenant, veuillez me répéter cela, ici au Jal'dara. Ensuite, nous pourrons partir.

— Le soleil me brûle, rappela Lloïol.

— Autant qu'à moi, insista Corenn, sévère. Montrez-vous, messire. Cette condition n'est pas négociable.

Le lutin éclata d'un nouveau petit rire sec et daigna enfin sortir de son trou. En deux bonds assez lestes, il fut auprès de Corenn et lui fit exactement la même réponse qu'avant.

— Bien. Votre sincérité étant vérifiée, nous respecterons scrupuleusement notre engagement. À vous d'en faire de même.

— Si tu trahis de quelque façon, intervint Nol, tu ne pourras jamais plus remonter dans les jardins.

Lloïol dévoila ses nombreuses dents en un sourire effrayant, et s'empara de sa harpe pour accompagner une courte chansonnette.

— *Ma place est aussi bien là-bas, qu'ici.*

Allons ! Les hommes m'ont fait ainsi !

— Allons-y, décida Grigán, déjà agacé par les fantaisies du Grotesque. Plus vite nous en aurons fini, plus vite nous pourrons retourner vers des choses et des gens *normaux*.

Les héritiers se tournèrent alors vers Nol pour le saluer. Même s'il était prévu qu'ils reviennent au Jal'dara pour franchir la porte, les fosses pouvaient être leur dernière étape si les choses tournaient mal… et ils ne pouvaient quitter le Doyen sans manifester une quelconque forme d'adieu.

— Je regrette de n'avoir d'autre aide à vous offrir, déclara l'éternel avec sincérité.

— Vous en avez déjà fait beaucoup, assura Corenn.

— Je crois avoir achevé ma réflexion, ajouta-t-il à l'adresse de Lana. Vous m'aviez demandé si les enfants du Jal étaient malheureux. Voici ma réponse : *les dieux sont à l'image des mortels*. Leur cœur s'emplit de tristesse au fur et à mesure qu'ils grandissent… et qu'ils comprennent le monde. Mais cela peut changer. Si l'un d'entre vous peut amener le monde à l'Harmonie… alors, il *vous* appartient de faire que les éternels à venir soient des dieux rieurs. Et il en ira de même pour l'humanité.

Sur ces paroles, le Doyen se détourna doucement et s'éloigna d'un pas tranquille, comme l'avait fait le garçonnet endormi de Corenn, quelques décans plus tôt. Yan eut l'étrange impression qu'ils ne le reverraient jamais.

— Quel raseur, commenta Lloïol en se grattant les fesses.

Puis il contempla les ongles de sa main en soupirant, comme s'il se souciait vraiment de l'épaisse couche de crasse qui s'y était accumulée. Il ne tenta rien, pourtant, pour la diminuer.

— Allons-nous partir enfin, ou attendrez-vous le prochain lutin ?

* * *

Grigán observa l'entrée de la troisième fosse, étroite, sombre et voûtée. Pendant tout le temps que le couloir aurait cet aspect, ils ne pourraient s'éclairer qu'à la lueur de leur unique lanterne, l'emploi des torches s'avérant impossible. Perspective peu engageante, les plaçant dans une situation éminemment dangereuse…

— N'y aurait-il pas une entrée plus praticable ? Nol prétend qu'il en existe huit.

— C'est exact, confirma Lloïol, mais vous préférerez celle-ci à toutes. Deux autres sont plus petites encore. La quatrième est immergée, et la septième se trouve à flanc de montagne. La première est invisible aux mortels, il est donc inutile d'en parler. Et vous n'aimeriez pas les deux dernières, conclut le lutin avec un air malicieux. Les fosses les plus grandes ne le sont pas sans raisons... Certaines créatures seraient à l'étroit dans les passages que nous allons emprunter. Mieux vaut pour nous qu'il en soit ainsi.

En temps normal, le guerrier se serait méfié d'une réponse qu'il jugeait trop évasive, mais sa présence au Jal'dara empêchait au lutin de mentir. Grigán donna donc son accord d'un signe de tête, songeant qu'il lui faudrait être beaucoup plus soupçonneux moins d'un décime plus tard.

Les héritiers se regroupèrent à l'entrée du labyrinthe, attendant que Lloïol leur ouvre la marche. Mais le lutin, malgré ses récents signes d'impatience, n'était pas tout à fait prêt. Il se rendit près d'un ruisselet et en dégagea quelques mottes de terre humide, avant de se couvrir le visage de boue. Il y mit tant d'application que cela ne manqua pas de les intriguer, jusqu'à ce qu'il leur fournisse une explication.

— Si vous étiez malins, vous en feriez autant, déclara-t-il en ajoutant une deuxième couche sur son nez proéminent. Le gwele des jardins échappe à la vue de ceux d'en bas. D'ailleurs, l'inverse est vrai aussi, ajouta-t-il avec un nouveau petit rire.

— Nous allons devenir invisibles ? demanda Bowbaq.

— Eh oui, Grand-Homme, en quelque sorte. En esprit seulement. Ça ne sert à rien si on tombe nez à nez avec Quro ou n'importe quel lémure, mais ça empêche toujours ceux qui ne dorment pas de nous sentir à distance.

— À quel point est-ce efficace ? s'enquit Corenn, très exaltée.

— Moins l'enfant a connu les jardins, mieux ça marche. C'est-à-dire qu'avec les plus terribles des démons, c'est *parfaitement* efficace.

— Voilà enfin une bonne nouvelle, clama la Mère avec entrain. Avez-vous entendu ? Nous avons un moyen d'empêcher Saat de suivre nos déplacements !

— D'empêcher *Sombre*, seulement, tempéra Rey. Le sorcier disposera toujours des Züu et de la Grande Guilde pour nous retrouver. Sans compter que cette boue magique ne le sera peut-être plus autant dans notre monde.

— Et Nol s'opposera à ce que nous en emportions, soupira Lana. Il a malheureusement été très clair à ce sujet.

Corenn acquiesça tout en réfléchissant déjà à la manière d'aplanir ces difficultés. L'enjeu était trop important pour qu'ils laissent échapper cette occasion. Une fois sortis du Jal'dara, et quelle que soit l'issue de leur rencontre avec les Ondines, ils auraient besoin d'une grande liberté de mouvements pour défier Saat en son domaine… ou pour organiser leur fuite.

— Faut-il vraiment s'en couvrir le visage ? demanda Lana en contemplant la terre noire et spongieuse, alors que Yan, Grigán et Bowbaq étaient déjà passés à l'action.

— La logique voudrait que posséder une certaine quantité de gwele soit suffisant, avança la Mère. Mais, par précaution, mieux vaut suivre en tout point les conseils de notre guide.

— Vous êtes d'une grande sagesse, pour une humaine, apprécia le lutin flatté. Je veillerai tout particulièrement sur vous.

Corenn le remercia d'une révérence et entreprit, à son tour, de se maculer le visage et les mains de la terre grasse du Jal'dara. Elle se fit la réflexion que ces traces disparaîtraient en peu de temps si les héritiers s'attardaient dans les jardins. Quelles lois étranges régnaient en ces lieux !

Consciencieusement, Bowbaq couvrit également de boue la pauvre Ifio, qui n'apprécia guère ce mauvais traitement et ne se gêna pas pour le faire savoir. Lui et Grigán choisirent ensuite quelques pierres de la taille d'un œuf de digget et les répartirent dans les sacs. Aux sept collectées, le géant en ajouta trois autres dont il se chargea lui-même, rougissant de cette initiative comme s'il commettait une trahison. Point ne lui fut besoin de s'expliquer : tous avaient compris que ces pierres étaient destinées à mettre sa famille à l'abri de Sombre.

— Mais au fait, messire lutin, n'êtes-vous point immortel ? s'étonna Rey. Quel besoin avez-vous de ces amulettes ?

— Les immortels ne le sont que par rapport aux humains, si vous pouvez comprendre ça. Certains de mes pairs ont le pouvoir d'ôter toute vie, quelle que soit la nature de celle-ci. Je n'entends pas leur en laisser l'occasion. Pas si près de ma libération !

— Je croyais que les enfants n'avaient aucun pouvoir au Jal ? remarqua Léti. Aucun de ceux-là ne pourrait nuire à un autre, ajouta-t-elle en balayant l'horizon des jardins.

— Ici, peut-être, oui. Dans les fosses, les choses sont différentes. Si les démons ne peuvent intervenir dans le monde des mortels, pensez bien qu'ils ne se gênent pas dans le labyrinthe. Oubliez donc ces enfants, ajouta le lutin, agacé. En bas, il n'en est plus. J'ai vu grandir les marmousets du dernier millénaire; ceux qui sont descendus n'ont, vraiment, plus rien d'attendrissant. Quelle que soit leur forme, ils ne penseront qu'à une chose : *voler votre esprit.*

— Comment ça ?

— En vous blessant, en vous dévorant tout ou partie, en vous faisant mourir de peur, en vous vidant de votre sang, que sais-je encore ! Pour les Ondines, par exemple, un simple toucher suffit… N'ayez crainte, je n'ai pas ce pouvoir. Si c'était le cas, je n'aurais nul besoin de négocier !

— Voler un esprit ? répéta Lana. Dans quel but ?

— *Aboutir !* clama le lutin, comme s'il s'adressait à une demeurée. Évoluer plus vite, pour quitter cette prison et rejoindre le monde des mortels !

— Charmant, commenta Rey, écœuré. Un démon vous vole vos pensées, et vous mourez dans un tunnel pendant que votre assassin fait son entrée dans le monde. Mieux vaut se poignarder avant, alors !

L'acteur réalisa la dureté de ses paroles en sentant la main de Lana se crisper sur son bras. Il se blâma lui-même. Tous étaient suffisamment troublés pour qu'il évite d'ajouter encore à leur anxiété.

— Grigán, ne prenez pas ça pour une invitation, lança-t-il en riant, pour se rattraper. À vrai dire, je préfère que vous poignardiez le démon !

— Comptez sur moi, assura le guerrier avec un air farouche. Maître Lloïol ?

Le lutin bondit au fond de la cuvette et disparut dans les ténèbres aussi vite d'un dors-debout mouillé. Dans l'ordre qu'ils avaient établi, Grigán, Rey, Yan, Léti, Lana, Corenn et enfin Bowbaq s'enfoncèrent dans l'étroit couloir menant au pays des démons.

Ils ne devaient plus revenir au Jal'dara.

* * *

Aleb ne cacha pas son irritation en faisant son entrée dans la salle de commandement du palais de Saat. Quoi ! Le Haut Dyarque souhaitait une nouvelle rencontre, bien. Pour satisfaire son caprice, le roi de Griteh avait traversé la mer et la moitié d'un continent plus aride encore que le désert de Jezeba. Et qu'avait-il trouvé à son arrivée ? Un simple héraut l'informant de prendre ses quartiers au plus vite et de rejoindre le *maître.*

Le maître de quoi ? songeait Aleb avec amertume. Haut Dyarque ou pas, Saat et lui étaient *alliés*, et le Goranais lui devait au moins le respect de la royauté. Cette manière de l'accueillir était une terrible insulte à son rang et à son honneur. Et il n'était pas homme à laisser cela impuni !

— J'ai l'impression de pouvoir entendre vos pensées, annonça Saat en avisant le monarque ramgrith.

Sa remarque déclencha quelques rires dans l'assistance, et la colère d'Aleb n'en fut que plus forte. Non content de cette première offense, le Goranais recommençait, en se payant sa tête en sus ! Le roi borgne avança résolument vers la table de travail qu'entouraient déjà six personnes. Cinq se placèrent entre lui et le Haut Dyarque.

— Personne ne m'a jamais traité de cette manière, Saat ! lança Aleb par-dessus l'obstacle. Je vous ai reçu cent fois mieux à La Hacque, alors que vous n'étiez qu'un renégat, un misérable chef de bande !

— Vous avez surtout reçu mon or, rappela le Haut Dyarque, amusé. Huit cents livres, je crois ? Coûteuse hospitalité !

— Dites *majesté* quand vous m'adressez la parole ! cria Aleb. En un an, vous avez pris beaucoup trop d'assurance à mon goût, tête-de-fer !

— Tête-de-fer ? répéta l'unique femme présente, avant de faire le rapprochement avec le heaume de Saat.

— Cela suffit, Aleb, demanda le sorcier d'une voix ferme, habitué à être obéie.

— Dites majesté ! hurla le Ramgrith.

Sa voix se tut dans un étranglement. *Saat venait de pénétrer son esprit.* Il n'avait jamais entendu parler d'un tel prodige, et il n'imaginait même pas que ce fut possible. Mais le sorcier avait envahi ses pensées, aussi sûr que le soleil se levait à l'aube. La présence étrangère lui était aussi évidente que si quelqu'un était grimpé sur ses épaules.

Pire, *Saat lui volait le contrôle de son corps.*

Aleb se vit s'incliner, puis s'agenouiller aux pieds du Goranais, sans rien pouvoir faire d'autre qu'assister à la scène, impuissant. Il bénéficiait encore de tous ses sens, voyait, entendait, réfléchissait, mais ne pouvait plus commander à ses muscles.

Paniqué, le roi ramgrith crut être mort. On ne peut perdre toute emprise sur le monde sans songer à quelque chose de terriblement irré-vocable… Mais en même temps, il espérait presque qu'il en fut ainsi, cette perspective étant préférable à celle de rester prisonnier d'un corps incontrôlé.

— Voilà une attitude beaucoup plus sage, persifla Saat en contemplant la forme agenouillée. Apprenez, *majesté*, que toutes les personnes présentes ici valent au moins autant qu'un roi. Êtes-vous prêt maintenant à être présenté à vos alliés ? Ou préférez-vous creuser la montagne avec les dents ?

Aleb se vit acquiescer lentement, sans être en rien à l'initiative de ce geste.

— Oui ? Vous préférez creuser la montagne ? répéta Saat avec ironie.

C'est à ce moment que le roi ramgrith réalisa vraiment toute l'horreur de sa situation. Pire encore que lui voler son corps, Saat pouvait en faire absolument tout ce qu'il voulait, et Aleb n'avait pas à beaucoup forcer son imagination pour songer aux sévices les plus terribles…

En fait, le sorcier seul semblait s'amuser de l'expérience. Les autres n'affichaient qu'indifférence ou un certain embarras. Ceux-là avaient dû connaître le même traitement, par le passé, et en garder un souvenir exécrable. De toute la force de son esprit, Aleb implora, pria, jura servitude et fidélité si on le libérait de ce supplice.

— Je sens que vous avez quelque chose à me dire, plaisanta Saat. Je ne vais pas tenir compte de votre vœu de rejoindre les esclaves, je suis sûr que nous pouvons trouver une meilleure façon de vous employer. N'est-ce pas ? Relevez-vous, ça suffira.

À son grand soulagement, Aleb se vit acquiescer encore, puis se redresser avec lourdeur. Alors, le sorcier quitta son esprit.

Le roi connut un instant de vertige, puis s'adossa à une colonne en pressant ses poings contre ses tempes, comme pour vider sa tête de tous résidus étrangers. Il resta ainsi quelques instants, pendant lesquels personne ne rompit le silence.

Enfin apaisé, il fit face aux étrangers devant qui il s'était humilié. Plus que tout au monde, il désirait qu'ils s'écroulent devant lui, raides morts. Mieux encore, s'il pouvait les massacrer lui-même à grands coups de lame courbe… Entendre leurs cris, leurs supplications et les craquements secs de leurs os meurtris par l'acier, voilà qui pourrait lui rendre un peu de sa fierté bafouée.

Mais cela ne resterait qu'un rêve. Le roi de Griteh venait de subir la deuxième défaite de sa vie, sans même avoir pu tirer sa lame. Il ne cesserait jamais de pourchasser l'homme qui l'avait éborgné. Mais il allait jurer fidélité au sorcier à la magie si effrayante.

Il se laissa aller à un rire bruyant, plus ou moins repris par l'assistance. Après tout, cet homme puissant était *dans son camp*. Saat n'entendait pas régner seul, il venait de le prouver. N'allaient-ils pas, ensemble, s'engager dans la plus ambitieuse des campagnes de conquête ? Avec des pouvoirs comme les siens, la victoire leur était acquise.

Négligeant volontairement de donner un épilogue à la scène qui venait de se produire, Saat lui présenta sommairement ses capitaines : les apôtres de Celui qui Vainc.

Parmi eux, le fils de Saat lui-même, un jeune homme parfaitement bâti, habillé tout de noir et au regard insoutenable : le jeune Dyarque. Venait ensuite l'Emaz Che'b'ree, reine wallatte et grande prêtresse du dieu Sombre. Un culte dont Aleb n'avait jamais entendu parler, mais qui semblait très répandu dans l'armée estienne, comme il devait le remarquer dans les jours suivants.

Le Ramgrith admira les formes généreuses et le visage ensorcelant de la reine barbare avec une convoitise non dissimulée. Mais son intérêt retomba vite quand, à la façon dont Chebree se lovait autour de Saat, il comprit qu'elle était sa concubine.

Les deux suivants étaient züu. Aleb n'avait jamais aimé les tueurs rouges et leur fanatisme. Pour lui, quelqu'un ne plaçant pas la richesse au-dessus de toutes les autres valeurs était soit un imbécile, soit un fou, mais dans les deux cas dangereux. Et il avait ainsi évité toute relation avec les « messagers » de la déesse justicière, alors même que l'île de Zuïa était si proche de son royaume qu'on en voyait les côtes du port de Mythr.

Le maquillage grimaçant du plus vieux, un dessin de crâne peint à même la peau, était tout à fait représentatif de ce qu'il voulait dire. Celui-là se nommait Zamerine, et Saat le présenta comme le stratège général de leurs opérations, c'est-à-dire, ainsi qu'Aleb devait le comprendre ensuite, son supérieur hiérarchique. L'autre ne devait pas avoir plus de vingt-trois ou vingt-quatre ans ; il était l'assistant du premier, et chargé de la discipline dans les rangs des esclaves… C'est-à-dire qu'il en faisait tuer plusieurs dizaines par jour, s'il ne s'en chargeait pas lui-même. Son nom était Dyree, et Saat ajouta qu'il était le plus qualifié pour certaines tâches… particulières. Aleb n'eut pas besoin d'en entendre plus. Ce type en robe rouge et au regard d'enfant était leur meilleur assassin.

Le dernier était un autre Wallatte, suzerain de l'Emaz Chebree. C'était un véritable géant, les dépassant tous de deux têtes au moins. Saat le présenta comme le roi Gors'a'min, chef de guerre de la coalition estienne. D'instinct, les deux hommes se déplurent, mais la présence du Haut Dyarque suffisait à tempérer les animosités les plus prononcées. Gors et Aleb avaient tout intérêt à se tolérer pendant quelques lunes. Quand les Yussa et les Wallattes auraient fait jonction, les deux hommes commanderaient ensemble une armée forte de cinquante-cinq mille hommes.

Saat finit ce tour de table en présentant Aleb lui-même, lui rendant hommage au même titre que les autres capitaines, et achevant ainsi de rendre sa fierté au roi ramgrith. Dès cet instant, il fut tout à fait dévoué au Haut Dyarque. La perspective des beaux combats à venir et de l'or qu'ils allaient amasser l'emplissait d'une joie farouche, lui faisant presque oublier à quel point la journée avait mal commencé. Il était prêt à conquérir chaque ferme, chaque village, chaque cité qu'il rencontrerait sur sa route, jusqu'au bout du monde.

Exactement comme Saat projetait de faire.

— Tout est maintenant en place, annonça leur maître d'un ton solennel, sa voix résonnant dans son heaume. Commençons, voulez-vous ?

Un souhait du Haut Dyarque ayant valeur d'ordre, ils se penchèrent sur l'immense table de travail et étudièrent le plan d'invasion des Hauts-Royaumes.

* * *

Le Jal'karu était une folie, un rêve d'aliéné, si complexe et si simple en même temps qu'on ne pouvait douter de sa réalité. Un endroit bien plus qu'étrange : paradoxal. Impossible. Déroutant. Si les héritiers avaient employé les mêmes termes à leur arrivée au Jal'dara, c'est dans les fosses qu'ils semblaient trouver tout leur sens.

Le labyrinthe n'obéissait qu'à trois constantes : il y faisait noir, il y régnait une odeur de moisi et de charogne, et il n'était fait que d'eau sale et de glaise. Le gwele noir du Jal'karu, omniprésent, malodorant et si spongieux en certains endroits qu'il s'infiltrait dans les vêtements et jusqu'à la peau.

L'agencement des sombres couloirs, tunnels, galeries et salles ne répondait à aucune logique. Pis encore, il variait sans cesse. À peine les héritiers étaient-ils descendus dans la troisième fosse, la veille, que Corenn avait tenu à le constater par elle-même et demandé qu'ils retournent sur leurs pas. Mais ils s'étaient heurtés à un cul-de-sac. L'appréhension qu'ils ressentaient déjà s'était alors muée en une angoisse légitime.

Ils avaient néanmoins poursuivi leur avancée, accroupis l'un derrière l'autre, à la suite d'un guide difforme qui ne déparait pas dans la singularité des lieux. Quand les couloirs s'étaient faits plus grands, ils avaient pu allumer quelques torches. Mais la faible lueur des flammes dansantes peinait à faire reculer les ténèbres qui semblaient émaner des parois.

Grigán collait Lloïol au plus près, et les héritiers suivaient le guerrier : voilà tout ce qu'ils pouvaient faire. Ils avaient ainsi marché de l'apogée jusqu'à la nuit, franchissant des éboulements, glissant dans la boue, se faufilant à travers des failles si étroites parfois que Bowbaq crut ne jamais pouvoir passer. Sans songer à rien d'autre qu'au danger au-devant duquel ils couraient… et aux périls qu'il leur faudrait affronter, *ensuite*.

Lloïol s'était montré digne de confiance pendant cette première journée, mais les héritiers ne pouvaient qu'espérer qu'il en irait ainsi jusqu'au bout. De fait, le lutin faisait parfois d'étranges plaisanteries, comme prétendre avoir perdu le chemin, ou annoncer subitement qu'il renonçait à leur accord. Il éclatait d'un rire mauvais aussitôt son mensonge lâché et reprenait la route comme si de rien n'était. Mais son attitude rendait les humains de plus en plus nerveux…

De la même manière, et ainsi que Nol l'avait prédit, le pouvoir du gwele commençait à faire son effet sur les héritiers. Si la magie des jardins entraînait une certaine euphorie, en exacerbant les sensations les plus suaves, il se produisait exactement la chose inverse au Jal'karu : seules les perceptions *désagréables* se voyaient amplifiées. Ainsi, le léger dégoût qu'ils avaient ressenti dans les premiers décans s'était mué, au fur et à mesure de leur progression, en une véritable nausée. Et ce maléfice altérait aussi les émotions…

Pendant toute cette première journée, Rey s'était montré plus cynique encore que d'habitude, Corenn plus autoritaire, Léti plus agressive, et même le placide Bowbaq avait osé plusieurs fois manifester son mécontentement, d'une voix qui aurait rendu jaloux l'écho des falaises d'Argos. En fait, personne ne fut épargné par l'influence néfaste du gwele. Heureusement, prévenus par Nol, les héritiers avaient rapidement appris à dominer ces réactions excessives… sauf le malheureux Grigán.

Il était de loin le plus atteint. Déjà laconique en temps ordinaire, le guerrier s'était montré maussade, puis presque acariâtre. Pendant tout ce premier jour, Grigán n'avait plus ouvert la bouche que pour faire part de son pessimisme quant à leurs réelles chances d'échapper à Saat. Avec intelligence, les héritiers avaient su ignorer sa mélancolie et ses sautes d'humeur, dont ils redoutaient la cause. Le guerrier était-il sur le point de subir une nouvelle attaque de la maladie de Farik ? Lui-même s'interrogeait à ce sujet, et cela n'arrangeait en rien son moral.

Heureusement, la solidarité et l'affection qui unissaient les héritiers après cette longue quête avaient eu raison du maléfice, et chacun avait fini par retrouver sa sensibilité et son caractère naturels. De la même manière qu'ils s'étaient accoutumés à l'euphorie engendrée par les jardins, quelques jours plus tôt, ils avaient appris à ignorer l'appel à la violence du Jal'karu... tout en sachant ne pas être à l'abri de nouvelles crises.

La fatigue, la faim, la douleur et tous autres besoins et sensations physiques se faisaient cruellement sentir dans le labyrinthe, contrairement à Dara. Aussi les héritiers avaient-ils été soulagés à l'annonce par Lloïol d'une halte nocturne, le lutin refusant catégoriquement de s'exposer au moment où la plupart des démons étaient éveillés. Comme leur guide leur avait jusque-là évité toute mauvaise rencontre, son jugement n'avait pas été discuté.

La nuit sembla très courte, d'autant plus qu'ils baignèrent dans l'obscurité presque complète avant, pendant et après la disparition d'un soleil bien lointain et déjà regretté. Mais « l'aube » qu'ils ne pouvaient qu'imaginer les trouva prêts à partir pour une deuxième journée d'errance dans les fosses... avec la pensée que Saat y avait peut-être séjourné plusieurs années. Comment leur ennemi aurait-il pu garder le moindre bon sentiment ?

* * *

Parmi tous les désagréments du labyrinthe, il en était un qui agaçait Grigán tout particulièrement, surtout parce qu'il le devait à un membre même de l'expédition... et que celui-ci était déterminé à rester sourd aux plaintes du guerrier. Après une journée de pause, le fantasque Lloïol avait repris sa harpe et enchaînait des accords improvisés plus tapageurs les uns que les autres.

— Comment peut-on jouer aussi mal ! finit par éclater le vétéran. On dirait que vous le faites exprès !

— Je suis content que vous le remarquiez, répondit sincèrement le lutin. Il m'aurait déplu que vous jugiez mon art sur une aussi piètre prestation.

— Pourquoi ne pas vous appliquer, alors ? s'entêta Grigán. Et même, pourquoi ne pas arrêter de jouer ? Vous cherchez peut-être à avertir quelqu'un ? ajouta-t-il, les yeux plissés.

— Bien au contraire. Si vous connaissiez un peu mieux la nature divine, vous sauriez que même les démons sont sensibles à la musique, ainsi qu'à la beauté de tout art en général, d'ailleurs. En jouant plus mal qu'un

homme-tronc, j'agace quelques-uns de ces monstres dans leur sommeil…
et cela fait partie de mes petits plaisirs, conclut-il avec un sourire cruel.
Après tout, ne suis-je point lutin, Grotesque et farceur incorrigible ?

— Messire Lloïol, il semble que cette musique nous indispose également, intervint Corenn. Ne pourriez-vous nous montrer une facette plus…
représentative, de votre art ?

Le lutin cessa de s'activer sur les cordes, renifla bruyamment puis
acquiesça, l'air pincé. Il entama alors un autre morceau, peinant visiblement, mais le résultat fut à peine meilleur que sa précédente cacophonie.
Grigán lâcha un soupir alors que les autres éclataient de rire et félicitaient
leur guide.

Ils marchèrent ainsi un bon décan avant que Lloïol ne repose enfin son
instrument. Le lutin étudia l'une des parois noires dont ils étaient entourés
et en effrita la surface, l'air soucieux. Il fit de même dans le couloir
suivant, puis dans celui d'après.

— Qu'est-ce qui vous ennuie ? demanda Lana. S'agit-il d'une mauvaise
nouvelle ?

— Oui et non. Tout dépend de la manière dont on voit les choses. En
fait, nous approchons du lac aux Murmures.

— Eh bien ! En quoi serait-ce regrettable ? interpella Rey. N'est-ce
point le but que nous cherchons à atteindre ? Plus vite nous y serons, plus
vite nous pourrons remonter respirer un peu d'air frais !

— Nous n'aurions pas dû y arriver si vite, regretta le lutin. Le labyrinthe
s'est ouvert devant nous. Et d'après mon expérience, c'est mauvais signe
pour vous. Ça signifie que les Ondines ont beaucoup de choses à vous dire.
Ou qu'elles s'apprêtent à dévorer vos esprits. Ou peut-être les deux…

— Personne ne nous dévorera, bondit Léti, contrariée.

— D'après vous, les Ondines contrôleraient le labyrinthe ? demanda
Corenn, pressentant quelque chose d'important.

— Qui d'autre ? s'exclama Lloïol en levant les mains au ciel. Les lutins,
peut-être ?

Sa propre plaisanterie l'amusa beaucoup, et il fallut un certain temps
avant que les héritiers puissent à nouveau l'interroger dans de bonnes
conditions, tant il riait fort et semblait ne plus pouvoir s'arrêter. En cela, il
était bien le seul. Pour les humains, la bonne humeur du début de la journée s'était totalement dissipée.

— En quoi est-il si *évident* que les Ondines contrôlent le labyrinthe ?
répéta Corenn, jusqu'à obtenir enfin une réponse.

— Parce qu'elles remplissent le rôle du Gardien. Vous n'imaginiez pas que les fosses échappent à la règle ? Nol veille sur les jardins de Dara. Les Ondines règnent sur le labyrinthe de Karu. C'est aussi simple que ça.

Aussi simple que ça, répéta Corenn, mentalement. Lloïol se trompait. Cette nouvelle révélation était de taille et avait tout l'air d'une mauvaise nouvelle. Dans la situation plus que périlleuse des héritiers, tout imprévu pouvait être annonciateur d'une catastrophe.

— Vous n'en aviez rien dit, accusa Grigán.

— Je n'ai pas souvenir que vous m'ayez posé la question, se défendit le lutin. Et vous auriez pu le deviner tout seul !

— Tout cela suit une certaine logique, concéda Lana. Les Ondines sont les seules créatures de Karu à avoir une influence sur le monde extérieur. Elles sont les seules à être… *abouties*.

— Elles gardent peut-être une porte, s'écria Yan, alors que l'idée lui venait. Saat aurait pu l'utiliser et s'évader de Karu !

Tous les regards convergèrent vers Lloïol, mais le lutin se contenta de hausser les épaules. Il leur était malheureusement impossible de vérifier s'il cachait quelque chose, ou s'il ignorait réellement la réponse.

— Et comment, par tous les dieux, *comment* pouvez-vous vous repérer dans cet endroit dont le plan change sans arrêt ? s'impatienta Grigán.

— Ça m'étonne aussi, renchérit Bowbaq, intéressé. Je n'ai vu aucun signe de piste.

Le lutin détacha un morceau de gwele de la paroi et le tendit au guerrier.

— La chaleur de la pierre, annonça-t-il alors que l'extrait minéral changeait de mains. Voyez comment celle-ci se fend et s'effrite. Nous ne devons plus être très loin.

— Ce lac aux Murmures est une source d'eau chaude ? proposa Rey.

— En quelque sorte, oui, répondit leur guide avec un nouveau petit rire sec. Allons-y maintenant, si vous n'avez pas changé d'avis. Mais faites plus attention que jamais. Il erre tout un tas de charognards autour des Ondines, et ceux-là n'ont aucune Vérité à vous livrer.

* * *

La chaleur augmenta sensiblement, au fur et à mesure que les héritiers avançaient. Il leur semblait parfois que le chemin descendait, mais ils ne pouvaient s'en assurer à la seule lueur d'une lanterne et de quelques torches, d'autant plus que la pente pressentie suivait une inclinaison très douce. Et cela était loin d'être leur souci majeur… avant tout, le petit groupe était concentré sur les *bruits*.

Ceux-ci s'imposaient d'autant plus que le labyrinthe leur avait semblé, la veille, silencieux à l'extrême. Mais dans ces couloirs où s'élevaient quelques volutes de vapeur, résonnaient alors toutes sortes de craquements, de grincements, de sifflements, et ceux-là n'étaient pas les plus effrayants. Lorsque la pierre se taisait, on pouvait deviner, en fond, quelques grognements indéfinis, divers hurlements et d'étranges effets de gorge qui terrifiaient la petite Ifio.

Les membres du groupe ne parlaient plus que pour se conseiller dans certains passages difficiles, ou pour commenter un vagissement un peu plus extraordinaire que les autres. Là où les enfants de Dara brillaient surtout par leur apathie, ceux de Karu entendaient faire connaître leur puissance et leur colère.

Inévitablement, le groupe devait finir par rencontrer l'une des créatures des fosses. Lloïol et Grigán, qui étaient en tête, l'aperçurent en premier. Ils discutèrent à mi-voix de ce qu'il convenait de faire, pendant que les autres attendaient de pouvoir satisfaire leur curiosité quant à l'apparition.

Yan entendit quelques bribes de la conversation, suffisantes pour qu'il en fasse un résumé à Léti. Un *lémure* — il n'avait aucune idée de ce que cela pouvait bien être —dormait dans la salle qu'ils devaient traverser. Lloïol jugeait la créature peu dangereuse et proposait de passer, d'autant qu'ils étaient dissimulés par le gwele de Dara. Grigán ne voulait prendre aucun risque et désirait chercher un autre chemin.

Finalement, le lutin eut gain de cause en rappelant qu'ils multipliaient les dangers en même temps que les déplacements. Aussi les héritiers s'avancèrent-ils dans la salle, lentement et les armes à la main, en direction du couloir par lequel ils pourraient poursuivre leur route.

Le lémure avait forme humaine, c'est-à-dire quatre membres articulés, un tronc et une tête aux proportions acceptables. Là s'arrêtait la ressemblance.

La dite tête présentait plus de points communs avec celle d'un babouin qu'avec celle d'un homme. Ses bras et ses jambes étaient aussi épais que ceux de Bowbaq, alors que le monstre semblait deux fois plus petit. Lana trembla en remarquant les ongles larges qui émergeaient de sa fourrure couleur de nuit. Enfin, tout son corps semblait dévoré par une maladie plus virulente encore que la peste écorcheuse… Il manquait des lambeaux entiers de chair à la créature, et ces terribles blessures suppuraient d'une manière abominable.

Tous avançaient lentement, leur attention fixée sur le monstre endormi. Soudain, Rey poussa un cri d'alerte qu'il regretta aussitôt, mais trop tard. Le lémure s'éveilla en grognant alors qu'une créature semblable émergeait du couloir et bondissait sur eux.

Rey le blessa d'un carreau d'arbalète et Grigán lui ouvrit le ventre d'un seul mouvement de sa lame courbe. Comme le monstre agenouillé se montrait toujours vivace et dangereux, le guerrier l'acheva en enfonçant profondément son arme dans ce qui pouvait être le cou de la créature.

Leurs compagnons avaient eu moins de réussite. Surpris par le cri de Rey, qui s'était trouvé presque nez à nez avec cet ennemi inattendu, ils n'avaient tourné la tête qu'un instant… instant qui suffit au premier lémure pour passer du sommeil à l'attaque la plus brutale.

Il franchit les cinq pas les séparant sans toucher le sol une seule fois, réalisant un bon prodigieux qui l'amena au beau milieu du groupe serré.

En plein sur Corenn.

La Mère lâcha un cri de douleur et ses amis comprirent avec horreur qu'elle avait été blessée à la tête, avant que Bowbaq saisisse le monstre à bras-le-corps et le projette littéralement de l'autre côté de la salle, d'où il recula dans les ténèbres. Grigán avisa le sang qui coulait sur le front de Corenn, s'empara d'une torche et avança résolument dans la direction supposée du lémure, sa main crispée sur sa lame courbe. Jamais ses compagnons ne l'avaient vu autant en colère.

La Mère, affaiblie, adossée à la paroi, se redressa tant bien que mal en comprenant ce qui allait se passer.

— Revenez, Grigán ! implora-t-elle d'une voix défaillante, soutenue par Yan et Léti. Ne me laissez pas…

Le guerrier balaya les ténèbres de sa torche, puis revint lentement, presque à regret, vers Corenn dont la blessure continuait de saigner.

— Il vous a mordu le crâne, annonça Lana en examinant la plaie. Bowbaq, éclairez-moi, voulez-vous ?

Le géant s'exécuta et la Maz détailla minutieusement la chair traumatisée, pendant que ses compagnons attendaient son verdict, l'estomac noué.

— Je n'ai rien, rassura Corenn, d'une voix pourtant mal assurée. J'ai heurté la paroi sous le choc, c'est tout. Il ne m'a pas mordu. J'aurai surtout une grosse bosse ! ajouta-t-elle en essayant de plaisanter.

La Maz ne confirma pas cette appréciation et se contenta de nettoyer et panser la blessure, les lèvres pincées. Personne n'osa lui demander la vérité. Aucun n'avait envie d'entendre de mauvaises nouvelles.

— Où est Lloïol ? se souvint soudain Grigán. Où est-il ?

Aucun rire, aucune voix nasillarde, aucun air de harpe ne vint en réponse au guerrier. C'est alors qu'ils remarquèrent le silence presque parfait qui régnait en ces lieux, tranchant nettement avec le vacarme sourd des derniers décans.

— Ce damné lutin nous a faussé compagnie ! enragea le guerrier. Par Alioss, j'aurais mieux fait de les tenir en laisse, lui et sa maudite harpe !

— Vous n'aimez pas ma musique ? demanda une voix moqueuse, étonnamment proche.

Lloïol revint tranquillement dans la zone éclairée par les torches, évitant toutefois de passer trop près de Grigán. Il soutint avec effronterie le regard réprobateur de chacun des héritiers, appréciant par avance le petit effet qu'allait produire sa révélation.

— Le lac est juste au bout de ce couloir, lança-t-il avec emphase. Vous serez contents, j'espère : les Ondines sont nombreuses, cette fois.

— Allons-y, décida Corenn, sachant que personne n'oserait bouger avant elle. Finissons-en.

Yan soutint son maître de magie sur les premiers pas, mais Corenn le remercia et poursuivit seule, les jambes tremblantes et encore choquée.

Les héritiers se groupèrent autour d'elle et la colonne reprit sa progression. Juste avant de quitter la pièce, Lana eut un dernier regard pour le corps du lémure éventré.

— Comment une telle chose peut-elle arriver ? demanda-t-elle à Lloïol, sans vraiment attendre de réponse. Comment la foi des hommes peut-elle donner naissance à de tels monstres ? Comment un *enfant* peut-il changer à ce point ?

— Ne soyez pas si naïve, se moqua le lutin. Si cette bête était née à Dara, vous n'auriez jamais pu la tuer.

— D'où vient-elle, alors ?

— D'ici. De vos contradictions. Les démons ont l'habitude de se créer des serviteurs… *le chaos est la force la plus féconde,* si vous me passez cette expression volée à Nol. Vous allez en avoir un bel exemple.

* * *

Quelque chose brillait au bout du couloir. Une lumière douce, dansante et rougeâtre. La chaleur augmentait encore et la galerie n'en finissait pas. Par bonheur, elle était assez large pour que les héritiers puissent y marcher à plusieurs de front, et ils ne s'en privaient pas. Tout ce qui pouvait aider à les rassurer était le bienvenu.

Trois pensées occupaient les esprits : l'une allait à Corenn, l'autre à ce qu'ils allaient trouver dans la prochaine salle, et la dernière à l'identité de l'Adversaire. Lequel d'entre eux avait *une chance* de vaincre Sombre ? Qui serait le héraut de l'âge d'Ys ? Peut-être... personne. Mais cela, ils devaient l'ignorer pour l'instant. Au plus profond du pays des démons, la foi était tout ce qu'il leur restait.

Yan, Léti, Grigán, Corenn, Lana, Bowbaq et Rey marchaient vers ce qu'ils savaient être la dernière étape de leur quête, commencée, pour la plupart, trois lunes plus tôt. Ils ne concevaient pas qu'il puisse y avoir quelque chose d'autre, après leur rencontre imminente avec les doyens des démons. Quelle qu'en soit l'issue, la course au mystère serait terminée. Il leur faudrait se résoudre à l'affrontement... ou à une fuite inévitablement vouée à l'échec.

— Cette fois, je n'irai pas au-delà du bout du couloir, prévint Lloïol d'une voix égale. Mais faites-moi confiance et avancez. Donnez votre main aux Ondines, et reprenez-la prestement. Je vous attendrai... le temps qu'il faudra.

La voix nasillarde troubla leur concentration. Les héritiers commençaient à entendre les *murmures*, ceux qui avaient donné son nom au lac. Et le chant continu, discret, fait de souffles et d'aspirations rappelait un phénomène des plus communs, sans que personne n'ose avancer cette théorie, trop simpliste en apparence.

Ils furent enfin au bout du couloir et, le cœur battant, s'avancèrent dans l'immense salle voûtée qui était le cœur du Jal'karu. Alors, ils comprirent l'origine des murmures, de la lumière dansante et de la chaleur. Ici, les torches étaient inutiles.

Un lac de flammes aussi grand qu'un village occupait tout le centre de la pièce. Profond, déchaîné, et sans combustible apparent. Le lac aux Murmures.

À sa « surface », des formes serpentines volaient, s'entrecroisaient, se dévoraient et renaissaient du néant. Les Ondines. Elles n'étaient que pur Feu, et n'avaient nulle constance. L'œil en voyait trente, soixante, deux cents selon l'instant, mais elles pouvaient être aussi bien cinq ou mille, qui surgissaient d'une flamme pour disparaître dans l'air sec à l'apogée d'un bond prodigieux. Les Ondines. Elles semblaient longues d'un pas, puis de la moitié seulement, avant de s'étirer à la taille de reptiles dignes de la Guivre du pays d'Oo. Les Ondines.

Les formes mouvantes « nagèrent » vers les héritiers dès leur arrivée. Beaucoup se lancèrent dans leur direction pour s'évaporer finalement au-dessus des rives. Mais leur nombre ne diminuait pas. Les héritiers contemplaient, stupéfaits, l'incroyable spectacle du corps multiple du Gardien de Karu. En songeant que leurs ancêtres avaient vécu la même chose. Et que, d'une certaine manière, tout était parti de là.

Ils attendirent ainsi quelques instants qui se prolongèrent, sans qu'il arrive rien de plus extraordinaire encore. Corenn lança quelques phrases par-dessus les flammes, dans l'espoir qu'on lui réponde d'une manière ou d'une autre. Mais il n'en fut rien.

— Que faisons-nous ? demanda Rey, aussi déconcerté que les autres. L'un d'entre vous sait parler l'ondine ?

— *Elles veulent nos esprits,* comprit Lana en observant la danse des serpents éthérés. Elles veulent nos esprits pour annoncer leurs Vérités.

— Lloïol a dit de leur donner la main, rappela Bowbaq, espérant être rassuré sur l'interprétation de ce conseil.

Le lac fut soudain balayé de plusieurs vagues rapides, allant d'une rive à l'autre. Si Yan avait dû en faire une interprétation, il aurait dit que les Ondines s'impatientaient.

— Qui se sent le courage de mettre sa main au feu ? plaisanta Rey, certain que personne ne le ferait et qu'ils chercheraient une solution plus raisonnable.

Grigán écouta le murmure des flammes, contempla le visage de ses amis et ferma les yeux un instant. À peine les eut-il rouverts qu'il déposait son sac, en tirait une corde et commençait de la nouer autour de sa taille.

Sourd au concert de protestations qu'il avait déclenché, le guerrier tendit l'autre extrémité du lien à Bowbaq, tira sa lame courbe et s'avança douce-ment vers le lac, prêt à réagir à la moindre alerte… quelle qu'elle fut.

Une forme serpentine bondit et le guerrier la trancha dans l'air, par réflexe, causant ainsi la disparition de la créature. Une autre, deux autres fusèrent dans sa direction, gueule ouverte, s'échappant du lac par la seule force de leur avidité.

Courageusement, le guerrier tendit le bras gauche et se laissa mordre par la créature enflammée. Il lâcha un petit cri de douleur puis un autre, plus sincère, quand ses fesses rencontrèrent violemment le sol où Bowbaq l'avait ramené en tirant sur la corde.

Une fois debout, le guerrier examina son bras mais n'y vit trace de brûlure, à son grand soulagement. Peut-être le gwele des jardins l'avait-il protégé. Ou peut-être, encore… que les blessures des Ondines étaient plus spirituelles que physiques. Ce que Grigán avait ressenti, il eut du mal à le décrire.

— J'ai eu… une sorte de vision, annonça-t-il très sérieusement. Certains souvenirs me sont revenus en mémoire, et j'ai vu la… la suite de leur déroulement, en quelque sorte. Aleb, le prince Aleb… il s'apprête à attaquer Lorelia. J'ai vu les bateaux, affirma le guerrier avec force, comme pour prévenir toute objection.

Il scruta le visage de ses amis, mais aucun n'imaginait mettre sa parole en doute, tant le trouble du guerrier était impressionnant.

— Je vous crois, Grigán, assura Lana. Les Ondines vous ont donné une sorte de… clairvoyance. Mais savez-vous qui est l'Adversaire ?

Le murmure des flammes s'amplifia soudain, assez pour couvrir la conversation des mortels. Le souffle se modula, livra quelques sons aigus avant de passer dans les graves, puis de mêler les deux. Enfin, les héritiers crurent reconnaître quelques mots dans le chant de cet immense brasier. Le murmure s'amplifia encore et la phrase fut répétée. Les Ondines parlaient. Elles livraient une Vérité.

— Celui-là n'est pas l'Adversaire, annoncèrent les flammes.

Le guerrier soupira et baissa la tête un instant. Il hésitait entre se réjouir et s'attrister de la nouvelle. La terrible responsabilité de l'Adversaire n'était certes pas enviable, mais il fallait bien, pourtant, espérer qu'il soit l'un d'entre eux. Ce premier échec n'était guère encourageant…

Comme le silence s'éternisait, Rey contempla les flammes avant de s'emparer à son tour de la corde. Il s'en ceignit rapidement la taille et marcha tout droit vers le lac, laissant à peine le temps à ses amis de s'apprêter à le ramener.

Cinquante formes enflammées bondirent et Rey fut mordu par au moins trois ou quatre d'entre elles. Elles avaient sauté plus loin, plus haut et plus nombreuses que jusqu'alors. Chaque esprit visité semblait augmenter leurs forces, ou tout au moins leur agressivité.

L'acteur se redressa dès qu'il le put et constata rapidement ses blessures. Elles n'étaient pas plus graves que celles de Grigán, et Rey avait tout autre chose en tête. Il attendait le verdict des Ondines.

— Celui-là n'est pas l'Adversaire, soufflèrent les flammes de pareille façon.

— Tant mieux ! annonça l'acteur avec franchise. Bowbaq, tu restes le seul héritier mâle du groupe. Tu vas devenir un héros, mon pauvre vieux !

— Moi ? répéta le géant, très loin d'être enchanté par cette perspective. Tu es sûr ?

— Je t'interdis formellement de t'attacher à cette corde, avertit Corenn d'un ton sans appel, malgré la faiblesse de sa voix. Aucun d'entre nous ne se prêtera encore à ce jeu cruel, lança la Mère par-dessus les flammes.

— Je sais… crurent-ils entendre en réponse, comme dans un soupir.

Le lac s'agita soudain alors que le feu semblait plus attisé que jamais. Les serpents, qui jusqu'alors bondissaient au-dessus de la rive comme autant de saumons remontant un cours d'eau, firent volte-face et convergèrent vers un même point situé à trente pas à peine des héritiers. Là commença une étrange lutte, ou chaque Ondine gobait ou plutôt assimilait les créatures plus petites, avant de disparaître à son tour au profit d'une plus grosse. En quelques instants, il n'en resta plus que la moitié, puis une quinzaine seulement de taille monstrueuse. Le combat se fit alors plus lent, plus tactique, mais tout aussi impitoyable.

— Le dernier va être *gigantesque* ! murmura Léti.

— Ne restons pas ici, suggéra Rey. Nous ne ferons pas le poids, s'il attaque.

— Il ne peut pas sortir du lac, rappela Corenn. Nous ne risquons rien, tant que nous restons à distance.

Les héritiers continuèrent donc à observer, fascinés, l'étrange ballet des reptiles au corps de lave s'ébattant dans des flammes de plus en plus faibles.

Quand il ne resta plus que deux des créatures, ils reconnurent sans surprise, au fond de la cuvette, le gwele noir du Jal'karu. Enfin, quand l'Ondine la plus titanesque eut raison de son adversaire, tout foyer s'éteignit pour de bon. Le lac aux Murmures était complètement vidé. Et à vingt pas de profondeur, en son centre… *s'élevait une porte en tout point semblable à celle de Dara.*

Le Gardien de Karu y rampa avec grâce et s'éleva le long d'un des piliers. La créature était d'un rouge luminescent. Sa peau avait toutes les caractéristiques de la braise, la fragilité en moins. Sa tête était celle d'un bouc mais sa gueule, celle d'un loup. Le reptile monstrueux s'installa au sommet de la porte et toisa ses visiteurs de plus de quinze pas de hauteur.

° Celui-là n'est pas non plus l'Adversaire, annonça-t-il d'une voix profonde, qui sembla résonner dans les esprits des humains.

Après un instant d'hésitation, ils se souvinrent qu'il était question de Bowbaq. Corenn expliqua le fait au géant qui manifesta son soulagement. Mais cela réduisait encore leurs chances…

— L'un de nous est-il l'Adversaire ? osa finalement demander la Mère, d'une voix tendue.

Le reptile fit danser sa tête au-dessus du lac asséché, observant avec attention chacun des humains. Grigán, Rey, Bowbaq, Corenn, Lana, Léti, et même Yan…

Ces quelques instants devaient être les plus longs de leur existence. Tendus, impatients, les héritiers attendaient de la créature démoniaque une promesse de salut ou de condamnation. Pour eux, pour ce qui subsistait de leurs familles, et enfin pour les Hauts-Royaumes. Toute leur quête n'avait servi qu'à les amener à ce moment. Et tout ce qui était à venir dépendait d'une seule réponse.

° Aucun d'entre vous n'est l'Adversaire, lâcha enfin l'Ondine.

Ses mots résonnèrent comme un coup de tonnerre dans les esprits des humains. Cela semblait impossible. Ils voulaient refuser d'y croire. Tant d'espoirs anéantis, en un instant seulement…

° Aucun d'entre vous, répéta le Gardien. Mais il sera issu de vos lignées.

— Qui ? éclata Grigán. *Qui* sera-t-il ? Quand ?

° Révéler cette Vérité irait à l'encontre de nos intérêts. D'autres viendront, et nous goûterons à leurs esprits.

— Qui ? insista le guerrier. Quand ?

Mais il n'obtint aucune réponse. Le Gardien se pencha sur la porte et une lumière naquit en son centre, accompagnée par un sifflement. L'Ondine ouvrait un passage vers un autre monde. *Leur* monde.

° Il vous faut partir. Vous n'apprendrez plus rien au Jal.

— Pourquoi le croirait-on ? s'emporta Léti. Vous n'êtes qu'un démon !

° La Vérité est le plus grand des pouvoirs. Nous ne connaissons pas le mensonge. Vous serez saufs, car d'autres doivent venir. Vous partirez.

Les héritiers se rassemblèrent, très déçus et quelque peu amers. Ils avaient placé tous leurs espoirs dans cette prophétie de l'Adversaire. Mais ils n'étaient pas dans un conte de fées et la réalité s'était, ici, brutalement imposée. Le Gardien avait raison : leur quête était bel et bien terminée.

— Que proposez-vous, Corenn ? demanda Lana. Remontons-nous à Dara ?

La Mère soupira, momentanément désappointée. Aucun d'eux n'était l'Adversaire. Et malgré ses dénégations, sa blessure au crâne lui faisait mal, horriblement mal. Elle hocha la tête pour témoigner de sa réflexion…

Lorsqu'elle reprit conscience, elle était assise au sol et soutenue par ses compagnons. Elle ne s'était évanouie que quelques instants, mais se sentait plus mal encore qu'avant. La chaleur, la douleur, la puanteur, la déception… Corenn se sentait soudain vieille et fatiguée. Ils n'avaient plus nulle part où aller. Plus d'amis de bon conseil, plus de bibliothèques à visiter, plus d'oracles à consulter. Les héritiers n'avaient rien trouvé à opposer à Saat et à son démon.

— Partons, maintenant, soupira-t-elle d'une voix lasse. Par cette porte. Celle de Karu.

Elle en vaudra bien une autre… ajouta-t-elle pour elle-même. Mais les héritiers, habitués qu'ils étaient à la sagesse des décisions de la Mère, se rangèrent à celle-ci comme étant le fruit d'une longue réflexion. Ils commencèrent donc de descendre la pente qui menait au fond du lac aux Murmures, soutenant et ménageant Corenn comme la personne la plus respectable du groupe qu'elle était.

Lové sur le faîte de la porte, le Gardien les attendait en les dévorant des yeux. Lorsqu'ils ne furent plus qu'à dix pas, le brouillard se dissipa sous l'arche, dévoilant un désert sous une nuit étoilée.

— Qu'est-ce que c'est que ça? demanda Léti, intriguée. Où allons-nous?

Grigán contempla le paysage avant de lever les yeux vers l'Ondine silencieuse. Elle possédait vraiment toutes les Vérités.

— *Vous* allez en Arkarie, annonça le guerrier d'une voix tranchante. Bowbaq, tu veux rejoindre ta famille, je suppose? Les autres vont t'accompagner. Je vous rejoindrai plus tard.

— Mais… pourquoi? bredouilla la jeune femme. Où allez-vous? Venez avec nous!

— *J'ai eu une vision,* rappela le guerrier, avec une expression songeuse. Aleb va brûler Lorelia. Je ne peux pas le laisser faire. Pas *encore une fois.* Je vais l'empêcher. Par tous les moyens, je vais l'empêcher.

— Non! bondit Yan, plus violemment qu'il ne l'aurait voulu. Vous ne devez pas partir! Pas seul, en tout cas!

— Et pourquoi donc? demanda le guerrier. Il n'y a rien d'autre que nous puissions faire contre Saat. Pourquoi ne me lancerais-je pas dans ce combat, où j'ai au moins une chance de l'emporter?

— Parce que… parce que…

Même à l'ultime moment, Yan hésitait encore. Il aurait tellement voulu ne jamais avoir à le dire…

— Parce qu'Usul a prédit votre mort ! éclata soudain le jeune homme. Laissez Aleb où il est. N'y allez pas, Grigán, ou vous mourrez. J'en suis sûr.

Le guerrier déglutit puis acquiesça, les lèvres pincées. Mais la nouvelle ne le troublait pas autant qu'on s'y serait attendu.

— De toute façon, la maladie m'emportera bientôt. Inutile de se voiler la face. À la prochaine crise…

— C'est faux ! intervint Léti, dont les larmes coulaient sans bruit. Vous êtes peut-être guéri !

— Et peut-être pas. Je dois aller trouver Aleb, affirma le guerrier. J'ai eu cette… vision…

Corenn s'effondra soudain dans les bras de Bowbaq, de nouveau évanouie. Alors que tous se précipitaient à ses côtés, Grigán la contempla avec une certaine tristesse.

— Ne la réveillez pas tout de suite, demanda-t-il. Je préfère ne pas avoir à lui dire au revoir.

— Je viens avec vous ! décida soudain Yan, torturé par les révélations d'Usul.

— Moi aussi ! ajouta Léti, la voix déformée par un sanglot.

— Reste avec ta tante, Léti, ordonna le vétéran d'une voix ferme. Et toi, Yan, reste avec ta promise. Je ne te laisserai pas faire la même erreur que moi, ajouta-t-il mystérieusement.

Le cœur de Yan battait plus fort que les tambours du Jour de la Terre. S'il laissait partir Grigán seul, le guerrier mourrait, il en avait le pressentiment. Et jamais il ne pourrait se le pardonner.

Le jeune homme s'approcha de Léti et emprisonna ses mains dans les siennes. Il aurait voulu que cela se déroule autrement, un autre jour, en un autre lieu. Mais il avait besoin de le faire tout de suite. Tant qu'il le pouvait encore.

— Léti, veux-tu me donner ta Promesse ? demanda-t-il avec une douceur où perçait son amour.

La jeune femme étouffa ses sanglots, mais ne put garder les yeux ouverts. Il se passait tellement de choses, trop de choses, beaucoup trop vite. Étaient-ils tous devenus fous ? Ou leurs émotions étaient-elles toujours sous l'influence du gwele ? Quelle importance, après tout…

— Je te la donne, Yan, mon Yan… Je te l'ai toujours donnée…

Ils s'étreignirent avec fougue, avant de s'embrasser avec une tendresse comparable. Mais leurs baisers avaient le goût des larmes, et ce bonheur pourtant intense ne parvint pas à surpasser leur peine. Yan se dégagea le premier, fit un petit salut de la main à l'adresse des autres et franchit la porte à leur grande surprise.

— Yan, espèce d'idiot ! rugit Grigán. Reviens ici tout de suite, c'est un ordre !

— Je ne peux pas, répondit le jeune homme, amusé malgré lui. Il n'y a pas de Gardien de ce côté !

Le guerrier lâcha une bordée de jurons, puis une autre quand Ifio bondit, à son tour, de l'épaule de Bowbaq à travers la porte. Pour empêcher d'autres initiatives similaires, Grigán rassembla promptement ses affaires et celles du jeune homme et les lança à travers le passage surnaturel. Du labyrinthe souterrain de Karu, les sacoches atterrirent dans le sable, sous un ciel étoilé, à des centaines de milles de distance. Yan s'en empara et sortit du champ de vision des héritiers. Pour le jeune homme, l'aventure du Jal était terminée.

Grigán n'osa pas saluer individuellement ses compagnons, redoutant les débordements d'émotion qui pourraient en résulter. Avant de passer la porte, il se contenta comme Yan d'un petit signe de main et d'une ultime recommandation :

— Notre point de rencontre sera la maison de Bowbaq. Attendez-nous là-bas. Je vous promets que nous serons réunis avant deux lunes !

La porte se brouilla dès que le guerrier eut traversé. Le Gardien lové changea de position, et un nouveau paysage apparut. Entièrement différent, vallonné, arboré et couvert de neige.

Ce fut l'instant que choisit Corenn pour se réveiller. Avant qu'elle n'ait le temps de s'interroger, Bowbaq la souleva prestement et franchit la porte de Karu. Léti, sanglotant toujours, ramassa leurs affaires et posa à son tour le pied dans la neige.

Lana prit la précaution de se couvrir davantage, avant de changer si brusquement de climat. Alors qu'elle enfilait une de ses pelisses romines, Rey la prit dans ses bras et lui donna un long, doux et passionné baiser.

— Prêtresse, m'aimez-vous ? demanda l'acteur en souriant.

— Je crains que ce ne soit guère le moment, Reyan.

— M'aimez-vous, quand même ?

La Maz eut un regard vers leurs compagnons qui, de l'autre côté de la porte, s'affairaient également à se vêtir de vêtements plus chauds.

— Oui, murmura-t-elle timidement.

— Jurez-le sur Eurydis.

— Reyan !

— Je plaisantais.

Il lâcha son étreinte et s'éloigna d'un pas, prenant une expression beaucoup plus grave.

— Lana… Saat creuse un tunnel sous le Rideau, annonça-t-il après un temps d'hésitation. Les Wallattes vont s'attaquer à la Sainte-Cité.

— Quoi ! Mais d'où tirez-vous cela ?

— J'ai *également* eu une vision, avoua l'acteur. Allez-y, maintenant, ma douce. Je vous retrouverai au lieu dit.

Lana franchit la porte à son tour, sans relever la dernière parole de l'acteur, trop perturbée qu'elle était par sa révélation. Quand enfin elle comprit, il était trop tard. La porte se ferma derrière elle, sur l'image de Rey les saluant avec un vague sourire.

Resté seul au Jal'karu, l'acteur attendit que le Gardien lui ouvre le passage vers sa propre destination. Inutile de la lui indiquer. L'Ondine avait su, dans les moindres détails, comment cette rencontre allait se dérouler. Elle possédait toutes les Vérités.

Le brouillard se dissipa et Rey sortit du berceau des dieux. Ils avaient tous une mission à accomplir. La sienne était d'ampleur.

LIVRE IX

LA FIN DES HÉRITIERS

LE CONTRASTE ÉTAIT SAISISSANT. Quelques instants plus tôt, Yan se trouvait à plusieurs centaines de pas sous terre, respirant un air vicié dans une chaleur étouffante. Alors qu'il affrontait maintenant un temps sec et glacial, être minuscule pris entre une nuit parsemée d'étoiles et une dune dont le sable se dérobait inlassablement sous ses pieds.

Des bruits se firent entendre derrière lui et, aux jurons qui les accompagnaient, Yan devina que Grigán l'avait rejoint de ce côté de la porte. La lumière diminua rapidement pour se résumer à celle, blafarde, des astres nocturnes, signe que le passage vers le Jal et le reste de ses amis s'était refermé à jamais. Alors seulement, Yan se retourna, surprenant la petite Ifio lovée au creux de son cou.

— Espèce d'inconscient! l'apostropha Grigán dès que leurs regards se croisèrent. Tu trouves ça malin? Tu réalises ce que tu as fait?

Yan se garda bien de répondre, et le guerrier poursuivit sa diatribe sous forme d'un monologue incompréhensible — car en ramgrith —, adressant ses reproches aussi bien au jeune Kaulien qu'au sable, aux étoiles et à l'univers tout entier.

Jamais il n'avait autant exprimé sa colère, mais Yan savait ne pas en être le seul responsable. Grigán manifestait sa frustration quant à leur impuissance face aux projets de Saat et de son démon. Le guerrier pestait sur l'échec de leur quête, sur leur malchance, sur l'injustice du destin et sur la passivité des dieux, mêlant causes et effets dans un désordre propre à en accentuer la gravité. Il donna des coups de botte dans le sable et se maudit de n'avoir su protéger Corenn. Il leva le poing vers le ciel et cria qu'il en avait assez d'être toujours dans le camp des perdants. Enfin il soupira, ferma les yeux et secoua la tête en se demandant pourquoi les événements lui échappaient sans arrêt.

Mettre un terme à la tyrannie d'Aleb le Borgne lui semblait une mission digne d'être accomplie. Un juste combat, à l'issue incertaine et exempte de facteurs surnaturels. Un retour aux sources, une vengeance trop longuement différée, le point final d'une vie qu'il croyait menacée par la maladie...

Mais l'intervention de Yan avait changé tout cela. Le guerrier ne pouvait plus foncer tête baissée au cœur du péril, comme il avait l'intention de le faire. Il se sentait responsable du jeune homme, tout comme il se sentait responsable des héritiers. Cette fois encore, il allait devoir composer, transiger, réfléchir... On ne le laisserait même pas mourir tranquille.

— Où sommes-nous ? osa demander Yan, voyant que le guerrier s'apaisait.

— Je n'en ai pas la moindre idée, répondit aussitôt l'intéressé, sur un ton aigre.

Grigán ne jeta qu'un regard sur la colossale porte de granite, leur aventure au Jal faisant paraître bien insignifiante l'immense construction ethèque. D'autant que le sable avait effacé la plupart des inscriptions intérieures de l'arche, ôtant ainsi l'un de ses principaux attraits.

Grigán n'avait jamais eu connaissance de cette porte. En plein désert, elle n'aurait pourtant pas dû passer inaperçue, mais il se pouvait que le sable la recouvre régulièrement. À moins qu'elle se trouve loin des routes fréquentées des Bas-Royaumes. Le guerrier se plongea dans une observation consciencieuse du ciel étoilé.

— Nous sommes dans les *Tched bálanta*, annonça-t-il bientôt, d'une voix mieux maîtrisée. Les sablons de Tarul. Dès qu'il fera jour, nous prendrons la direction de l'est.

— Pour aller où ?

— À Griteh, répondit-il après un instant, sans se retourner. J'espère y avoir encore quelques amis... ajouta-t-il pour lui-même.

Comme le guerrier nostalgique refusait de s'expliquer plus avant, Yan se couvrit de sa houppelande et leur installa un campement sommaire dans le sable, au pied de la porte mystérieuse refermée à jamais. Il s'allongea bientôt et chercha le sommeil, s'efforçant d'apaiser la petite Ifio qui dansait la gigue sur son ventre.

Inévitablement, l'image de Léti vint hanter ses pensées, sans qu'il puisse se concentrer sur autre chose. Jamais ils n'avaient été autant

éloignés. Jamais il n'avait eu autant de raisons de s'inquiéter pour elle…
au point de douter de la revoir un jour. Jamais il n'avait eu plus envie
d'être à ses côtés.

Pourtant, les prédictions d'Usul avaient eu raison de tout cela. En laissant Grigán partir seul, Yan aurait eu l'impression de le tuer lui-même.
Mais en abandonnant Léti, il avait peut-être perdu toute chance de la
prendre un jour en Union. Même s'ils avaient échangé leurs promesses.
Même s'il désirait cette Union de tout son cœur.

Le choix avait été déchirant… mais Yan ne voulait éprouver aucun
regret. Aussi, allongé dans le sable des Bas-Royaumes, adossé à une porte
millénaire édifiée par des mains inconnues, il demanda mille fois pardon
à la femme qu'il aimait.

Où qu'elle puisse être.

* * *

Lana cria le nom de Rey et Léti fit volte-face en un instant, sa rapière à
moitié dégainée. La Maz était tournée vers la porte, les mains jointes sur
la bouche pour étouffer son cri. Le passage vers le Jal s'était déjà
refermé…

— Qu'est-ce qu'il y a ? demanda Bowbaq, portant Corenn aussi aisément qu'il l'aurait fait d'un enfant.

— Reyan… bredouilla Lana d'une voix tremblante. Reyan est resté
de l'autre côté !

Léti essuya ses propres larmes du revers de sa manche et scruta les
environs, comme l'aurait fait Grigán, songea-t-elle avec estime pour le
guerrier. Mais elle ne trouva pas trace de l'acteur. Seules leurs
empreintes étaient visibles dans la mince couche de neige.

Corenn tenta de parler, mais ses yeux devinrent vitreux et elle replongea dans l'inconscience avant d'avoir formulé quoi que ce soit. Blessée
et évanouie, elle était la plus exposée aux dangers du froid… Bowbaq
le savait, et il ne perdit pas de temps avant d'extirper de son sac une
épaisse fourrure et d'en envelopper la Mère, tout cela en s'aidant d'un
seul bras.

Lana n'avait pas bougé, le regard fixé sur l'arche sombre de la porte.
Léti vit des larmes couler sur le visage de la Maz, comme elle-même
venait d'en verser pour Yan… et se sentit soudain très proche de la
prêtresse ithare.

— A-t-il dit quelque chose? demanda-t-elle doucement.

— *Saat va détruire la Sainte-Cité*, lâcha Lana en sanglotant. Reyan va sûrement essayer de l'en empêcher... Oh, Sage Eurydis, il va se faire tuer!

Léti accueillit la Maz dans ses bras, en une étreinte qu'elle voulait protectrice. Elle réalisa alors la singularité de la situation: elle, cadette du groupe, faisait taire ses propres souffrances pour mieux consoler une femme de dix ans son aînée. Elle était également la seule à manier l'épée. La seule a avoir pris la peine d'étudier ces leçons de survie que Grigán avait développées comme des réflexes. Et elle était la seule, enfin, que l'échec de la rencontre avec les Ondines n'avait pas mortifiée au point de lui ôter toute envie de lutte.

Alors que Lana se reprenait peu à peu, et que Bowbaq attendait placidement, Léti prit conscience d'une chose: il lui appartenait, maintenant, de veiller sur ces trois êtres que le destin avait laissés en sa compagnie. Pour que les héritiers puissent se réunir à nouveau, elle aurait à faire aussi bien que Grigán. Léti venait de décider que sa mission serait de préserver les siens...

— Sommes-nous loin de chez toi, Bowbaq? demanda-t-elle d'une voix franche.

Le géant avait déjà cherché, en vain, des points de repère dans le paysage. Pour autant, il fit une nouvelle tentative mais, dans la seule clarté lunaire, le paysage vallonné, arboré et couvert de neige offrait peu de renseignements.

— Nous sommes sûrement à Soho, annonça-t-il en désignant la porte d'un signe de tête. Alors, nous sommes assez loin de chez moi, oui. Au moins deux décades, sans poney.

— Quoi! Mais qu'est-ce qui a pris aux Ondines?

— C'est peut-être la seule porte d'Arkarie, suggéra Lana, les yeux rougis.

— Eh bien... intervint Bowbaq, presque gêné. Work n'est pas très loin de Soho. Ma femme et mes enfants sont sûrement encore là-bas...

— À quelle distance? Combien de jours?

— Je ne sais pas. Peut-être deux, peut-être cinq. Il faudrait trouver des signes de piste, mais on ne pourra pas avant l'aube.

Leurs regards tombèrent sur Corenn et le bandage qu'elle portait au front, linge souillé de quelques taches d'un brun rougeâtre. Il leur fallait trouver un abri *bien avant* l'aube...

— Ne pourrait-il y avoir un de ces signes près de la porte? suggéra Lana.

Léti jugea cette idée excellente et se mit aussitôt, à la lumière de leur lanterne, en quête d'un tel indice. En balayant la neige poudreuse là où le sol présentait des reliefs singuliers, elle trouva bientôt un amoncellement de pierres polies et de branches nouées qu'elle dégagea avec la plus grande délicatesse.

— Il y a un refuge de chasse du clan du Renne à quatre mille pas au nord, annonça Bowbaq après un seul regard au signe de piste. Et... il vaut mieux se dépêcher.

— Pourquoi ? demanda la jeune femme, décelant de l'inquiétude dans la voix de son ami.

— Le signe dit aussi que la région est dangereuse. Il y a un prédateur. Peut-être le Gardien de cette porte ?

Le géant et la Maz se tournèrent vers Léti, comme ils l'auraient fait pour demander l'avis de Grigán, ou de Corenn. La jeune femme tendit l'oreille, fouilla l'obscurité, mais ne trouva trace de ce prédateur inconnu qui menaçait son groupe.

Pour la jeune femme, le moment était venu de prendre sa première décision. Consciente du poids écrasant de cette responsabilité... Léti donna le signe du départ.

* * *

Rey faillit chuter en traversant la porte du Jal'karu, et ne se rétablit qu'au prix d'une acrobatie douloureuse, le plaçant dans une position très inconfortable. L'acteur s'abandonna à un juron des plus triviaux en songeant que ce retour à l'indépendance débutait de la pire façon. Si le reste était à l'avenant, les jours prochains allaient être un véritable cauchemar.

Il prit tout le temps de se redresser et de brosser ses vêtements avant d'étudier ce nouveau décor. Non pas qu'il fût si soucieux de sa mise : quand la situation le commandait, Rey savait oublier les réserves de son éducation lorelienne pour plonger au cœur de l'action, quand il n'était pas lui-même à l'origine des troubles. Mais en agissant ainsi, il laissait à la porte le temps de se refermer... et de lui ôter toute possibilité de changer d'avis. La dérision et le cynisme avaient toujours été ses meilleures armes; son courage d'alors, il ne pourrait l'entretenir qu'en méprisant la facilité.

Quand la lumière surnaturelle de l'arche se fut éteinte, Rey daigna enfin examiner les alentours. Évidemment, la nuit en cachait une bonne partie, malgré les efforts de la lune en couronnement. La porte semblait dominer une forêt de densité moyenne, mais ce paysage était celui d'un tiers de la surface des Hauts-Royaumes, aussi cela ne l'aidait-il en rien. D'autant qu'il lui était difficile de reconnaître les différentes formes de végétation en cette saison.

Rey avait désiré s'approcher le plus près possible de Saat. Il espérait que le Gardien de Karu avait bien compris son vœu, comme il semblait l'avoir fait pour les autres. Si oui, alors… il était probablement en territoire wallatte. Quelque part entre le Col'w'yr et la Liponde, dans une région en état de guerre dont il ignorait presque tout. Au milieu d'un peuple de tradition barbare dont il ne connaissait pas la langue… et qui se voulait ennemi de Lorelia et de Goran.

Il eut un petit rire cynique pour sa propre folie. *Mais qu'est-ce qu'il fichait là ?* À des milles et des milles de Lana, qui avait éveillé en lui certains sentiments qu'il avait toujours estimés pure invention de conteur ? Quel besoin avait-il de jouer les héros, de courir au martyre, alors qu'il avait si souvent clamé qu'aucune cause ne justifiait un sacrifice ?

Il savait pourquoi, bien sûr. De réponse, il pouvait même en donner deux. La première tenait au simple fait que Saat était un ennemi *mortel*… et que Rey n'entendait pas capituler sans se battre. Point n'était question d'Adversaire quant au sorcier, et ce combat-là, au moins, n'était pas perdu d'avance.

La deuxième raison… Elle tenait en la vision offerte par les Ondines, brève et pourtant dense, de l'immense armée wallatte campant au pied des montagnes. Du tunnel où œuvraient plusieurs milliers d'esclaves, et qui devait mener les barbares sous la Sainte-Cité. Et du souvenir des trop nombreux crimes déjà perpétrés par le Goranais renégat.

S'il parvenait à abattre son ennemi, Rey sauverait peut-être les Hauts-Royaumes par la même occasion… Cela méritait *aussi* d'être tenté, songea-t-il avec un certain humour.

Cessant là ses réflexions, il ramassa son paquetage et descendit tranquillement la petite colline que surplombait la porte. Il n'avait pas même examiné cette dernière. Les héritiers avaient eu plus que leur part de fantastique, et tourner le dos à ce nouveau monument surnaturel lui parut une petite revanche méritée, dont il goûta la mesquinerie en connaisseur.

Il n'était pas avancé de trois pas sous les arbres qu'un bras vint soudain emprisonner sa gorge, lui maintenant la tête en arrière. Simultanément, un autre agresseur agrippa ses mollets et les souleva brutalement, au point de lui faire perdre l'équilibre. Rey se retrouva suspendu à trois pieds au-dessus du sol et se débattit furieusement, essayant de se dégager d'un côté ou de l'autre. Mais la force des deux hommes, qu'il distinguait mal, était bien supérieure à la sienne et ses efforts furent vains.

Celui qui emprisonnait ses jambes défit le baudrier qui maintenait sa rapière et, en sentant l'arme glisser au sol, l'acteur comprit qu'il avait perdu son meilleur atout. De toute façon, ses mains suffisaient à peine à empêcher le bras serrant son cou de l'étrangler; au moindre mouvement brutal, Rey risquait de se briser lui-même la nuque.

C'était exactement ce que ses agresseurs avaient escompté et, après un moment d'attente, ils furent tout à fait sûrs de maîtriser la situation. Ils échangèrent quelques mots dans une langue gutturale et commencèrent à faire pivoter Rey sur lui-même.

L'acteur comprit qu'ils projetaient de le mettre à plat ventre contre le sol afin, probablement, de le ligoter en toute tranquillité. Il ne leur en laissa pas le temps. Faussement résigné depuis quelques instants, il profita d'être tourné sur le flanc pour se tendre et tirer violemment sur sa jambe droite, réussissant à en libérer le pied en laissant la botte prisonnière. Il envoya aussitôt son talon nu dans le visage de son adversaire, martyrisant d'abord un menton, puis une gorge découverte dans les efforts que faisait son ennemi pour récupérer sa prise.

Le coup fut violent. Avec une joie sauvage, Rey entendit les râles douloureux de l'homme qui tentait de recouvrer sa respiration. L'étau serrant le mollet de l'acteur se desserra légèrement, puis totalement et il put retrouver un double appui sur le sol.

Il n'était pourtant pas tiré d'affaire. Celui qui lui maintenait la tête en arrière n'avait pas lâché prise, et semblait assez fort pour triompher seul. Rey tira de tous ses muscles sur le bras vigoureux, en donnant des coups de l'arrière du crâne dans la poitrine ennemie. Mais son adversaire ne faiblit pas et parvint même à immobiliser l'acteur en position assise sur le sol.

Le poignard et la rapière de Rey n'étaient qu'à cinq pas environ, aussi loin qu'à l'autre bout du monde. La dague était plus près encore, mais tout aussi inaccessible. Transpirant, s'épuisant, l'acteur plongea la main dans ses vêtements et en tira la pierre dont chacun des héritiers s'était muni au Jal'dara, avant d'en frapper violemment le coude massif qui enserrait sa gorge.

L'homme eut un bref cri de douleur et tendit sa main libre pour arracher cette arme improvisée. Rey l'abandonna aussitôt et agrippa le bras qui lui était ainsi offert. Il le mordit si fortement que son agresseur fut obligé de lâcher sa prise pour tenter de se dégager. Rey ne perdit pas un instant et roula sur lui-même avant de se relever trois pas plus loin. Il plongea la main dans sa botte et n'eut que le temps d'en sortir la dague avant que son agresseur ne bondisse sur lui. Ce dernier vit son élan coupé par l'acier trempé dans son cœur... Trop précipité, il s'était lui-même jeté sur la lame nue.

Le corps n'était pas encore à terre que Rey se mettait déjà en quête du deuxième. L'acteur n'entendait plus rien, hormis sa propre respiration haletante. Même la forêt semblait faire silence par respect pour les combattants. Et cela ne présageait rien de bon. Son adversaire pouvait s'être embusqué non loin, ou avoir pris la fuite pour donner l'alerte. Auquel cas, Rey pouvait oublier tout espoir de se glisser discrètement dans le dos de Saat...

Il finit pourtant par trouver le deuxième homme, à son grand soulagement. Celui-ci avait expiré à quelque distance, adossé à un arbre, et Rey ressentit une vague nausée en découvrant le teint bleuâtre du cadavre, discernable même sous la clarté lunaire. Le coup de talon de l'acteur avait été plus efficace qu'il ne l'espérait...

Les deux corps étaient ceux d'hommes massifs et bedonnants, aux cheveux longs et sombres et à la barbe hirsute. Pour tous vêtements, ils ne portaient qu'une large pièce d'un tissu grossier noué aux épaules et passant sous l'entrejambe, maintenu par une ceinture où pendaient diverses armes et sacoches. Des Wallattes.

Rey s'empara des effets de ce deuxième cadavre, ainsi que de la ceinture du premier, remettant à plus tard l'examen de ce qu'il fallait bien appeler des « prises de guerre ». Il rassembla ses possessions disséminées dans la bataille, recomposant son paquetage sans oublier d'y replacer la pierre de Dara qui venait, déjà, de lui sauver la vie. Enfin, il s'éloigna dans une direction aléatoire, ne songeant qu'à mettre un peu de distance entre lui et les premiers signes de son intrusion en territoire ennemi.

Un décan ne s'était pas encore écoulé depuis la séparation des héritiers que Rey se sentait déjà beaucoup moins confiant. Il devait réapprendre à ne compter que sur lui-même, sans aucun espoir d'aide extérieure, sans certitude même que ses amis aient un jour connaissance de son sort, si les choses venaient à mal tourner.

En s'enfonçant dans les ténèbres de la forêt wallatte, tendu et redoutant d'autres mauvaises rencontres, Rey essaya de trouver du réconfort dans l'idée que la situation des autres ne pouvait être que meilleure. Mais de cela même… il ne pouvait que douter.

* * *

Léti s'émerveilla devant le refuge de chasse où les avaient menés les signes de piste. Bien que Bowbaq soutienne — sans prétention — que l'endroit s'avérait plutôt inférieur à la moyenne, la jeune femme n'avait de cesse de s'extasier devant l'aménagement et le confort des lieux. Rien à voir avec la sordide franche-ferme de Semilia !

La bâtisse était exiguë, certes, mais de construction robuste et suffisamment isolée. Un décime à peine après que le géant ait allumé la cheminée, ils baignaient dans une douce chaleur qui rendit progressivement vie à leurs membres transis.

Bowbaq trouva également plusieurs couvertures épaisses, derrière une trappe au plafond, et un certain nombre de manteaux, moufles et bonnets plus ou moins délabrés. Ils disposaient également de larges couchettes, d'un certain nombre d'ustensiles de cuisine et de fournitures diverses, telles que de l'huile à lanterne, des lacets de cuir ou de l'amadou.

Emmitouflée dans ses vêtements, sa rapière à portée de main, Léti songea que la légende de l'hospitalité arque méritait vraiment d'être répandue jusque dans les Bas-Royaumes. Aucun Lorelien, Goranais, Romin ou même Kaulien n'abandonnerait ainsi une part de ses possessions à l'usage d'une communauté incertaine. En cela, même les clans les plus primitifs du Blanc Pays montraient plus d'intelligence que les citadins des rivages de la mer Médiane…

— Tu connais des gens du clan du Renne ? demanda-t-elle soudain, comme l'idée la traversait.

— Pas vraiment, répondit le géant en se grattant la tête. J'en ai déjà rencontré aux Grandes Chasses. Mais de là à me rappeler leurs noms…

— J'ai quand même une drôle d'impression, à m'installer ici sans rien demander. Tu es sûr que personne ne risque de nous flanquer dehors ?

— Oh ! Non. Le clan de l'Oiseau et celui du Renne sont alliés. Avec l'Érisson, l'Hermine et l'Anator, aussi. Et encore d'autres, un peu plus loin au nord.

— *Alliés* ? releva Léti. Contre qui, d'autres clans ? Vous vous faites la guerre ?

— Ça arrive, soupira le géant. Mon père en a connu deux. Et ceux du clan de l'Hermine sont toujours en guerre contre le Buffle. Mais c'est plutôt une histoire de... *territoire*, tu sais ? Ils se disputent le gibier, les rivières... ça ne va pas bien loin. Derrière Crevasse, les batailles sont beaucoup plus terribles.

Léti acquiesça, songeant qu'elle ne connaissait pas grand-chose à la civilisation et à l'histoire du plus grand royaume de ce continent. Comment avait-elle pu, en trois lunes de voyage avec Bowbaq, ne pas en apprendre plus sur le pays de son ami nordique ? La réponse lui vint facilement : parce qu'elle n'avait pas développé, comme Yan ou sa tante, un esprit curieux qui les poussait à poser question sur question.

Yan... Où était-il ? Que faisait-il, à cet instant ?

Léti soupira et, pour éviter de se laisser aller plus encore à la mélancolie, s'échappa de la lourde couverture réchauffant ses épaules avant de se rendre au chevet de Corenn.

Même endormie, la Mère présentait un visage soucieux, préoccupé, triste même. Dans sa faiblesse, avait-elle compris que leur groupe s'était réduit de moitié ? Si non, il lui faudrait bientôt affronter de nouveaux tourments...

Léti aurait voulu voir disparaître le bandage infâme couvrant le crâne de sa tante. Elle aurait voulu l'embrasser, se consoler dans ses bras, se laisser leurrer par son optimisme, comme elle le faisait étant enfant. Mais cette nuit, les rôles s'étaient inversés. Il *lui* faudrait réconforter la Mère, le lendemain à son réveil. Il *lui* faudrait la soutenir pendant sa convalescence. Il *lui* appartiendrait de veiller sur elle, comme Corenn l'avait protégée depuis leur départ d'Eza.

Avec envie, la jeune femme contempla Lana qui, veillant sur la blessée, s'était endormie à côté de sa tante, recroquevillée sous la couverture comme un bébé. Elle eut un sourire amusé pour Bowbaq qui venait, pour sa part, de sombrer sur sa chaise. Le silence régnait dans le petit refuge de chasse. Le calme. La paix.

Mais ils ne seraient jamais vraiment en paix, songea-t-elle avec lucidité. Alors, Léti vérifia la poutre barrant la porte, s'assura de la proximité de sa rapière, souffla la lanterne et s'allongea sur sa propre couchette.

Elle chercha le sommeil dans la contemplation apaisante des lueurs de la cheminée. Mais les flammes dansantes ne lui inspirèrent que souvenirs d'Ondines, de déception et de déchirement.

* * *

Ses ennemis avaient quitté le Jal'dara. Il le devinait. Il le sentait. Il le *savait*.

Mais il ne les trouvait pas.

L'ombre du démon parcourait les royaumes en visitant des milliers d'esprits, cherchant, fouillant, scrutant, à la recherche du petit groupe de mortels qui représentait l'ultime opposition au Nouvel Ordre des Dyarques. Des vieillards succombèrent à cette intrusion dans leurs pensées. Des hommes à la perception déformée par les drogues allaient en faire plusieurs lunes de cauchemars.

Des troupeaux devaient s'agiter toute la nuit, sous le hurlement des chiens, des loups et des créatures redoutées du plus profond des landes désolées. Dans les jours suivants, beaucoup de théories allaient être avancées par les Maz, sur cette manifestation divine que tous avaient ressentie sans vraiment en être le témoin.

Cette nuit, Sombre ne prendrait aucun ménagement. Pourquoi continuerait-il à masquer sa présence ? L'humanité devait l'avoir pour maître, dans un avenir plus ou moins proche. Il était temps que les mortels apprennent à le craindre.

Aussi le démon franchissait-il les mers, traversait les montagnes, fouillant temples, auberges et palais, espionnant cavaliers, marins et marcheurs, de plus en plus vite, de plus en plus rageusement, avec une frustration à l'échelle de sa nature divine.

Le monde était vaste, certes, mais pas au point qu'il puisse y perdre six mortels insignifiants. Précisément, ceux qui faisaient l'objet de son attention depuis quatre lunes. Il avait *toujours* pu retrouver leurs esprits. Il le pourrait encore, même quand ils seraient morts. Seul le Jal échappait à ses pouvoirs.

Et ses ennemis avaient quitté le berceau des dieux, aussi sûr qu'il était Celui qui Vainc. Dans le vacarme indescriptible des émotions humaines envahissant son esprit, le démon pouvait sentir leur présence… mais d'une manière sourde, diffuse, mille fois plus faible qu'elle ne l'était d'ordinaire.

Insuffisante à les révéler.

Sombre hantait la nuit des Hauts-Royaumes sans plus savoir où chercher les héritiers survivants. L'un d'eux était peut-être son Adversaire, et leur rencontre obsédait son esprit.

Enragé, impatient, le démon finit par projeter son ombre dans les montagnes glacées de l'Arkarie, le seul endroit qui les liait à lui. Et il commença d'attendre, imaginant de quelle manière atroce il allait anéantir les mortels qui bravaient sa colère.

* * *

La température s'était fortement élevée, depuis l'aube, et Yan en sentit les premiers effets néfastes dès leur deuxième décan de marche. Suivant les conseils de Grigán, il n'avait découvert aucune des parties de son corps, mais le jeune homme rêvait déjà d'ôter ce surplus de vêtements qui semblait incongru par une telle chaleur. Que n'aurait-il donné pour se plonger dans les remous de n'importe quel fleuve ou rivière qui se présenterait sur leur chemin ! Jamais Eza ne lui avait autant manqué.

Grigán avait fait l'inventaire de leur provision d'eau et vérifié ainsi qu'elle suffirait à les abreuver pendant deux jours. Il faut dire que le guerrier transportait en permanence deux gourdes de trois pintes chacune, dont l'une au moins était encore pleine. Avec la propre réserve de Yan, ils devaient pouvoir rejoindre le royaume ramgrith sans trop se rationner. Ifio elle-même aurait une part plus que suffisante.

La porte avait depuis longtemps disparu de l'horizon. Grigán avait ôté la terre qui lui maculait le visage et Yan l'avait aussitôt imité, trop heureux de se débarrasser de la crasse qu'ils traînaient depuis Karu. De leur escapade au Jal, ils ne gardaient plus que les pierres que Corenn avait conseillé d'emporter, et qu'ils conservaient comme un porte-bonheur improbable censé les rendre invisibles aux yeux des démons.

Comme ils paraissaient lointains, les jardins de Dara ! Leurs souvenirs semblaient fuir devant l'écrasante réalité des *Tched* qui s'étendaient à perte de vue pour se fondre avec le ciel ocre et beige du soleil en couronnement. Yan et Grigán erraient dans un univers de jaune, de cuivre et de fauve qui se prolongeait à l'infini.

Si ce n'était l'assurance tranquille du guerrier, le jeune homme aurait eu de sérieux doutes sur leurs chances de survie. Mais Grigán n'avait rien oublié des Bas-Royaumes et de ses dangers, ni de la culture des civilisations du désert. Naturellement, il trouvait le meilleur chemin entre les dunes : celui qui était le plus ombragé, ou le moins susceptible de s'effondrer. Le guerrier savait éviter les nuisibles — scorpions, araignées bellica ou autres serpents daï — et les guider vers de petits arbustes secs et tordus dont les baies apaisaient leur fatigue. Il savait comment combattre les brûlures et comment ménager leurs pieds. Enfin, Grigán savait se repérer dans cet océan terrestre comme un vieux marin sur la mer Médiane, lisant son chemin sur l'horizon plus sûrement que sur une carte lorelienne. S'il consultait sa boussole, c'était uniquement par acquis de conscience : le guerrier était aussi à l'aise dans ce paysage inhospitalier que dans les plus riches des Hauts-Royaumes.

En revanche, il était loin de s'y montrer aussi bon compagnon. Lorsqu'il lui arrivait de parler, ce n'était que pour souffler l'un ou l'autre conseil, et lorsque Yan s'aventurait à engager la conversation, il n'obtenait que quelques onomatopées en réponse. Heureusement, le jeune homme sut ne pas s'en offusquer, et respecter la réserve de son ami. Grigán ne boudait pas : il était préoccupé, soucieux, voire inquiet.

Le guerrier n'avait aucune idée de ce qu'ils allaient trouver à Griteh.

* * *

Rey fut réveillé par la douleur de son dos meurtri sans avoir pu dormir plus de deux décans. Il se redressa lentement et s'étira en gémissant. Sa première pensée fut de maudire les Wallattes, Saat, les portes et *surtout* l'arbre tordu sur lequel il avait passé la nuit. L'acteur se jura de ne pas renouveler cette expérience, quoiqu'il advienne.

Il resta à l'affût quelques instants puis descendit de son perchoir, essayant d'ignorer la souffrance de ses membres endoloris. Au grand jour, la forêt wallatte lui paraissait tout à fait différente. Il avait si souvent trébuché, en progressant à la seule clarté lunaire, qu'il s'était représenté les sous-bois comme un enchevêtrement pervers de racines et de branches basses, dont la fonction principale était d'agresser les voyageurs. Il devait bien admettre, alors, qu'il n'en était rien : ces futaies n'étaient pas plus luxuriantes que celles des provinces loreliennes. Éternel insatisfait, l'acteur en éprouva même un certain regret : une végétation plus dense aurait facilité la discrétion de ses déplacements.

Rey avait renoncé à progresser de nuit : faute de pouvoir allumer une torche, son avancée s'en trouvait beaucoup trop ralentie, et il lui était difficile de s'orienter, et même d'être sur ses gardes. Alors qu'il avait un besoin vital de rapidité, d'efficacité et de vigilance…

Il tira de son sac un morceau de fromage plus que sec, et en coupa quelques tranches qu'il mâcha en grimaçant. Les provisions des héritiers avaient survécu au Jal'dara, certes, mais elles n'en dataient pas moins d'avant leur expédition au pays d'Oo. Lucide, Rey ajouta un problème supplémentaire à ceux, déjà nombreux, qui étaient les siens : celui de trouver de quoi manger.

Il songea qu'à sa place, Grigán, Yan ou Bowbaq se seraient tout simplement nourris de gibier, oiseaux gras ou rongeurs à la chair tendre sur lesquels il ne pourrait manquer de tomber. Mais Rey ne savait rien de la chasse, ni même de la façon de préparer ces mets… jamais il ne s'était senti aussi *citadin*. Il se consola gaiement à l'idée que Lana n'en savait pas plus que lui, et qu'ils formaient ensemble le couple d'aventuriers le plus civilisé du monde connu.

Tout en mâchonnant une nouvelle portion du fromage sec, il entreprit d'examiner les ceintures prises sur les Wallattes. Il reconnut bientôt qu'elles ne recelaient pas grand-chose d'intéressant. Mis à part quelques disques d'un métal grossier, probables représentants de la monnaie locale, les sacoches ne contenaient que des petites fournitures de qualité inférieure à celles que Rey possédait déjà.

Les armes étaient beaucoup plus intéressantes. Rey en avait vu déjà vu de semblables, exposées dans la salle d'entraînement du Château-Brisé de Junine : l'intendant de Séhane les avait désignées comme des lowas. Il ne s'agissait ni plus ni moins que d'une lourde barre métallique, plus épaisse et plus courte qu'une épée lorelienne, dont seul le dernier pied était tranchant. À l'extrémité de cette lame grossière, un lourd anneau fondu dans l'acier permettait de fixer une chaîne, un grappin ou quoi que l'on puisse imaginer pour augmenter le pouvoir destructeur de l'arme. Enfin, un petit bouclier rond soudé à plat sur la barre constituait la seule garde pour les deux mains vraisemblablement nécessaires à son maniement.

Rey admira son efficacité en connaisseur. La *lowa* requérait une certaine force physique, mais le peuple wallatte n'avait rien d'une race de nains. Réduire le tranchant à un pied de longueur seulement permettait d'épaissir l'objet et d'assurer sa solidité. L'anneau permettait aux plus puissants d'infliger des blessures plus terribles encore. L'arme servait à la fois d'épée, de masse et de fléau d'hast. Sa fabrication ne requérait, de plus, aucune finition particulière… On pouvait en produire des milliers en quelques décades seulement. Même l'armée goranaise était moins bien équipée.

Les *lowas* des deux hommes étaient souillées de sang séché. Rey se demanda combien de vies ces armes avaient déjà prises, combien de crânes elles avaient brisés, combien de membres elles avaient fracturés…

et songea que des armes semblables, *plus effrayantes* peut-être, allaient être utilisées d'un jour à l'autre dans la Sainte-Cité d'Ith, par quelques milliers de barbares à la brutalité légendaire.

Cette idée lui coupa l'appétit. Lui-même aurait pu, la nuit précédente, tomber sous le coup des lowas. Pour avoir été joueur professionnel, Rey ne croyait pas à la chance. À quel dieu attentif et bienfaisant devait-il d'avoir survécu ?

Que faisaient les Wallattes près de la porte ? Ils ne portaient aucune bougie, torche ou lanterne, ou quelque équipement indispensable à un voyage de plusieurs jours. Soit ces barbares partaient en campagne dans un dénuement presque total… ou soit ils venaient d'un campement proche, peut-être attirés par la lueur surnaturelle de la porte.

Quant à la taille ou à la proximité de ce campement, Rey n'en avait aucune idée. Le fait que ses agresseurs aient essayé de le capturer, plutôt que de le tuer, ne prouvait qu'une chose : les Wallattes contrôlaient cette région. S'ils s'étaient trouvés en pays ennemi, la première réaction des barbares aurait été de se débarrasser de l'étranger.

Rey décida de considérer cela comme une bonne nouvelle, malgré l'appréhension qu'il ressentait jusque dans son estomac. Il était, après tout, entré en pays wallatte, ce qui était son but. Malgré un départ tumultueux, les chances de réussite de sa mission n'avaient pas été entamées.

Il ôta ses vêtements loreliens en frissonnant, ne conservant que ceux qu'il pouvait dissimuler, et enfila l'immonde pièce de tissu qu'il avait prise sur l'un de ses agresseurs.

Il se munit également d'une des ceintures à sacoches et de la terrible *lowa* qu'il laissa pendre à son côté. Comme ce « déguisement » ne pourrait tromper que de loin, malgré tout, il décida de conserver sa rapière, son arbalète à main et une petite moitié de son équipement… abandonnant le reste, y compris le reliquat du trésor du Petit Palais, sous un buisson épineux.

S'il échouait, l'or ne lui serait plus d'aucune utilité. Mais Rey se voulait optimiste : tout ce qu'il avait à faire, c'était se glisser assez près de Saat pour lui faire payer ses crimes.

Le seul problème étant qu'il ignorait totalement où se trouvait le sorcier… à part au pied d'une montagne.

* * *

Corenn regardait vers le sud en se demandant quelle pouvait bien être la direction de Griteh. Son repérage était d'autant plus difficile qu'elle n'avait qu'une idée imprécise de sa propre situation géographique… Aussi, les pieds dans la neige, emmitouflée dans la fourrure d'un animal inconnu, la Mère soupirait-elle en contemplant l'horizon.

Elle s'était éveillée la première, et avait eu tout le temps de faire la part entre la réalité et ses cauchemars : l'un et l'autre se confondaient en bien des points. Aucun des héritiers n'était l'Adversaire. Grigán n'était plus là pour veiller sur eux. Yan et Rey eux-mêmes se trouvaient séparés du groupe. Corenn ne nourrissait aucune illusion : cette nuit avait été celle de la fin des héritiers. Combien de chances réelles avaient-ils de se réunir encore ? Trop peu. Pratiquement, aucune.

La Mère regretta la blessure qui l'avait assommée. Si elle avait disposé de toutes ses capacités, Corenn aurait pu empêcher la dissolution du groupe. Elle s'assurait de la cohésion de leur petite communauté depuis le début de leur quête. Tempérant l'autorité militaire de Grigán, les frasques de Rey, les sautes d'humeur de Léti, la sensiblerie excessive de Lana, au point d'avoir fait grandir entre des personnages si différents une solidarité et une amitié à toute épreuve.

Cette fois, le destin en avait décidé autrement…

Jusqu'alors, malgré le danger et les déceptions, Corenn avait toujours su où aller et quoi faire, quelles pistes suivre, quels espoirs entretenir. Maintenant que la partie était perdue, la Mère se trouvait désemparée au plus haut point. Elle ignorait où se trouvaient Yan, Rey et Grigán. Elle ne savait pas de quoi les prochains jours seraient faits. Elle avait beau retourner le problème dans tous les sens, il ne leur restait pas l'ombre d'une chance de contrer Saat. Même si le sorcier n'était pas l'allié d'un démon…

Les héritiers n'avaient en rien altéré l'avenir dévoilé par Usul et, suivant la prophétie de Celui qui Sait, la coalition estienne détruirait bientôt les Hauts-Royaumes. Corenn, Grigán et les autres avaient échoué et mourraient probablement sous les dagues empoisonnées des tueurs züu. Malgré son intelligence, malgré la force de caractère qui l'empêchait de s'abandonner au désespoir, la Mère ne voyait rien qu'ils puissent faire encore…

— Tante Corenn… viens te réchauffer à l'intérieur, demanda doucement une voix aimée.

La Mère se retourna et prit Léti dans ses bras. Léti, qui avait eu plus que sa part de chagrin au début de leur quête, et qui se montrait aujourd'hui étonnamment forte, alors qu'elle avait toutes les raisons de pleurer. Corenn berça lentement le corps de sa nièce, tout contre elle, comme elle aurait aimé le faire d'un bébé. Mais la fillette n'en était plus une, et l'étreinte qui lui fut rendue s'accompagnait d'un cliquetis d'acier et de cotte de mailles. Corenn était probablement la dernière à l'admettre… mais la petite Léti du village de pêcheurs était devenue une guerrière. À l'horizon de ces années de guerre, la génération montante des Hauts-Royaumes avait tout intérêt à apprendre à se battre…

Elles regagnèrent le refuge de chasse, bras dessus, bras dessous, sans prononcer un mot. Heureusement, Bowbaq leur fournit un plaisant sujet de conversation. Le géant s'affairait à leur préparer un déjeuner des plus consistants, et à voir les mets déjà présentés, Corenn ne put que s'extasier devant la prévoyance et l'hospitalité du peuple arque. Fruits secs, galettes de céréales, viandes fumées et miches éponges se disputaient l'espace étroit d'une table d'écorcier. Une grande cuvette, à laquelle pendait une douzaine de petites tasses, attendait de recevoir le milo tiède qui répandrait la douce odeur sucrée caractéristique de la boisson traditionnelle arque. Une autre, plus petite, renfermait les épices qui devaient aider chacun à relever le breuvage à son goût. Une autre encore offrait la graisse qui devait adoucir les miches éponges. Et une autre, et une autre encore…

— Mère Eurydis, Bowbaq! C'est donc toi le magicien! lança Corenn en se forçant à sourire.

— Je n'ai rien fait, s'excusa le géant, cherchant ce qui pouvait motiver une telle accusation.

Il comprit enfin que Corenn plaisantait et partit d'un rire bonhomme, trop heureux d'avoir rendu un peu de joie à ses amies.

Ils s'attablèrent et mangèrent de bon cœur. Lana seule restait laconique; ses yeux rouges et son expression fatiguée en disaient long sur son état d'esprit. Depuis l'aube, la Maz n'avait pas quitté le refuge, ni même sa couchette. Les derniers événements pesaient plus lourdement dans ses souvenirs…

— Grigán veillera sur Rey, finit par avancer Corenn, pour consoler la prêtresse. Et sur Yan, bien sûr. Vous imaginez ces trois-là laisser quiconque leur marcher sur les pieds? Tant qu'ils seront ensemble, il ne pourra rien leur arriver!

Contrairement aux attentes de la Mère, cette remarque eut pour seul effet d'accentuer la tristesse de Lana, au point qu'elle finisse par s'excuser et sortir de table, le visage caché dans les mains.

— Rey n'est pas avec Grigán, expliqua Léti, sincèrement désolée par ce malentendu. Je croyais que Lana te l'avait dit !

— Je le croyais aussi, assura Bowbaq, étonné.

— Où est-il ? les interrompit Corenn.

— À Wallos. Enfin, peut-être. Il a dit à Lana que les Wallattes creusaient un tunnel vers Ith, et il est resté au Jal'karu. Lana pense qu'il va essayer d'arrêter Saat.

— Un *tunnel* ? répéta la Mère avec émotion. Un tunnel sous le Rideau ?

— C'est ce qu'il a dit, acquiesça Léti, embarrassée.

Les pensées de Corenn se bousculèrent, et comme réveillée par cette agitation, sa blessure lui causa une migraine aussi violente que soudaine. Mais la Mère décida d'ignorer la douleur. Elle sentait qu'il y avait, là, dans cette information, quelque chose à ne pas laisser échapper. L'instant d'après, elle fut prise de vertiges, dus autant à sa faiblesse qu'à l'émotion. Elle s'efforça pourtant de raisonner encore, livrant un véritable combat de la logique contre les battements sourds montant de sa nuque.

— Comment l'a-t-il appris ? demanda-t-elle en luttant contre la fièvre.

— Apparemment, il a eu cette vision en touchant les Ondines. Comme Grigán avec Aleb.

— Il aurait dû nous le dire, commenta-t-elle avec une pointe d'amertume.

Mais là n'était pas le vrai problème. En fin de compte, Rey leur avait livré l'information, et s'il avait quitté le groupe, ce n'était que pour répondre à l'appel impérieux d'une vision qu'il considérait, comme Grigán, l'investissant d'une *mission*. Eux seuls en avaient fait l'expérience. On ne pouvait les en blâmer sans savoir en quoi consistait réellement le toucher des Ondines…

Non, là n'était pas le vrai problème. L'idée de Saat d'envahir les Hauts-Royaumes à partir de la Sainte-Cité était horrible. Horrible, et géniale. Corenn ne doutait pas que le sorcier parvienne à réaliser l'immense exploit de percer la montagne. N'était-il pas maître d'un démon ? Avec ce plan, il se montrait également un maître stratège…

Mais il y avait quelque chose à en tirer, la Mère en avait la certitude. Toutes les informations étaient utiles, et celle-ci était de taille. Si Corenn avait disposé de toutes ses capacités, elle aurait déjà *trouvé*.

Il fallait qu'elle trouve.

— J'ai besoin de m'allonger, annonça-t-elle soudain d'une voix blanche. Léti, va chercher Lana, s'il te plaît : j'ai l'impression que ma blessure s'est rouverte…

La jeune femme se précipita dehors sans même prendre le temps de se couvrir. Elle fut de retour presque immédiatement, alors même que Bowbaq aidait Corenn à s'étendre, avec toute la douceur dont il était capable.

— Je sais que tu as hâte de revoir ta famille, dit-elle doucement, alors qu'elle se voyait sombrer dans l'inconscience. Bowbaq, c'est très important : *n'y va pas*. Fais-moi confiance et attends mon réveil. J'ai besoin de réfléchir. J'ai besoin de…

La Mère s'évanouit pour de bon et Lana s'empressa de lui prendre le pouls. Ce dernier battait vite, extrêmement vite.

* * *

Il sortit l'arme de son fourreau et en caressa la garde du bout de ses doigts ridés. Le contact lui procura la sensation familière, chaleur douce autant que douloureuse, familière aux Gweloms nés de la glaise du Jal'karu.

Saat était le seul à connaître le secret de son épée. Si beaucoup nourrissaient des soupçons quant à la réelle nature commune de son heaume, aucun ne se doutait des pouvoirs magiques de son arme. Pourtant… Ceux-ci étaient bien plus terrifiants.

En s'échappant du labyrinthe des fosses, le sorcier avait emporté un peu du gwele noir dont il marquait sa piste. De cette matière au récept démesuré, il avait modelé deux objets : l'un masquait son visage, horriblement vieilli par une existence de cent-quatre-vingt ans, et l'autre battait sa cuisse… Sans que quiconque se doute que l'acier encore vierge avait déjà tué une trentaine de personnes, au moins.

Aucun être ne peut donner plus qu'il ne possède lui-même. En modelant ces artefacts, Saat ne pouvait les nantir de pouvoirs qui lui étaient proprement inaccessibles. Aussi le sorcier avait-il choisi : son heaume devait lui permettre de lire les pensées et de prendre le contrôle des corps, toutes choses qu'il faisait régulièrement. La seule restriction venait des fondements même de la magie : l'application d'un sort requérait la proximité de la cible. Grâce à sa puissance, Saat avait repoussé cette proximité à plusieurs milles. Mais il restait lié par une condition inflexible : il lui fallait être *au moins une fois* en présence de ses victimes. S'il n'avait été gêné par cette entrave, Saat se serait lui-même débarrassé des héritiers de l'île Ji…

Son épée obéissait aux mêmes lois, mais son pouvoir était tout autre. Au temps de son service auprès de l'empereur Mazrel, Saat avait appris à utiliser la magie du Feu pour anéantir ses rivaux. Sa méthode favorite consistant en une compression brutale du cœur de ses adversaires, une sorte « d'étranglement d'organe », comme il aimait à sourire de cette image. La garde de sa lame fournissait désormais le fastidieux effort nécessaire à un tel prodige. Il lui suffisait de songer à quelqu'un et de déclencher le pouvoir de l'arme, par une simple pression de sa Volonté, pour que le traître, le couard ou la forte tête s'écroule soudain, les mains crispées sur sa poitrine en une agonie terriblement angoissante.

Avec son heaume, Saat était omniscient. Avec son épée, il était tout-puissant. Avec son armée, il allait soumettre le monde. La victoire était proche. Pourtant... pourtant, la satisfaction du sorcier n'était pas complète. Le Haut Dyarque devait bien avouer quelques regrets, échecs ou déceptions.

Tout d'abord, la laideur de son corps, qui l'indisposait un peu plus chaque jour. La magie ne lui permettait pas d'intervenir sur son propre corps, et les illusions ne l'intéressaient guère. Il avait plusieurs fois demandé à Sombre d'user de ses pouvoirs divins, mais le démon, ne connaissant que combat et destruction, avait échoué à guérir la chair moribonde. Sombre n'appréciant aucune forme de défaite, il refusait depuis toute nouvelle tentative.

Le comportement du démon représentait le souci majeur du sorcier. Saat n'était pas *vraiment* immortel. Sa survie, il ne la devait qu'à Sombre, aux trop nombreuses occasions où il puisait dans la force surnaturelle de son allié ombrageux. Or, depuis quelques décades, le démon se montrait parfois imprévisible... et Saat redoutait l'éventualité, même improbable, où il perdrait le contrôle de sa source de vie.

Enfin... le sorcier regrettait *sa stérilité*. Malgré ses innombrables esclaves et concubines, malgré l'ardeur qu'il mettait à combattre ce fléau, malgré, enfin, la certitude qu'avait acquise Che'b'ree de porter un jour leur enfant, Saat se désespérait de donner le jour à un fils.

Non pas qu'ait vibré en lui une quelconque fibre paternelle, sentimentale et donc, ridicule : la raison seule commandait les actes du sorcier. Et la raison lui disait que, suivant la Vérité des Ondines, l'Adversaire devait naître des lignées des sages... et qu'il serait bientôt le seul à satisfaire cette condition.

Saat voulait être le père de l'Adversaire.

Alors, et alors seulement, il pourrait se dégager de sa dépendance vis-à-vis de Sombre. Saat avait déjà élevé un dieu. Celui qui viendrait profiterait de son expérience. Le Haut Dyarque saurait exactement comment agir… et résoudre l'ensemble de ses problèmes, par la même occasion.

Dans l'attente de ce jour, il lui fallait s'entraîner. Le sorcier se tourna enfin vers l'esclave qu'il avait fait amener. Un garçon de six ou sept ans, dont il s'apprêtait à voler le corps.

* * *

Rey avait passé un bon demi-décan à surveiller le village qu'il avait découvert, sans y déceler le moindre mouvement. Le bourg avait dû être pillé puis abandonné, peut-être même par ses propres habitants.

La plupart des constructions de bois étaient détruites; certaines avaient brûlé. Deux enclos vides semblaient bâiller de leurs portes ouvertes. Il ne restait rien, dans les allées de rocaille, d'intact ou d'utilisable. Une sorte de charrette reposait sur le flanc, éventrée à dessein. Plusieurs poteries gisaient en morceaux. Quelques étoffes déchirées et retenues par des aspérités du terrain souffraient la torture du vent. Tout cela pouvait remonter à la décade passée, comme à quelques lunes.

Le village n'aurait pu être plus mort. Il *sentait* la mort. Mais les rues n'abritaient aucun corps, humain ou animal, ancien ou récent. Étrangement… l'endroit n'en était que plus effrayant.

Pour rester libre de ses mouvements, Rey se déchargea de son sac, de la *lowa* et de la ceinture wallatte. Il quitta enfin son poste d'observation et s'approcha des constructions, tous ses sens en éveil. Comme il s'avançait en terrain découvert, ses pas brisant le silence oppressant des lieux, l'arbalète à laquelle il se raccrochait lui parut une arme bien dérisoire…

Il atteignit pourtant les premières maisons sans mésaventure. Les bâtiments wallattes étaient bas et massifs, à moitié enterrés dans le sol rocailleux. Les portes, aussi bien que les fenêtres, étaient étroites et protégées de lourds volets intérieurs. Une telle architecture se justifiait par la lutte contre le froid… aussi bien que les agressions. En définitive, chaque maison n'était qu'une place forte à l'échelle d'un foyer.

Il en dépassa trois dont les issues étaient ouvertes, sans toutefois se risquer à les visiter. Il n'imaginait pas y trouver quoi que ce soit dont il puisse tirer profit. À vrai dire, Rey n'avait aucune raison précise de poursuivre l'exploration du village. Il n'agissait que mû par une intuition.

Celle-ci l'entraîna aux abords du bâtiment le plus grand. Il était le seul dont les fenêtres soient closes, détail qui n'avait pas échappé à l'attention de l'acteur. En s'approchant, Rey put même constater qu'elles étaient murées… La porte ayant, elle, connu un traitement tout particulier : la quantité de moellons que l'on avait versée contre le bois devait peser vingt fois son poids.

Pressentant le pire, il fit nerveusement le tour de l'édifice, notant au passage que sa condamnation remontait probablement à plusieurs décades. Et trouva enfin une ouverture dégagée… la seule subsistante, étroite fente d'un pied de hauteur, laissée à dessein par les responsables de ces travaux. Rey rassembla son courage en s'apprêtant à regarder à travers. Mais il ne put s'en approcher suffisamment et renonça en luttant contre un haut-le-cœur. L'odeur putride qui émanait de l'intérieur était par trop insupportable, et constituait une confirmation suffisante de ses craintes.

Par acquis de conscience, l'acteur frappa tout de même les parois extérieures, sursautant quand l'écho lui renvoya le bruit des coups sur la pierre, et presque effrayé à l'idée que quelqu'un lui réponde. Mais il n'en fut rien, bien sûr.

Les gens que l'on avait emmurés là étaient morts depuis longtemps.

Rey maudit le sorcier responsable de telles atrocités. L'expérience du Jal'karu et de son labyrinthe semblait avoir traumatisé Saat au-delà du supportable, au point qu'il inflige les mêmes tourments à ses ennemis. L'acteur n'avait ni l'envie, ni le besoin d'éventrer le bâtiment pour s'en assurer encore : des hommes avaient péri dans ces murs, suffoquant dans le noir, le froid et l'odeur de pourriture, en souffrant de la faim et des attaques de la vermine.

Rey eut soudain une forte envie de quitter ce lieu maudit et récupéra son équipement avant de reprendre le chemin des montagnes. Saat était là-bas, quelque part au pied du Rideau. Et Rey jugeait que le sorcier n'avait que trop vécu.

* * *

La manière dont Grigán les avait menés à destination ne lassait pas d'étonner le jeune Yan. Deux nuits s'étaient déjà passées depuis celle où ils avaient quitté le Jal'karu. Deux nuits, et trois jours pendant lesquels ils n'avaient fait que marcher et marcher encore, sans prolonger les haltes plus que nécessaire, en parlant le moins possible pour économiser leur salive sous le soleil brûlant des *Tched*.

Ils n'avaient vu que du sable, encore du sable, toujours du sable, sans faire la moindre rencontre ni dépasser de relief un peu plus varié. Chaque livre de surcharge augmentant sa fatigue, Yan avait abandonné un tiers de son équipement avant la fin de la première journée, alors qu'il pensait l'avoir déjà réduit à l'essentiel. Il en était même venu à regretter l'éternelle présence d'Ifio sur ses épaules. Sans aller jusqu'à songer à abandonner le petit animal, bien sûr...

— Sommes-nous encore loin de Griteh ? avait-il demandé à l'aube de ce troisième jour, alors qu'ils reprenaient la route.

— Nous avons franchi les frontières du royaume depuis hier à l'apogée, avait répondu sobrement le guerrier. La ville n'est plus qu'à quelques lieues.

Yan s'était demandé sur quoi Grigán basait ses affirmations. De la frontière en question, il n'avait vu aucune trace ou repère. Mais les milles succédant aux milles, le paysage commença à évoluer et le jeune homme fut heureux de constater les mérites du vétéran.

Sur des distances de plus en plus grandes, le sable laissa place à des étendues de terre ou de rocailles. L'horizon, qui jusqu'alors rebondissait le long de dunes plus imposantes les unes que les autres, s'adoucit progressivement pour couler sur les reliefs paisibles de quelques collines immuables. La végétation profitait de ces conditions plus favorables et se fit deux, cinq, dix fois plus luxuriante qu'elle ne l'était à quelques lieues seulement. Certes, on ne pouvait encore parler de forêt, ni même de bois, d'autant que ces plantes, cactées, pins-acides, rosiers du mendiant, *lonlòns* et autres cannes à baies, dépassaient rarement les trois pas de hauteur. Mais Yan appréciait l'ombre créée par ces îlots de vie à sa juste valeur.

Il réalisa qu'ils progressaient alors sur un *véritable* chemin. Comment et à quel moment ils avaient quitté leur piste incertaine pour aboutir sur ce sentier tracé, Yan n'en avait aucune idée. Cela tendait seulement à confirmer les dires de Grigán : ils rejoindraient bientôt la civilisation. Enfin, une certaine forme de civilisation.

Il lui semblait parfois que le guerrier diminuait son allure. À une occasion, Grigán parut même hésiter sur leur direction, comme il jetait de fréquents regards en direction du sud. Son manège finit par intriguer Yan, au point de commencer à l'inquiéter.

— Dites-moi si nous sommes perdus, proposa-t-il en souriant, sachant que le problème se trouvait ailleurs. Je ne pourrai sûrement pas vous aider, mais j'aime autant savoir.

— Je sais parfaitement où nous sommes, assura Grigán avec sollicitude. Les terres de mon père se trouvent par là, à environ trois lieues. Je m'efforce seulement de ne pas y penser.

— Vous n'avez pas envie d'y aller ?

— Non. Aleb a tout brûlé quand j'ai quitté les Bas-Royaumes; il a même massacré mes chevaux. Tout ce qu'il reste là-bas, ce sont de mauvais souvenirs. Je n'ai rien à y faire.

Yan n'insista pas, comme le guerrier reprenait sa marche avec une ardeur redoublée. Grigán n'avait pas autant parlé depuis qu'ils avaient quitté le Jal'karu. Pouvait-il voir en cela un signe d'amélioration de son humeur ?

Ils marchèrent un décan encore avant d'arriver en vue des premières habitations. La journée tirait à sa fin, et Yan se réjouissait d'avance de ne pas avoir à connaître un bivouac de plus dans la nuit fraîche du désert. Il dut vite déchanter. Grigán n'avait aucune intention de pénétrer à Griteh au grand jour.

Ils s'installèrent donc à l'ombre d'un bosquet de pins, à quelques distances du sentier, pour prendre un peu de repos et examiner la ville à loisir. Yan dut se faire confirmer qu'il s'agissait bien de la capitale du royaume ramgrith, tellement le hameau paraissait pauvre et modeste.

— Tu te trompes, commenta le guerrier. Griteh est trois fois plus grande que ce que nous pouvons en voir d'ici. Les toits les plus lointains sont cachés par la danse du soleil; au crépuscule, tu les verras parfaitement.

— On dirait que les maisons sont toutes petites.

— Tu te trompes encore, affirma l'intéressé, avec un début d'amusement. La plupart ont trois ou quatre étages, mais le niveau des rues est lui-même situé bien en dessous de la ligne d'horizon. Griteh n'a pas été élevée par ses fondateurs : elle a été *creusée*.

Yan acquiesça, heureux d'avoir rendu la parole à son ami. Sa séparation d'avec Léti et les autres était déjà assez douloureuse, pour qu'il ne souffre en plus l'indifférence de son compagnon de route. Il sentit le moment idéal pour aborder la question qui ne le quittait pas depuis deux jours.

— Et… qu'allons-nous faire à Griteh ? demanda-t-il innocemment, après s'être éclairci la voix.

— Toi, *rien,* avertit Grigán sans méchanceté. *Moi*, je vais tordre le cou de ce démon d'Aleb le Fourbe. Ensuite, nous chercherons un moyen de rejoindre les autres.

Cet aveu aux implications brutales décontenança Yan quelques instants. S'il laissait les événements suivre leur cours… il arriverait un malheur, aussi sûr que le soleil se levait à l'aube. Le jeune homme avait suivi Grigán pour infléchir le destin du guerrier. C'était le moment ou jamais.

— Vous ne pourrez pas y arriver seul, annonça-t-il soudain, sans savoir où il avait trouvé ce courage.

— J'en suis conscient, grinça le vétéran. J'ai besoin de me gagner quelques alliés. Cette nuit, nous allons rendre visite à un fantôme, ajouta-t-il avec un sourire effrayant.

* * *

Corenn avait déliré pendant deux jours et Lana ne cacha pas, quand l'état de la Mère se fut stabilisé, avoir craint pour sa vie. L'attente avait été longue pour eux tous, mais tout particulièrement pour Bowbaq : en plus de l'inquiétude qu'il nourrissait pour son amie, le géant se languissait de sa famille au sort incertain, et dont il n'avait pas été aussi proche depuis longtemps… le clan de l'Érisson se trouvant à moins de deux jours de voyage.

Bowbaq tirait cette information d'une stèle qu'il avait découverte à proximité du refuge, et qui indiquait, par des signes de piste figurés dans la pierre, les directions des quatre villages les plus proches. En voyant le géant ainsi décrypter les épigraphes, Lana s'était enthousiasmée devant son talent pour la lecture, au grand étonnement de l'intéressé qui n'avait jamais considéré les signes arques comme un véritable alphabet.

Mais les décans étaient passés sans que Corenn ne se réveille, et ce moment plaisant avait vite été oublié. Léti, Bowbaq et Lana avaient vécu en suspens, se relayant au chevet de la blessée, et sans jamais s'éloigner très longtemps ni très loin du refuge de chasse.

La Maz avait passé beaucoup de temps en prières, plus ferventes que jamais depuis sa visite des fosses de Karu. Léti avait fait plusieurs rondes de surveillance dans les environs, mais elles avaient surtout pour but de lui occuper l'esprit. Enfin, Bowbaq avait épuisé son impatience en s'attelant à divers travaux d'entretien et de réparation du refuge, comme dégager les congères ou réapprovisionner le bois de chauffage. Le géant estimait ainsi s'acquitter de leur dette vis-à-vis des propriétaires des lieux.

La veille, la fièvre de Corenn s'était faite moins agressive, son souffle plus régulier, son visage plus reposé. Au troisième jour, son rétablissement ne fit plus aucun doute et ses amis guettèrent le moment de son réveil avec une joie anticipée. La Mère avait déjà ouvert les yeux à plusieurs reprises, avant de se retourner et de s'abandonner à un repos amplement mérité. Mais Corenn était tout, sauf une indolente. Quel que soit le moment où elle sortirait de sa torpeur, ce serait encore trop tôt. Pour éviter qu'elle ne commette une imprudence, ses amis allaient devoir l'obliger à respecter sa convalescence.

Elle revint à elle à la nuit tombée, alors que Bowbaq, Lana et sa nièce finissaient leur repas devant la cheminée en devisant tranquillement. Ils n'avaient rien remarqué.

— J'espère que vous en avez laissé pour moi, lança-t-elle d'une voix pâteuse, sans en penser un mot.

D'un bond, Léti et Bowbaq furent à son chevet, et Lana les rejoignit pour tâter le front de la malade. Le résultat de ses observations fut satisfaisant.

— Honorée Mère, je vous interdis de vous lever, gronda la Maz avec un sourire. Quoi que vous en pensiez, il n'est rien d'aussi urgent qui mérite que vous y risquiez votre santé.

— Au contraire, réfuta pourtant Corenn, sans animosité. La situation requiert attention et promptitude. Bowbaq, écoute-moi : de combien d'hommes dispose ton clan ? Cent ? Deux cents ? Plus ?

— Une petite trentaine seulement, annonça le géant à regret. Mais tu ne devrais pas réfléchir maintenant, amie Corenn. Tu dois te reposer encore.

— J'aurai bientôt tout le temps de me reposer, répondit la Mère en se dressant sur les coudes. Et les autres clans ? Combien d'hommes peuvent réunir les autres clans ?

— Évitez de vous agiter, Corenn, demanda Lana. Nous pourrons aborder ce sujet demain, si vous le désirez…

La Mère avait du mal à le croire. Présentait-elle une image si pitoyable, que ses propres amis refusent de l'écouter ? Ils la supposaient probablement en plein délire… Corenn se souvenait vaguement avoir parlé, peut-être crié pendant son sommeil… mais elle était, maintenant, en pleine possession de ses facultés ! Ils *devaient* l'écouter. Et le plus tôt serait le mieux.

— Qu'envisages-tu, ma tante ? demanda Léti, qui avait jusqu'alors gardé le silence. Pour quelle raison veux-tu réunir ces hommes ? Que veux-tu faire de cette… *armée* ?

La voix de la jeune femme trahissait son espoir, autant que l'appréhension d'une nouvelle déception. Léti avait déjà compris l'idée de Corenn. La jeune femme n'avait jamais renoncé. Elle était prête à soutenir quiconque désirait poursuivre la lutte.

La Mère lui rendit un regard plein de gratitude et reprit la parole.

— Bowbaq, je voudrais rencontrer les chefs des clans les plus proches, annonça-t-elle posément. J'aimerais que tu ailles les trouver pour moi, et que tu les fasses venir ici. Crois-tu que ce soit possible ?

— Bien sûr, amie Corenn, présuma le géant. Sauf que… ils ne viendront pas sans raison. Que veux-tu que je leur dise ?

— Dis-leur qu'une ambassadrice kaulienne leur demande audience pour une question capitale, improvisa la Mère. Si ça ne suffit pas, dis-leur qu'une invasion les menace. Ça devrait décider les plus rétifs.

Bowbaq acquiesça puis baissa les yeux, comme un autre sujet le tracassait. Avant même qu'il ne l'énonce, ses amis avaient déjà deviné de quoi il s'agissait.

— Le chef du clan de l'Érisson est mon frère d'Union, finit par avouer le géant. C'est le frère d'Ispen, ma femme. Je… Est-ce que je…

Corenn soupira. Ce qu'elle demandait à son ami était difficile et douloureux, elle le concevait parfaitement. Bowbaq devait aussi comprendre que ce conseil n'avait pour seul but que de préserver sa famille. *À cœur déchiré, on reconnaît le juste…*

— Les tiens ne sont pas protégés par les pierres de Dara, expliqua la Mère, sincèrement désolée. Nous devons trouver un moyen de les leur faire parvenir sans nous découvrir, ni risquer la vie de quelqu'un d'autre. En attendant… mieux vaut pour eux, comme pour nous, qu'ils ignorent la vérité. Bowbaq… Es-tu d'accord avec moi ? Pourras-tu attendre ?

Le géant eut une moue boudeuse, mais elle n'exprimait que le regret. Jamais ils n'avaient lu la moindre rancœur sur le visage barbu.

— Tu as raison, amie Corenn, admit-il tristement. Je vais essayer de trouver un moyen. Mais j'aimerais au moins être sûr qu'ils vont bien.

— Demande à ceux des autres clans de prévenir ton frère d'Union, proposa la Mère. Sans révéler ton nom. Nous pourrons l'interroger quand il nous aura rejoints.

— Je ne crois pas que nous devrions rester ici, intervint Léti. L'endroit est beaucoup trop isolé, trop dangereux. Les chefs arques se méfieront peut-être d'une telle rencontre. Je propose que nous accompagnions Bowbaq jusqu'au clan du Renne, et que nous attendions là-bas.

— Corenn est trop faible pour ce voyage, objecta Lana.

— Nous ne partirons que demain, rappela la jeune femme. D'après Bowbaq, le Renne n'est qu'à quelques décans. Et il y a une sorte de grande luge, derrière le refuge; on devrait pouvoir la tirer sans trop de difficultés, en tout cas sur les terrains plats. Qu'en penses-tu, ma tante? conclut-elle en se tournant vers l'intéressée. T'en sens-tu capable?

Corenn ne répondit pas tout de suite. Non pas qu'elle hésitât, son choix avait été fait en un instant. Mais parce qu'elle était ébahie de la façon dont Léti avait pris les choses en main. Il semblait que la jeune femme était *réellement* décidée à remplacer Grigán, en donnant le meilleur d'elle-même.

— C'est d'accord, annonça la Mère avec admiration. C'est une excellente idée.

Le sourire de sa nièce lui mit du baume au cœur. Mais la jeune femme ne le devait pas seulement à une satisfaction compréhensible. À la perspective de l'offensive suggérée par Corenn, Léti bouillait d'une joie sauvage qui aurait effrayé Saat lui-même.

* * *

Grigán se glissait dans l'ombre des ruelles avec une grâce et une facilité toutes félines. Yan s'efforçait d'être tout aussi discret, mais son allure devait, malheureusement, en pâtir. De loin en loin, le guerrier s'arrêtait pour attendre son compagnon et montrait des signes d'impatience: voilà exactement le genre de désagréments qu'il aurait aimé éviter.

S'introduire au cœur de la cité avait été facile. Griteh ne possédait pas, à proprement parler, de mur d'enceinte: aussi les deux hommes avaient-ils simplement emprunté un chemin peu usité, avant de s'enfoncer toujours plus loin entre les maisons de calcaire blanc.

Yan s'étonnait de voir si peu d'animation dans une ville aussi grande, mais il devait plus tard comprendre que Grigán avait volontairement contourné les quartiers fréquentés. Les quelques individus qu'ils croisèrent étaient tous des hommes: vieillards assis sur le perron de leur masure, garnements courant en bandes, chefs de familles bedonnants sur le chemin d'une quelconque visite… de ceux-là, ils n'avaient rien à redouter. Pour une fois, la mise singulière de Grigán lui permettait de se fondre parfaitement dans la foule, et Yan lui-même n'y détonnait pas trop. Non, le guerrier ne craignait rien des Ramgriths: seuls l'inquiétaient les *Yussa*.

Les mercenaires d'Aleb régnaient en maîtres sur la ville, le fait était connu jusqu'à Goran. Jez, Yérims, Plèdes, Ramyiths, et même quelques natifs des Hauts-Royaumes… La plupart des pillards du monde connu s'étaient réclamés de l'armée du roi borgne. Leur force venait avant tout de leur nombre : quelques centaines pouvaient périr, que d'autres venaient toujours regarnir et même grossir leurs rangs. Chacun savait que Griteh elle-même risquait d'être ruinée, à la longue, par ces troupes indisciplinées et ravageuses.

Les Yussa ne portaient aucun uniforme et utilisaient les armes de leur choix. Ils n'obéissaient qu'à deux autorités : celle du capitaine de leur compagnie, et celle d'Aleb. Dans une telle diversité d'apparence, le seul signe témoignant de leur condition était un disque de cuivre, marqué du sceau de la couronne et que la plupart portaient pendu au cou. Ce médaillon leur permettait, ni plus ni moins, de commettre les pires atrocités en territoire conquis, au nom du roi et de sa souveraineté. Voilà les hommes avec lesquels Aleb projetait de prendre Lorelia…

Heureusement, ils purent marcher pendant plus d'un décime sans en rencontrer un seul. Grigán finit par s'arrêter au pied d'un muret pour y attendre Yan, en surveillant nerveusement les alentours. Jusque-là, les choses se passaient plutôt bien… mais leur aventure devait seulement commencer.

— Aide-moi à grimper, indiqua le guerrier.

Yan s'exécuta et Grigán s'appuya sur les mains jointes du jeune homme pour découvrir ce que cachait le muret. Rassuré, il finit d'escalader l'obstacle avant d'aider Yan à le rejoindre. Ils se laissèrent tomber de l'autre côté sans faire de bruit.

— Où sommes-nous ? chuchota le jeune homme, intrigué.

Le guerrier lui fit signe de se taire et ils patientèrent ainsi un bon moment, immobiles, accroupis dans la poussière et la pénombre. Yan avait bien reconnu une cour intérieure et discernait facilement la maison dont elle dépendait, d'autant que des lanternes y étaient allumées. Le sens de sa question était autre. Qui habitait là ? Que venaient-ils y faire ?

— Ne bouge pas, ordonna Grigán en se levant.

Yan le regarda s'éloigner avec une certaine appréhension. Le jeune homme redoutait que le guerrier mette à exécution l'un ou l'autre plan mystérieux pendant qu'il attendrait dehors… Aussi se prépara-t-il à désobéir à l'instant même où il perdrait de vue son ami.

Grigán se glissa jusqu'à la maison et en espionna l'intérieur par une fenêtre étroite, assez longtemps pour que Yan commence à s'ennuyer. À son grand soulagement, le guerrier lui indiqua enfin de le rejoindre, et ils se tinrent bientôt de part et d'autre de la porte aux vitraux fumés.

Grigán vérifia qu'il pourrait tirer sa lame sans gêne et se tourna vers le jeune homme dont les battements de cœur allaient croissant.

— Il y a *un* homme, annonça-t-il à voix basse. Ne t'en occupe pas. Dès que nous serons entrés, je veux que tu fasses le tour de toutes les pièces. Si tu trouves quelqu'un, tu m'appelles, c'est tout. Bien compris ?

Yan acquiesça, inquiet des projets de Grigán quant à l'homme dont ils allaient investir la maison.

— Autre chose, ajouta le guerrier. Quoi que je puisse être amené à faire… n'essaye pas de m'en empêcher, demanda-t-il très sérieusement. Sache que j'ai mes raisons.

Avant que Yan puisse réagir, Grigán se tourna vers la porte et l'ouvrit d'un violent coup de pied, faisant voler en éclats les fragiles paumelles la maintenant en place.

Il s'engouffra ensuite dans le passage ainsi dégagé et Yan n'eut pas d'autre choix que de se précipiter derrière lui.

Un homme obèse et trapu se tenait debout à quelques pas de là, de l'autre côté de la pièce. Vêtu des pieds à la tête, il s'apprêtait visiblement à sortir. Son expression paniquée confirma à Yan le fait qu'ils n'étaient pas chez un ami.

— Derkel… murmura-t-il avec un fort accent. Derkel, *rachis lil'te-mena* !

— Comme tu vois, *Cásef,* répondit le guerrier sur un ton haineux.

L'homme fit soudain volte-face pour s'enfuir mais Grigán franchit en deux bonds les bancs et la table qui les séparaient, avant de le rattraper et de le faire trébucher. Il maintint le fuyard au sol en appuyant un pied sur son dos et tira sa lame courbe.

— Yan ! rappela-t-il alors d'une voix ferme.

Le jeune homme se souvint de sa mission et vérifia la sécurité de chaque pièce à toute allure, craignant que le nommé Cásef ne soit plus qu'un cadavre quand il reviendrait auprès de lui. Il n'en fut rien, heureusement.

— Surveille la porte, demanda Grigán en relâchant son étreinte. S'il essaye de s'enfuir… tue-le.

Yan prit position en espérant ne pas avoir à suivre cet ordre. Il n'était pas dans les habitudes du guerrier de se montrer aussi brutal. Il devait *vraiment* avoir ses raisons.

L'homme se releva en gémissant, meurtri par sa chute et horrifié par la situation. Grigán lui fit face en s'asseyant sur la table. Il posa doucement le tranchant de sa lame sur un banc renversé, en un geste éloquent.

— Je te jure que je ne vends plus d'esclaves, assura l'obèse en agitant les mains. *Lil'urhal on*, Grigán.

— Parle en ithare. Je veux que mon ami entende toute notre conversation.

— Mais enfin, qu'est-ce que tu veux ? éclata Cásef. De l'or, des *daï* ? Pourquoi es-tu revenu ? Tu tiens tellement à mourir ?

— Je veux que tu me mènes aux *loups noirs*, annonça posément le guerrier. Je veux rencontrer les insoumis.

— Tu es fou ! Tu veux vraiment mourir ! Les loups te tueront aussi sûrement que le roi, pauvre naïf ! Et moi avec !

Grigán leva nonchalamment sa lame devant lui, avec une expression faussement pensive, mais *réellement* menaçante.

— Tu me dois une vie, rappela-t-il doucement. Tu me dois, *à moi*, d'être toujours de ce monde. Le moment est venu de payer ta dette.

— Mais ils ne t'écouteront même pas ! Je connais leur façon de penser, Grigán, ajouta Cásef sur un ton plus doux. Pour eux, tu n'es qu'un traître qui a fui les problèmes du pays. Ils te tueront, Grigán, sois sûr qu'ils te tueront. D'autant plus que… d'autant plus qu'ils sont menés par *Narro*, ajouta-t-il soudain, comme le fait lui revenait en mémoire.

Le guerrier tressaillit et afficha dès lors une expression soucieuse. Yan avait cent questions en tête, mais comprenait aussi que le moment était mal choisi et qu'il avait tout intérêt à les différer. Le passé de Grigán était décidément bien mystérieux…

— J'irai tout de même, décida le vétéran en sortant de sa torpeur. Il faudra bien qu'ils m'écoutent. Et tu vas me mener à eux, ajouta-t-il en pointant son index vers l'obèse. C'est ta seule chance de me voir un jour oublier ton nom.

Le nommé Cásef le fixa quelques instants sans mot dire, puis se résigna à l'inéluctable.

— Quand exactement veux-tu courir à la mort ? demanda-t-il en soupirant.

— Cette nuit. Dans le prochain décan. J'aurais dû le faire il y a dix ans, ajouta le guerrier. Je ne veux plus tarder encore.

* * *

Zamerine inspira l'air frais de la nuit avec un plaisir non feint. Le tunnel était parcouru par tellement d'hommes qu'il était parfois difficile d'y respirer, sans parler de l'odeur écœurante de la sueur des esclaves, sensible même à travers la plus épaisse des étoffes. Ces désagréments valaient pourtant la peine d'être endurés. Tout particulièrement cette nuit...

Le judicateur descendit de l'âne qui l'avait transporté sur toute la longueur de la galerie et en abandonna la longe au palefrenier de service. Même à dos d'animal, il fallait maintenant plus de trois décimes, presque un demi-décan, pour se rendre au cœur du chantier. Si les esclaves avaient dû charrier les gravats jusqu'à ce versant de la montagne, les travaux seraient allés dix fois moins vite qu'au début du terrassement. Mais Zamerine avait su exploiter au mieux le réseau de galeries naturelles révélées par le forage... La pierre arrachée à la montagne était jetée dans les gouffres. Les salles les plus larges étaient aménagées en entrepôt, en attendant d'être recyclées en arrière-postes de défense. Les passages les plus étroits étaient explorés, puis comblés ou piégés. Ce tunnel devait être la plus formidable construction stratégique de tous les temps, songea Zamerine avec fierté. Et le mérite lui en revenait en grande partie.

Il repéra son assistant et claqua des doigts à son intention. Dyree l'avait attendu pendant toute la durée de sa visite, et ne semblait pas particulièrement apprécier cette négligence. Il mit quelques instants avant de se décider à suivre son maître, mais Zamerine était alors trop exalté pour s'en soucier.

Il se dirigea tout droit vers le Tol'karu, le palais de Saat, sans prendre la peine de convoquer une escorte plus nombreuse. Le message qu'il avait à donner était bien trop important. Il tenait à ce que le Haut Dyarque entende les faits de sa propre bouche, le plus tôt possible.

Ils gravirent les premières marches de la forteresse avant de s'en voir refuser l'accès par deux *gladores*, de la compagnie des guerriers d'élite de Saat. Zamerine s'y était attendu.

— Je dois prévenir le Haut Dyarque d'un fait de la plus haute importance. Veuillez le faire réveiller.

— C'est impossible, votre Excellence. Nous avons des consignes strictes pour ne laisser entrer personne.

— Il m'a lui-même demandé de l'avertir au plus tôt, insista Zamerine, agacé. Je vous ordonne de libérer le passage. *C'est un ordre!* répéta-t-il d'une voix forte, avec toute l'autorité dont il était investi.

Mais les gardes ne bougèrent pas d'un pouce, négligeant même de répondre à l'homme le plus puissant de leur hiérarchie… juste derrière les Dyarques.

Échaudé par ce refus obstiné, le judicateur fit mine de s'éloigner et se pencha vers son assistant.

— Désarme-moi ces deux idiots, chuchota-t-il à son oreille.

Comme un démon, Dyree bondit soudain en haut des marches et surprit le premier homme en empoignant sa hallebarde, pendant qu'il poignardait le deuxième de sa *hati*. Il acheva le gladore désarmé avec la même sauvagerie, sa lame traversant le cou de sa victime. Les Wallattes s'écroulèrent presque simultanément, de part et d'autre de Dyree, alors qu'il tenait encore la hallebarde.

— J'avais demandé de les *désarmer* ! hurla Zamerine, surpris par la brutalité de son assistant. Es-tu donc stupide, toi aussi ?

L'accusé dédaigna répondre, se contentant de défier son maître du regard. Il n'avait jamais témoigné de sa fidélité à Zuïa autrement qu'en portant la justice de la déesse… ce en quoi il était redoutablement doué. Pressé par le temps, Zamerine décida de remettre son sermon à plus tard, d'autant que Saat se montrerait probablement compréhensif quant à la perte de ses deux hommes. Il gagna le porche et ouvrit la double porte d'une poussée virile.

— J'espère que vous avez de bonnes raisons pour m'envahir ainsi, mon petit Zü-zü, avertit une voix d'enfant résonnant dans les immenses couloirs.

— Excellentes, maître, assura Zamerine, malgré tout impressionné par cet accueil. Où… où êtes-vous ?

— Dans le harem. Venez seul, je ne tiens pas à risquer un coup de dague de notre impétueux ami. Et il faut bien que quelqu'un garde ma porte, maintenant que vous l'avez forcée !

Zamerine bredouilla quelques excuses et s'enfonça dans les ténèbres du palais, en regrettant de n'avoir emporté ni torche, ni lanterne. Il n'eut pourtant aucun mal à se repérer : bien qu'immense, la construction n'avait aucun secret pour le judicateur, qui en avait dessiné le plan.

Ce que Saat appelait le harem n'était en fait qu'une extension à un bâtiment extérieur, où étaient recluses les quelque soixante concubines du moment. Une chambre immense et richement meublée, endroit privilégié des orgies de chair et de sang auxquelles se livrait le Haut Dyarque à ses moments perdus.

— Entrez donc, commanda la voix d'enfant. Avez-vous peur de rougir plus que votre belle tunique ?

Zamerine s'exécuta en s'efforçant de calmer les battements de son cœur. Pourquoi cet homme, parmi tant d'autres, le terrifiait-il autant ? se demanda-t-il pour la millième fois. *Parce que ses pouvoirs n'avaient rien d'humain.*

Saat, ou plutôt l'enfant dont il avait volé le corps, l'attendait au milieu d'un amas de coussins, assis en tailleur. Il portait le heaume familier du Haut Dyarque, démesuré sur un être aussi chétif. Une femme gisait non loin de là, à même le sol, nue et les yeux vitreux. Zamerine essaya de ne pas songer à ce que le sorcier avait pu lui faire.

— Excellente nouvelle, en effet ! s'exclama Saat avant que le Zü n'ait dit quoi que ce soit. Deux décades avant la date prévue, je vous félicite !

— Le tunnel est achevé… annonça faiblement le judicateur, à qui la logique de la situation échappait complètement.

— Tiens donc ! commenta le sorcier, allègre. Racontez-moi cela ! Je m'en voudrais de vous gâcher ce plaisir !

— Nous… les esclaves sont tombés sur un nouveau réseau de galeries, expliqua le Zü, mal à l'aise. Des couloirs, *creusés de main humaine*. Je suis allé me rendre compte par moi-même et dépêcher quelques éclaireurs. Il semble que nous ayons rejoint les égouts de la Sainte-Cité… Nous sommes sous la Sainte-Cité, répéta-t-il d'une voix mieux assurée. Nous avons réussi, conclut-il enfin, galvanisé par son propre récit.

* * *

Le nommé Cásef n'avait plus prononcé un mot depuis leur départ. L'ancien marchand d'esclaves précédait Yan et Grigán de quelques pas, marchant à bonne allure et vérifiant la sécurité de chaque rue avant de s'y engager. Le guerrier avait prévenu l'obèse, en des termes sur lesquels on ne pouvait se méprendre, qu'il serait le premier à tomber s'il les jetait dans un piège. Aussi l'intéressé faisait-il de son mieux pour éviter les lieux de prédilection des Yussa…

— Où l'avez-vous rencontré ? demanda Yan, jugeant le moment opportun pour satisfaire sa curiosité.

— Ici, à Griteh. Je le connais depuis l'enfance, ajouta le guerrier, sans quitter des yeux leur guide forcé. Je l'ai revu à Bénélia, il y a une dizaine d'années : des types l'avaient ligoté et jeté dans le port. Je suis passé au bon moment… enfin, si on veut : le même jour, j'ai appris qu'il s'était enrichi dans le « commerce » des esclaves en traitant avec Aleb et les Yussa. Je l'ai aussitôt remis à l'eau en lui promettant de le tuer moi-même si nos routes se recroisaient.

— Je te jure que j'ai arrêté, chuchota Cásef en se retournant à demi. Ça n'était plus rentable, de toute façon, ajouta-t-il sans avoir conscience de son culot.

— Et les *loups noirs* ? enchaîna Yan, pour éviter un nouvel échange d'invectives entre les deux Ramgriths.

— Ce sont les chefs des tribus hostiles à Aleb, expliqua Grigán, d'un ton où perçait le respect. Les insoumis, les révoltés, ceux qui en ont assez de voir les Yussa imposer leur loi à Griteh, autant que dans le reste des Bas-Royaumes. La plupart sont des proscrits ou des clandestins, les autres jouent un double jeu. Comme cet escroc de Cásef, conclut le guerrier en donnant une tape dans le dos de l'obèse.

— C'est fini, maintenant. Je n'ai plus rien à voir avec les *loups*, soutint l'intéressé, soucieux d'être cru. Ils ont cessé de me harceler quand j'ai abandonné mon commerce avec le roi. Et c'est tant mieux comme ça.

— Et ce… Narro ? reprit Yan, sachant qu'il abordait là un point sensible.

Grigán fronça les sourcils et garda cette expression fermée un long moment. Yan se faisait déjà un deuil de la réponse, quand la vérité finit par tomber.

— C'est mon père d'Union, avoua le guerrier, d'une voix étrangement calme. Enfin… il aurait pu l'être. Et il a toutes les raisons de me détester, ajouta-t-il en se tournant vers son ami.

— Tu vas bientôt avoir l'occasion de le vérifier, interrompit Cásef, qui les attendait au coin de la rue. Nous sommes arrivés.

Grigán dépassa l'obèse et étudia l'endroit. Il ne s'agissait que d'une petite place de quartier, bordée par une dizaine de maisons.

— La troisième à main droite, en partant de la fontaine, expliqua Cásef sans quitter sa cachette. L'homme qui y habite se nomme Félel. Il fait partie des loups noirs et abrite plusieurs d'entre eux. Ne dites pas que c'est moi qui vous ai guidés, c'est tout ce que je demande.

Grigán se planta devant l'obèse et le toisa d'un regard mauvais.

— Si tu m'as menti, je te retrouverai, menaça-t-il très sérieusement. Si je vois les Yussa débarquer dans cette maison, je te retrouverai *aussi*, sois-en assuré. Et si tu parles de moi à qui que ce soit dans cette ville, je finirai par l'apprendre. Est-ce bien clair ?

— Tu as promis d'oublier mon nom, rappela Cásef, d'une voix mal assurée. Pour le reste, tu peux me faire confiance… Mais les loups vont te tuer, Grigán. Ils sont d'une méfiance maladive.

— Ce qui est un gage de leur intelligence. Disparais, maintenant.

Cásef ne se le fit pas dire deux fois et s'éloigna à petites foulées, en se retournant tous les dix pas pour vérifier que le guerrier ne projetait pas de le percer de flèches. Il fut bientôt hors de vue.

— Cachons-nous, ordonna alors Grigán. Et attendons.

Ils patientèrent ainsi deux décimes, dans la pénombre d'un olivier rouge, sans qu'il n'advienne quoi que ce soit de remarquable. Yan avait imaginé que cette incursion clandestine serait beaucoup plus mouvementée. Ils passaient, en fait, plus de temps à attendre qu'à agir vraiment. Et finalement… ce n'était pas pour lui déplaire. Le jeune homme estimait avoir eu plus que sa part d'action, dans les dernières décades, et n'avait aucune envie de prendre de risques inutiles qui compromettraient ses chances de revoir Léti.

Il ignorait que le destin en avait décidé autrement…

— Ça devrait suffire, jugea soudain Grigán, à voix basse. J'y vais maintenant, mais seul. Si d'ici l'aube, je ne suis pas revenu te chercher… il faudra te débrouiller pour rejoindre Corenn. Prends ça.

— Pas question, répondit Yan en refusant la bourse que le guerrier lui tendait. Je viens avec vous.

— Ne te fais pas plus bête que tu ne l'es, Yan ! râla le vétéran. Par Alioss, je n'ai jamais vu quelqu'un d'aussi têtu !

La remarque fit sourire le jeune homme, car celui qui la faisait essuyait souvent la même accusation. Mais Grigán n'était pas d'humeur à plaisanter. Le guerrier marmonna quelques jurons en cherchant des arguments, sans en trouver un seul susceptible de raisonner son jeune ami. Aussi finit-il par se résigner.

— Très bien, allons-y. Pas d'entrée fracassante, cette fois : nous ferons exactement ce qu'ils vont nous demander, sauf si je te fais signe du contraire. Compris ?

— Compris.

Ils quittèrent leur abri et se dirigèrent tout droit vers la maison du nommé Félel. Grigán frappa trois coups secs à la porte et celle-ci s'entrouvrit quelques instants plus tard sur un visage méfiant.

— Que voulez-vous ! demanda l'homme avec rudesse.

— Rencontrer les *loups noirs*, répondit Grigán de but en blanc. Je viens vous offrir la tête du Borgne.

La porte s'ouvrit plus largement et découvrit trois guerriers armés de lames courbes. Yan et Grigán furent tirés à l'intérieur et la petite place rendue au silence.

L'aube vint sans que les fugitifs soient ressortis.

* * *

L'arrivée de Bowbaq, Léti, Corenn et Lana au village du Renne causa moins d'agitation que les héritiers l'avaient imaginé. Le voyage lui-même s'était déroulé sans difficultés particulières… Corenn avait supporté les trois décans de cette marche épuisante sans montrer de signes de faiblesse, la Mère ne daignant même grimper sur la luge qu'aux endroits où l'engin était le plus facile à tirer. Bowbaq n'avait eu aucune peine à trouver et déchiffrer les signes de piste indispensables à leur orientation. Enfin, Lana et Léti s'étaient enthousiasmées devant la beauté découverte de cette région du Blanc Pays : vallons, forêts majestueuses, hauts plateaux et lacs gelés s'étaient succédés sans qu'ils se lassent de les contempler.

Malgré tout, le froid dû à l'altitude et à la saison froide menaçait de s'infiltrer jusque sous leurs fourrures, et c'est avec une certaine satisfaction que les héritiers étaient arrivés en vue de leur but.

Léti songea que le village du Renne ressemblait, par sa taille et sa disposition, à une bourgade kaulienne… mais là s'arrêtait l'analogie. Les maisons avaient peu en commun avec les gîtes des pêcheurs d'Eza : tout en charpente de bois, sur des fondations d'énormes moellons, elles paraissaient d'immenses taupinières couvertes de neige et munies de cheminées. Une maigre clôture faite de rondins inégaux servait de mur d'enceinte au hameau, protection doublée d'un fossé alors comblé par le gel. Enfin, malgré le froid, un nombre étonnant de personnes s'activaient à l'extérieur : avant même d'entrer dans le village, Léti avait déjà remarqué un forgeron, un tonnelier, quelques gamins bricolant leurs arcs et un bon nombre de bûcherons et de menuisiers. Les clans arques étaient plus qu'un simple groupement géographique de quelques familles : la notion de *communauté* prenait ici tout son sens, et ces gens aimaient à vivre et à travailler ensemble.

Bowbaq dépassa le niveau de l'enceinte sans la moindre hésitation, et ses amies lui emboîtèrent le pas en veillant à ne pas se faire distancer. Leur entrée ne troubla guère les villageois, dont la plupart se contentèrent de lever les yeux quelques instants, avant de retourner à leurs occupations. Seuls les enfants et quelques indiscrets s'aventurèrent à examiner les étrangers des pieds à la tête, au point d'embarrasser Lana.

— Pouvons-nous vraiment nous imposer au milieu de ces gens ? demanda la Maz. Cela semble très importun...

— Ne t'inquiète pas, amie Lana, assura Bowbaq. Le clan du Renne est réputé pour son hospitalité.

— Mais... pourquoi nous ignorent-ils ainsi ? Même les plus curieux n'osent nous adresser la parole !

— Ils ne peuvent pas nous aborder avant que nous n'ayons rencontré le chef, expliqua le géant. Ce serait impoli.

— Étrange coutume... commenta Léti.

— Pourquoi ? C'est une règle logique, reprit Bowbaq avec candeur. Tant que nous n'avons pas demandé l'hospitalité au chef, nous sommes des étrangers qu'il faut laisser en paix. Si un voyageur veut traverser le village sans parler à personne, c'est son droit.

— Je ne trouve pas ça si logique, insista la jeune femme. On pourrait très bien s'installer chez quelqu'un d'autre, par exemple.

— Oh ! Non ! refusa Bowbaq, horrifié par cette idée. Ce serait *très* impoli !

Corenn éclata d'un rire léger et clôt ainsi cette discussion sans issue. En tant que Mère du Conseil permanent de Kaul, elle était au fait du fonctionnement des institutions arques, comme de la plupart des royaumes du monde connu. Assez pour savoir que l'équilibre du Blanc Pays reposait principalement sur un ensemble de traditions plus singulières les unes que les autres.

Ils gagnèrent donc la maison du chef de clan, une bâtisse énorme, massive et dont la façade supportait une dizaine de paires de bois de renne.

— Le chef a toujours la maison la plus grande, expliqua Bowbaq en s'avançant vers la porte, parce qu'il lui revient d'accueillir les voyageurs. Certains ont même *deux* maisons, précisa-t-il en frappant le butoir de bronze.

À la grande surprise de ses amies, le géant entra dans le bâtiment sans attendre de réponse. Voilà ce qu'elles auraient trouvé *impoli* ! La courtoisie arque était décidément bien déconcertante.

Elles ne s'en engagèrent pas moins à la suite de Bowbaq et le trouvèrent en train de chasser la neige de ses bottes. Le vestibule semblait, heureusement, prévu à cet effet : quelques flaques d'eau sale et plusieurs paires de chausses rangées sur une étagère en témoignaient.

Une matrone aux cheveux noués en une longue tresse déboula par une des portes en s'essuyant les mains. Elle ne semblait ni surprise, ni contrariée par cette intrusion, et les héritiers en conclurent que c'était là chose courante pour elle.

— *Nish'e lo gën jtorn ?* demanda-t-elle avec naturel.

— Mes amis ne parlent que l'ithare, informa précipitamment le géant, gêné par la situation.

— Ah ! s'exclama la matrone. Je vous… demande un… excuse, énonça-t-elle laborieusement. Mon homme… être…

Elle décida finalement de leur mimer l'action, et les héritiers comprirent que l'individu en question était en train de couper du bois.

— Vous… aurez attendre, reprit-elle avec un sourire chaleureux.

Bowbaq la remercia avec la même sympathie, et leur hôtesse retourna à ses activités, vraisemblablement peu soucieuse de poursuivre cette conversation laborieuse.

— J'avoue être agréablement surprise, annonça Lana en ôtant des moufles beaucoup trop grandes pour elle. Je n'imaginais pas que la langue ithare soit répandue jusqu'ici.

— Les Arques sont très croyants, expliqua Bowbaq en se dévêtant. Nous avons quelques Maz à nous, qui parcourent les villages et font des prières. Ce qu'ils disent sur Eurydis n'est peut-être pas toujours vrai, mais les gens aiment bien la déesse.

La foi décrite était naïve mais sincère, et Lana trouva du réconfort dans cette idée. Après l'aventure du Jal'karu, la quête universelle de la Morale lui semblait plus essentielle que jamais.

Suivant les conseils du géant, les héritiers s'installèrent sur les larges bancs cerclant la pièce et se mirent à l'aise. Lana examina la blessure de Corenn et se réjouit de constater l'avancée de sa guérison. Léti s'appuya contre la paroi et chercha à récupérer un peu du sommeil qui lui manquait. Quant à Bowbaq, il s'absorba complètement dans l'étude des fumets agréables s'échappant des cuisines, en s'efforçant de deviner quels plats pouvaient en être à l'origine.

Le maître des lieux, probablement averti de la présence d'étrangers en son logis, ne se fit pas attendre longtemps. La porte s'ouvrit sur un homme trapu et massif, portant cheveux gris et barbe aussi longs que le poilu Bowbaq. Hache sur l'épaule, il toisa les héritiers en silence avant de donner une franche poignée de main au géant.

— Je suis Ingal, chef du clan du Renne, annonça-t-il d'une voix éraillée. Vous êtes ici les bienvenus.

— Je suis Bowbaq du clan de l'Oiseau, et te remercie pour ton hospitalité, ami Ingal.

Le géant fit les présentations et le nommé Ingal inclina la tête devant chacune des héritières, en guise de salut.

— Tu es bien loin de chez toi, ami Bowbaq, commenta-t-il en les invitant à pénétrer plus avant dans sa demeure. Où te mènent tes affaires ?

— Sage Eurydis ! interrompit Lana, alors qu'ils entraient dans la pièce principale.

La Maz avait découvert, trônant au-dessus de l'épais manteau de la cheminée, une fresque à l'effigie de la déesse et courant sur trois pas de long. On ne pouvait s'y tromper : la scène représentée était celle de la seconde apparition de la Sage, lors de sa visite aux puissants généraux de l'Empire ithare.

— Je… Il m'a rarement été donné l'occasion d'en voir de plus belles, expliqua-t-elle, encore sous le choc.

Lana songea que le Grand Temple aurait versé plusieurs centaines de livres d'or pour acquérir cette œuvre exceptionnelle. Les circonstances qui l'avaient amené dans un tel endroit resteraient un mystère… et la Maz s'en souciait peu. L'important était *qu'elle y fût*.

— Corenn, je suis convaincue que nous sommes sur la bonne voix, annonça-t-elle avec enthousiasme. Combien de chances avions-nous d'aboutir ici ? Eurydis nous a *guidés* jusque dans cette maison. Cette fresque est un signe de la déesse !

Ses amis lui rendirent son sourire, en espérant que l'avenir donne raison à son optimisme.

— Elle est dans ma famille depuis toujours, prévint Ingal, autant par fierté que pour montrer son attachement à l'œuvre.

— Elle est magnifique, répéta Lana.

Un silence suivit cet échange de politesses, que leur hôte rompit en leur offrant de s'installer sur les larges bancs disposés auprès de l'âtre.

— Où donc te mènent tes affaires, ami Bowbaq ? répéta Ingal une fois qu'ils furent installés.

— Ici, si tu le veux bien, répondit aussitôt le géant. Mon amie Corenn est une Mère très importante à Kaul. Elle a un message à adresser à tous les chefs de clan de la région, mais une blessure l'oblige à se reposer. Puis-je réunir le *Concil* chez toi ?

— Quel est donc ce message ? demanda Ingal en négligeant la question.

Corenn prit son temps pour répondre. C'était la première fois que leur hôte s'adressait directement à elle : la femme arque, respectée, écoutée, adulée par son époux, n'en était pas moins tenue à l'écart de la politique. Le contraire eut été *impoli*. La Mère aurait à fournir beaucoup d'efforts pour être prise au sérieux.

— Il m'est impossible de le révéler avant la réunion du Concil, ami Ingal, affirma-t-elle en hochant la tête. Le danger serait trop grand, et je me refuse à te nuire.

— Quel est donc ce danger ? s'enquit le chef, sur un air de défi.

Corenn fit signe qu'elle s'en tiendrait à sa décision, et Ingal se renfrogna. Il n'avait pas l'habitude de tant de mystères et pressentait des ennuis. Mais il était également tenu par ses responsabilités...

— Entendu, concéda-t-il enfin. Tu parleras devant le Concil, amie Corenn. J'espère que tes raisons sont bonnes. Mes pairs ne vont pas aimer faire le voyage pour rien.

— J'ai les meilleures raisons du monde, ami Ingal, assura la Mère. Les chefs ne viendront pas en vain. Ce que je vais révéler est *le plus grand secret de ce siècle*, conclut-elle avec emphase.

Ingal acquiesça puis se tourna vers Bowbaq, en espérant que le géant lui donne quelques précisions. Mais ce dernier n'était même pas certain d'avoir compris les projets de son amie.

— Je vais dès maintenant envoyer quelques messagers, reprit le chef du Renne. Il me tarde de tirer cette affaire au clair.

— Compte-moi parmi eux, ami Ingal, proposa Bowbaq.

— Ton offre est généreuse, l'ami, mais tu es mon hôte et la région est dangereuse pour qui ne la connaît pas. Il est même un lion qui erre dans les parages, depuis quelques lunes. C'est miracle qu'il n'ait encore blessé personne.

— Un *lion* ? répéta le géant, troublé. A-t-il une oreille noire, les yeux clairs et une brûlure sur la patte ?

— C'est possible, admit Ingal sans certitude. Nous ne l'apercevons que de très loin.

— Où l'a-t-on vu pour la dernière fois ? s'enquit Bowbaq en se levant.

— Sous la forêt de Bianq, je crois. À l'est, précisa-t-il en indiquant cette direction.

— Merci pour ton hospitalité, Ingal, salua le géant en s'éloignant vers la sortie. Je serai vite de retour !

Léti le regarda partir avec envie. Bowbaq semblait si heureux ! Elle aurait aimé l'accompagner, mais voulait lui laisser le plaisir de ces vraisemblables retrouvailles.

— Qu'est-ce qui lui prend ? demanda Ingal, alors que l'on entendait la porte se refermer. Est-il chasseur de lions ?

— Oh ! Non ! Il va simplement retrouver sa famille, répondit Corenn en souriant.

* * *

Rey n'avait jamais été aussi près du but. Pendant deux jours, et faute d'indications plus précises, il s'était contenté d'avancer en direction des montagnes. Mais la veille lui étaient apparus les feux de l'armée wallatte, brillant au pied du Rideau comme autant de phares inespérés, et l'acteur en avait pris le cap. Il s'attendait, d'un instant à l'autre, à émerger au cœur des lignes ennemies… s'il n'y était déjà.

Cette perspective l'effrayait moins qu'il ne l'aurait cru. Rey avait eu tout le temps de réfléchir à ce qu'il aurait à faire, et sa détermination, plutôt que de diminuer de jour en jour, s'était renforcée. Il avait traversé tant de villages fantômes, déjà… Constaté tant d'atrocités, en trois jours seulement, qu'il ne pouvait plus hésiter : *Saat devait payer pour ses crimes. Les Hauts-Royaumes ne pouvaient connaître de pareilles horreurs.* Devant cette nécessité, Rey en oubliait presque sa vengeance personnelle.

Mais l'acteur souffrait de la faim et de la fatigue. Dévastée par le passage de dizaines de milliers d'hommes, la région n'offrait plus grand-chose de comestible. L'absence de gibier, en particulier, se faisait cruellement sentir, et Rey n'avait eu que des œufs, des champignons sapeurs et quelques racines à se mettre sous la dent. Au point qu'il aurait donné toutes ses possessions contre un bon repas chaud… surtout, parce que les dites possessions se résumaient à peu de choses, depuis qu'il avait abandonné le reste du trésor du Petit Palais.

Rey s'efforçait d'ignorer ces difficultés en songeant à ses amis, et à Lana tout particulièrement. Il imaginait leur soulagement, lorsqu'il les avertirait de la réussite de sa mission. Il rêvait leurs retrouvailles, improvisait leurs joies, faisait des projets d'avenir qu'il savait excessivement optimistes… mais qui lui tenaient compagnie, dans la solitude angoissante de son incursion en territoire ennemi.

C'est au cours d'une de ces rêveries, alors qu'il se figurait les beaux jours d'une existence paisible avec sa Maz, qu'il fut confronté à une manifestation matérielle des pouvoirs de Saat.

Rey venait de découvrir une véritable *avenue* taillée dans la forêt. Aussi loin que porte le regard à l'est et à l'ouest, toute végétation avait été rasée sur une largeur moyenne de huit pas. Seules les souches les plus profondément implantées avaient été brûlées sur place, laissant de loin en loin un obstacle noirci et recroquevillé sur lui-même, comme si la route avait été tracée par le passage des Ondines elles-mêmes.

Rey attendit un bon moment avant de pénétrer ce territoire dégagé, mais l'endroit semblait désert, aussi s'y aventura-t-il prudemment. Le sol était inégal et boueux, labouré d'ornières et d'empreintes d'hommes et de chevaux. Il avait dû passer là un nombre impressionnant de compagnies… Peut-être même, cette route servait-elle encore au ravitaillement de l'armée de Saat. Si la direction de l'ouest menait aux montagnes, celle du levant permettait probablement de rallier la capitale wallatte.

Malgré les dangers d'une progression en terrain découvert, Rey décida de tirer partie de cette opportunité, et de suivre ce chemin qui allait le mener tout droit à son but. En longeant la lisière de la forêt, et en gardant un œil pointé sur l'horizon, il espérait pouvoir se dissimuler à temps en cas d'alerte… Tout en sachant qu'il aurait forcément à rencontrer des Wallattes, avant la fin de son périple.

Malheureusement, cela arriva beaucoup plus vite qu'il ne l'avait espéré. Si l'acteur surveillait la route *devant* lui, il n'avait pas vraiment envisagé que le danger pourrait venir de derrière et quand il entendit le cavalier, il était déjà trop tard. L'homme ne pouvait pas manquer de l'avoir vu.

Rey ne se retourna qu'un instant pour l'observer et poursuivit son chemin sans modifier son allure. En s'enfuyant, il se serait trahi et les choses seraient devenues plus difficiles encore. Il lui fallait espérer que le Wallatte, trompé par son déguisement, continue tout droit sans s'arrêter.

Mais Rey ne devait pas avoir cette chance. Le galop du cheval se fit moins rapide, diminua jusqu'au trot, et il ne fit bientôt plus aucun doute que le cavalier allait interpeller le voyageur. Aussi Rey se retourna-t-il franchement et attendit d'être rejoint, comme l'aurait fait n'importe quel homme à la conscience tranquille.

Le Wallatte s'approcha avec circonspection, visiblement intrigué par la mise particulière de l'acteur. Comme ses compatriotes, c'était un homme robuste, poilu et quelque peu bedonnant, au visage trahissant la brutalité et la grossièreté. Le parfait représentant de ce peuple à tradition guerrière…

— Rau'ch'en il mer ol're wfer? demanda-t-il sur un ton méprisant.

J'en ai autant à ton compte, songea Rey. Mais il n'avait aucune idée du sens de la question. La langue wallatte ne ressemblait à aucune de celles pratiquées dans les Hauts-Royaumes. Aussi, tentant le tout pour le tout, l'acteur sourit et acquiesça avec beaucoup d'assurance.

Le cavalier le dévisagea en silence avec une expression indéfinissable. Rey trouva très longs ces quelques instants d'incertitude.

— *Rau'ch'en il mer ol're wfer?* répéta l'homme plus fort, en se penchant sur sa selle, comme s'il s'adressait à un sourd.

Rey sourit encore, leva la main pour signifier la patience et fit passer son sac de son dos dans ses mains. Prestement, il s'empara de l'arbalète qui y était pendue, la pointa sur le Wallatte et tira. Le carreau vint se ficher dans le crâne du barbare sans que celui-ci ait eu le temps de pousser un cri. Le corps sans vie glissa sur l'encolure avant de choir au sol.

— J'ai horreur des mauvaises manières, marmonna l'acteur, faussement détaché mais le cœur battant plus fort que les tambours du Jour de Terre.

Il traîna le cadavre sous le couvert des arbres et fit l'inventaire de ses possessions. Seules les quelques piécettes de l'homme retinrent son attention, en ce qu'elles pouvaient l'aider à l'une ou l'autre corruption. Mais cette scène venait de confirmer les difficultés de la communication avec les Estiens… Comment acheter la coopération d'un homme dont on ne comprend pas la langue?

Involontairement, le Wallatte lui avait pourtant fourni une idée. Rey découpa une bande d'étoffe grossière et, après quelques mesures, la souilla de sang en deux endroits précis. Avec un certain dégoût, il se noua le linge sous le menton et au-dessus du crâne, de manière à ce que les taches couvrent ses oreilles. Affublé d'un tel bandage, il pourrait faire le sourd et côtoyer ses ennemis en toute impunité… un rôle qu'il pensait pouvoir jouer à la perfection.

Pour éviter d'attirer davantage l'attention, toutefois, il se résolut à abandonner ses dernières possessions remarquables: en particulier, sa rapière, son arbalète et ses bottes loreliennes. À part sa dague et le contenu de son sac, Rey ne portait plus rien qu'il n'eut volé sur un cadavre wallatte. Pour la première fois de sa vie, l'acteur se sentit… *loin de chez lui*. Étrange sentiment, pour celui qui avait toujours choyé la vie de bohème.

Il revint sur la route et constata que le cheval, faute de cavalier, s'était éloigné d'un bon mille en direction de Wallos. Rey se consola en songeant qu'il n'avait pas ainsi à prendre de décision à son sujet. Il vérifia que son bandage ne glissait pas, soupira bruyamment et se lança, pieds nus, en direction des montagnes.

Le lendemain, il était en vue du camp ennemi.

* * *

Les *loups noirs* avaient enfermé Yan et Grigán dans la cave de la maison de Félel, sans que le guerrier fasse rien pour les en empêcher. Ils y étaient restés toute la nuit et toute la journée suivante, sans aucun contact avec leurs geôliers. Ces derniers s'étaient contentés de prendre leurs armes et de les boucler au sous-sol. Pas une question n'avait été posée. Personne ne s'était soucié de demander leurs noms. Curieux de nature, Yan avait du mal à concevoir un tel détachement…

Mais les décans s'étaient enfuis et une nouvelle nuit s'était installée sur les Hauts-Royaumes. La porte de leur prison s'était enfin rouverte et le jeune homme attendait de voir, anxieux, la réaction de Grigán. Il n'advint rien de surprenant : le guerrier se plaça docilement sous la garde des trois Ramgriths et Yan lui emboîta le pas, en s'efforçant de calmer la petite Ifio qui hurlait dans son oreille.

Les trois hommes se ressemblaient tant qu'on aurait pu les croire de la même famille. Mais à la réflexion, Grigán lui-même présentait de nombreux points communs avec leurs geôliers. Les Ramgriths étaient de taille moyenne, avaient les traits secs, les cheveux d'un noir de corbeau et portaient une fine moustache, pour la plupart. Chacun d'eux disposait d'une lame courbe mais, pour lors, c'est avec un poignard qu'ils menaçaient les fugitifs.

Celui qui devait être Félel et qui les avait accueillis la veille précéda le groupe le long d'une galerie d'une dizaine de pas. Il attendit d'être rejoint pour ouvrir l'une des deux portes situées à l'extrémité.

Grigán et Yan furent poussés à l'intérieur d'une pièce de faibles dimensions, éclairée par deux lanternes, et renfermant plusieurs couchettes superposées dont certaines avaient servi récemment. Une table occupait le centre de cette cave, faisant obstacle entre les fugitifs et deux hommes assis sur un banc. Tous deux portaient des masques ithares et gardaient leurs poignards à portée de main.

La porte fut refermée et deux des geôliers se placèrent en travers, laissant Yan et Grigán debout devant les hommes mystérieux, vraisemblablement chefs à l'un ou l'autre niveau de la meute des loups noirs.

— Qui vous a donné cette adresse ? demanda celui de gauche.

— J'ai fait le serment de ne pas le révéler, répondit sans hésiter Grigán.

— *Qui vous a donné cette adresse ?* répéta l'homme avec agressivité.

— Je m'en tiendrai à ma promesse, articula le guerrier en fronçant les sourcils.

Yan ne put s'empêcher de songer à Corenn. Grigán n'était vraiment pas diplomate. S'il espérait obtenir de l'aide de ces gens masqués, les choses se présentaient plutôt mal…

— Bien. Nous reviendrons donc sur cette question plus tard, décida l'insoumis après quelques instants. Qui êtes-vous ? aboya-t-il avec hargne.

— Je suis Grigán de la tribu Derkel, lança le guerrier sur un ton défiant. Les terres de ma famille se trouvaient à onze milles, au sud-ouest. Avant qu'Aleb ne les donne aux *Yussa*.

Le mépris qu'il avait mis dans la prononciation de ce dernier mot n'était pas feint. Mais la simple mention de son nom avait déjà causé suffisamment d'émoi chez les Ramgriths, pour qu'ils relèvent ce fait. Celui de droite chuchota quelques mots à l'oreille de son complice et l'interrogatoire reprit.

— Et celui-là ? demanda l'homme en désignant Yan. Il n'est pas du pays.

— Il m'accompagne. C'est mon meilleur ami. Il est honorable et digne de confiance.

Yan gonfla sa poitrine en entendant les éloges qui lui étaient faits. Le guerrier montrait rarement une telle franchise dans ses sentiments. Le jeune homme en oublia les moments difficiles de ces derniers jours. Malgré son mutisme, malgré ses sautes d'humeur, Grigán était un compagnon admirable.

— Il n'y a plus de tribu Derkel, reprit l'homme masqué. Je suppose que tu le sais ?

Grigán acquiesça doucement, le regard planté dans celui de l'insoumis.

— Bien sûr que tu le sais, poursuivit ce dernier. Ainsi, il nous est impossible de vérifier tes dires.

— *Narro* les confirmera, lâcha le guerrier. Je veux le rencontrer.

— Nous ne savons pas qui est ce Narro.

— Bien sûr que si. Menez-moi à lui, et je finirai ce que j'ai commencé il y a vingt ans. Je terrasserai le Borgne.

Les deux hommes discutèrent à voix basse et tombèrent rapidement d'accord.

— Si tu étais *réellement* le Grigán dont tu parles, tu n'essaierais pas de voir Narro. Il a juré de te tuer de ses propres mains.

— Je sais. Il le fera peut-être. Je ne l'en empêcherai pas.

La réponse du guerrier fit sursauter Yan, qui se demanda quel pouvait bien être le crime de son ami, à l'origine d'une telle rancœur. Leur expédition courait-elle au désastre ?

— Je *suis* Grigán, affirma le vétéran, lassé de voir sa parole mise en doute. Des bourses pleines d'or vous ont été adressées, depuis vingt ans, par un certain Bahlin de Far. Comment pourrais-je savoir cela, si je ne les avais pas *moi-même* envoyées ?

Les hommes masqués reprirent leur conciliabule et Yan attendit nerveusement leur verdict. Si les loups noirs jugeaient trop louches les réponses de Grigán, ils les feraient tuer. Aussi le jeune homme se prépara-t-il au pire, en étudiant comment il pourrait utiliser sa magie pour les sortir d'affaire…

— Si tu veux mourir, alors tu seras satisfait, conclut enfin le Ramgrith de gauche. Nous allons t'emmener voir Narro. Mais tu regretteras sûrement ton retour au pays, Grigán Derkel.

Une cagoule tomba sur le visage de Yan et l'aveugla complètement. Ses mains furent tirées en arrière et solidement attachées, alors qu'Ifio hurlait à gorge déployée. Le jeune homme se laissa faire en espérant qu'ils ne commettaient pas leur dernière erreur.

* * *

La nuit tomba sans que Bowbaq soit revenu au village du Renne, après son départ précipité. Dans la maison d'Ingal, Lana, Léti et Corenn s'efforcèrent de se rassurer mutuellement. Mais l'aube vint sans que le géant soit réapparu, et les héritières commencèrent à compter les décans avec une anxiété croissante.

Le chef du Renne ne voulait différer plus encore le départ de ses messagers, et ceux-ci se mirent en route peu avant l'apogée, avec pour mission de convoquer les chefs de clan à un Concil exceptionnel. Six ou sept jours au moins seraient nécessaires à la venue des plus éloignés, et il tardait déjà à Ingal d'entendre les révélations de Corenn.

Bowbaq fit un retour triomphal vers la fin du quatrième décan, alors que Léti scrutait les environs de la porte du village. Elle courut jusqu'à lui du plus loin qu'elle le vit et ils tombèrent dans les bras l'un de l'autre, avant que le géant fasse tournoyer dans les airs la jeune femme soulagée.

— Tu l'as trouvé ? demanda-t-elle joyeusement, quand il l'eut enfin reposée.

— Oui ! répondit le géant, hilare. Je l'ai laissé sous les bois, là-bas. Et ma famille va bien !

La surprise de Léti ne dura qu'un instant, le temps nécessaire à se rappeler que les pouvoirs d'erjak de Bowbaq lui permettaient certains dialogues avec les animaux. Ainsi, Mir le lion avait parfaitement rempli sa mission, veillant sur Ispen et les enfants pendant plus de quatre lunes. Pour les héritiers, c'était la première bonne nouvelle depuis longtemps…

— Allons chercher Corenn et Lana, reprit le géant. Je veux vous le présenter !

Il leur fallut peu de temps pour trouver leurs amies, et moins encore pour les convaincre de se laisser mener auprès de Mir. Corenn avoua son soulagement et sa satisfaction quant au sort de la famille de leur ami, et Lana se répandit en remerciements auprès de la déesse. Ils franchirent le mille de distance mentionné par Bowbaq sans que leur enthousiasme soit retombé.

Mais le lion n'était pas au lieu prévu. Bowbaq l'appela une fois, puis une deuxième, plus fort, sans que l'intéressé ne se manifeste.

— Je vais essayer par l'esprit, expliqua-t-il à ses amies. C'est une des choses dont je voulais te parler, amie Corenn. Je crois que mon pouvoir d'erjak est beaucoup plus grand qu'avant.

La Mère acquiesça lentement, seule à comprendre que l'impression de Bowbaq quant à ses facultés prouvait que les héritiers avaient subi l'influence du Jal, si peu qu'ils y soient restés. Quel effet cela aurait-il sur ses propres pouvoirs ?

Et sur ceux de Yan ? songea-t-elle soudain. Les capacités du jeune homme étaient déjà exceptionnelles, avant. Qu'arriverait-il quand il ferait appel à sa Volonté ? Une telle débauche de puissance risquait de le surprendre, et la langueur en rapport s'avérerait extrêmement violente… Corenn trembla pour son élève, ignorant du danger qui le menaçait s'il n'y prenait garde. Elle décida toutefois de taire ses inquiétudes, et s'absorba comme les autres dans l'observation du paysage.

Ce qui advint alors parut surnaturel : bien qu'ils fussent quatre à tenter de repérer le lion, aucun n'eut le temps de discerner la masse blanche, énorme et leste qui fit trébucher Bowbaq en se jetant sur son dos. Si elles n'avaient été prévenues, les héritières auraient été terrifiées en découvrant l'animal. Même ainsi… Mir n'en restait pas moins impressionnant.

Bowbaq se retourna en riant et empoigna le lion à bras-le-corps, avant de rouler dans la neige avec le fauve. Ce dernier était presque aussi grand que son maître. Sa crinière courant jusqu'à la queue ridiculisait celle des plus beaux étalons de Junine. Les taches qui donnaient son nom à la race s'étaient estompées avec l'hiver, laissant l'épaisse robe de poils immaculée. Mais les héritières voyaient surtout les griffes monstrueuses de pattes non moins énormes, et la gueule de sang et d'ivoire d'où s'échappaient quelques râles excités.

— C'est lui ! lança Bowbaq entre deux roulades, comme si ses amies avaient pu en douter. C'est mon lion !

Elles attendirent patiemment que le jeu cesse, riant des mimiques et attitudes des deux compagnons. Le géant concéda bientôt la défaite et Mir lui permit enfin de se relever.

° Elles sont mes compagnons de chasse, expliqua-t-il au lion, en invitant ses amies à caresser le fauve.

Cette interprétation suffit à Mir pour accepter la présence des trois étrangères. Quand il eut flairé et distingué l'odeur de chacune, et qu'elles eurent témoigné de leur bienveillance, il les intégra naturellement à ce qu'il considérait comme sa harde. Les choses auraient été beaucoup plus longues et difficiles s'il n'avait été mis en confiance par Bowbaq.

— Qu'il est doux ! commenta Lana, en ôtant délicatement le givre des poils du fauve.

— Ispen a dû le brosser, expliqua Bowbaq, heureux d'évoquer ces images domestiques. Prad adore monter sur son dos, et elle n'aime pas voir notre fils rentrer couvert de boue. Ah, mes enfants, mes enfants ! s'exclama le géant, impatient de revoir les siens.

Corenn contemplait le puissant animal en réfléchissant. Elle venait d'avoir une idée. Une idée qui valait la peine d'être tentée. Une idée qui pouvait leur ôter un énorme souci.

— Bowbaq, as-tu sur toi les pierres que tu destines à ta famille ?

Le géant exhiba les dites pierres de Dara avec un espoir évident. Quoique Corenn suggère, il était prêt à suivre son conseil. Ses retrouvailles avec Mir lui avaient rendu son optimisme.

— Peux-tu vraiment donner des ordres précis à ton lion ?

— N'importe quoi qui ne le mette pas en danger, ou qui soit trop compliqué.

— Ispen sait-elle lire ?

— Ah… non, avoua Bowbaq à regret.

L'expression déçue de la Mère en disait suffisamment long. Son plan venait de tomber à l'eau.

— Que veux-tu écrire, amie Corenn ? s'enquit le géant.

— J'aurais voulu que Mir livre les pierres à ta famille, expliqua la Mère en soupirant. Mais il est important de leur signifier de les garder avec eux. Autrement, ça ne fera qu'empirer les choses.

Le géant réfléchit quelques instants avant d'avouer son incompréhension.

— Je pourrais aller les porter moi-même, proposa-t-il timidement. Ma pierre me protégera.

— Bowbaq, je sais que c'est difficile, soupira Corenn. Mais s'il surveille le village où se trouve ta famille, Sombre pourra lire dans les esprits de tous ceux que tu croiseras. Ce sera comme s'il pouvait te voir, toi… C'est trop dangereux.

— Et si on envoyait l'un des hommes du Renne ? suggéra Léti.

— C'est la même chose. Dès qu'il aura livré les pierres, cet homme sera « visible » de Sombre et nous mettra en danger. Voilà pourquoi Mir convenait parfaitement. Le démon néglige probablement de surveiller les animaux.

Bowbaq eut une moue boudeuse et contempla le lion qui patientait, confortablement installé dans une cuvette emplie de neige.

— Tu as eu une *bonne* idée, amie Corenn, décida-t-il soudain. Elle marchera, j'en suis sûr.

Le géant empoigna l'une des pierres et, avec un petit couteau, grava un symbole à sa surface. Il agit bientôt de même avec les deux autres morceaux du Jal'dara.

— C'est le symbole du clan de l'Oiseau, expliqua-t-il en s'appliquant à rayer la roche. Ispen va comprendre. Elle est très intelligente, ajouta-t-il avec fierté.

Corenn regarda le géant donner ses consignes au lion, d'esprit à esprit, et placer les pierres dans la gueule du fauve. Ainsi chargé de cette mission, Mir se redressa et disparut en quelques bonds, vers les seuls héritiers de Ji encore épargnés par les événements.

La Mère pria pour ne pas s'être trompée…

* * *

Yan suffoquait sous sa cagoule. La nuit s'était enfuie depuis longtemps, pour laisser place à la dictature caniculaire du soleil. Le jeune homme n'espérait plus qu'une chose : que ce supplice prenne fin au plus vite. Il avait tellement transpiré, déjà, qu'il redoutait de s'évanouir s'il ne buvait pas rapidement un peu d'eau. Mais ses ravisseurs restaient sourds à sa demande... ils ne devaient le libérer que parvenus à destination.

Les fugitifs avaient été menés le long d'un souterrain, puis placés dans de grands paniers chargés sur une carriole. Yan et Grigán s'étaient plusieurs fois appelés pour vérifier qu'on ne les séparait pas. Ifio elle-même avait été enfermée avec le jeune homme et s'était, heureusement, tenue tranquille. La situation était déjà suffisamment angoissante pour qu'il n'endure pas en plus l'hystérie du singe mimastin.

La carriole avait erré le long des rues de Griteh, en multipliant proba-blement les détours, avant de s'engager sur un terrain rocailleux que Yan devina situé hors de la ville. Après un bon moment de ce voyage mono-tone, les paniers avaient été ouverts et les fugitifs avaient pu respirer un peu d'air frais. Mais on ne les avait toujours pas libérés...

Yan eut l'idée d'atteindre *l'esprit profond* d'Ifio pour utiliser ses yeux, mais il se sentait trop malade pour faire appel à sa Volonté. Il n'avait que trop souvent déjà ignoré le conseil de Corenn : *ne jamais se servir de la magie sous l'emprise de la colère, de la souffrance ou du vin*. Cette fois, il se montrerait raisonnable.

Après une longue attente, ponctuée de cahots, de conversations intermit-tentes et de soupirs dus à la chaleur, la carriole parut diminuer d'allure. Quelques mots furent échangés entre leurs ravisseurs et une probable senti-nelle, et le convoi reprit sa progression, sur un chemin pavé cette fois.

L'écho qui les suivit alors et quelques fugaces sensations de fraîcheur confirmèrent ce changement de décor. La carriole et son escorte n'évo-luaient plus en plein désert, mais entre des reliefs solides, bâtiments ou pics rocheux. Une certaine animation se fit bientôt entendre derrière leur propre vacarme : appels, conversations, bruits de pas et même un air de flûte coudée. Le camp des loups noirs. Yan et Grigán étaient arrivés.

La carriole s'immobilisa et on les invita sans ménagement à en descendre. Leurs cagoules furent enfin retirées, pendant qu'un autre Ramgrith vérifiait leurs liens. Yan découvrit les lieux en inspirant avec bonheur.

Ils se trouvaient entourés de ruines, probablement très anciennes, au jugé de l'érosion des murs. Le toit de la plupart des bâtiments s'était effondré, et le sable obstruait en partie les portes et fenêtres les plus basses. L'architecture générale n'était pas très éloignée de celle de Griteh, mais il ne restait pas assez de constructions entières pour étayer cette comparaison. De toute façon, là n'était pas le plus important…

Ces ruines avaient été aménagées en campement : on remarquait çà et là quelques travaux de réfection et de fortification, exécutés avec les moyens disponibles sur place. Plusieurs murs avaient été consolidés, quelques étoffes, judicieusement tendues pour garantir des zones d'ombre. Un grand bâtiment tout proche avait été recyclé en écurie, alors qu'un immense tas de sable à côté d'un puits témoignait du travail qu'il avait fallu fournir pour le réactiver. Quelques cibles de tir à l'arc et mannequins décapités trahissaient l'utilité militaire de ce campement.

Enfin, les loups noirs. Il en sortait de partout : Yan estima que trente au moins s'avançaient vers leur petit groupe, mais les éclats de voix qui montaient de toute part en révélaient dix fois plus. D'autant que ces ruines semblaient fort étendues… Si chaque quartier présentait une aussi forte concentration humaine, le camp devait compter quelques milliers de guerriers.

Ces hommes avaient le visage farouche, fier et susceptible, que Grigán présentait dans ses mauvais moments. Yan fut surpris de trouver quelques enfants parmi eux : garçons uniquement, mais dont certains portaient déjà dague et lame courbe avec une aisance effrayante. La plupart, pourtant, se contentaient d'un arc adapté à leur taille… et qu'ils pointaient tout droit sur la poitrine de l'un ou l'autre des fugitifs.

— La cité de Gul, commenta sobrement Grigán, en détaillant les ruines. On la disait infestée d'araignées…

— Elle l'était, confirma l'un de leurs ravisseurs, sur un air de défi. Il y en avait tant que les murs étaient noirs, et qu'on pouvait les entendre à plus d'un mille. Il nous a fallu deux ans pour brûler tous les nids. Mais cette ville est à nous, maintenant. Pas un Yussa n'y mettra les pieds.

Le guerrier acquiesça sans répondre, préoccupé par un sujet plus important. Il observait chaque nouvel arrivant, cherchant à reconnaître au moins un visage parmi tous ceux, hostiles, qui les encerclaient. Il fut en cela pris de vitesse…

— Grigán ! appela joyeusement un homme, en fendant la foule. Grigán Derkel !

— Berec ! répondit le guerrier, avec une pointe d'étonnement mais un sourire réjoui.

Le nouveau venu avait la cinquantaine, des cheveux sombres grisonnants et était manchot d'une main. Il donna une étreinte à Grigán de son bras valide et ne comprit qu'à ce moment que son ami était entravé. Il eut alors un soudain accès de colère et invectiva leurs ravisseurs en des termes si virulents que Yan fut heureux de ne pas les comprendre. Les accusés se défendirent de leur mieux en avançant quelques timides arguments, mais Berec eut le dernier mot et les fugitifs furent enfin libérés.

— Berec ! répéta Grigán, en rendant convenablement le salut à son ami. Par Alioss, je n'espérais pas te trouver ici !

— Tu n'aurais pas dû venir, commenta l'intéressé, sans pour autant perdre son sourire. Narro ne t'a pas pardonné.

— Je sais, répondit le guerrier en se rembrunissant. Mais c'était la seule solution. J'ai besoin de son aide.

— Je doute qu'il te l'accorde, avoua Berec après un silence. Enfin… allons toujours le voir.

Il lâcha quelques ordres à l'adresse des autres, signifiant qu'il prenait les prisonniers sous sa responsabilité, et fendit la foule curieuse qui se dispersait déjà. Bien qu'il soit désarmé, au milieu de guerriers méfiants et perdu dans le désert, Yan ne s'était pas senti aussi libre depuis longtemps.

— Qu'est-il arrivé à ta main ? demanda Grigán alors qu'ils progressaient entre les ruines.

— Aleb me l'a fait couper. Après que j'ai refusé de livrer ma récolte aux Yussa. Voilà la justice du Borgne : *ils* sont les pillards et *nous* sommes punis comme des voleurs.

Grigán s'éclaircit la voix en un sobre témoignage de sa compassion. Yan connaissait suffisamment le guerrier pour savoir qu'il se considérait comme partiellement responsable de chaque crime commis par Aleb. S'il avait achevé le tyran vingt ans plus tôt, au cours de leur duel… l'histoire aurait été différente. Et Grigán avait l'impression d'avoir failli.

Ils franchirent une cour où cinq hommes s'exerçaient à l'épée, et ces derniers interrompirent leur entraînement. Berec les salua et leur signifia d'un geste qu'il n'y avait pas lieu de s'inquiéter. Les guerriers n'en dévisagèrent pas moins Yan et Grigán d'un bout à l'autre de la place.

— Narro a… vieilli, expliqua Berec, après s'être assuré que personne ne pouvait l'entendre. Comme nous tous. Il reste un bon stratège, mais la fatigue et l'âge l'ont rendu trop prudent. Chacun de nous est prêt à mourir pour lui, ajouta aussitôt le Ramgrith, pour se justifier. Mais cela fait trop longtemps que nous nous préparons à une bataille qui n'arrive jamais.

— Vous ne tuez pas les Yussa ? demanda Grigán avec circonspection.

— Pas comme il faudrait. Ce n'est pas avec quelques raids sans conséquences que nous pourrons renverser Aleb. Narro a réuni les loups il y a plus de douze ans, et il est évident que douze ans de plus ne changeront rien. Il vient toujours plus de pillards à Griteh, qui se mettent au service du Borgne. Nous avons besoin de décourager les mercenaires par une action d'éclat. Une victoire de grande envergure.

— J'apporte peut-être quelque chose comme ça, avança Grigán.

— C'est ce que j'ai cru comprendre, commenta Berec en souriant. Je n'ai jamais regretté d'être resté avec toi sur la colline, assura-t-il soudain. Tu as fait ce qu'il fallait. *Je* n'ai jamais eu de meilleur chef que toi.

Grigán le remercia d'un simple signe de tête, mais son trouble était flagrant. Le souvenir du village quesrade rasé par les troupes d'Aleb torturait sa conscience et hantait la plupart de ses cauchemars depuis vingt ans. Les paroles de Berec étaient comme un onguent apaisant temporairement ces meurtrissures.

Le reste du chemin fut parcouru en silence. Ce n'est qu'en arrivant devant une énorme bâtisse, sur le toit de laquelle étaient postés plusieurs archers, que Berec fit une nouvelle confidence.

— Quoi que tu proposes, je serai de tout cœur avec toi, Grigán. Mais si Narro décide de venger sa fille, je ne pourrai rien faire pour t'aider. Personne ici n'osera s'interposer.

— Je sais, mon ami. Si je meurs dans cette maison, promets-moi seulement de protéger mon compagnon. Il ne mérite pas de souffrir de mes erreurs.

Avant que Yan n'ait pu intervenir, Grigán s'avança dans l'ombre de la bâtisse, prêt à affronter son destin.

* * *

Rey s'efforça de paraître le plus naturel possible en dépassant les premiers postes de garde du camp de Saat. Deux ou trois Wallattes tentèrent bien de l'interpeller, mais l'acteur sut parfaitement jouer son rôle de sourd et ignorer totalement les appels des sentinelles, finalement bien peu consciencieuses puisqu'elles renoncèrent toutes à se faire entendre. Probablement jugeaient-elles qu'aucun espion n'aurait le culot de s'infiltrer dans leurs lignes par la grande porte. Malheureusement pour elles… Rey ne reculait devant aucune audace.

Ces premières difficultés passées, l'acteur continua d'avancer à bonne allure, comme s'il savait exactement où il allait alors qu'il découvrait le décor un peu plus à chaque pas. Il évitait toutefois de passer trop près des guerriers, de plus en plus nombreux, qu'il trouvait assemblés autour d'une tente, d'une viande rôtie ou, le plus souvent, d'un pichet. Quelques-uns des plus curieux l'interpellèrent encore et Rey les bouda avec la même réussite, sauf quand il ne pouvait faire autrement que les voir : il désignait alors ses oreilles avec une expression désolée et passait son chemin sans tarder.

Ces hommes étaient sales, braillards et violents. Peut-être était-ce dû à une certaine relâche de la discipline dans ces avant-postes : mais Rey se convainc qu'un tel comportement était tout simplement dans les mœurs wallattes, et qu'il faudrait plusieurs générations de Maz pour leur inculquer le respect d'autrui. Malheureusement... ces guerriers massifs et bedonnants aimaient à tuer les Maz.

Leur nombre semblait doubler tous les cent pas. Rey estimait en avoir dépassé plusieurs centaines quand, sur le haut d'un relief, il eut une vision globale du vrai campement. C'est alors qu'il put constater l'étendue du danger menaçant les Hauts-Royaumes.

Les tentes, baraquements, chariots, enclos, bivouacs, hangars et cantonnements divers s'étendaient jusqu'au pied des montagnes toutes proches, et littéralement à perte de vue au nord et au sud. Seuls quelques terrains d'exercice et de manœuvre avaient été préservés par les architectes improvisés de cette véritable ville de toile et de bois, assez grande pour accueillir quelques dizaines de milliers d'hommes. Et l'estimation n'était pas exagérée : Rey avait devant lui cette foule impressionnante de guerriers, s'agitant comme sur une fourmilière, entre les petits points blancs, marrons et sables de leurs cantonnements. Jamais l'acteur n'avait vu autant de gens réunis en un même lieu, même au couronnement de Bondrian. À l'idée que la plupart étaient porteurs de *lowa* ou d'armes tout aussi terrifiantes, il en oublia la faim qui lui torturait l'estomac.

Il prit tout le temps d'étudier le panorama et la géographie des lieux. Chaque renseignement pouvait lui être utile pour vaincre Saat, ou pour faciliter sa fuite quand il en aurait fini avec le sorcier. C'est ainsi qu'il repéra, à quelques milles au sud, un autre groupe de constructions dont certaines étaient en pierre. Les perspectives étaient trompeuses, mais ces bâtiments semblaient très grands. Suffisamment pour que l'un ou l'autre soit utilisé comme palais par le roi de ces barbares.

Il s'apprêtait à entamer la descente du coteau quand il aperçut l'homme trapu et grimaçant qui le surveillait à quelques pas, une hache à la main. Avec une réelle surprise, Rey désigna ses oreilles et s'éloigna en trottinant, jetant de fréquents regards par-dessus son épaule.

Toute cette tension commençait à lui peser. Comme le Wallatte ne faisait pas mine de le suivre, Rey obliqua et prit la direction du palais de Saat. Si les dieux étaient avec lui, le sorcier serait mort avant la nuit.

* * *

C'est sans hésitation que Berec guida Yan et Grigán à travers les ruines de ce qui avait dû être une riche demeure, quelques éons plus tôt. Le Ramgrith était familier de ce poste de commandement, ce qui tendait à confirmer, comme Yan l'avait supposé, qu'il occupait une place importante dans la hiérarchie des loups noirs.

Il passa la tête dans plusieurs salles vides avant de les mener au premier étage, où il s'arrêta devant une lourde porte miraculeusement préservée. Avec un regard compatissant pour Grigán, il ouvrit grand le passage et invita ses amis à entrer. La salle était d'une taille exceptionnelle, occupant presque toute la surface de l'étage. L'impression d'espace était renforcée par son dépouillement : pour tout mobilier, la pièce n'abritait qu'une paillasse, deux tables brinquebalantes, divers bancs et tabourets et quelques lampes suspendues ou posées à même le sol. En contrepartie, il y régnait une fraîcheur ravivante.

Assis sur un fauteuil auquel il manquait un pied, le dos tourné à la porte, un homme était penché sur quelques parchemins. Il se massait les tempes en soupirant, visiblement concentré sur un problème épineux. Il ne faisait pas mine de se retourner.

— Majesté ? appela Berec.

Narro se retourna avec lassitude mais son expression changea du tout au tout quand son regard tomba sur Grigán. Yan devait toujours garder en mémoire cette vision du chef des loups noirs : un Ramgrith à l'expression farouche, les cheveux et la barbe grise, d'une robustesse exceptionnelle pour un homme de plus de soixante ans.

— Derkel ! Maudit sois-tu ! cracha-t-il en bondissant du fauteuil.

Il empoigna la lame qu'il avait appuyée contre la table et s'avança tout droit vers le guerrier, du feu dans les yeux. Yan sentit les battements de son cœur s'accélérer.

— Narro, laisse-moi d'abord te parler, demanda Grigán avec un sang-froid inouï.

— Lâche, traître ! Meurs !

La lame s'éleva brutalement et s'abaissa en une courbe meurtrière, mais Grigán esquiva le coup avec facilité. On ne pouvait faire taire toute une vie de réflexes…

— Entends ce que j'ai à te dire, reprit le guerrier. Ensuite, tu feras de moi tout ce que tu voudras.

— Rien du tout ! Chacal !

Le chef des loups noirs lança une nouvelle attaque à laquelle le guerrier échappa de peu, cette fois. Yan mourait d'envie de sauter sur le dos de ce vieillard irascible. La tension était trop forte. D'un moment à l'autre, il allait craquer et intervenir.

— Très bien, se résigna le guerrier, alors que Narro s'avançait pour le pourfendre. Je ne me suis pas pardonné, et je vois que toi non plus. Je te demande simplement d'épargner mon compagnon. Il n'est pour rien dans cette histoire.

Narro empoigna sa lame à deux mains et la leva au-dessus de lui en un geste menaçant. Grigán inclina la tête et ferma les yeux. L'acier s'abattit et Yan lança sa Volonté.

La lame se volatilisa en un instant et le vieillard ramgrith, déséquilibré par son mouvement, trébucha et tomba à genoux. Le guerrier lui tendit naturellement la main mais Narro la repoussa brutalement.

— Démon ! Sorcier ! Je te collerai sur un bûcher !

Grigán se tourna vers Yan, mais le jeune homme était trop perturbé par ce qui venait de se passer pour partager son attention. Il avait lancé son sort n'importe comment, avec le seul désir de repousser l'arme, et celle-ci s'était entièrement volatilisée. L'explication lui vint sans peine : ses pouvoirs avaient subi l'influence du Jal'dara. Sa Volonté était plus puissante encore qu'avant. Et plus dangereuse.

Alertés par les cris de Narro, plusieurs guerriers déboulèrent dans la pièce, les armes à la main. Le chef des insoumis désigna Grigán d'un geste accusateur.

— Tuez-le ! ordonna-t-il avec rage. C'est un sorcier !

— Ah, non ! Ça suffit ! éclata Yan, incapable de se contenir plus longtemps.

La surprise créa un silence d'un instant, et le jeune homme ne laissa pas le temps aux Ramgriths de se ressaisir.

— J'en ai marre, à la fin ! Écoutez au moins ce qu'il a à vous dire ! Et si vous tenez vraiment à brûler un sorcier, je vous attends ! Mais je vous avertis que je ne suis pas de bonne humeur !

Sous les regards de quinze paires d'yeux ronds, Yan grimpa sur l'une des tables et se posta, les poings sur les hanches, face à l'assemblée des vétérans. Il était réellement prêt à en découdre avec quiconque s'entêterait à leur causer des problèmes.

Sans brutalité, Grigán se fraya un chemin jusqu'à son ami et grimpa à son tour sur la table. Il eut un regard plein de reconnaissance pour son compagnon et se retourna vers les insoumis.

— Frères Ramgriths ! Je ne suis ni un traître, ni un lâche. Je suis Grigán de la tribu Derkel, et c'est moi qui ait enlevé son œil au fou qui nous sert de roi. Si je suis revenu, c'est pour achever le travail que j'ai commencé il y a vingt ans. J'ai besoin de vous. J'ai besoin des loups noirs.

— Tu as *abandonné* ma fille ! hurla Narro du fond de la salle, d'une voix sanglotante. Tu as tué Héline !

Quelques murmures parcoururent les rangs des guerriers, toujours plus nombreux, qui envahissaient les appartements de leur chef. La seule réponse de Grigán à cette accusation fut d'incliner la tête.

Son silence se prolongea, et il fut bientôt évident que cet aveu muet allait faire perdre sa cause. Ignorant des circonstances de cette affaire, Yan ne voyait pas comment il pourrait prendre la défense du vétéran. Il bondit alors au bas de la table, marcha tout droit jusqu'à Berec et traîna le manchot plus ou moins contre son gré jusqu'à l'estrade improvisée.

— C'est le moment de dire quelque chose, lui glissa-t-il à l'oreille. Pour Grigán. Pour votre ami.

Le Ramgrith se pinça les lèvres et dévisagea ses compatriotes avec anxiété. S'il prenait parti, il avait tout à y perdre. Mais si les loups noirs n'évoluaient pas, s'ils ne prenaient pas le risque d'une offensive majeure, la victoire leur échapperait toujours.

— Héline était la promise de Grigán, expliqua-t-il gravement, pour ceux qui l'ignoraient encore. Il ne l'a pas tué. Les Yussa sont les coupables.

— Il l'a abandonnée ! répéta Narro avec désespoir. Jamais elle ne serait morte, s'il l'avait emmenée !

— Nul ne peut prévoir l'avenir, rappela Berec avec compassion. Dans le cas contraire, croyez-vous que Grigán eut agi pareillement ? Il a certaine-ment beaucoup souffert de cette séparation, mais pensait à cette époque agir pour le mieux. Pouvons-nous blâmer cet homme, qui a préféré trahir sa Promesse que condamner son aimée à l'exil?

Seul le silence répondit à Berec, orateur inspiré que Yan se félicita d'être allé quérir. D'évidence, le manchot portait une réelle estime à son ancien chef. Et l'injustice de ses malheurs semblait lui tenir personnellement à cœur.

— Grigán fut le premier à s'élever contre Aleb, alors même que le Borgne n'était pas encore monté sur le trône. Ne croyez-vous pas, frères Ramgriths, que cela fait de lui un guerrier méritant? Ne croyez-vous pas que cela en fait le plus enragé des loups noirs?

Deux voix manifestèrent bruyamment leur approbation, et cinq, dix, vingt autres se joignirent aux acclamations. Berec et Yan échangèrent un sourire, mais Grigán ne partageait pas la joie de ses amis. Le guerrier s'avança au bord de la table et, par gestes, réclama le silence. Son visage était sérieux et tendu, et les Ramgriths s'interrogèrent sur son annonce.

— Je suis heureux d'avoir retrouvé mon peuple, déclara-t-il gravement. Mon exil est maintenant terminé. Nous allons détrôner ce faux roi et ses pillards infâmes. Mais… je ne le ferai que sous le commandement d'un vrai roi. Celui qui règne, depuis vingt ans, sur les seuls Ramgriths libres de ce pays. Narro, père… veux-tu de moi dans ton armée?

Le vieillard essuya ses larmes d'un geste brusque et traversa la salle en silence, avec une expression indéfinissable. Il s'arrêta en face de Grigán et le fixa droit dans les yeux.

— Je te hais et te maudis depuis près de vingt ans, Derkel, lâcha-t-il avec franchise. Je t'ai toujours cru lâche, traître et parjure, et il te faudra beaucoup d'efforts pour me prouver le contraire. Mais si tu es revenu pour te battre aux côtés des tiens… alors, je t'offre une place de *capitaine*, assura Narro avec émotion. Et que Phrias t'emporte, si tu ne nous mènes pas à la victoire!

Des ovations éclatèrent dans la salle, bientôt reprises dans tout le camp des insoumis, où la nouvelle se répandait comme un feu de paille. Les loups noirs allaient enfin sortir de leur tanière. La bataille était proche.

* * *

Deux hommes passèrent et Rey s'aplatit un peu plus sur l'immense tas de roches qui lui servait à la fois de cachette et de poste d'observation.

Une bonne vingtaine de monticules similaires bordaient l'endroit : d'évidence, Saat ne savait plus comment utiliser la pierre qu'il extrayait de la montagne.

Rey avait choisi l'un des plus éloignés, d'une taille honorable sans être le plus grand : une vingtaine de pas de hauteur environ. Évidemment, l'acteur avait pris garde de ne pas grimper jusqu'au sommet, où il aurait été repéré beaucoup trop facilement. Il s'était arrêté aux deux tiers pour se glisser sous une dalle naturelle qui le masquait aussi bien d'en haut, que du sud et de l'ouest.

L'acteur avait passé ce dernier décan d'avant la nuit à étudier les lieux, en particulier les alentours des quelques immenses bâtiments singulièrement concentrés sur une aussi faible surface. La nature de deux d'entre eux semblait évidente : il y avait là une sorte d'amphithéâtre, ou de cirque, et une gigantesque pyramide qui ne pouvait être qu'une forme de temple. Rey songea à Sombre et son estomac se serra. S'il avait été l'Adversaire, il aurait pu défier le démon et peut-être l'emporter. Mais le miracle n'avait pas eu lieu et la seule chance qui lui restait était d'atteindre Saat.

Le sorcier résidait forcément dans l'une ou l'autre des constructions restantes. La plus grande avait l'allure d'un palais, mais sa finition en était si grossière que c'en était déroutant. Et s'il ne s'agissait que d'un entrepôt démesuré ? Le fait qu'il soit gardé ne prouvait rien, même si les sentinelles semblaient d'une autre trempe que la soldatesque dont il avait contourné le campement.

C'est en voyant deux hommes sortir du bâtiment en question que Rey abandonna définitivement l'idée de l'entrepôt. Deux hommes dont ils ne pouvaient distinguer les traits, à cette distance, mais dont le rouge vif des vêtements était suffisamment révélateur.

L'acteur marmonna une malédiction à leur intention en s'efforçant de calmer les battements de son cœur. Il touchait au but. Il n'imaginait pas ce que *deux tueurs züü* pouvaient faire dans un entrepôt. Rey se trouvait à moins de mille pas du palais de Saat.

Il n'eut plus alors qu'à réfléchir à la meilleure manière d'en approcher. L'ouest était impraticable : couvert de baraquements, clos par plusieurs palissades, cette zone servait de quartier aux esclaves. Rey l'avait observée assez longtemps pour la savoir régulièrement quadrillée par d'importantes patrouilles. Plus haut, c'était pire encore : l'entrée du tunnel sous le Rideau, nettement visible de sa position, semblait gardée par une compagnie entière et soumise à un va-et-vient continuel.

Rey finit pourtant par élaborer un itinéraire plus ou moins périlleux, serpentant entre les monticules de gravats, la lisière de la clairière et le singulier amphithéâtre. La nuit le trouva plus décidé que jamais et, quand l'activité des environs se calma quelque peu, il se glissa doucement de sa cachette vers la dernière étape de sa mission.

* * *

Les principaux chefs des loups noirs s'étaient réunis chez Narro pour écouter Grigán. Le vétéran avait volontairement reporté ce conseil de guerre au crépuscule, lui et Yan ayant besoin de prendre un peu de repos, après l'agitation de ces derniers jours. Il voulait également que les esprits échauffés par les incidents aient le temps de se calmer. Grigán voulait élaborer un plan avec des capitaines responsables, pas avec des têtes brûlées assoiffées de tueries.

Mais le moment était arrivé, et le guerrier contemplait les ruines de la cité de Gul en songeant aux deux femmes qu'il ait jamais aimé. Héline était morte dans la maison de son père, dans un incendie allumé *par jeu* par une bande de Yussa ivres. Narro en avait rejeté la faute sur Grigán autant que sur lui-même. Avant l'exil du guerrier, les deux hommes se portaient une sincère amitié doublée d'une grande estime. Après l'accident, l'affection du père meurtri s'était transformée en haine.

Le vieillard venait pourtant de lui accorder son pardon. Grigán ne pouvait être tenu comme responsable. Sa seule faute désormais, aux yeux de Narro, était de ne pas être revenu plus tôt. Quand les loups noirs s'étaient formés. Mais jamais avant ce jour, le guerrier n'avait pu se résoudre à affronter ses souvenirs.

Enfin, il était en paix. Enfin, il pouvait envisager l'avenir non plus comme une fatalité, mais comme une vie qu'il lui appartenait de rendre agréable. Cruel cynisme des dieux… C'est quand il était condamné, par la maladie et la puissance malfaisante d'un sorcier, que Grigán comprenait qu'il pouvait être heureux. C'est quand il était séparé de Corenn, après l'avoir côtoyée si longtemps, qu'il décidait qu'il avait le droit d'aimer encore.

Il lui paraissait voir les choses d'un œil nouveau. La nuit était fraîche, dans la cité de Gul, mais ces ruines n'étaient pas sans vie. De loin en loin, Grigán apercevait un foyer, une lanterne ou quelques torches, autour desquels se groupaient les hommes sombres et fiers qui étaient son peuple. Un sifflet l'appela d'en bas et le guerrier baissa les yeux vers Yan qui le salua d'un petit signe, Ifio perchée sur son épaule. Le jeune homme pénétra dans le bâtiment et Grigán se retourna pour l'accueillir, en même temps que les derniers chefs des insoumis.

Le guerrier n'avait plus qu'un cauchemar à oublier. Celui du massacre du village quesrade, perpétré par Aleb et dont il avait été le témoin passif. Lorelia ne connaîtrait pas le même sort. Grigán se placerait en travers de la route du tyran. Il se sentait assez fort pour renverser lui-même tous ses navires de guerre.

Quand tous les capitaines eurent pris place, et que les conversations se furent tues, il s'avança jusqu'à la table de réunion et entama sa harangue. L'offensive était lancée.

— Aleb s'apprête à prendre la mer, annonça-t-il d'une voix forte. Vous le savez sûrement. Il a réuni une armada entière de galères et de grand-voiles, et quinze mille Yussa attendent à Mythr de pouvoir embarquer.

— Puissent-ils pourrir dans les flots ! lança une voix.

— Il en restera toujours autant, rétorqua une autre. Il en vient toujours plus…

— Il n'en viendra plus si nous envoyons ceux-là par le fond, affirma Grigán en frappant la table du plat de la main. Et le Borgne avec eux !

— Quinze mille hommes, commenta gravement Berec. Les loups sont à peine plus de deux mille, Grigán. Et certains ne sont que des enfants.

— Deux mille guerriers ramgriths contre quinze mille pillards indignes, reprit le guerrier avec emphase. Je ne donne pas cher de la peau des Yussa !

— C'est impensable, objecta l'un des plus vieux capitaines. Ton courage t'honore, Grigán Derkel. Mais tu nous offres de courir à la mort. Nous ne prendrons jamais Mythr à un contre huit.

— Notre petit nombre nous servira, affirma le guerrier. Nous aurons besoin de discrétion. Je n'ai jamais parlé de faire le siège de Mythr : j'ai dit vouloir *envoyer les Yussa par le fond*.

Sa déclaration fut suivie d'un silence. Les capitaines l'avaient enfin compris.

— Nous ne possédons aucun navire, rappela Narro, d'une voix éraillée. Tu voudrais donc noyer les Yussa dans le port ?

— Comme des rats, acquiesça le guerrier avec une expression cruelle. Sans qu'ils puissent tirer l'épée.

— C'est impossible, objecta Berec, à regret. Nous ne savons pas quand ils embarqueront. Nous ignorons même ce qu'Aleb projette de faire de son armada.

Le guerrier attendit que les regards reviennent sur lui pour jouer sa carte maîtresse. Le destin des Hauts-Royaumes allait se jouer dans les instants suivants. Les loups noirs devraient lui faire confiance… ou attendre une nouvelle occasion, qui ne viendrait jamais.

— *Aleb va attaquer Lorelia*, énonça-t-il lentement. L'embarquement va commencer dans six jours, au quinte de la décade des Eaux Vives. Nous n'avons que peu de temps devant nous.

Un nouveau silence suivit son intervention. Grigán parlait avec tellement d'assurance, que beaucoup méditèrent sur ses paroles sans les mettre en doute. L'affaire éveilla pourtant la suspicion de quelques-uns.

— D'où tires-tu cela? lança un homme au teint rougeaud. As-tu quelque affinité avec notre bon roi?

— Sangdieu! jura Grigán, en tirant sa lame et en la plantant dans la table. Je ne laisserai plus personne m'accuser de trahison, sans en répondre par le fer. Veux-tu être le premier, ô capitaine?

L'homme se garda bien de répondre, manifestement sensible à la tentative d'intimidation du guerrier.

— Si j'étais l'ennemi des loups, je me contenterais de courir droit au Borgne et de lui révéler le secret de ce camp. Y a-t-il encore quelqu'un pour me traiter de menteur?

Personne ne fut candidat au suicide, et Grigán rangea sa lame avant de reprendre la parole.

— Je tiens ce secret de la source la plus sûre, mais j'ai fait la promesse de n'en jamais parler. Tenez-vous à rendre mon serment orphelin?

— Nous te croyons, Grigán, assura l'un des capitaines. Mais la nouvelle est de taille. Si Aleb s'attaque aux Hauts-Royaumes, il court à la défaite. Peut-être devrions-nous attendre, avant de décider quoi que ce soit…

— Voulez-vous prendre le risque de le voir revenir plus fort? objecta le guerrier. Nous avons là une chance unique de le chasser du trône, en même temps que les Yussa. Je n'ai aucune envie *d'attendre* encore.

Quelques murmures parcoururent l'assemblée, comme les avis des capitaines étaient partagés.

— Par Eurydis! renchérit Grigán. Ne voulez-vous pas voir Griteh libérée par des *Ramgriths*? Qui, ici, n'a pas connu assez d'infamies, de détresses et d'injustices, pour préférer *attendre* encore? Et qui veut venir avec moi jusqu'à Mythr, balancer cette ordure d'Aleb à l'eau, si loin et si profondément qu'il lui faudra une année entière avant de regagner la côte?

L'image fut acclamée et déclencha plusieurs rires, emplissant la salle d'une animation bruyante. Yan félicita le guerrier par signes, alors que les loups finissaient eux-mêmes de convaincre les plus timorés. Des idées, des projets d'offensive divers furent lancés de toute part, n'importe comment, comme la perspective du combat enflammait les imaginations. Mais Narro fit bientôt revenir le silence avant de se tourner gravement vers Grigán.

— Quel est ton plan, mon fils ? demanda-t-il avec intérêt.

Le guerrier gonfla la poitrine et reprit la parole. À l'aube du jour suivant, tous les détails étaient vus.

* * *

Rey pensait pouvoir entendre battre son cœur. Peut-être était-ce le cas, comme son bandage gênait réellement son audition, faisant paraître plus bruyante sa propre respiration. L'acteur dénoua l'étoffe dont il ne pensait plus avoir besoin. Jamais il n'avait eu autant de raisons d'avoir le trac. La pièce qu'il s'apprêtait à jouer pouvait prendre l'allure d'une chanson de geste… tout comme elle pouvait s'achever en tragédie.

La réussite qu'il avait connue jusqu'alors était encourageante. Il n'était plus qu'à vingt pas du palais, et rien ne semblait pouvoir l'empêcher de s'en approcher encore. Mais le plus difficile était à venir. Dans quelques instants, les risques seraient multipliés par cent.

Il vérifia la bonne disposition de sa tunique zü, rabattit le capuchon sur son visage et tourna au coin du bâtiment vers l'entrée principale. Il ne pouvait que se réjouir d'avoir conservé ce déguisement depuis Lorelia, malgré les nombreuses occasions où il avait été sur le point de s'en débarrasser.

Seule la dague manquait à sa panoplie, Rey ayant fait cadeau de la *hati* empoisonnée à leur ami du Beau-Pays. Il en ressentait maintenant un petit regret… malgré la répulsion que l'arme lui inspirait, il n'aurait pas hésité à s'en servir contre Saat et lui faire payer ses crimes de la même manière que le sorcier avait exterminé les héritiers.

Mais il n'en était pas encore là. Chaque pas qu'il faisait alors le rapprochait de deux gardes gigantesques, portant hallebardes, cuirasses et dagues à l'épaule. Rey devait passer ce barrage d'une manière ou d'une autre. Il se crispa sur le poignard dissimulé dans les plis de sa manche et posa le pied sur la première marche de l'édifice.

Il grimpa les autres en petites foulées, d'un pas ferme et aussi naturel que possible. Son capuchon l'empêchait de voir ce que faisait l'homme à main droite, mais celui de gauche semblait ne pas vouloir intervenir. Alors qu'il passait juste à côté, Rey eut même l'impression qu'il se défiait de lui. La garde de Saat craignait les tueurs züu ! Voilà éventualité qu'il n'aurait jamais espérée.

Parvenu sur le porche, il ne prit pas le temps de s'abandonner au soulagement et ouvrit l'immense porte avec l'assurance d'un familier des lieux. Sa longue observation lui avait appris qu'elle n'était pas verrouillée. Il s'engagea à travers l'ouverture et referma derrière lui. Dès lors, il se retrouvait en territoire inconnu.

Une lampe unique s'efforçait en vain d'éclairer l'immense vestibule sans fenêtres ni ventilations. Rey fut surpris de ne trouver aucun autre garde, de même que la nudité des murs et l'absence totale de meubles ou d'ornements le déconcerta un instant. L'endroit rappelait plutôt un *tombeau* qu'un palais.

Après réflexion, Rey estima que cela correspondait parfaitement avec ce qu'ils avaient appris de Saat. Un tel décor favorisait ses projets, qui plus est. Si tout le bâtiment était exempt de surveillance et plongé dans la pénombre, Rey pouvait se dissimuler à un endroit stratégique et attendre le meilleur moment pour passer à l'action. Sauf que... Saat était *sorcier*. Et l'allié d'un démon.

Sans en savoir plus sur la magie que ce qu'il avait appris au contact de Yan et Corenn, Rey se doutait bien qu'il ne pourrait leurrer longtemps ses ennemis aux pouvoirs extraordinaires. Il n'avait aucune certitude quant aux réelles capacités de la pierre de Dara de le préserver de la magie noire. Saat avait retrouvé les héritiers jusque dans le Château-Brisé de Junine. Il n'aurait probablement aucun mal à déceler un intrus dans son propre palais.

Aussi l'acteur se devait-il d'agir au plus vite, même si ses chances de réussite s'en trouvaient diminuées. Il se glissa dans l'ombre d'une colonne et commença à progresser vers le fond de la pièce, prêt à explorer la totalité des lieux jusqu'à trouver le sorcier ou, tout au moins, un endroit où l'attendre quelques décans.

Il ne doutait pas de pouvoir reconnaître Saat, bien qu'il ne connaisse son visage que par un tableau vieux de plus d'un siècle. Selon Rey, un tel homme ne pouvait qu'avoir une personnalité étouffante, sensible même à travers tous les masques, heaumes ou déguisements qu'il pourrait emprunter.

Plus l'acteur s'éloignait de l'entrée, plus l'obscurité était profonde et il dut rapidement s'arrêter pour permettre à ses yeux de s'accoutumer aux ténèbres. Il en profita pour se concentrer sur les bruits qui pouvaient lui parvenir : son appréhension grandit, alors qu'il se voyait encerclé par un silence des plus parfaits.

Il se remit en marche avec davantage de prudence encore, se faufilant le long des murs, bondissant d'abri en cachette, gravant dans sa mémoire le plan des lieux au fur et à mesure qu'il les découvrait. Il trébuchait parfois sur une inégalité du sol, bosse ou dénivellation, et se rétablissait avec un juron intérieur en s'accrochant aux aspérités grossières des parois. Les pierres étaient d'une taille si irrégulière qu'elles semblaient avoir été simplement tirées de la carrière et ajoutées à la construction. L'ensemble était maintenu par de telles quantités de torchis qu'il en émanait une forte odeur de terre et de paille pourrie. Saat avait beau être sorcier... son «palais» n'en était pas moins une ruine en puissance.

Rey était ponctuellement harcelé par sa conscience, quant à ce qu'il s'apprêtait à faire. Mais il lui suffisait alors de penser à son cousin Mess, à la reine Séhane, aux tueurs lancés sur la piste de ses amis, et surtout, à sa vision des Wallattes lancés à l'assaut de la Sainte-Cité pour retrouver sa détermination.

Aucun des héritiers n'étant l'Adversaire, Sombre resterait toujours hors de leur portée. Mais Rey pouvait peut-être empêcher l'ancien émissaire de perpétrer de nouveaux forfaits. Briser la terrible alliance du sorcier et du démon, dans l'espoir que cela suffise à sauver les Hauts-Royaumes...

Des bruits de pas attirèrent soudain son attention. L'acteur s'adossa à une encoignure et bloqua sa respiration, tous ses sens en éveil. Une lueur accompagnait la progression du marcheur et Rey s'enfonça un peu plus dans sa cachette en serrant le manche de son poignard. Qui que soit celui qui avançait, il allait mourir. À l'idée qu'il s'agissait peut-être du sorcier, que sa tentative désespérée pouvait être si vite couronnée de succès, l'acteur fut traversé par une foule d'émotions.

Le pas tranquille se rapprocha encore, fut bientôt tout près et, au moment où le marcheur se dévoilait, Rey bondit, leva son poignard et se prépara à frapper.

— Non ! cria l'enfant découvert, en se protégeant le visage.

Rey fut aussi surpris que lui. Il baissa sa lame et attrapa fermement le bras du gamin, avant de l'entraîner un peu plus loin en le bâillonnant d'une main. Il le fit s'accroupir et souffla la bougie que son prisonnier traînait encore.

— Je ne vais pas te faire de mal, chuchota-t-il doucement. Qu'est-ce que tu fais ici ?

Il le libéra de son entrave et l'enfant recula d'un pied pour mieux le regarder. S'il avait été réellement surpris, il semblait maintenant plutôt *curieux*. Rey fut soulagé de ne pas devoir subir une crise d'hystérie.

— Je me suis échappé, répondit le gamin après un moment. Je cherche la sortie.

— Tu es un esclave ?

Le gosse acquiesça en souriant étrangement. Rey hésitait à le juger stupide ou courageux. Mais il se posait la même question à son propre sujet…

— Tu travailles dans le palais ? reprit-il avec douceur.

— Dans les cuisines. Mais c'est trop dur. Le Haut Dyarque est *méchant*, ajouta-t-il avec un début d'hilarité.

— Le Haut Dyarque ? C'est Saat ?

Le gosse acquiesça encore, franchement amusé par la situation. Cette fois, Rey fut convaincu d'avoir affaire à un débile.

— Es-tu magicien ? demanda soudain l'enfant malingre.

— Non, répondit doucement l'acteur, avec un début de suspicion. Pourquoi cette question ?

— Je ne sais pas. On dirait que tu as quelque chose de magique.

Rey haussa les épaules, en songeant que son récent séjour au Jal l'avait peut-être influencé plus qu'il ne l'aurait cru. À moins qu'il ne s'agisse d'une autre fantaisie de son compagnon involontaire…

— Sais-tu où se trouve la chambre du Haut Dyarque ?

— Vous êtes venu le tuer ? rétorqua le gosse, allègre.

— *Le sais-tu ?* répéta l'acteur, lassé et quelque peu irrité.

Son ton ne parut pas impressionner le gamin, qui réfléchit un moment avant de daigner répondre.

— Je peux t'y mener si tu veux, énonça-t-il avec une candeur excessive. Mais tu dois me donner ton nom, pour que nous soyons amis. Je m'appelle Gors.

— Et moi, Raji. Montre-moi le chemin, Gors le cuisinier. Mais fais le moins de bruit possible.

Le gamin sourit de toutes ses dents et prit la tête de l'expédition, courant d'une salle à l'autre en une parodie d'espion lorelien. Rey regretta rapidement de s'être embarrassé de sa présence, mais il n'avait pas vraiment eu le choix. Son guide avançait beaucoup trop vite, tellement que cela semblait miracle qu'ils n'aient pas encore été repérés.

— C'est ici, annonça-t-il enfin, en s'accroupissant au pied d'une double porte massive. Entre et tue-le.

Rey s'approcha avec précautions, sans perdre de vue le gamin qui jubilait. Il accola son oreille au bois et écouta quelques instants sans rien déceler.

— Je te jure qu'il est là-dedans, lança l'enfant en gloussant. Il vaudrait mieux que tu te dépêches ! Il paraît qu'il peut appeler ses gardes rien que par la pensée.

Rey avait rarement eu une telle intuition du danger. Tous ses instincts lui criaient qu'il s'agissait d'un piège. Mais l'acteur n'arrivait pas à en concevoir la nature, aussi ouvrit-il la porte, doucement, en la poussant de la pointe de son poignard.

Le bois fut violemment tiré en arrière et un garde apparut dans l'encadrement de l'ouverture, *lowa* à la main. La tunique *zü* le troubla juste assez longtemps pour que Rey le frappe de son poignard en plein dans la gorge. Du sang éclaboussa le bras de l'acteur alors que le corps glissait à terre.

— Splendide ! cria le gosse en battant des mains. Quels réflexes ! Il n'avait aucune chance !

— La ferme, commanda Rey de plus en plus tendu, comme les événements se précipitaient.

Il enjamba le cadavre du Wallatte et pénétra dans ce qui était bien une chambre, éclairée par quelques candélabres à cinq branches. L'aménagement des lieux tranchait nettement avec le dépouillement du reste du palais : où que l'acteur pose son regard, ce n'était que soies, tapis, coussins et literies diverses aux reflets brillants. Mais il n'avait guère le temps de s'abîmer dans la contemplation du décor. Un corps reposait au centre de tout ce luxe et Rey y marcha tout droit avec une lueur meurtrière dans les yeux.

Saat. Ce ne pouvait être que lui. Les membres chétifs et décharnés, la peau usée et ridée à l'extrême ne pouvaient qu'appartenir à un homme né deux siècles avant ce jour. Le dernier des émissaires de l'île Ji… un mort-vivant. Une *liche*, horrible et malfaisante, grotesque gisant sur un lit quatre fois plus grand que la normale.

Rey n'eut pourtant pas la lâcheté de le frapper dans son sommeil et le secoua brutalement par l'épaule, luttant contre la répulsion que lui inspirait le contact de la peau anormalement glacée. Avec horreur, il perçut des bruits de course dans le couloir qu'il venait de quitter. L'alerte eut raison de ses résolutions et, avec une grimace de dégoût, il plongea le poignard dans le cœur du vieillard avant de se ruer hors de la chambre.

Le gamin était toujours là et lui faisait face, les poings sur les hanches. Dans son dos accouraient quelques dizaines d'hommes armés.

— Tu ne t'appelles pas réellement Raji, n'est-ce pas ? demanda-t-il avec un air triomphant. Je parierais plutôt pour *de Kercyan*. Tu as un peu la même tête que ton imbécile d'ancêtre.

Avec un cri de rage, Rey bondit sur le traître et put lire la peur dans les yeux du sorcier pour la deuxième fois de la nuit. Malheureusement, vingt bras vigoureux l'arrachèrent à son ennemi avant qu'il ait pu lui faire le moindre tort. L'acteur se débattit en vain jusqu'à l'épuisement. Il était pris. La partie était perdue.

— Méchant ! accusa le garnement sadique, en lui lançant un coup de pied dans les mollets.

Le possédé s'écroula ensuite sur lui-même, comme vidé de toute énergie. Maintenu par quatre hommes, essoufflé et les cheveux en bataille, Rey cherchait à comprendre ce qui se passait. Il n'était pourtant pas au bout de ses surprises.

— Frapper un homme endormi, clama dans son dos une voix sarcastique. Quelle bassesse, de la part de l'héritier d'un duc. On dirait qu'un démon vous inspire…

Gêné par les gardes wallattes, Rey tourna la tête à grand-peine pour découvrir son interlocuteur. La vision le glaça d'effroi. La momie qu'était le Haut Dyarque avait quitté sa chambre pour se présenter à l'acteur dans toute son horreur. Le sang coulait à flots écœurants de sa blessure sans paraître le gêner.

Le visage de Saat exprimait le triomphe et la jubilation. Mais ses yeux trahissaient sa haine et sa folie…

— Fouillez-le, ordonna le sorcier. Je veux savoir par quel moyen il se soustrait à ma magie.

Malgré les efforts de Rey pour résister, les gladores finirent de le désarmer et renversèrent le contenu de son sac sur le sol.

— *Ça*, ordonna Saat en désignant la pierre de Dara. Amenez-la moi.

L'un des gardes s'exécuta et le sorcier s'empara du gwele avec avidité, avant de le renifler et de le caresser comme le plus grand des trésors. Il reporta ensuite son attention sur son prisonnier et *Rey sentit qu'on violait son esprit.*

— J'en étais sûr, chuchota soudain le Haut Dyarque, avec une telle satisfaction qu'elle en déformait son visage. *Aucun de vous n'est l'Adversaire !*

Rey tenta encore de se dégager mais les Wallattes étaient trop nombreux à l'entraver. Il baissa la tête et admit enfin sa défaite, priant pour que ses amis ne répètent pas son erreur et fuient loin, très loin de Saat, sans jamais chercher à l'affronter.

* * *

Sombre voit son attention détournée de l'Arkarie par une nouvelle visite de son allié. L'autre Dyarque le joint en pensée et puise dans sa force vitale. Celui qui Vainc ne s'y oppose pas : il en a toujours été ainsi. Même si ce transfert de forces l'incommode, le déconcentre et l'affaiblit notablement, ce n'est que passager et le dieu recouvre vite l'intégralité de sa puissance. Sombre n'imagine pas se refuser au mortel qui a modelé son esprit. Il n'a aucune raison de le faire.

Cette fois, pourtant, le prélèvement est de taille. Suffisant pour faire grogner le démon dans les ténèbres de son Mausolée. Saat vole et vole encore de sa force pour nourrir son corps malade. Sombre sait qu'il ne peut en pâtir : l'étincelle de sa vie immortelle ne peut être soufflée que par un autre dieu. Or, il est Celui qui Vainc. De toute l'éternité, il ne craindra que l'Adversaire.

Son ami s'interrompt enfin et Sombre se redresse sur l'autel de son temple, sa rage inexplicablement attisée. Il s'ennuie depuis trop longtemps. Il lui tarde de passer à l'attaque, même si l'issue des combats à venir ne fait aucun doute. Le démon se languit de massacres et d'atrocités. Il est impatient de témoigner de l'étendue de sa puissance.

Saat revient dans son esprit et Sombre s'attend à une nouvelle mise à contribution. Il ressent de la colère d'être ainsi dérangé mais ne peut l'exprimer. Le sorcier lui a appris à tout accepter de sa part. Et le démon ne conçoit pas qu'il puisse en être autrement.

° Aucun des héritiers survivants n'est l'Adversaire, annonce Saat avec entrain. Ces idiots ont couru dans tous les sens pour échouer finalement dans mes pattes ! Plus rien ne s'oppose à nous, mon ami.

Sombre ne répond pas. La nouvelle devrait le réjouir, mais il s'inquiète de ne plus pouvoir repérer ses ennemis. Quelques-uns pourraient se cacher suffisamment longtemps pour engendrer un enfant. Celui-là serait peut-être l'Adversaire.

Saat comprend le trouble de son allié et cherche ce qui pourrait le distraire. Comme toujours, le sorcier occulte la plus grande partie de ses pensées. Il a encore besoin de Sombre, de sa force, de la source de vie qui lui procure un semblant d'immortalité. Il aura besoin de lui jusqu'au jour où il pourra *lui-même* incarner l'Adversaire, en s'emparant définitivement du corps de l'enfant à naître... son propre fils, peut-être.

° Réjouis-toi, mon ami, glisse-t-il dans l'esprit du démon, en sachant toucher un point sensible. N'y a-t-il point deux héritiers arques qui attendent ta visite ?

Dans sa pyramide, Sombre redresse la tête et montre les crocs dont il s'est muni. Avec une joie féroce, il projette son ombre à travers les montagnes. En direction du Blanc Pays.

* * *

Cinq jours étaient passés depuis les retrouvailles entre Mir et Bowbaq. Les chefs de clan avaient commencé à affluer la veille, pour une réunion du Concil qui ne laissait pas de les intriguer. Comme Ingal n'avait pas assez de place chez lui pour les abriter tous, il en avait réparti une dizaine dans les chaumières du village du Renne, renforçant d'autant l'agitation engendrée par les événements.

Les interrogations allaient bon train, comme la principale intéressée refusait de livrer le moindre indice. Corenn savait, en diplomate accomplie, que sa demande adressée individuellement n'avait aucune chance d'être acceptée. Il lui serait déjà assez difficile d'obtenir gain de cause auprès d'un groupe... Aussi la Mère avait-elle longuement médité sur ses idées et arguments, tremblant à l'idée que le Concil puisse les rejeter.

Léti avait passé l'essentiel de ces quelques jours en compagnie de Lana. La dissolution du groupe des héritiers avait au moins eu l'heureuse conséquence d'affermir encore l'amitié entre les deux femmes. Elles s'étaient perdues dans d'interminables conversations sur les mérites respectifs de Rey et de Yan, minaudant, riant ou se lamentant, selon leur état d'esprit. La Maz s'était pourtant montrée la plus triste, comme le sort de l'acteur restait méconnu... et Léti avait courageusement ignoré sa propre peine pour mieux consoler son amie.

Bowbaq avait multiplié les errances dans les environs du village, avec une inquiétude grandissante au fil des jours. Mir n'était pas revenu, pas plus qu'Ispen ou leurs enfants n'avaient donné de signes de vie. Même son frère d'Union, chef du clan de l'Érisson et également convié à la réunion du Concil, se faisait désirer. Dépité, soucieux, le géant était rentré chaque soir un peu plus maussade et aucune parole réconfortante n'avait pu lui rendre sa bonhomie.

Il ne restait plus qu'un décan avant le crépuscule, moment choisi pour l'intervention de Corenn, quand un bûcheron rapporta avoir vu les feux d'un *cyclope* annonçant l'arrivée imminente d'un nouveau chef. Animé par ce nouvel espoir, Bowbaq ne se fit pas prier pour expliquer à Lana le fonctionnement de l'appareil aux miroirs combinés, dont les Arques se servaient pour communiquer par signaux. Il fit même un récit détaillé de la manière dont il avait utilisé un objet semblable à Berce. La Maz connaissait déjà toute l'histoire mais écouta avec courtoisie, consciente que le géant cherchait surtout à s'occuper l'esprit. Ils eurent même le temps d'évoquer d'autres souvenirs de leur voyage, avant qu'Ingal ne les prévienne de l'arrivée du chef de l'Érisson.

Bowbaq courut à la rencontre de son frère d'Union sans même prendre le temps d'enfiler ses bottes. Léti, Corenn et Lana lui emboîtèrent le pas aussi vite que possible, mais le géant fondait déjà sur Osarok alors qu'elles étaient encore à trente pas du nouveau venu.

Le pauvre homme n'eut que le temps de prononcer un : « Bowbaq ? Mais… » surpris avant d'être soulevé de terre et promené à deux pieds du sol, comme le géant le serrait contre sa poitrine en enchaînant les rondes et les rires joyeux. Ses protestations joviales n'y firent rien : Bowbaq ne lâcha sa proie qu'après l'avoir fait tournoyer plus de quinze fois, et uniquement parce qu'il lui tardait d'avoir des nouvelles de sa famille.

Enfin rétabli en position stable, Osarok put rendre son étreinte au géant, de manière beaucoup plus raisonnable mais non moins affectueuse. Le chef de l'Érisson semblait un nain à côté de son frère d'Union. Il était aussi étonnamment jeune — à peine la trentaine — et son visage ouvert et franc devait lui procurer un certain succès auprès des femmes. Mais pour lors, on le devinait surtout préoccupé…

— Ispen est avec toi ? demanda-t-il à Bowbaq, avec une certaine tension.

— Mais… non ! répondit aussitôt le géant, de nouveau angoissé. Elle n'est pas au village ? Et les enfants ?

— Ils vont sûrement tous très bien, promit Osarok, pourtant inquiet. Mais personne ne les a vus depuis avant-hier ; même Mir a disparu. Tout le monde s'est mis à leur recherche ; j'ai attendu jusqu'au dernier moment pour venir au Concil.

— Ils sont probablement en route, Bowbaq, intervint Léti.

— C'est ce que je pense aussi, maintenant, renchérit le jeune chef. Mir a dû sentir ton retour et entraîner tout le monde à sa suite. Je ne vois pas d'autres explications.

Le géant acquiesça tristement en se laissant reconduire à la maison d'Ingal. Lui imaginait *beaucoup* d'autres possibilités, dont la moitié au moins impliquaient un certain Mog'lur. Il avait beau chercher à se raisonner, seul le pire lui venait à l'esprit.

La maison du chef du Renne connaissait une agitation exceptionnelle, alors que la réunion du Concil était imminente. Avec Osarok, le nombre des chefs de clans avait atteint la vingtaine, et tous ces personnages installés dans le séjour, sous la fresque eurydienne, avaient mille choses plus urgentes les unes que les autres à se raconter. Alliances, naissances, disparitions et autres nouvelles du commun… Les saisons, le retour du gibier, les guerres du clan du Faucon, la pêche, les éternelles rivalités de succession de la Loutre, les troubles du Grand Empire, les méfaits d'une famille d'ours… Cent sujets furent évoqués tour à tour dans un désordre indicible, par ces hommes qui se rencontraient rarement plus de trois fois l'an, mais qui avaient tressé plus de liens d'amitié que les habitants de n'importe quelle cité.

Le principal objet des préoccupations n'en restait pas moins cette réunion inattendue, dont personne ne connaissait le motif. Certains avaient entendu parler d'une importante invasion de lions tachetés; d'autres avançaient qu'un certain *royaume* de Kaul avait déclaré la guerre à l'Arkarie. Malgré tout, aucune de ces suppositions n'était vraiment prise au sérieux, d'autant que la plupart des chefs de clan n'avaient jamais entendu parler d'un si puissant royaume à leurs frontières. L'annonce de la Kaulienne était donc attendue avec une impatience nerveuse et quand Ingal, Osarok, Léti, Bowbaq, Lana et surtout Corenn vinrent se joindre à l'assemblée, ils furent accueillis avec des vivats tapageurs.

La Mère se maintint au centre de la pièce en observant ses amis s'installer parmi les Arques. À côté de son frère d'Union, et toujours pieds nus, Bowbaq semblait plus morose que jamais. S'il ne retrouvait pas sa famille, ce serait *vraiment* la fin des héritiers. Mais si Corenn échouait à se faire entendre… elle n'aurait plus *qu'un* moyen de retarder la chute des Hauts-Royaumes. Avec de si faibles chances de réussite qu'on pouvait les considérer comme nulles.

Ingal attendit que le calme revint pour présenter l'oratrice, comme le voulait la coutume. Le chef du Renne était au moins aussi nerveux que la

Mère. En tant que son hôte, il engageait sa crédibilité, et prenait une part de responsabilité dans les propos de Corenn. Le fait qu'il n'ait pas la moindre idée de la teneur de ce discours l'angoissait au plus haut point, et il ne perdit pas de temps à la laisser seule, quand il en eut fini avec ses devoirs.

— Chefs des clans de Work, je vous remercie de votre présence, amorça la Mère de son ton le plus solennel. Je sais que beaucoup ont le cœur à la joie, par ces retrouvailles inattendues, et je suis bien aise d'en être à l'origine. Malheureusement, mes mobiles sont des plus graves, et je crains que cette réunion du Concil ne vous apporte plus d'affliction que de réjouissance. Honorés chefs, à mon grand regret… je suis porteuse de mauvaises nouvelles.

Corenn marqua une pause, pour s'assurer que l'attention de l'assemblée lui était acquise. En cela, elle n'eut pas à se plaindre : tous les regards suivaient le moindre de ses mouvements. Quelques chuchotements s'élevaient bien ça et là, mais ils n'étaient que traductions plus ou moins précises de ses dires à l'intention des moins familiers de la langue ithare.

— Avant de poursuivre, je me dois de vous avertir : mon secret est *dangereux*. Beaucoup d'hommes ont déjà péri pour être entrés en sa connaissance. Vous ne connaîtrez plus de paix. Vous ne serez à l'abri nulle part, ni au cœur de vos foyers, ni même dans les régions les plus reculées de votre Blanc Pays. Car si nos ennemis venaient à l'apprendre que vous *savez*… ils vous traqueraient et vous tueraient sans pitié.

Nouveau silence. Les choses se présentaient bien. Corenn avait craint d'être confrontée à une bande de braillards indisciplinés, mais les chefs arques semblaient au contraire conscients de leurs devoirs et responsabilités. Elle allait pouvoir le vérifier d'un instant à l'autre…

— Il ne m'appartient pas de vous imposer ces tourments, pas plus que, lorsque vous *saurez*, vous ne pourrez répandre ce dangereux secret à tout vent. Je ne peux, ni n'ai le désir d'obliger quelqu'un à m'entendre. J'offre à tous ceux qui se sentent trop vieux, trop jeunes, ou trop obligés par leur famille de quitter cette assemblée sans honte ni remords. Avant que vous ne preniez votre décision, je tiens pourtant à ajouter deux choses : tout d'abord, ce dont nous allons parler aura des conséquences directes sur tout le monde connu, *dont* l'Arkarie, à court ou moyen terme. Enfin, si vous choisissez de rester… vous serez impliqué à part entière. Quoi qu'il advienne, vous ne pourrez plus prétendre à la neutralité. Il vous faudra *juger* et *agir*.

— Les choses sont-elles réellement aussi graves que tu nous les montres, amie Corenn ? demanda l'un des plus vieux.

— Sans doute possible, ami Quval. J'aimerais qu'il en soit autrement… mais ce n'est pas le cas.

— Les « ennemis » dont tu parles sont-ils aussi puissants, qu'ils peuvent nous retrouver jusque dans le pays Work ?

La Mère se contenta d'acquiescer cette fois, inquiète par la tournure pessimiste des questions. La pire chose qu'il pouvait se produire alors était que tous les chefs se lèvent et quittent le Concil. Il suffisait que deux ou trois décident que cette affaire ne les concernait pas, pour qu'ils soient suivis par l'ensemble de leurs pairs. Le cœur battant, Corenn épiait les gestes de chacun, cherchant à dégager une tendance des brides de conversation qui lui parvenaient. Mais la langue arque lui était parfaitement inconnue… aussi se résolut-elle à attendre, sans plus intervenir, que les chefs arques décident de leur orientation.

— Quel est donc ce secret, amie Corenn ? lança soudain un homme aux nattes rousses. Parle. Je ne crains pas les mots.

La Mère le remercia d'un signe, mais patienta encore quelques instants en examinant chaque visage, avant de se laisser aller au soulagement. Le Concil s'était peut-être subitement rangé derrière la décision de cet homme. À moins que ses membres partagent tous le même sentiment, ou qu'ils redoutent individuellement de se couvrir de honte, après une telle déclaration. Quoi que ce soit, ils étaient restés pour l'entendre, et c'était tout ce qui importait.

— Je vous félicite pour votre courage, énonça-t-elle avec gratitude. Il est de bon augure… Je pense qu'aucun d'entre vous ne regrettera sa décision, la seule véritablement digne d'un chef.

Ces congratulations expédiées, Corenn put enfin aborder le vif du sujet. Elle échangea un sourire avec Léti et abattit ses cartes, lentement, méthodiquement, avec toute la gravité que l'on attendait de son exposé.

— Vous savez sûrement que le Grand Empire se prépare à une nouvelle guerre contre les royaumes estiens. Certains de vos pères ont déjà affronté les Thalittes sur les rivages de l'océan, ou aux abords de Crek. Vous savez combien ce peuple est acharné au combat et avide de pillages, comment il ravage le pays conquis et massacre ses prisonniers. Eh bien, l'armée qui campe derrière le Rideau est la plus grande jamais réunie par les Estiens. Elle compte probablement plus de vingt-cinq mille hommes, en majorité wallattes, et donc mieux équipés et plus dangereux que les Thalittes.

« Les Goranais auront fort à faire, pensez-vous. Certes, à tel point que la quasi-totalité de l'armée lorelienne s'est jointe à eux pour repousser cette invasion. Car c'est bien de cela qu'il s'agit : s'ils l'emportent, les Wallattes ne vont pas se contenter de ravager quelques provinces avant de rentrer chez eux. Ils marcheront jusqu'à Goran et brûleront la capitale, avant de s'attaquer à d'autres frontières…

— Jamais les Thalittes n'ont dépassé le val Guerrier de plus de vingt milles, lança une voix. Nous ne saurions même pas à quoi ils ressemblent, ajouta l'homme en souriant, s'ils n'avaient réussi par hasard à construire quelques bateaux !

Sa remarque déclencha quelques rires, mais Corenn fit de son mieux pour les décourager. Le Concil ne devait pas, surtout pas, prendre les choses à la légère.

— Les Wallattes seront maîtres de Goran avant deux lunes, lança-t-elle d'une voix forte, pour couvrir le brouhaha. Parce qu'ils ne passeront pas par le val Guerrier. Ils arriveront par le sud. Voilà quel est mon secret.

Le silence revint, comme chacun cherchait à juger du sérieux de la Mère. Corenn croisa les bras en se préparant à l'avalanche de questions qui ne pouvait manquer d'arriver.

— D'où tiens-tu cela ? demanda Ingal avec défiance.

— Nous revenons d'un voyage au pays d'Oo… où nous avons été les témoins de beaucoup de choses.

— Et pourquoi ne pas courir livrer ce précieux secret aux Goranais ? demanda l'un des plus proches. Pourquoi nous convoquer nous, pauvres chefs de clans du Concil de Work, pour révéler ce futur sur lequel nous ne pouvons intervenir ?

— Parce que les armées du val sont gangrenées par les espions, répondit Corenn, en songeant à Sombre. Il me suffira de confier ce secret à un seul homme pour qu'il meure dans le décan suivant, avant que je ne périsse à mon tour. Il n'est rien que nous ne puissions faire pour eux : telles que sont les choses, Goran et Lorelia ont déjà perdu cette guerre.

L'assemblée s'anima soudain, mais Osarok se leva et imposa le silence.

— Qu'attends-tu de nous, amie Corenn ? Ton désir n'est pas seulement de nous avertir de ce danger, n'est-ce pas ?

— C'est exact, confirma la Mère, avec un signe de félicitations pour le jeune chef de l'Érisson. Nous ne pouvons plus rien attendre des puissantes armées des Hauts-Royaumes. Mais les Wallattes ignorent que leur secret est…

— Tu déraisonnes, femme, bondit un homme courtaud et aux manières grossières. Espères-tu donc que les clans vont se jeter au-devant de vingt-cinq mille guerriers ? Il n'est même pas autant d'hommes à l'est de Crevasse !

— Laissez-la finir, au moins ! réagit Léti, agacée. Vous ne savez même pas ce qu'elle va dire !

— Les Arques peuvent sauver les Hauts-Royaumes, enchaîna Corenn, désolée de voir le ton monter. Pour cela, il ne sera pas nécessaire de réunir vingt mille hommes, ni même la moitié. Quelques milliers, voire quelques centaines devraient suffire.

Cette déclaration eut l'effet escompté. La Mère avait reconquis l'attention de l'assemblée.

— Explique-toi, Corenn, demanda Ingal.

— Il s'agit de *l'autre partie* de mon secret. Ne vous êtes-vous pas demandé comment les Wallattes allaient pouvoir contourner le val Guerrier ? Ils vont passer sous le Rideau. Ils ont creusé un tunnel qui débouche sous la cité d'Ith…

En énonçant ce fait, Corenn réalisa qu'elle le tenait de Lana, qui le tenait elle-même de Rey, qui l'aurait appris au contact des Ondines. Jamais la Mère n'avait bâti une argumentation sur aussi peu de certitudes. Mais si tout cela s'avérait un mauvais rêve, elle serait la première à s'en réjouir.

Les Arques semblaient partagés. La tension montant, la plupart ressentirent le besoin de se lever et de faire quelques pas. Des petits groupes de discussions se formèrent naturellement, et quelques éclats de voix se firent entendre ici et là, au fur et à mesure que les esprits s'échauffaient. Corenn avait fait l'expérience d'assez de réunions pour pressentir la suite : il éclaterait une dispute et, pour éviter qu'elle ne s'envenime, on reporterait les décisions à une date ultérieure. Mais ils ne pouvaient perdre encore du temps…

— Qu'un millier d'Arques se portent au secours de la Sainte-Cité, et ils sauveront l'ensemble des Hauts-Royaumes, reprit-elle avec emphase. Mais chaque jour qui passe voit les chances des Wallattes augmenter. Quand leur armée aura franchi le tunnel, il sera trop tard.

Le débat reprit de plus belle et Corenn, Léti, Lana se rassemblèrent, bientôt rejoints par Bowbaq et Osarok.

— Tu peux compter sur moi et ceux de mon clan, amie Corenn, déclara le jeune chef de l'Érisson. Nous empêcherons ces Wallattes de sortir la tête hors de leur trou !

— Combien d'hommes as-tu ? s'enquit aussitôt Léti.

— On devrait pouvoir partir à quinze ou seize, si j'arrive à les convaincre. Je ne peux obliger personne à abandonner sa famille…

La jeune femme crut un instant que l'Arque se payait sa tête, mais le frère d'Union de Bowbaq était tout à fait sérieux. Léti se sentit soudain… *expérimentée* : contrairement au jeune chef, elle avait déjà combattu et perdu toute naïveté en ce domaine.

Les conversations moururent peu à peu et les membres du Concil se réfugièrent dans le fond de la salle, un à un, après avoir fait part de leur décision à Ingal. Quand il ne resta plus que lui, le chef du Renne vint livrer leur réponse à la Mère.

— Tu as réussi à te faire entendre du Concil, amie Corenn, déclara-t-il en baissant les yeux. Personne, ici, ne met ta parole en doute, et tous nous respecterons ton secret. Mais Ith est beaucoup trop loin pour que nous prenions le risque d'abandonner nos familles… Nous allons nous réunir encore pour organiser nos défenses, mais nous ne quitterons pas le pays de Work. Je suis désolé.

— Je comprends, répondit la Mère d'une voix blanche. Je comprends tout à fait.

Mais sa déception était évidente. Sans le savoir, Ingal venait de condamner Corenn à une mort certaine. Dès cet instant, elle oublia tout espoir de les convaincre pour réfléchir aux détails de son autre projet.

Lana vit le changement s'opérer dans l'expression de la Mère. Elle chercha le soutien de Bowbaq et Léti, mais le géant était trop préoccupé par le sort de sa famille pour se sentir vraiment concerné par la chute des Hauts-Royaumes, et la jeune femme attendait avec une confiance inaltérable une contre-attaque de sa tante. Alors la Maz songea à Rey et se sentit vraiment seule au monde. Des larmes coulèrent sur ses joues et elle courut jusqu'au milieu des membres du Concil en sanglotant.

— Eurydis ! Eurydis ! pria-t-elle, prenant chacun à parti, en désignant la fresque de la cheminée. Ne voyez-vous point la déesse ? *Allez-vous laisser mourir ses enfants ?*

Les chefs arques baissèrent les yeux sous le poids de ces accusations. Cette décision pesait sur leur conscience, mais ils étaient si peu nombreux… Et Ith était si loin…

— Eurydis vous aime, reprit Lana, sans cesser de larmoyer. Savoir, Tolérance, *Paix*… Tout cela a-t-il été vain ? Tout cela va-t-il périr bientôt, dans les flammes et les cris de souffrance ? Oh, je ne puis le croire…

L'homme roux posa une main consolatrice sur son épaule, mais Lana s'en dégagea doucement et vint se placer devant la fresque en joignant les mains.

— J'aime un homme, avoua-t-elle avec émotion. J'aime un homme, ô Sage, qui s'est sacrifié pour ses amis et pour la Sainte-Cité. Où qu'il soit, quoiqu'il fasse, je te prie de toujours veiller sur lui, ô déesse. Je te prie de faire qu'il vive ! conclut-elle en s'abandonnant complètement à son chagrin.

Léti vint rejoindre la Maz et la raccompagna au milieu de ses amis. Les chefs de clans gardaient le silence, émus par la scène, le regard perdu dans la contemplation de la fresque qu'ils semblaient redécouvrir.

— Nous sommes si peu… marmonna Ingal. Ce serait un suicide… Et laisser nos familles…

— J'irai jusqu'à Crevasse, promit soudain Osarok, avec une résolution farouche. J'irai demander l'aide du Faucon.

Ses pairs lui rendirent un sourire condescendant, celui que l'on sert à un benêt ou à un naïf. Corenn ayant constaté l'intelligence du jeune chef de clan, elle pencha plutôt pour la deuxième solution. La naïveté se guérissait, heureusement, les héritiers en avaient eu plusieurs fois la preuve. Osarok aurait-il le temps de vieillir, avant que les Wallattes ne se ruent sur le Blanc Pays ?

Seule à garder le front haut, malgré les déceptions de cette soirée, Léti entraîna Lana, Bowbaq et sa tante vers les chambres qu'on leur avait attribuées. La jeune femme n'était pas moins triste que ses amis : mais elle avait connu tellement de revers, depuis le début de leur quête, qu'elle pouvait maintenant dominer toutes les douleurs. Léti se voyait enfin maître de son destin.

Elle fut la première à entendre les clameurs provenant de l'extérieur, largement couvertes par les conversations des chefs de clan. Elle prêta l'oreille attentivement avant d'alerter ses amis, tellement cela semblait le produit de ses rêves.

— Est-ce qu'on ne crie pas « au lion », là, dehors ?

Bowbaq se redressa aussi haut qu'un ours et se concentra un instant, avant de s'abandonner à un large sourire, alors que deux larmes perlaient aux coins de ses yeux.

— C'est Mir, annonça le géant avec une voix tremblante, en désignant son front. Il a… il a ramené ma famille…

Il tomba dans les bras de Corenn et Lana pendant que Léti se ruait joyeusement à l'extérieur. Bowbaq s'apprêtait à la rejoindre quand Corenn le retint doucement par le bras.

— Je te demande de veiller sur Léti pour moi, annonça la Mère avec un pâle sourire. Demain à l'aube, j'aurai quitté le village.

Le géant observa son amie sans comprendre, emporté par un torrent d'émotions contraires. Sa joie et son impatience l'empêchaient de bien saisir la portée de ces paroles.

— Je veillerai sur elle et sur vous toute ma vie, assura-t-il avec une affection touchante. Mais ne pars pas, Corenn. Viens voir Ispen et les enfants.

La Mère acquiesça tristement et libéra le géant qui s'évanouit aussitôt dans les couloirs. Restée seule avec Lana, Corenn ne cacha pas son embarras.

— Vous allez rencontrer Saat, n'est-ce pas ? devina la Maz. Vous allez essayer de lui parler ?

La Mère soupira bruyamment avant de répondre.

— Il y a peu de chances qu'il m'écoute, souffla-t-elle enfin. Mais c'est tout ce qu'il me reste à faire…

— Emmenez-moi avec vous, Corenn, supplia la Maz. Je suis certaine que Reyan est là-bas. Emmenez-moi avec vous… Ici, je suis comme morte, de toute façon…

Lana connut une nouvelle crise de sanglots et se laissa glisser sur l'épaule de la Mère, qui céda également à toute la tristesse qu'elle avait accumulée depuis son départ de Grand'Maison. Les deux femmes pleurèrent l'une contre l'autre, unies dans leur sacrifice, pendant que Bowbaq faisait tournoyer ses enfants dans les airs.

* * *

— Toi, là. Tu portes une arme. Montre-moi ton *octroi*.

Yan se retourna vers l'homme qui l'avait ainsi interpellé. Un Yussa, sans aucun doute, mais la ville de Mythr semblait ne plus abriter que des mercenaires.

Celui-ci dépassait le jeune homme d'une tête, portait des traces de brûlure au visage et charriait des odeurs de vinasse. Il avait également un fléau dans sa main droite et, après un regard lancé à Grigán, Yan jugea préférable de satisfaire à la demande formulée. Il tira le disque de cuivre de sous sa chemise et le présenta à la brute.

— Il est écrit là-dessus que tu t'appelles Gérel, commenta le Yussa avec un air soupçonneux.

— Absolument pas, démentit Yan. Je m'appelle Finch, et c'est bien ce qui est écrit sur mon octroi. Je ne suis pas un espion, si c'est ce que tu penses.

— *J'en suis pas convaincu*, grinça l'ivrogne en amenant son visage à un pied du sien. Tu m'as tout l'air d'un de ces jeunots profiteurs qui s'enrichissent sur le dos des vrais guerriers. Tu t'es déjà servi de ton glaive, au moins ?

— Seulement sur des abrutis, lâcha Yan en reculant d'un pas. Et j'ai l'impression qu'une nouvelle occasion se présente.

Le Yussa ouvrit de grands yeux furieux et leva son arme pour frapper. Grigán tira sa lame courbe en un éclair mais l'homme s'écroula subitement, avant même que le guerrier ne se soit interposé. Yan n'avait pas bougé d'un pouce.

— C'est toi qui as fait ça ? demanda le vétéran contrarié, en désignant le corps. Il est mort ?

— Seulement endormi, répondit très naturellement l'intéressé. Mais je ne sais pas pour combien de temps…

— Tu es devenu complètement fou ! explosa soudain le guerrier. Qu'est-ce qui t'a pris de le provoquer !

— Oh, j'en ai marre de subir les quatre volontés d'imbéciles comme lui ! se fâcha Yan. De toute façon, ça se serait terminé en bagarre. Au moins comme ça, personne n'est mort. Et puis nous sommes pressés…

Grigán contemplait tour à tour le corps du mercenaire et le visage du jeune homme. Il devait bien admettre sa surprise et… son admiration.

— Et si ta magie n'avait pas marché ? insista-t-il néanmoins. Tu aurais fait comment pour te défendre, avec un singe sur la tête ?

Yan se contenta de hausser les épaules en souriant. Il était tellement habitué à la présence d'Ifio qu'il n'y avait pas songé un instant. De toute manière, il s'était senti suffisamment sûr de ses pouvoirs pour prendre ce risque. Il avait eu six jours pour se familiariser avec sa nouvelle puissance, consécutive à leur séjour au Jal. Méthodiquement, prudemment, il avait étudié ce phénomène qui diminuait fortement la *langueur* en retour du sort… et permettait ainsi de lancer sa Volonté plus vite, pour des usages plus complexes, comme précipiter un homme dans le sommeil.

Grigán marmonna quelques commentaires en rangeant sa lame, et indiqua qu'il était temps de quitter les lieux. Il vérifia pour la forme qu'on ne les poursuivait pas, mais l'incident n'avait pas eu de témoin, et les rues de la ville semblaient de toute façon livrées au chaos.

Ils n'étaient à Mythr que depuis l'apogée. Malgré le désir de Grigán d'étudier les lieux en détail, avant l'offensive des loups noirs, il ne pouvait prendre le risque d'être reconnu par les Ramgriths vendus à la cause du roi borgne. Aussi avaient-ils attendu pratiquement le dernier moment pour s'aventurer dans le port d'où Aleb s'apprêtait à partir à la conquête des Hauts-Royaumes.

Mythr avait dû être une belle ville… autrefois. Plusieurs années d'occupation avaient ruiné son économie, et l'importante concentration des Yussa des dernières lunes avait achevé de la dévaster. La plupart des habitants, épuisés par les méfaits des mercenaires, avaient quitté leur foyer pour gagner des lieux plus accueillants. Les maisons de granite blanc, les immeubles des rivages, les temples inférieurs avaient été envahis par les compagnies guerrières, avec la bénédiction du roi des Ramgriths. Mythr était devenue une ville fantôme sans autre commerce que l'artisanat militaire. Il avait fallu moins de douze ans à Aleb pour aboutir à ce gâchis… En combien de temps Griteh connaîtrait-elle le même sort ?

Les loups noirs s'étaient introduits en ville graduellement, jour après jour et par petites bandes. Chacun portait un des *octrois* de cuivre donné par Aleb aux Yussa, et qui leur consentait la possession d'armes à l'intérieur de la cité. Deux mille hommes s'étaient donc mêlés aux quinze mille Yussa et marins yérims qui campaient déjà à Mythr, sans que quiconque ne s'étonne de ce surplus d'agitation. Après tout, l'embarquement avait commencé… et les mercenaires n'étaient pas censés connaître tous les détails des plans de leurs chefs.

Pour se retrouver dans cette foule, le meilleur signe de reconnaissance des loups noirs était la possession d'un arc long. Yan lui-même s'était vu proposer une telle arme et ne l'avait acceptée qu'avec appréhension, honteux de sa maladresse, en comparaison de la parfaite maîtrise des plus jeunes des insoumis. Ainsi, tout le temps qu'ils avaient erré dans la ville, Yan et Grigán n'avaient cessé de croiser leurs alliés sans toutefois les aborder. Les consignes étaient des plus claires : les loups devaient éviter de se rassembler en trop grand nombre avant le crépuscule… moment choisi pour l'offensive, et correspondant — selon la vision du guerrier — au départ des premiers navires de l'armada rouge.

Grigán leva les yeux et étudia le ciel : ce moment était proche. La nuit serait tombée avant un demi-décan. Simultanément, venant de tous les faubourgs, tous les quartiers et par toutes les rues, les insoumis progressaient vers le port. Au détour d'une ruelle, Grigán en vit trois qui le saluèrent avant de disparaître par un autre croisement. Dans moins d'un décan, ils allaient écrire une page d'histoire. Le guerrier se jura qu'elle ne conterait pas la victoire d'Aleb sur les loups noirs, et accéléra encore le pas en longeant le cours de l'Aòn.

La détermination et la nervosité de Grigán se lisaient sur son visage, et Yan ne s'y trompait pas. Lui-même se sentait assez fébrile et avait peine à songer à autre chose qu'à la bataille imminente. Cela allait-il *vraiment* se produire? Se pouvait-il que le destin de Lorelia et des Bas-Royaumes se joue dans le prochain décan? Et que lui, pauvre Yan du village d'Eza, soit un témoin actif de l'événement?

Ils croisèrent de nouveau les trois insoumis et ceux-ci se joignirent naturellement à eux, sans qu'aucune parole ne soit échangée. *Bien sûr*, cela allait se produire. Tout était prêt. Les hommes, les armes, le plan... le temps que Grigán avait passé à surveiller le port, glissant discrètement ses consignes aux autres capitaines... Ils faisaient *déjà* partie de l'Histoire. Les Yussa l'ignoraient, mais la bataille était déjà engagée.

Deux guerriers vinrent grossir la colonne, puis trois autres encore au croisement suivant. L'un d'eux désigna le ciel qui se couvrait avec une inquiétude évidente.

— Il ne pleuvra pas, assura sobrement Grigán, sans pouvoir mentionner la vision des Ondines.

Le Ramgrith se le tint pour dit et adopta, comme les autres, une expression concentrée. Leurs arcs en bandoulière, Yan, Grigán et les loups noirs marchaient à la rencontre de leur destin.

* * *

Pour une Mère et une Maz, Corenn et Lana n'avaient pas beaucoup parlé depuis leur départ du village du Renne. Elles n'en ressentaient pas le besoin : leurs pensées n'étaient que tristesse et mélancolie, qu'elles n'avaient déjà que trop exprimées. Leur seule préoccupation était de rencontrer Saat au plus vite... c'est-à-dire, avant que le sorcier ne déclenche l'invasion des Hauts-Royaumes.

Elles avaient rejoint le val Guerrier en six jours seulement, au prix d'une très grande fatigue et de beaucoup de privations. Sans les poneys achetés à Ingal, et sans les indications de Bowbaq, cela leur aurait pris cinq fois plus de temps. Cette performance serait-elle pour autant suffisante? Ith n'était-elle pas *déjà* en train de brûler?

Ni Corenn, ni Lana n'avaient fait leurs adieux à Léti, par crainte qu'elle ne les accompagne. Cette trahison pesait sur leurs consciences, même si elles avaient agi dans l'intérêt de la jeune femme. Ne couraient-elles pas au devant d'une mort probable ? Les chances de raisonner Saat étaient infimes, la Mère en était tout à fait consciente. Mais les alternatives raisonnables ayant été épuisées, il lui fallait maintenant tenter l'invraisemblable. En cas d'échec... il ne ferait plus bon vivre dans les Hauts-Royaumes.

La traversée des lignes loreliennes et goranaises avait été étonnamment facile. Le spectacle de ces deux armées, puissantes, orgueilleuses, aux formations irréprochables et *totalement leurrées par les Wallattes* avait quelque chose de ridicule. Lana aurait voulu se lever sur sa selle et leur crier de descendre au sud, que la bataille aurait lieu là-bas, que la Sainte-Cité était peut-être déjà à feu et à sang ! Mais la surveillance de Sombre empêchait cette révélation, et les maréchaux du Grand Empire n'y accorderaient probablement aucune attention. Comment imaginer qu'ils déplaceraient trente mille hommes sur les seules affirmations d'une Maz ?

Aussi Corenn et Lana avaient-elles laissé les armées alliées derrière elles, pour s'aventurer pour la deuxième fois en trois lunes sur les terres désolées du val Guerrier. Elles ne l'avaient pas encore tout à fait franchi qu'une troupe de cavaliers wallattes se ruait au-devant d'elles avec des cris féroces. Le cœur battant, la gorge nouée, elles arrêtèrent leurs montures et attendirent d'être rejointes par les barbares, sans faire mine de s'enfuir. Corenn leva la main en signe de paix et les guerriers ralentirent leur course à l'approche de ces étrangères audacieuses.

Ils étaient une douzaine et les encerclèrent aussitôt, riant, grognant, échangeant des commentaires salaces dans une langue qu'elles ne connaissaient pas. Ils faisaient tourner leurs chevaux autour des poneys arques en brandissant des armes étranges et effrayantes. Ils voulaient inspirer la crainte, la fuite, la résistance, n'importe quoi qui leur permette de s'adonner à un massacre. Mais Corenn et Lana gardèrent leur sang-froid.

— L'un de vous comprend-il cette langue ? demanda la Mère à la cantonade.

Les barbares s'esclaffèrent, comme aucun ne maîtrisait l'ithare. Corenn répéta sa question en lorelien et en kauli, sans grand espoir, avant que Lana ne prenne le relais en goranais.

— *Je comprensse,* lança soudain l'un des Wallattes, fier d'en remontrer à ses compagnons. *Veut quoi ?*

— Nous souhaitons rencontrer votre chef, expliqua la Maz d'une voix tremblante. Son Excellence Saat l'Économe…

Le barbare la dévisagea avec un air stupide, soit qu'il n'ait pas compris la réponse, ou soit qu'il ignore de qui il était question.

— Quel est la traduction de « sorcier » ? s'enquit Corenn auprès de son amie.

— *Zurem*, je crois. Mais que…

— ZUREM ! ZUREM ! lança Corenn en indiquant le sud, avant de revenir pointer le doigt sur elle-même.

Elle répéta ce manège plusieurs fois, jusqu'à ce que les Wallattes cessent de rire et harcèlent de questions le seul d'entre eux qui y comprenait vaguement quelque chose. Entre-temps, la Mère se fit indiquer la traduction de « tunnel » et clama le mot avec une pareille insistance, illustrant son propos de quelques mimes laborieux.

Les barbares avaient perdu toute excitation. Ils ne savaient plus s'ils devaient traiter ces étrangères en amies ou en ennemies. Corenn pointa encore vers le sud et, après quelques tergiversations, les cavaliers se placèrent en formation autour des héritières, avant de prendre la direction de leur camp secret.

En comprenant qu'elles ne pouvaient plus revenir en arrière, Lana sentit une angoisse lui bloquer la gorge. Leur rencontre avec Saat semblait maintenant inévitable. La Maz chercha du réconfort dans l'idée qu'elle allait peut-être retrouver Rey… même si cela s'avérait être dans la mort.

* * *

Deux ans plus tôt encore, le port de Mythr n'était qu'un bassin de quelques centaines de pas, auquel on accédait par un goulet si étroit que les bâtiments les plus grands n'avaient pas d'autre choix que de s'amarrer en bout de quai… ce qui ne facilitait pas les opérations de chargement. Au prix de nombreuses vies, Aleb avait multiplié la taille du site par trois. La rade avait gagné deux cents pas sur la mer, et était maintenant cerclée par deux immenses brise-lames s'achevant en môles et filtrant les eaux de l'Aòn. Le chenal ainsi formé était suffisamment large pour les manœuvres d'une quadrirème… et se trouvait au centre des préoccupations des capitaines des loups noirs.

Le long des jetées s'alignaient les navires du roi ramgrith : soixante-et-un grands vaisseaux de guerre, auxquels il fallait ajouter une quarantaine de bâtiments de taille inférieure. Galiotes, grand-voiles, cotres, caraques, galères, gabares, corsaires, lougres, goélettes et autres frégates se succédaient sans logique apparente. Tous étaient prêts à appareiller et avaient haussé le pavillon écarlate donnant son nom à *l'armada rouge*. Le grand-voile amiral, le navire personnel d'Aleb, disposait quant à lui d'une voilure entièrement incarnate. C'est à proximité de ce dernier que Grigán avait choisi de se poster.

Le guerrier connaissait un trouble indicible. La vision qu'il avait eue au contact des Ondines prenait corps sous ses yeux. Bien que brève, elle avait été si intense qu'une foule de détails l'avait marqué… et venait pour la deuxième fois s'imposer à lui. Le ciel du crépuscule, bas et couvert. La chaleur anormalement élevée. La lente oscillation des vaisseaux de guerre dans les eaux tranquilles de la rade. Les flots moutonneux de la mer de Feu, qui semblaient revenir des côtes de Zuïa. Les pavillons rouges qui flottaient au gré des soupirs du vent, accompagnés du claquement des cordes contre les mâts. Et les hommes.

L'embarquement avait commencé la veille, mais s'achevait alors à peine. Le pont de chaque navire grouillait de mercenaires yussa et de marins yérims, courant, grimpant, déroulant, tirant, nouant, prenant leur poste, riant, se battant, aboyant des ordres… Même si la moitié d'entre eux avaient déjà passé une nuit à bord, avec interdiction d'en descendre, la plupart avaient quitté les cales pour assister au départ des premiers bâtiments. Il était prévu que ceux-ci ne fassent pas plus de deux milles hors du port, avant de jeter l'ancre et d'attendre que les cent navires soient regroupés pour mettre enfin le cap au nord. Les manœuvres prendraient toute la nuit : les quelques centaines de Yussa qui traînaient encore sur les quais ne seraient pas embarqués, que des navires seraient déjà au large.

Voilà où résidait le principal problème de Grigán. Si les loups tardaient à déclencher l'offensive, Aleb risquait de s'échapper avec une bonne partie de son armada. Et s'ils se découvraient trop tôt… il leur faudrait se rendre maîtres des quais, avant d'imaginer couler les bateaux. Autant dire que la moindre erreur d'appréciation serait fatale.

Le guerrier se réjouit de ne pas avoir à porter la responsabilité de cette décision. Cette charge revenait à Narro : le roi des insoumis, dissimulé avec une dizaine de ses hommes, un peu plus haut sur le fleuve, mettait la touche finale au projet qui serait le signal de l'attaque. En songeant que son père d'Union ferait son choix sur les seuls rapports de quelques messagers, Grigán ne put s'empêcher de frémir. Mais tous les hommes qu'il avait entraînés dans l'entreprise en connaissaient les risques… Le moment n'était plus aux regrets, mais à l'action.

Par habitude, il vérifia la présence de Yan à ses côtés, avant de reprendre son observation. Le jeune homme attendait patiemment, assis sur un rouleau de cordes, en nourrissant Ifio de morceaux de fruit qu'il découpait à son intention. L'apparente nonchalance du Kaulien ne laissait pas de surprendre le guerrier, mais il savait à quoi s'en tenir : Yan agissait simplement comme on lui avait demandé de le faire, c'est-à-dire qu'il s'efforçait d'être naturel.

Grigán aurait aimé pouvoir en dire autant des loups noirs. Les deux mille hommes s'étaient aisément fait oublier dans les rues de Mythr, mais leur présence dans ce port, même immense, ne passait pas inaperçue. Pour donner le change, ils s'étaient réunis en des semblants de compagnie, attendant sur les quais, comme quelques centaines de Yussa, de pouvoir embarquer. Un millier au moins se dissimulaient dans les rues adjacentes et se débarrassaient de tout curieux. Mais l'un ou l'autre des chefs mercenaires finirait bien par s'étonner de la présence de tous ces archers… d'autant qu'ils avaient tendance à prendre position sur toute la longueur des brise-lames.

Le soleil s'enfonça un peu plus derrière les Hauts-de-Jezeba et de nombreuses torches et lanternes vinrent grossir le nombre de celles déjà allumées. Avec inquiétude, Grigán vit la première gabare franchir le chenal illuminé et s'éloigner vers le large, sous les acclamations des équipages. Selon l'ordre établi par les amiraux, un cotre se prépara à la manœuvre, alors qu'une autre gabare semblait déjà prête à lui succéder. Le guerrier épia chaque mouvement de l'équipage du grand-voile d'Aleb. Quoi qu'il advienne dans cette bataille, le guerrier s'était juré qu'un au moins de leurs ennemis n'en réchapperait pas.

La nuit se fit plus profonde sans que la température baisse. Au grand soulagement des loups noirs, la plupart des Yussa gagnèrent leurs cabines. C'était une condition indispensable à la mise en application de leur plan : tant que les mercenaires n'avaient pas déserté les ponts, Narro ne pouvait donner le signal. Dès cet instant… l'attaque ne faisait plus aucun doute. Ce n'était qu'une question de temps.

Grigán estima qu'une douzaine de Yussa erraient sans but apparent sur le même quai où Yan et lui avaient pris position. Les loups noirs s'y trouvant en nombre trois fois supérieur, la lutte serait brève. Berec lui-même était chargé, avec une vingtaine d, d'en garder l'accès inviolé. Si tout allait bien, ce petit bout du port de Mythr serait le premier territoire libéré des Bas-Royaumes.

Six bateaux avaient déjà quitté le port, dont seulement deux grands navires de guerre. Une galère manœuvrait pour se placer dans la file menée par un lougre, lorsque Grigán vit avec angoisse les voiles écarlates du vaisseau amiral s'animer. Les événements se précipitaient. Si Aleb parvenait à s'enfuir, cette bataille ne servirait pas à grand-chose. Le roi borgne disposait d'assez de ressources pour revenir plus fort et plus dangereux. Grigán évalua à une décime le temps qu'il faudrait au grand-voile pour s'éloigner du quai. Si le signal n'était pas donné avant, le guerrier monterait seul à l'abordage.

Les dieux lui épargnèrent ce sacrifice. Des clameurs s'élevèrent des navires amarrés à l'embouchure du port, bientôt reprises par leurs voisins, avant que tous les équipages ne s'agitent soudain. Le signal. Grigán brandit sa lame courbe et ouvrit le ventre du Yussa le plus proche de lui. Le signal.

Yan posa Ifio à terre et s'empara des flèches qu'ils avaient spécialement préparées. Il en plaça l'extrémité dans leur lanterne pendant que Grigán défaisait un autre adversaire. Tout le port s'anima en un instant. Des cris, des chocs, des appels, sur les ponts, sur les quais, sur les brise-lames. Un hurlement de loup repris par mille voix monta soudain des rues de la cité alors que les insoumis cachés depuis plusieurs décans se ruaient à l'assaut avec une rage effrayante. Leur masse compacte rencontra celle des Yussa encore à terre et les mercenaires furent poussés contre les navires puis dans l'eau sans avoir eu le temps de donner un seul coup. Stupéfaits par leur propre succès, les insoumis se retrouvèrent soudain maîtres de Mythr. C'est alors que les flèches s'envolèrent.

Mille traits enflammés se croisèrent au-dessus de la rade pour allumer autant d'incendies dans les voilures et sur les ponts. Les équipages yérims hurlaient de douleur ou de terreur, sans réussir à se coordonner ni manœuvrer efficacement. Quelques centaines de mercenaires, après s'être battus dans la panique qui s'installait dans les cabines, se ruèrent à l'assaut des quais pour finalement être fauchés par des lames courbes. Protégés par ce rang d'acier, les archers poursuivirent leur œuvre destructrice en embrasant chaque pièce de la fière armada rouge. Des flasques d'huile furent jetées sur les bâtiments les plus proches et ceux-ci furent les premiers à couler.

Le signal envoyé par Narro apparut enfin à la vue de tous et ajouta encore au désespoir des Yussa. Une entière colonne de brûlots descendait paresseusement le fleuve en direction de la mer, c'est-à-dire en plein sur les bateaux jusqu'alors en sécurité au centre de la rade. Les radeaux enflammés, construits autour d'un tronc gigantesque taillé en éperon, percutèrent les coques en brisant les plus fragiles... et les vaisseaux ainsi éventrés s'enfoncèrent lentement dans les eaux sombres en gênant les manœuvres des plus chanceux.

Yan lui-même tira quelques traits, mais sa principale préoccupation était de ne pas perdre Grigán de vue. Le jeune homme était déterminé à faire mentir la prophétie d'Usul quant à la mort du guerrier, et celui-ci semblait par contre déterminé à aller jusqu'au bout de sa vengeance. Après avoir participé aux principaux événements de la bataille, et sans avoir été réellement mis en danger, Grigán se languissait de rencontrer Aleb.

Le grand-voile amiral avait subi autant de dégradations que les autres, mais sa coque n'avait pas été touchée. Le guerrier lui décocha sa dernière flèche en se résignant à ne pas le voir couler. C'est alors que le ciel se déchira.

Un éclair illumina la nuit et le tonnerre éclata de manière retentissante au-dessus de Mythr, avant de rouler sur tous les Bas-Royaumes. Les premières gouttes tombèrent l'instant suivant avant que leur fréquence ne s'intensifie. Une pluie violente et drue inonda bientôt les lieux de la bataille, étouffant progressivement les incendies les mieux contrôlés... comme c'était le cas sur le vaisseau amiral.

N'y tenant plus, Grigán abandonna son arc et courut jusqu'aux loups qui en gardaient l'accès, Yan sur ses talons. Il prit son élan et sauta sur le pont du navire d'Aleb, aussitôt rejoint par son ami.

— Merci, lâcha-t-il à la grande surprise du jeune homme.

Ifio interrompit ce début de conversation en atterrissant sur le bras de Yan, le faisant ainsi sursauter. La femelle mimastin n'avait pas voulu rester sur le port et reprit sa place sur l'épaule du jeune homme.

Cette pause fut de courte durée, car le guerrier dut se défendre contre un Yérim qui bondissait sur lui avec un couteau. Le pirate fut à terre avant d'avoir baissé le bras mais deux autres surgirent aussitôt, décidés à emporter un ennemi dans la mort.

Grigán se débarrassa du sien en deux passes et se tourna pour venir en aide à Yan. Il fut stupéfait de découvrir un corps aux pieds du jeune homme dont le glaive était ensanglanté.

— *Main sûre, pied ferme,* badina le Kaulien, devant la surprise du guerrier. J'ai juste appliqué vos méthodes !

— Tu prends de mauvaises habitudes, rétorqua un Grigán ruisselant, avant de se jeter dans une coursive.

D'autres ennemis accouraient dans leur direction et l'espace d'un instant, Yan connut le doute. Les Yérims furent fauchés par une volée de flèches et le jeune homme se tourna vers le quai pour remercier les archers ramgriths. C'est alors qu'il s'aperçut que le bateau s'était éloigné. Les derniers hommes d'Aleb s'activaient à la manœuvre pour sortir le bâtiment du port…

Yan se rua à la suite du guerrier et enjamba deux cadavres avant de le retrouver. Ce genre de navire n'était pas appelé *grand-voile* pour rien : de pont en pont, ils parcoururent plus de six cents pas avant d'enfin trouver la cabine du capitaine.

Les deux renégats qui en gardaient la porte parurent hésiter devant l'expression déterminée de Grigán. Comme le guerrier s'avançait vers eux, les cheveux collés au visage, la lame courbe menaçante, ils s'en écartèrent inconsciemment pour finalement poser leurs armes au sol, avant de s'enfuir dans des directions opposées. Le guerrier défonça la porte du plat du pied et pénétra dans le cœur du navire.

La décoration de la cabine était d'un luxe inouï, déplacé pour un bâtiment de guerre. Mais ni Yan, et encore moins Grigán ne se souciaient alors de ces détails. Seul comptait l'homme borgne qui les dévisageait avec une grimace cynique. Aleb était debout, appuyé sur la garde de sa lame, et parcouru de tics nerveux.

— Derkel, lâcha-t-il avec un petit rire de dément. Je te déteste. Je te hais.

— J'avais deviné, rétorqua Grigán en se mettant en garde. Rassure-toi, ça ne va plus être très long. Nous avons un duel à terminer.

Aleb ne fit pas le moindre geste, se contentant de sourire comme un dément. Il semblait même avoir du mal à se tenir debout, et serait sûrement tombé s'il n'avait eu sa lame pour s'appuyer.

— Les serpents daï, commenta Grigán en se redressant. Tu es drogué. C'est pitoyable.

L'intéressé gloussa de manière ridicule, sans s'apercevoir qu'il s'était mis à baver. À l'extérieur, les clameurs de la bataille se faisaient plus discrètes, étouffées qu'elles étaient par la pluie. Le grand-voile fit une embardée et Yan supposa qu'il avait dérapé le long d'une épave.

— Nous allons bientôt avoir de la visite, grinça Aleb avec un sourire cruel. J'ai prié, j'ai prié ! chantonna-t-il. J'ai prié le dieu de mon allié !

Yan et Grigán furent déséquilibrés, comme le bateau subissait de nouveaux mauvais traitements. Le tonnerre roula de nouveau et la coque lui répondit par des grincements assourdissants.

— De quel allié parles-tu ? s'enquit Grigán, avec un mauvais pressentiment.

Miraculeusement toujours debout, le roi borgne jubila en les toisant d'un regard victorieux. Un craquement sinistre retentit sur le pont et Yan et Grigán levèrent les yeux par réflexe. Quand ils les baissèrent, *Sombre était parmi eux.*

Le démon était apparu au milieu de la cabine, entre eux et Aleb, sans que rien ne l'ait annoncé. Il avait adopté une forme simiesque rappelant celle des terribles lémures qui avaient blessé Corenn. En deux fois plus grand…

Sombre se tenait pour lors immobile, balançant lentement sa tête déformée par des crocs immenses. Son regard rouge et furieux croisa celui de Yan et le jeune homme songea qu'il ne reverrait jamais plus Léti. Le démon émit un long grondement, comme celui d'un fauve, en scrutant toute la cabine. Il se retourna alors vers Aleb.

— *Où sont-ils ?* demanda-t-il d'une voix profonde.

— Mais là ! Là ! s'excita Aleb en pointant le doigt. Juste devant !

Sombre se retourna vers eux et Yan et Grigán se tinrent parfaitement immobiles. Les pierres de Dara. *Les pierres de Dara* semblaient les placer hors de portée du démon.

Le monstre se dressa sur toute sa hauteur en poussant un hurlement de rage. Son impuissance le rendait fou. Il avança de deux pas et Yan dut faire appel à toute sa volonté pour ne pas s'enfuir à toutes jambes.

— Je vais avoir besoin de ton œil, grogna le démon en se tournant vers Aleb.

Il se volatilisa alors aussi subitement qu'il était apparu. Le visage du roi trahit sa panique puis, l'instant d'après, exprima toute la folie destructrice qui habitait l'enfant des fosses. Aleb cessa de vaciller et se mit en garde avec une parfaite maîtrise de ses mouvements. Son regard allait de Yan à Grigán, pendant que Sombre s'habituait à ce nouveau corps.

— Je ne peux vous atteindre, mais *je vous vois*, grogna-t-il d'une voix rauque. Je suis Celui qui Vainc. Et tu n'es pas l'Adversaire, ajouta-t-il à l'intention de Grigán.

Le bateau connut un choc violent et la coque grinça douloureusement, avant de connaître une nouvelle tranquillité. À la houle plus forte, Yan comprit avec horreur que le grand-voile avait réussi à quitter le port. *Ils faisaient route vers le large !* Étranger à ces détails, le roi possédé s'avança lentement, son épée pointée vers la poitrine de Grigán.

Le guerrier n'attendit pas d'être rejoint et bondit à la rencontre de son adversaire. Il lança deux attaques qui furent aussitôt parées. Il essaya alors des passes plus dangereuses, faisant appel à tout son art, mais Aleb les déjoua avec autant de facilité.

— Pauvre mortel inconscient ! lança la voix du démon. Quand bien même tu pourrais m'atteindre, cela ne te servirait à rien ! Je suis *Celui qui Vainc*, et mon destin est de t'écraser !

Le roi possédé se fendit soudain et sa lame entailla le mollet de Grigán. Le guerrier ferrailla pour se mettre quelques instants hors de portée, mais le combat semblait d'ores et déjà perdu. Toutes les attaques lancées par le vétéran étaient invariablement déjouées… alors qu'il peinait à repousser les assauts intermittents du démon, manipulant la lame d'Aleb comme une véritable extension de son corps.

Yan assistait à la scène, impuissant, paralysé par l'horreur de la situation. Jamais il n'avait vu Grigán à ce point en difficulté. Le guerrier subit une deuxième blessure, à la main, et connut dès lors encore plus de difficultés à se défendre.

— Yan, sauve-toi ! ordonna-t-il avec un accent de panique. Allez !

Le démon lui arracha sa lame et Grigán se retrouva désarmé, face à un Aleb cruel et victorieux. Yan lança sa Volonté et toucha *l'esprit profond* d'Ifio. L'instant d'après, il prenait possession du corps du petit singe.

Luttant contre le vertige consécutif à ce changement de perception, il bondit en bas de sa propre épaule et galopa jusqu'au roi possédé. Aleb levait le bras pour achever le guerrier quand il grimpa le long de ses vêtements jusqu'à sa tête. Il évita l'énorme main qui essaya de l'en chasser et tourna le bandeau qui couvrait l'œil mort du Ramgrith.

Ainsi aveuglé, Aleb ne put éviter le formidable coup de poing que lui décocha Grigán en pleine mâchoire. Yan fut projeté au sol en même temps que le roi et réintégra son propre corps, que le guerrier entraînait déjà vers la sortie.

Ils coururent aussi vite que possible, se faufilant le long des coursives et des escaliers jusqu'au pont balayé par la pluie. Grigán plongea au-dessus du bastingage, les pieds devant. Yan mourait d'envie de le rejoindre, mais il devait attendre.

Des grattements se firent enfin entendre dans l'escalier et Ifio courut jusqu'à lui avant de s'agripper peureusement à son genou. Yan serra le petit singe dans ses mains et sauta à son tour par-dessus bord.

Ils regardèrent le grand-voile encore fumant s'éloigner vers le nord, avant d'entamer la nage fatigante qui devait les ramener à Mythr. Il pleuvait, l'armada rouge finissait de brûler, et les flots et la nuit étaient de couleur sombre.

* * *

La tristesse du vieux Narro était bouleversante. Le nouveau roi de Griteh se peignait machinalement la barbe de ses doigts, en évitant de croiser le regard du guerrier. Yan lui-même était touché par l'émotion tangible des deux hommes. Il se serait bien éloigné de quelques pas pour les laisser seuls, s'il ne devait faire ses propres adieux au chef des loups noirs.

— Tu es sûr que tu ne veux pas rester, Grigán ? lâcha enfin son père d'Union. Nous aurons tout le temps d'empêcher Aleb de remettre les pieds sur ce continent. Et les jours prochains vont être très mouvementés. *Je vais avoir besoin de toi, fils*, ajouta-t-il en l'attrapant par l'épaule.

— J'ai quelque chose à finir avant, expliqua le guerrier avec une lueur meurtrière dans les yeux. Et des amis nous attendent. Je reviendrai bientôt, si les dieux le permettent.

— Tu seras toujours le bienvenu, assura Narro avec une étreinte touchante. Pardonne-moi pour la haine que je t'ai portée, à tort. Tu as autant souffert que moi.

Grigán lui tapa doucement le dos et ils se séparèrent avec un certain embarras. Ni l'un, ni l'autre n'avaient l'habitude de dévoiler ainsi leurs sentiments. Narro se rattrapa sur Yan en se contentant de lui flanquer une claque virile sur le bras, faisant ainsi sursauter Ifio. Il se détourna ensuite avec un dernier clin d'œil.

— Rattrapez ce maudit borgne pour moi ! lança-t-il en s'engageant dans la descente de la passerelle. Vous me ferez un immense plaisir en le flanquant par-dessus bord !

Le roi se perdit dans la foule agitée du quai sans plus se retourner. Grigán s'absorba un moment dans l'examen du bandage qu'il avait à la main, le temps de dominer sa tristesse, puis retourna aux préparatifs du départ.

La bataille s'était prolongée toute la nuit, mais avec beaucoup moins de violence. Seuls quelques Yussa acharnés s'étaient entêtés à défendre leurs navires immobilisés, avant de se rendre finalement aux loups noirs. Narro avait pris sa première décision de roi : une fois leurs *octrois* confisqués, les quelque deux mille mercenaires survivants seraient reconduits aux frontières et libérés… sans leurs armes, bien entendu. Quand la nouvelle de la chute de Mythr se serait répandue, Griteh cesserait d'être une manne pour les soldats de fortune. Alors, les loups noirs pourraient construire la paix.

Yan contempla le port dévasté et les travaux qui commençaient déjà. Cette aube était la première de la libération des Ramgriths. Les hommes exploraient les épaves calcinées, échouées, brisées avec un optimisme conforté par leur victoire récente. Leur première tâche avait été de libérer l'entrée de la rade… et la deuxième, de renflouer une gabare et deux lougres qui avaient été plus ou moins épargnés par les incendies.

Quatre cents volontaires avaient pris place à bord des bâtiments qui allaient donner la chasse à Aleb, et s'affairaient à la manœuvre sans expérience ni organisation, mais mus par une ténacité qui venait à bout de toutes les difficultés. Les navires n'avaient besoin de rien d'autre que quelques réparations : vivres, équipement et eau douce étaient déjà en cale, et les voiles de rechange s'élevaient le long des mâts avec une grâce majestueuse.

Le premier lougre franchit le chenal, sous les acclamations des Ramgriths enfin libérés. Mais ces hommes débordaient d'occupations, et s'en retournèrent aussitôt à leurs activités. Le deuxième bâtiment s'avança lentement vers la pleine mer et, alors qu'il aidait aux opérations, Yan vit la gabare où ils avaient embarqué prendre le même chemin.

Il se rendit à la proue et y retrouva Grigán, le regard perdu sur l'horizon du nord. Il imagina Aleb, en fuite pour une destination inconnue. Il imagina Léti, Corenn et leurs amis, cachés quelque part en Arkarie. Il imagina les Wallattes envahissant les Hauts-Royaumes, et songea qu'il voguait vers d'autres batailles.

* * *

Usul danse, tourne et rit autant que sa forme d'hydre le lui permet. Le dieu omniscient n'a jamais connu un tel amusement. L'avenir, celui qu'il a prévu depuis des millénaires, se voit modifié à chaque instant par les agissements d'une poignée de mortels. À tel point qu'il ne peut en explorer toutes les possibilités, avant qu'un nouvel événement vienne les bouleverser et en amener d'autres. Celui qui Sait ne s'ennuie plus, car il connaît enfin le doute. Pour la première fois, *le temps lui manque*.

Son dernier visiteur a déjà altéré une de ses prophéties. Qu'en sera-t-il des deux autres ? Usul cherche, observe, spécule et dégage des certitudes. Mais celles-ci sont aussitôt remises en cause et le dieu reprend sa réflexion, inlassablement, jouissant avec délice de cette quête spirituelle. Il n'a aucune inclinaison vers l'un ou l'autre camp : peu lui importe le vainqueur du combat, tant que l'issue en est longtemps incertaine.

Pourtant, en se projetant plus loin dans l'avenir, de soixante ou quatre-vingt ans… Usul n'entrevoit plus que deux possibilités. Inévitablement, le temps gommera les péripéties du futur proche pour rejoindre l'une ou l'autre de ces présomptions. Aussi le dieu se concentre-t-il sur les détails, rebondissements et incertitudes du moment, espérant y trouver suffisamment d'indices pour *savoir* de nouveau. Même si cela le condamne à un nouveau siècle d'ennui.

Après tout… son propre sort était en jeu.

* * *

Du temps. Elles avaient perdu beaucoup de temps. Trop, probablement.

En s'enfonçant dans les ténèbres du palais de Saat, en compagnie de Lana et d'une escorte de quatre gladores, Corenn retraça mentalement les événements qui avaient animé la dernière décade… et qui les avaient vues mettre plus de temps à traverser les royaumes estiens, qu'il ne leur en avait fallu pour l'Arkarie et le Grand Empire. Huit jours… Combien de drames s'était-il produit, en huit jours ? Où se trouvaient alors Grigán, Yan et Rey ? Et même, Léti et Bowbaq ? Qu'en était-il de la Sainte-Cité ?

Les cavaliers wallattes rencontrés au val s'étaient arrêtés le soir même, dans un campement d'une centaine d'hommes participant à la manœuvre de diversion des armées alliées. Sans être brutalisées, Corenn et Lana avaient été placées sous étroite surveillance, avant d'être interrogées par un barbare un peu moins rétif aux langues étrangères. La Mère avait réussi à l'impressionner en dévoilant tout ce qu'elle connaissait du plan de Saat, et l'homme s'était laissé convaincre de la nécessité de mener ces étranges captives au Haut Dyarque. Il avait quand même fallu deux jours supplémentaires avant qu'une nouvelle colonne ne les escorte à nouveau en direction du sud, *à pied*, à la grande frustration de la Mère. Ils n'avaient atteint le camp de Saat qu'au crépuscule de ce huitième jour, moins d'un décan plus tôt… et probablement trop tard.

Corenn contemplait les murs informes de la bâtisse en songeant qu'elle n'en connaîtrait peut-être jamais l'aspect extérieur. Peu après l'apogée de ce jour, et bien avant d'arriver en vue des installations estiennes, les Wallattes avaient bandé les yeux de leurs prisonnières. Malgré cet acte de méfiance, les barbares n'étaient pas allés jusqu'à entraver les deux femmes, la Mère ayant veillé à laisser planer l'équivoque sur leur condition d'ennemies pour prévenir tout mauvais traitement. Mais elles n'avaient rien pu observer du campement secret du sorcier, avant d'être poussées à l'intérieur de son palais… rien, si ce n'est l'impression que l'endroit était étonnamment calme, pour une région censée abriter plusieurs dizaines de milliers de guerriers.

Les rumeurs d'une conversation commencèrent à se faire entendre et Corenn sentit sa gorge se serrer. L'une de ces voix appartenait à Saat et la Mère essaya inconsciemment de deviner laquelle, tâche d'autant plus ardue que les mots lui étaient encore inintelligibles. Mais cette écoute attentive des intonations eut pour seul résultat d'augmenter son angoisse, et elle chassa rapidement ce détail de son esprit pour se concentrer sur sa confrontation imminente avec leur ennemi mortel. Son ultime espoir de sauver les Hauts-Royaumes.

Les gladores s'arrêtèrent enfin devant deux de leurs confrères et, avant même que les gardes n'aient pu satisfaire au protocole, la double porte qu'ils encadraient s'ouvrit en grand… sans qu'aucun n'en ait actionné le mécanisme.

— Entrez donc, invita une voix étouffée par un heaume. N'ayez pas peur ! *Nous vous attendions.*

Les gladores poussèrent Lana et Corenn à l'intérieur de la pièce et, avec le claquement sec d'une serrure, la porte se referma d'elle-même.

Comme par magie.

* * *

Les deux lougres et la gabare des révoltés ramgriths avaient pu suivre le reliquat de l'armada rouge pendant trois jours… avant de perdre définitivement le navire d'Aleb, beaucoup plus rapide malgré ses avaries. Les loups noirs s'étaient alors relayés à la vigie avec une frustration grandissante, sans qu'aucun ne parvienne à repérer encore la voilure incarnate sur l'horizon de la mer Médiane. Pour Grigán, Yan et les principaux chefs des quatre cents volontaires embarqués à la poursuite du roi borgne, le choix avait alors été crucial. Mais ils avaient fait le bon.

— La frégate est également vide, rapporta Berec en rejoignant le guerrier sur la jetée. Il ne reste pas *un* Yussa dans ces bateaux. Alioss seul sait pourquoi ils ont tout abandonné ici !

Grigán acquiesça en contemplant les navires qu'ils avaient perdu de vue pendant cinq longues journées, et sur le pont desquels ils pouvaient maintenant aller et venir à leur aise. Des sept vaisseaux miraculés qui s'étaient spontanément placés sous la protection d'Aleb, quatre avaient entre-temps changé de cap en se voyant pourchassés. Il s'agissait bien sûr des plus lents : les autres, deux galiotes et une frégate, étaient restés dans le sillage du grand-voile dont ils pouvaient égaler la vitesse. Les loups noirs avaient unanimement décidé de concentrer leurs efforts sur ces bâtiments, en espérant que le roi détrôné n'avait pas changé de bord pour l'un des navires fuyards. Mais Aleb n'était pas connu pour disposer d'une telle subtilité d'esprit, et c'était précisément sur ce point que les insoumis avaient basé leurs présomptions. En maintenant le cap aussi droit que pendant les premiers jours... ils étaient arrivés directement dans le port ithare de *Maz Nen*.

— Vous n'allez pas le croire, lança un des chefs de tribu en se joignant au cercle. Un type avec un masque et une lance émoussée vient de me demander si nous avions *l'intention de semer le trouble dans la ville*. Je lui ai répondu que nous en discutions et il m'a sorti tout un discours sur une certaine quête de la morale, ou je ne sais quoi.

— Un officier du Grand Temple, sourit Grigán, l'air blasé. Ils sont à peine cinq cents pour défendre tout le royaume.

— Sangdieu, il a raison d'avoir peur ! commenta Berec. Même avec le peu d'hommes qui lui reste, le Borgne pourrait bien trouver ici un nouveau trône à voler !

Grigán laissa les chefs des loups discuter de l'inconscience des Ithares et se perdit dans la contemplation du grand-voile d'Aleb. Bâtiment amiral quelques jours plus tôt, le navire n'était plus qu'une ruine flottante et grinçante, une épave en sursis, noircie, endommagée, sa coque brisée sur plusieurs longueurs. Le guerrier en parcourut mentalement les coursives et ses souvenirs le firent frissonner.

Il avait failli succomber sous les planches de ce pont. Cette nuit d'orage, sur Mythr, c'est un *démon* qu'il avait affronté. Et Sombre l'avait totalement dominé, comme en témoignaient encore les blessures de sa main et de son mollet. Grigán avait connu la *peur*.

Il caressa du bout des doigts sa pierre de Dara en regrettant de ne pas être l'Adversaire. Tout serait dit, déjà. En lieu et place, les héritiers auraient toujours à craindre Celui qui Vainc, sans que rien n'y personne ne puisse y changer quelque chose. Et Grigán savait désormais à quel point la haine du démon était terrible.

— Vous vous sentez bien ? demanda Yan d'une voix douce, en se penchant vers son visage.

— J'irai beaucoup mieux quand nous aurons remis la main sur ce maudit borgne, assura le guerrier avec une expression farouche. Tu as appris quelque chose ?

— Comme supposé, expliqua le jeune homme en haussant les épaules. Tout le monde dans cette ville ne parle que de ça. Les Yussa ont débarqué à l'aube et pris la direction du nord. Les Maz à qui j'ai parlé ont peur pour la capitale et le Grand Temple.

— Ils s'inquiètent pour rien, commenta le guerrier avec une moue méprisante. Aleb projette probablement de franchir le val Guerrier. Il va chercher à rejoindre Saat.

Yan lui rendit un regard sceptique, comme cette supposition lui semblait bien hasardeuse. Ils avaient été suffisamment surpris en découvrant l'alliance entre le roi et le sorcier. D'après lui, ils devaient s'attendre à d'autres coups de théâtre.

— Bon, je n'en sais rien, concéda Grigán. Une chose seulement est sûre : nous ferions mieux de nous dépêcher. Comment se fait-il que nous ne soyons pas déjà en route pour Ith ?

* * *

Lana et Corenn ne purent cacher leur surprise en découvrant ce nouveau décor. La première chose qui les frappa était l'éclairage majestueux de la salle, tranchant nettement avec le reste du palais. Une trentaine de lanternes au moins illuminaient les murs de ce qui pouvait être un bureau, un séjour, une salle de réunion, de réception ou de banquet. Probablement tout cela à la fois…

L'endroit était décoré pour la fête : outre cette surabondance de falots, chaque meuble – tables, secrétaires, coffres et bibliothèques – était noyé sous les fleurs et les corbeilles de mets précieux. De remarquables tentures masquaient la laideur brute de la pierre, comme plusieurs épaisseurs de tapis adoucissaient les imperfections du sol. Un tronc entier agonisait dans une cheminée nantie d'un âtre de six pas en alimentant des flammes si hautes que la chaleur en était presque trop forte. Et au milieu de tout ce confort, quatre personnes se délassaient sur des canapés en buvant du vin.

Corenn eut la surprise de reconnaître parmi elles le judicateur Zamerine, qu'elle avait rencontré au Petit Palais de Lorelia. Le Zü se tenait rigide sur sa couchette sans paraître prendre beaucoup de plaisir à cette célébration. La coupe d'or qu'il tenait était presque encore pleine et il s'en débarrassa prestement sur une table basse, comme l'arrivée des héritières lui en donnait le prétexte.

Un jeune homme au regard sombre les dévisageait avec malveillance. Il semblait à peine plus âgé que Yan mais avait déjà atteint la maturité physique de la trentaine. Ses cheveux d'un noir de jais encadraient un visage glabre et sans défauts. Il était vêtu d'une magnifique tunique noire qui mettait en valeur la perfection de son corps. Il se redressa sur un coude et sembla chercher à lire dans leurs âmes, avec une insistance insolente qui embarrassa Lana.

Les derniers membres de l'assemblée formaient un couple, langoureusement étendu sur un édredon assez haut pour qu'ils puissent dominer la scène. La femme, richement vêtue, portant bijoux et joyaux partout où cela se faisait, présentait les caractéristiques de la race wallatte. Elle était également d'une beauté exceptionnelle et ses yeux brillaient d'intelligence et d'ambition. En découvrant les formes avantageuses de Lana, elle toisa la Maz d'un regard méprisant et empreint de jalousie.

Quant à l'homme… les héritières n'eurent pas besoin d'en détailler les effets pour le reconnaître. Le heaume ceint d'un bandeau noir en disait suffisamment long. Même si le sorcier ne montrait rien de son visage, il ne pouvait s'agir que de lui. Saat, qui les pourchassait depuis presque six lunes, et qui avait presque totalement exterminé les héritiers. Saat, qui avait perverti un enfant du Jal'dara. Saat, qui s'apprêtait à anéantir les plus avancées des civilisations du monde connu.

— Je les vois, mais leurs esprits m'échappent, annonça le jeune homme sombre avec une certaine contrariété. Comment est-ce possible ?

Le Haut Dyarque éclata d'un rire franc et claqua des doigts à l'intention de Zamerine. Prévenu d'avance, le judicateur se rendit auprès des deux femmes en brandissant sa *hati*.

— Donnez-moi les pierres, ordonna-t-il simplement, certain de ne pas être défié.

Lana et Corenn échangèrent un regard plein de désespoir, avant de remettre le gwele au tueur rouge qui les transmit à son tour au sorcier. Avec horreur, elles sentirent aussitôt leurs esprits envahis par une puissance terrifiante, qui se retira heureusement assez vite.

— Ridicule, commenta le sorcier avec amusement. Vous êtes venues jusqu'ici simplement pour me… parler ? Je ne comprends pas comment vous avez pu m'échapper si longtemps, avec des plans aussi stupides. Mais vous venez d'abuser de votre chance…

— Nous sommes venues en paix, interrompit aussitôt Corenn, avant que Saat ne commette l'irréparable. Nous voudrions vous parler de nos ancêtres, de Nol et…

— Silence ! clama le sorcier, peu désireux d'entendre prononcer ces noms en présence de Sombre.

La Mère sentit soudain sa voix se bloquer, et elle perdit le contrôle de son corps. Saat l'avait paralysée. Elle eut beau faire appel à toute sa Volonté, elle ne put déjouer le charme. Elle qui avait pris tous ces risques pour s'entretenir avec son ennemi n'en avait même plus l'occasion.

— Corenn ? Corenn, qu'avez-vous ? lui demandait Lana, en proie à une peur indicible.

Saat repoussa la Wallatte sans tendresse et vint jusqu'à la Maz, en la contemplant effrontément. Il en fit le tour en promenant son regard sur tout son corps. Quand il posa ses mains gantées sur ses épaules, Lana laissa échapper un petit cri de surprise.

— Savez-vous que vous êtes en présence d'une consœur ? chuchota-t-il en plaquant son heaume sur la joue de la prêtresse. La femme que vous voyez allongée là est la grande Emaz de Celui qui Vainc… et c'est aussi une reine. Son nom vous dira peut-être quelque chose : elle s'appelle *Che'b'ree*.

Il la libéra et revint prendre place sur l'édredon, laissant Lana haletante et en proie à mille émotions.

Che'b'ree. La descendante de Pal'b'ree, le sage émissaire qui avait suivi Lloïol au fond du Jal'karu. Quelle terrible machination se jouait-elle derrière cette apparente coïncidence ? Quel plan tortueux et sournois avait germé dans l'esprit de Saat ? N'y avait-il aucune limite à l'ambition de cet homme ?

— Je vais finir par croire que la beauté est assurée par la foi, plaisanta Saat pour dérider sa triste assemblée. N'avons-nous point là deux des plus belles femmes de ce monde ?

— Je la trouve horrible, grinça Che'b'ree sans sourire. Elle connaît notre plan. Fais-la tuer.

Lana accusa la brutalité de cet ordre et sentit fondre tous ses espoirs de survivre à cette rencontre.

Elle jeta un regard à Corenn qui ne pouvait plus faire le moindre mouvement et acquit la certitude que leur fin était proche. Alors la colère lui vint et elle courut jusqu'au sorcier, avant de lui frapper la poitrine de ses petits poings fragiles.

— Qu'avez-vous fait de Rey, maudit, lâche, criminel ! demanda-t-elle en redoublant ses coups. Qu'avez-vous fait de ma vie !

Zamerine la tira brutalement en arrière, pendant que Saat était en proie à une hilarité incontrôlable. Le visage fermé, Che'b'ree enjamba le Haut Dyarque et dénuda un poignard. Elle le tint fermement à un pied du ventre de Lana et s'apprêta à frapper.

— Arrête ! commanda le sorcier, sur un ton sans appel. *Cette décision n'est pas en ton pouvoir.*

La reine wallatte hésita un instant et rengaina finalement sa lame, après un dernier regard plein de haine. Elle s'éloigna de quelques pas en s'efforçant de recouvrer son calme.

— Qu'avez-vous fait de Rey... continuait de sangloter Lana, sous l'étreinte de Zamerine. Qu'avez-vous fait de lui...

— Il croupit dans mes arènes en attendant la prochaine cérémonie d'exécution, lança Saat avec cruauté. Désirez-vous le rejoindre ?

Lana releva la tête pour vérifier le sérieux du sorcier.

— *Oui !* clama-t-elle avec force, comme il semblait réellement attendre une réponse.

— Finalement, je ne pense pas que ce soit une bonne idée, persifla le Haut Dyarque avec une grimace de dégoût. Il me déplairait de voir une femme aussi belle se perdre pour un bon à rien. Je pense plutôt vous ajouter à mon harem.

Che'b'ree se retourna avec un œil mauvais, et Sombre lui-même parut sortir de sa rêverie pour se joindre à la discussion. Aucun ne semblait apprécier la nouvelle.

— C'est une *héritière*, rappela le jeune homme ténébreux. Tu ne peux la laisser vivre.

— Quelque temps, seulement. Apaise-toi, mon ami. Qu'as-tu à craindre d'elle ?

Sombre planta son regard dans celui de la Maz, et celle-ci se sentit transpercée. Jamais elle n'avait connu une telle vulnérabilité.

— Elle porte un enfant, lâcha le démon avec contrariété. Il est peut-être l'Adversaire.

— Il ne naîtra pas cette nuit, de toute façon. As-tu déjà douté de moi, mon ami ?

Lana se sentit défaillir, comme trop d'émotions la traversaient. Elle venait d'identifier Sombre. Elle portait un enfant. Rey allait mourir. Elle connaîtrait le même sort, après avoir enduré d'autres souffrances. Les Hauts-Royaumes étaient perdus. Tout cela était trop pour elle et elle s'évanouit pesamment.

— Je ne comprends pas, lança Sombre en fixant le visage du sorcier.

Comme Saat ne répondait pas, le démon tourna les épaules et sortit de la pièce en direction des profondeurs de son temple. Il avait besoin de réfléchir.

Corenn avait assisté à toute la scène avec une immense frustration. Elle avait bien envisagé la défaite, mais pas que les choses puissent se passer *si mal*. Quand le sorcier relâcha enfin la pression qu'il mettait sur son esprit, la Mère sentit enfin les larmes qui lui coulaient le long des joues.

— De quoi parlions-nous, déjà ? badina Saat, les mains sur les hanches.

— J'avais nourri l'espoir de vous faire entendre raison, énonça Corenn d'une voix blanche. Mais j'étais naïve. Il n'est plus rien qui pourra vous sauver. Le Jal'karu vous a imprégné jusque dans vos veines.

— Oui, c'est cela même, railla le sorcier en agitant les mains. Rien de tout cela n'est vraiment de ma faute. J'irai demander le pardon d'Eurydis.

Corenn ne répondit pas à la provocation, décidée qu'elle était à conserver sa dignité. Saat haussa les épaules et se désintéressa de la question.

— Emmenez-la et tuez-la, ordonna-t-il à Zamerine. Désolé, honorée Mère, mais je ne peux prendre le risque d'abriter une magicienne… ajouta-t-il en fournissant au tueur rouge une des pierres de Dara.

Avec un dernier regard pour la forme inanimée de Lana, Corenn se laissa entraîner sans résistance par le judicateur. Ce n'est qu'au seuil de la porte que lui revint la question qui la préoccupait depuis le début.

— Vous avez déjà lancé l'assaut, n'est-ce pas ?

— Bien sûr ! s'exclama le sorcier, en désignant les décorations de la pièce. Que croyez-vous que nous fêtions, ici ? Nos retrouvailles ? Ce n'est pas parce que mon allié s'est avéré un incapable que j'allais renoncer à mes grands projets. En ce moment même, mon chef de guerre doit être en train de visiter les caves de la Sainte-Cité.

Corenn acquiesça tristement et se dirigea d'elle-même vers la sortie, sans que Zamerine n'ait besoin de la brusquer. Elle avait été trop présomptueuse. Rien ni personne ne pourrait vaincre Saat.

* * *

Les Ramgriths étaient devenus des criminels aux yeux du royaume ithare. Afin de rattraper plus vite Aleb et ses derniers Yussa, les loups noirs avaient volé les chevaux que les lois ithares obligeaient à parquer à l'extérieur de la ville. Une centaine avaient pourtant manqué aux volontaires, et un nombre équivalent s'était vu obligé de rester à Maz Nen en une garde inutile du reliquat de l'armada rouge, et accessoirement d'Ifio dont Yan n'avait pas voulu s'embarrasser pour la chevauchée.

C'est donc trois cents cavaliers qui s'étaient lancés dans la nuit au galop. À une telle allure, les loups noirs étaient arrivés en vue de la Sainte-Cité à peine un demi-décan après leur débarquement, sans avoir encore repéré les fuyards. Ils attendaient maintenant le rapport des éclaireurs dépêchés aux portes de la capitale.

Peu d'hommes étaient descendus de leur monture, prêts qu'ils étaient à repartir à l'instant même. Les trois cents bêtes s'ébrouaient et soufflaient en exhalant une vapeur blanchâtre. Bien que la plupart des Ramgriths soient des cavaliers émérites, la course avait été fatigante, et le plus souvent réalisée à cru. Après avoir traversé la mer Médiane dans sa grande longueur, en moins d'une décade, les insoumis auraient dû être épuisés… mais ils pressentaient tous un caractère d'urgence qui alimentait leur courage. Quelque chose dans l'air les prévenait qu'il s'agissait de leurs derniers efforts.

Tout serait fini avant l'aube.

— Je trouve la ville bien animée, commenta Yan en observant les milliers de feux que la vue leur présentait. Ça m'étonne des Ithares…

Grigán ne répondit pas, comme il se faisait la même réflexion. Peu de choses pouvaient expliquer une telle illumination des rues de la Sainte-Cité. Une très grande cérémonie religieuse. Quelques incendies. Ou encore… une bataille. Une révolte. La panique.

Les éclaireurs furent enfin de retour et les chefs des loups firent cercle autour de leurs hommes en contrôlant difficilement leur impatience.

— Les gardes des portes ont été tués, annonça gravement l'un des dépêchés. Les gens courent dans tous les sens. C'est la folie, là-bas.

— Les Yussa ? vérifia Grigán.

— Sûrement, répondit l'homme en haussant les épaules.

Les chefs des loups s'interrogèrent du regard, mais leur décision était déjà prise. Ceux qui avaient mis pied à terre grimpèrent sur leurs montures et chacun empoigna son arme de prédilection, le cœur battant d'excitation. Grigán attendit que tout le monde fût prêt, leva son épée courbe et se lança à l'assaut de la Sainte-Cité avec un hurlement sauvage.

Yan et les trois cents cavaliers se ruèrent dans ses traces, reprenant son cri avec autant de force et de rage. Ils galopèrent sur plus d'un mille sans ralentir, le regard fixé sur les murs et les portes grandes ouvertes de la ville, en brandissant leurs armes et en se laissant emporter par leur enthousiasme. Grigán revit le village quesrade et le massacre qu'il avait laissé perpétrer, et fit l'analogie avec ce qu'il était en train de vivre. Le guerrier allait racheter sa faute.

Il fut le premier à entrer dans l'enceinte et les sabots de ses chevaux résonnèrent bruyamment sur le pavage des rues. Des Ithares masqués s'enfuirent à l'approche de ces Ramgriths qui semblaient aussi féroces que leurs autres assaillants. Yan à ses côtés, Grigán mena sa compagnie de plus en plus loin à l'intérieur des murs, attisant involontairement la panique des habitants pacifiques. Jusqu'à ce qu'ils trouvent enfin les premiers Yussa…

Les mercenaires finissaient de mettre à sac un temple de Dona, pendant que d'autres s'affairaient à y allumer un incendie. Grigán vit les corps ensanglantés des Maz et lança sa monture sur les marches de marbre, droit sur les pillards. Il en fit trébucher deux à son premier passage et trancha pratiquement la tête d'un autre à son deuxième. Les survivants s'éparpillèrent et les loups noirs se répandirent à leur poursuite dans toutes les rues de la ville.

Yan faisait tout son possible pour ne pas quitter Grigán des yeux. Il ne resta bientôt plus qu'une trentaine de Ramgriths dans leur groupe, les autres s'étant disséminés à chaque croisement. Les cavaliers étaient d'une terrible efficacité : chaque bande de Yussa qu'ils croisaient était immédiatement et impitoyablement taillée en pièce. Revigorés par ce renfort inattendu, quelques Ithares un peu moins pacifistes que les autres se mêlèrent bientôt aux batailles, achevant de donner l'avantage aux loups noirs.

Mais le principal souci de Grigán n'était pas encore satisfait. Abandonnant les Yussa isolés, négligeant de participer aux affrontements où les Ramgriths étaient largement dominants, le guerrier s'éloignait de plus en plus des siens, en quête d'un Aleb qu'il devinait terré quelque part dans la Sainte-Cité. Avec une certaine appréhension, Yan s'aperçut soudain qu'ils n'étaient plus que deux. Non pas que les loups noirs aient été défaits : l'avantage donné par leurs montures avait minimisé les pertes. Mais Grigán avait été si pressé de s'enfoncer dans les ruelles étroites qu'aucune escorte n'avait eu le temps de l'y suivre.

Pris d'une soudaine inspiration, il prit la direction du Grand Temple lui-même, immense bâtiment isolé au centre d'un magnifique jardin. Toujours suivi de Yan, il s'en approcha au petit trot, admirant les hautes colonnades qui en ornaient la façade... et s'interrogeant sur ce qu'elle pouvait dissimuler.

— Je sais que tu es là, Aleb, clama-t-il à la cantonade. Tu as toujours eu la folie des grandeurs !

Un esclaffement lui répondit et le roi borgne sortit de sa cachette, sa lame courbe à la main. Simultanément, dix Yussa émergèrent d'autant de colonnes et rejoignirent leur maître qui jubilait.

— Tu crois avoir gagné, n'est-ce pas ? railla Aleb. Tu t'imagines avoir sauvé la ville des « méchants » ? Tu cours au-devant d'une belle surprise. Avant un décan, toute cette région sera en flammes.

— En attendant ce moment joyeux, je te propose de finir notre duel, rétorqua Grigán en mettant pied à terre. À moins que tu ne sois trop lâche pour te mesurer à moi dans un combat loyal... As-tu goûté du venin daï, aujourd'hui ? Que cherches-tu à oublier dans la drogue, maudit ? Aurais-tu également peur de ton allié ?

Aleb se raidit sous cette accusation et posa sa lame contre la colonne, avant de se défaire de son manteau. Il reprit l'arme et avança tout droit vers Grigán, qui chassa sa monture d'une claque sur la cuisse.

— Tu vas regretter ces paroles, chien, lança le roi en se mettant en garde. Tu vas même regretter d'être né un jour. Tu oublies un peu facilement que *personne* n'est sorti vainqueur du duel dont tu parles. Je maîtrise aussi bien ma lame que toi.

Il en donna la preuve en enchaînant quelques jongleries réellement impressionnantes. Yan songea qu'Aleb n'avait plus rien de l'homme malade qu'ils avaient rencontré quelques jours plus tôt : le roi détrôné était au mieux de sa forme, et semblait un adversaire suffisamment dangereux pour mettre Grigán en péril.

Les deux ennemis tournèrent l'un autour de l'autre avec des postures menaçantes et une extrême concentration. Quelques-uns des Yussa encouragèrent leur favori, mais le roi les fustigea crûment en les enjoignant au silence. Il se fendit soudain en un geste superbe et le combat commença.

Fidèle à son habitude, Grigán se contenta d'abord de parer les attaques répétées de son adversaire, reculant, esquivant et détournant la lame d'Aleb sans rien tenter d'autre, à tel point qu'un étranger aurait pu le croire dominé. Le roi lança ainsi plus de vingt assauts avant de renoncer à tromper le guerrier de cette manière. Ils se firent face de nouveau, haletants, leurs armes haut levées vers les visages ennemis.

— Tu es lent, Derkel, lança le roi sur un ton méprisant. Beaucoup plus lent qu'il y a vingt ans. Ta main te ferait-elle souffrir ?

— Probablement moins que ton œil, rétorqua le guerrier avant de feindre une attaque.

L'affrontement reprit avec encore plus de violence. Cette fois, Grigán ne retint pas son bras et lança également quelques assauts. Mais sa défense devait en pâtir et Aleb en profita pour lui entailler l'épaule avec un petit cri de victoire.

— Tu vas mourir, Derkel, jubila-t-il en prenant un peu de distance. Dis adieu à ce monde. Tu vas rejoindre ta promise !

Grigán ôta la main qu'il avait crispée sur sa blessure et planta son regard dans celui de son ennemi. Il serra la poignée de sa lame et marcha tout droit sur Aleb, sans tactique ni finesse. Le roi prit peur et recula vers le Grand Temple avant de faire signe à ses hommes d'intervenir.

Deux s'écroulèrent avant d'atteindre le guerrier, mystérieusement endormis. Grigán transperça le troisième et en poignarda un autre dans le même mouvement. En formation devant Aleb, les Yussa hésitèrent quant à la conduite à tenir, jusqu'à ce qu'une vingtaine des cavaliers ramgriths ne fassent leur apparition à l'entrée des jardins. Ils s'écartèrent alors et se dispersèrent dans la nuit.

— Tu n'inspires pas tellement la loyauté, on dirait, commenta sobrement Grigán.

— Je ne partirai pas sans toi ! hurla le roi détrôné. Meurs !

Il se jeta sur le guerrier qui esquiva d'un simple pas de côté et en profita pour faire trébucher Aleb.

— *Pied ferme,* commenta-t-il en se mettant en garde.

— Qu'est-ce que tu racontes ? cracha le roi en se redressant.

Il tenta de jouer la surprise en bondissant la lame en avant, mais Grigán lui bloqua le poignet dans un réflexe parfait.

— *Main sûre,* annonça-t-il avec fierté, avant de forcer Aleb à lâcher son arme. Tu as perdu.

— Jamais ! cria le roi en tendant la main vers sa dague.

Le guerrier ne lui laissa pas le temps de l'atteindre… Il fit un tour sur lui-même et la trajectoire de sa lame courbe passa par le cou d'Aleb. Ce qui avait été le maître des Bas-Royaumes s'écroula lourdement sur le parvis du Grand Temple, apaisé à jamais.

— Et *esprit vif,* conclut Grigán en reniflant. Tu étais tellement prévisible… n'importe lequel de mes élèves aurait pu te le montrer.

Yan s'approcha du corps avant de s'en détourner avec dégoût. Une partie de l'histoire de Grigán était morte avec Aleb. Ils pouvaient maintenant penser à l'avenir…

Des clameurs sourdes s'élevèrent soudain et ils songèrent tout d'abord qu'elles provenaient des cavaliers. Mais la vingtaine de Ramgriths ne pouvaient à eux seuls produire autant d'éclats de voix, de bruits de course et de cliquetis d'acier. En écoutant plus attentivement, ils devinèrent bientôt que le vacarme provenait de l'intérieur du Grand Temple. Ils se tournèrent vers l'édifice millénaire avec une appréhension justifiée…

— Grigán ! hurla Berec en approchant. Des guerriers, des centaines de guerriers ! Il en sort de partout !

La double porte du temple s'ouvrit avec violence et les Wallattes se ruèrent à l'assaut de la Sainte-Cité. Yan et Grigán se mirent en garde avec terreur et incompréhension.

* * *

Zamerine escortait Corenn du bout de sa *hati* sans dire un mot. D'après la Mère, le judicateur aurait pu la tuer au moins vingt fois déjà, suivant les ordres de son maître. Mais le Zü ne semblait pas si pressé d'en finir avec sa prisonnière. Corenn se laissait guider le long des bâtiments annexes au palais en s'interrogeant sur ses motivations.

Le judicateur la fit pénétrer dans un baraquement de taille honorable et Corenn comprit, en le voyant fermer les volets et allumer une lanterne sans hésiter sur leurs emplacements, qu'il s'agissait des appartements particuliers du Zü. D'un geste, ce dernier l'invita à s'asseoir et prit lui-même place dans un fauteuil austère, comme l'était tout son mobilier.

— Ne vous méprenez pas, annonça-t-il enfin, sans lâcher sa dague empoisonnée. Je n'ai aucune intention d'abuser de vous.

Corenn se garda d'abord de répondre, les raisons de Zamerine lui semblant de plus en plus obscures. Mais quand il fut évident qu'il attendait une réaction de sa part, elle s'éclaircit la gorge et se lança.

— Qu'attendez-vous de moi ? demanda-t-elle calmement.

Le Zü la fixa sans sourire, semblant hésiter encore.

— Un peu de compagnie. Une discussion entre personnes *intelligentes*. Vous n'imaginez pas à quel point il est difficile d'endurer la bêtise de ces Wallattes, avoua enfin le judicateur. Sans parler de…

Il n'acheva pas sa phrase. Corenn sentit qu'il y avait là quelque chose à creuser.

— Sans parler de… Saat ? proposa-t-elle. Ce monstre qui n'a plus rien d'humain, que l'apparence générale de son corps ? Sans parler non plus de son démon ? Vous savez, n'est-ce pas, que son prétendu ami n'est rien d'autre que le dieu que vous priez ?

— *Je* ne prie pas ce dieu, se défendit Zamerine. Zuïa est et restera la seule déesse digne de ma foi. J'espère seulement servir ses desseins à travers ma fidélité au Haut Dyarque.

— Mais de quoi parlez-vous ? Saat se fiche éperdument de la justice de Zuïa. Il va s'imposer en maître du monde connu, et là s'arrêtent ses désirs. Je ne vous crois pas assez naïf pour prétendre encore le contraire.

Zamerine ne répondit pas, se contentant de faire danser sa dague devant lui. Cet aveu muet acheva de convaincre la Mère.

— Vous avez *peur* de lui, devina-t-elle enfin. Vous avez peur et vous ne savez pas comment le fuir.

Le Zü se pencha sur son siège et pointa la *hati* à un pied du visage de la Mère. Ces paroles l'avaient piqué au vif.

— Ne vous faites pas d'illusion, lança-t-il avec une grimace malveillante. Je ne le trahirai pas. Jamais. Il m'a donné un ordre, et je l'exécuterai. Il ne tient qu'à vous de rendre cette conversation intéressante, afin de vivre plus longtemps.

Corenn soupira et s'enfonça dans son fauteuil. Une fois de plus, elle allait jouer son existence sur un simple entretien. Une joute verbale où elle partait largement perdante.

* * *

Le sol de la Sainte-Cité semblait déborder de guerriers wallattes, plus affreux et excités les uns que les autres. Les chefs Ramgriths avaient promptement réagi, à l'apparition des premiers d'entre eux, en les repoussant jusque dans les caves et les puits par lesquels ils étaient sortis. Mais ces alertes s'étaient rapidement multipliées et il était devenu difficile de contenir la masse grouillante des barbares, qui montaient des égouts comme autant de rats géants et affamés.

Les Ithares s'étaient joints aux travaux de résistance en comblant les galeries par tous les moyens : certains avaient même mis le feu à leurs maisons dans l'espoir d'enfumer les envahisseurs encore sous le sol. Mais les Estiens trouvaient toujours de nouveaux accès et affermissaient leurs positions sur ceux qu'ils tenaient déjà. Un flot continu de Wallattes, Solenes, Thalittes, Sadraques, Grelittes et Tuzéens se déversait constamment dans les rues de la ville, sans qu'il semble possible de l'endiguer. Quelques incendies furent allumés dans des temples et les flammes commencèrent à se répandre le long des toits. Des dizaines de rats vampires furent lâchés par des Farikii, accroissant d'autant la panique. Les Maz qui avaient survécu aux Yussa se voyaient maintenant pourchassés par les Estiens. Les premiers massacres s'organisèrent. La cité du mont Fleuri courait à la ruine.

Yan, Grigán et quarante de leurs compagnons réussissaient difficilement à contenir les Wallattes du Grand Temple, qui semblait la meilleure voie d'accès des barbares, tant ses niveaux souterrains étaient étendus. Les corps s'amoncelaient dans les jardins et autour de l'immense porte sans que cela décourage les envahisseurs, toujours plus nombreux et empressés à se jeter sur les lames ramgrithes.

— Nous ne pourrons pas tenir longtemps comme ça, annonça Berec en s'adossant au guerrier. Cette guerre n'est pas la nôtre, Grigán. Fuyons tant qu'il en est encore temps !

— Cette guerre *est* la mienne, rétorqua l'intéressé en pourfendant un Solene armé d'une masse. Je n'ai déjà que trop fui. *Je ne bougerai pas d'ici !*

La retraite était de toute façon impossible. Même si les loups noirs parvenaient à contenir les barbares dans le Grand Temple, ce qui serait déjà un exploit, ils finiraient tôt ou tard par être pris en tenaille. Peu désireux de mourir ainsi, Yan se pressait les méninges pour trouver une solution. Mais il n'y en avait aucune.

La barrière des Ramgriths céda moins d'un décime après, laissant soixante Wallattes supplémentaires se disperser pour participer à la destruction de la ville, avant que les loups noirs ne parviennent à endiguer le flot et à reprendre leurs positions au prix de nombreuses pertes. Ils n'étaient plus qu'une vingtaine à tenter de contenir une masse sauvage d'au moins trois cents barbares... sans compter ceux qui attendaient encore en dessous, peut-être plusieurs dizaines de milliers.

La barrière céda de nouveau et la plupart des Ramgriths furent projetés au sol et piétinés.

Yan observa sans le croire les centaines d'hommes qui passèrent à côté de lui en courant et en hurlant, se ruant à l'assaut d'une ville qui n'avait plus rien pour se défendre. Il aurait voulu tendre les bras et les arrêter tous, mais c'était déjà un miracle qu'il n'ait pas été emporté par le flot... Il avait perdu Grigán de vue et s'attendait à encaisser d'un instant à l'autre un coup de hache ou de *Iowa*. Il décida de mourir en songeant à Léti et se concentra sur le souvenir de la jeune femme... quand une main vint se plaquer sur le haut de son crâne pour le forcer à tourner la tête.

Les cris des Wallattes résonnaient tellement qu'il n'avait pas entendu *l'autre armée* qui venait à leur rencontre. Yan était déjà si convaincu de sa mort imminente que cette mauvaise nouvelle ne l'affligea guère. Mais Grigán avait un regard plus acéré que le jeune homme...

— Des *Arques* ! dit-il au plus près de son oreille, pour se faire entendre. Une armée entière de Nordiques barbus et impolis ! ajouta-t-il avec un sourire euphorique.

Tout un côté du jardin s'était en effet empli de guerriers chevelus et habillés de peaux de bête, qui couraient au-devant des Wallattes avec autant de rage au ventre que ces derniers. Leur foule était si dense qu'il y en avait probablement plusieurs milliers, sans compter ceux qui se battaient peut-être dans les autres quartiers de la cité.

— Ça, c'est un coup de Corenn ! ajouta le guerrier avant d'intercepter un autre ennemi.

Le choc entre les deux parties fut des plus brutaux. La foule des Estiens, beaucoup trop étirée, vint se briser sur le front arque avec une terrible violence. Les corps des Wallattes furent jetés à terre et piétinés sans que les Nordiques n'aient même eu besoin de ralentir leur course. Une bataille s'engagea rapidement entre les barbares de l'est et ceux du nord, pour le sort de royaumes auxquels ils étaient tous étrangers.

Yan usa de son glaive pour se frayer un chemin jusque dans les lignes arques. Quelle que soit l'issue de l'affrontement, il lui tardait de revoir un certain visage.

* * *

Main sûre, esprit vif. Léti se répétait les leçons de Grigán en jouant de sa rapière contre les Wallattes. *Pied ferme.* Non loin de là, Bowbaq empêchait les barbares de les submerger à grand renfort de moulinets de sa masse d'armes.

Ils avaient bien failli arriver trop tard. Malgré leur marche forcée, les quatre mille guerriers qu'elle avait réunis avec Osarok et l'aide du clan du Faucon venaient seulement de parvenir à Ith, alors qu'un tiers de la ville au moins était déjà sous les flammes. Trop de Wallattes s'étaient répandus dans les rues et dans les temples, alors qu'ils avaient espéré pouvoir les piéger dans leur maudit tunnel. Avant de songer à les repousser sous le Rideau, il faudrait donc commencer par reprendre le contrôle de la cité.

Les préoccupations de Léti étaient pourtant à mille lieux de là. Elle combattait avec beaucoup d'application, mais son esprit errait sur les visages et les silhouettes, en quête de l'une ou l'autre des formes espérées.

Dire qu'elle avait été surprise de sa rencontre avec des Ramgriths serait encore trop peu. Mais quand elle avait appris qu'ils étaient menés par un certain Grigán Derkel, accompagné d'un jeune homme à la mèche blanche et possédant un petit singe… elle avait cru défaillir. Ainsi, Yan et Grigán étaient à Ith, quelque part dans cette folie ! L'un des loups noirs avait désigné le Grand Temple et les chefs de clans s'étaient aussitôt portés dans cette direction, comme l'endroit semblait un haut lieu stratégique.

Léti était des plus anxieuses. Étaient-ils toujours en vie ? À quel endroit ? Une sueur froide l'envahissait à chaque fois qu'elle songeait au drame que serait la découverte de leurs cadavres. Aussi s'acharnait-elle à l'affrontement avec le désespoir des causes perdues. *Main sûre, pied ferme…*

* * *

…Esprit vif… Grigán frappait et bataillait comme un véritable loup enragé. Les Arques et les Ramgriths survivants étaient en train de

reprendre le dessus, après une lutte de plusieurs décimes. C'est-à-dire qu'ils commençaient à se rapprocher suffisamment du Grand Temple pour bientôt pouvoir prétendre endiguer le flot des Wallattes... ce qui serait beaucoup plus facile qu'auparavant, avec le renfort des Nordiques.

La plupart des belligérants s'étaient réunis sur le mont Fleuri, au fur et à mesure que la ville se libérait. Grigán avait ainsi tiré quelques informations de ses hommes : la majorité des accès importants aux égouts ayant été comblés, il ne restait plus que trois poches de résistance des Wallattes, dont celle du Grand Temple. S'ils parvenaient à repousser cette dernière ligne sous terre et à tenir jusqu'à l'aube... ils pourraient alors consolider leurs positions et réfléchir à une contre-attaque pour libérer les égouts de la ville.

Le guerrier s'éloigna de la zone des affrontements pour prendre un peu de repos. La domination des Arques se faisait maintenant assez prononcée pour qu'il puisse se le permettre. Et c'est ainsi, en promenant son regard sur le champ de bataille, qu'il aperçut un personnage dont la silhouette lui était familière. Il n'eut pas besoin de s'y prendre à deux fois pour le reconnaître : la haute stature du géant était presque aussi identifiable que son visage.

— Bowbaq ! appela-t-il en courant vers lui.

Le géant se retourna, prêt à repousser un nouvel assaut, avant de réaliser que cet appel ne pouvait provenir d'un ennemi. Il ouvrit en grand ses yeux ronds et serra le guerrier contre sa poitrine dès que celui-ci arriva à sa portée.

— Mon ami, mon ami ! répétait-il, d'une voix rieuse, sans savoir quoi dire d'autre, tellement il avait de choses à raconter.

— Ta famille, Bowbaq ? Ta famille va bien ?

— Très bien, mon ami... Ils vont tous très bien...

— Et moi, alors ? râla une voix féminine.

Grigán se dégagea doucement de l'étreinte affectueuse et se tourna vers Léti qui venait d'apparaître dans son dos. La jeune femme était en nage, épuisée, souffrait de quelques blessures mais son sourire ridiculisait même celui de Dona. Elle tomba dans les bras du guerrier en soupirant de soulagement.

— Et Yan ? s'enquit-elle aussitôt. Où est-il ?

— Je ne sais pas, avoua le guerrier à regret.

— *Léti !* appela soudain une voix, qu'ils reconnurent pour être celle du jeune homme. Léti !

Perdu dans la bataille, à la lisière des affrontements, Yan n'avait pu retrouver les siens qu'au moment où les choses se calmaient. Comme Grigán, il avait d'abord repéré la haute silhouette de Bowbaq avant d'apercevoir ses autres amis.

Le jeune homme arriva en boitillant et en maintenant serré un garrot sur son bras. Léti courut à sa rencontre et lui sauta joyeusement au cou, avant de l'embrasser si tendrement que Yan se demanda comment il avait pu se passer de cela si longtemps.

Ils se tinrent serrés l'un contre l'autre en se balançant doucement, goûtant la joie de leurs retrouvailles.

— Nous ne nous séparerons plus jamais, promit Yan en caressant les cheveux de sa promise. Je te veux en Union.

— Oh, Yan, mon Yan… annonça Léti, en proie à des émotions contraires. Tante Corenn est prisonnière de Saat… Lana et Rey aussi…

Le jeune homme se tourna gravement vers Grigán, à qui Bowbaq venait de faire les mêmes révélations. Ils se firent raconter l'affaire et méditèrent sur ses détails.

Le guerrier contempla la défense que les Arques étaient en train de mettre en place. Ils avaient partiellement pu sauver Ith… pour cette nuit, tout au moins. Mais combien de guerriers wallattes attendaient encore dans ce prodigieux tunnel ? Pouvaient-ils prendre le risque de les voir ressurgir de nouveau ?

— Corenn est à l'autre bout de cette galerie, résuma le guerrier avec un sourire étrange. Le tout est de pouvoir l'emprunter… Bowbaq, tu sais qui dirige cette armée de braillards ?

Les deux hommes s'éloignèrent en direction des chefs de clans, laissant Yan et Léti profiter d'un petit moment tranquille… avant la reprise des hostilités.

Sorcier ou pas, Adversaire ou pas, Grigán leur avait communiqué son envie de refouler les Wallattes jusque derrière le Rideau.

* * *

Lana sanglotait sur le lit drapé de sa cellule. Jamais son moral n'avait été aussi bas. Elle était seule. Tous ses amis étaient morts, ou sur le point de l'être. L'enfant qu'elle portait ne verrait jamais le jour. Et elle-même périrait dans un avenir proche, après avoir connu d'indicibles tourments.

Sans la vie qu'elle portait dans son ventre… la Maz aurait peut-être songé à précipiter l'irréparable. Mais la Morale réprouvait de tels agissements, et Lana n'imaginait même pas de manière de s'y prendre. Sa cellule, assez luxueuse finalement, propre, calfeutrée, n'offrait aucun objet assez contondant pouvant servir à un suicide. Et cet enfant était désormais son unique raison de s'accrocher à la vie, la seule chose qui pouvait l'obliger à entretenir l'espoir, même déraisonnable, que la situation pouvait être changée.

Elle se redressa enfin, la tête lourde, et s'absorba dans une fervente prière à Eurydis qu'elle répéta et répéta inlassablement. C'est peut-être grâce à son recueillement qu'elle put entendre jouer le verrou de sa porte : à moins que la déesse, touchée par tant de dévotion, se soit penchée sur ses malheurs.

Terrifiée, Lana souffla sa bougie et se rendit à l'autre extrémité de la chambre, pendant que la porte s'entrebâillait lentement. La lame d'un poignard fut la première chose à se présenter et la Maz étouffa un cri, alors que ses membres se mettaient à trembler. La porte s'ouvrit plus grand et la reine Chebree pénétra dans la pièce, à pas de loups, avant de se diriger tout droit vers le lit.

Lana ne perdit pas de temps à juger de ses intentions et se précipita à l'extérieur en tirant la porte derrière elle. Ce fut pourtant insuffisant à la refermer, car Chebree se lança à sa poursuite avec un râle de frustration. Lana passa une nouvelle porte et prit bien garde cette fois de la claquer complètement. Le temps que la reine wallatte aille quérir ses clés et dégage l'ouverture, la Maz avait pris quelques décilles d'avance.

En s'élançant à l'air libre du camp de Saat, elle se mit à prier qu'elles seraient suffisantes.

* * *

— Zamerine… Quelle est donc toute cette agitation, dehors ?

Sans lâcher Corenn des yeux, le judicateur se rendit à une proche fenêtre et en repoussa négligemment le volet. Les clameurs qu'ils entendaient depuis un bon moment se firent alors plus fortes et le visage du Zü trahit sa curiosité.

— Si vous tentez quoi que ce soit, je vous envoie dans les marais du Lus'an, prévint-il en entrebâillant sa porte.

La Mère se le tint pour dit et se contenta de se pencher légèrement pour avoir une brève vision de l'extérieur. Le spectacle fit bondir son cœur dans sa poitrine : elle avait eu le temps d'apercevoir plusieurs dizaines de guerriers courant en direction de l'est, *exactement comme s'ils fuyaient.*

Zamerine interpella l'un d'entre eux et l'homme ne le rejoignit qu'à contrecœur, parce que le judicateur s'était taillé une réputation d'impitoyable. Il répondit nerveusement à quelques questions sur le seuil de la porte avant de reprendre sa course intrigante.

— Que se passe-t-il ? osa demander Corenn, qui n'avait rien saisi de cet entretien en wallatte.

Le Zü dédaigna répondre et vint reprendre sa place dans son fauteuil, l'air soucieux. En l'examinant un peu mieux, la Mère le trouva même *abattu.*

— L'armée de Saat est en déroute, n'est-ce pas ? s'enquit-elle sans oser y croire. Ils n'ont pas réussi à prendre Ith ?

— Gors est un incapable, commenta Zamerine d'un air méprisant. Il n'a aucune idée de la discipline. Je parie qu'il a laissé tous ces idiots se ruer n'importe comment dans la cité.

Corenn déglutit bruyamment, comme ce commentaire confirmait son espoir. Cela faisait plus d'un décan qu'elle s'entretenait avec le judicateur, de Saat, de magie, de loyauté et de stratégie. Jamais elle n'aurait une meilleure occasion de mettre à profit tout ce qu'elle avait appris à son sujet.

— Pourquoi fuient-ils ? demanda-t-elle doucement. Sont-ils pourchassés ?

— Des *Arques*, lâcha le Zü en soupirant. Des Arques poussent des chariots enflammés dans le tunnel, de telle manière qu'on ne puisse les retourner contre eux. La nouvelle s'est répandue dans toute la galerie et l'arrière-garde est en train de se disperser.

Corenn bloqua sa respiration pour mieux contrôler son allégresse. Malgré l'immense soulagement qu'elle ressentait alors, il lui fallait éviter de provoquer le judicateur. La situation requérait beaucoup de délicatesse…

— Songez-vous à la défaite ? Je ne pense pas que vous ayez mérité une telle humiliation. Vous ne méritez pas d'être entraîné dans la folie de Saat…

— La *défaite* ? De quoi parlez-vous ? s'emporta le Zü. Je vais prendre le commandement de cette armée de brutes et organiser nos défenses. Je peux, moi aussi, me montrer très ingénieux. Les Arques n'ont pas encore envahi Wallos !

Mais malgré cette diatribe, Zamerine ne fit aucun geste pour courir au sauvetage du camp. Le tueur semblait vieux, las et fatigué. Au contact de Saat, son âme s'était recroquevillée sur elle-même.

— *Trahissez-le*, attaqua Corenn. Trahissez-le, et vous regagnerez votre liberté. Il ne tient peut-être qu'à vous de sauver cette armée et de mettre à mal les Hauts-Royaumes. Mais vous plaira-t-il de passer le reste de votre existence dans l'ombre de ce démon ? Souffrant ses colères, ses caprices et ses moqueries comme si vous n'étiez pas vous-même digne d'être respecté ?

Le Zü contempla la pierre de Dara quelques instants, en rêvant à ce qu'il était *avant*. Un homme craint et puissant dans la totalité des Hauts-Royaumes. La fierté de ses supérieurs et un modèle pour ses subordonnés.

— Pouvez-vous me garantir liberté et immunité ? demanda-t-il en baissant sa garde.

— Elles vous seront déjà acquises à Kaul, promit Corenn. Et je me battrai personnellement auprès de toutes les cours pour les obtenir dans chaque royaume.

— Je ne vous rendrai pas ceci, prévint-il en élevant le morceau de gwele. Jamais.

— Je vous l'offre. Notre affaire est-elle entendue ?

Zamerine acquiesça lentement, et Corenn bondit hors de son fauteuil pour observer les événements de l'extérieur.

— Je ne vous quitterai pas d'une semelle, avertit le Zü. Mon destin est lié au vôtre, maintenant.

La Mère le rassura d'un geste et revint vers lui quand elle en eut vu assez.

— Nous ne pouvons pas rester ici, c'est trop dangereux. Saat va envoyer quelqu'un vous chercher. Savez-vous où est enfermé Reyan ?

— Dans les arènes, répondit simplement le Zü.

Après quelques instants de silence, il comprit enfin ce que l'on attendait de lui et entraîna la Mère à l'extérieur.

* * *

Le tunnel creusé par Saat était étouffant de chaleur et de puanteur. Son irrégularité causait aussi parfois quelques problèmes : les caristes peinaient alors à surmonter une bosse, un virage, une descente ou une pente trop accentuée. Une bonne partie de l'itinéraire empruntait des galeries naturelles à peine aménagées, et c'était sur ces distances que les chariots enflammés avaient le plus de difficultés à avancer.

Les Arques les avaient fabriqués en hâte, au début même du tunnel, après avoir repoussé les Wallattes au-delà de ce point. Seul le premier de la file était incendié : quand les flammes n'étaient plus assez hautes, il était démantelé et l'armée continuait d'avancer derrière la protection d'un autre brûlot. Ils en étaient ainsi à leur quatrième assemblage et trois autres encore attendaient de pouvoir servir.

En s'organisant un peu, les Wallattes auraient pu contrer la progression de ces véhicules brinquebalant, ne serait-ce qu'en multipliant les obstacles sur sa route. Mais la panique engendrée par le feu les poussait à fuir au plus loin, et sans merci pour ceux qui se trouvaient devant eux. L'armée arque dépassait donc régulièrement des cadavres noircis et piétinés de barbares malchanceux… morts sans même avoir pu combattre.

Quelques-uns parvenaient à résister au passage du chariot, en se glissant dans une faille ou une cuvette : ceux-là se rendaient aussitôt à leurs vainqueurs du mont Fleuri et étaient escortés jusqu'à la Sainte-Cité. D'autres, dissimulés dans des galeries parallèles, lançaient parfois un assaut aussi bref que violent, avant de périr sous les coups des guerriers nordiques. Pratiquement en tête de colonne, avec Bowbaq, Yan et Grigán, Léti songea que cette reconquête du Rideau s'annonçait sous les meilleurs auspices. Restait à espérer qu'aucune mauvaise surprise ne les attendait de l'autre côté…

* * *

° J'ai besoin de ton aide, mon ami. Tu es Celui qui Vainc, et j'ai besoin de toi.

Sombre ne répondit pas à l'appel et se retourna sur son autel. Le dieu était préoccupé.

° Entends-moi, Sombre, insista le Haut Dyarque. Une armée marche sur nous. Tu dois l'arrêter.

° Pourquoi avoir épargné la Maz ? se révolta soudain le démon. C'est une héritière. Elle porte un enfant.

Saat hésita un instant. L'affaire avait troublé son allié plus qu'il ne l'aurait cru. Au moment où il n'avait jamais eu autant besoin de lui !

° Je la tuerai avant l'aube, promit le Haut Dyarque.

° Trop tard. Elle s'est échappée. Che'b'ree la poursuit.

Saat laissa passer un nouveau silence. Son attention était tellement sollicitée qu'il ne pouvait tout surveiller. Voilà pourquoi il avait besoin d'alliés et de capitaines !

° Tu me refuses ton aide ?

Le démon grogna et se renfonça dans les ténèbres. Il connaissait le doute. Il fallait qu'il réfléchisse.

° Essaye de ne pas oublier *qui* t'a créé, lança Saat en quittant son esprit. C'est moi, ton père, ton frère, ta conscience, ton seul ami. Essaye de ne pas oublier ça.

Sombre grogna encore en essayant de contenir sa colère. Il était Celui qui Vainc. Il n'avait besoin de personne.

* * *

Le camp était en effervescence. Des guerriers couraient dans tous les sens, sans raison apparente. Il était aisé de deviner ce qui motivait les fuyards, mais les autres?

Zamerine escortait Corenn en feignant de la menacer de sa dague. Ils se rapprochèrent à moins de cent pas des baraquements des esclaves et, au vacarme qui en montait, purent se faire une idée de l'agitation qui y régnait. Le Zü emmena prestement la Mère et ils pénétrèrent dans les bâtiments annexes aux arènes.

Peu des cellules étaient occupées. Corenn contempla les minuscules pièces sans aménagement et ressentit de la compassion pour l'acteur qui y avait passé plus d'une décade. Zamerine dépassa cinq de ces geôles avant de déverrouiller la porte de la sixième. La faible lueur de leur lanterne ne suffit pas à éclairer les ténèbres de la prison, et la Mère se résolut à appeler.

— Reyan?

— C'est *Rey*, par tous les dieux, râla une voix déformée par les privations.

Il se passa quelques instants avant que des mouvements ne se fassent entendre à l'intérieur de la geôle, et qu'une tête blonde, hirsute et mal rasée vienne se placer dans la lumière.

— Corenn? Vous faites partie de l'armée de Saat? plaisanta l'acteur, pour masquer son trouble.

La Mère l'aida à se redresser et le prit un instant dans ses bras, avant de l'entraîner vers la sortie. Rey observa avec étonnement le judicateur leur emboîter le pas. Tout cela ressemblait beaucoup à un rêve éveillé.

Mais le rêve devint cauchemar quand ils trouvèrent fermé l'accès à l'extérieur. Zamerine eut beau jouer de ses clés, rien n'y fit.

— Elle est bloquée. Passons par les arènes.

Ils remontèrent tout le couloir et en empruntèrent deux autres avant de se retrouver à l'air libre, au bord de l'hémicycle construit pour les massacres organisés de Saat. Dyree se tenait au milieu du cirque et attendait patiemment. Il changea de position quand il les vit et tira sa *hati*.

— C'est Saat qui t'envoie, n'est-ce pas? lança Zamerine, une fois la surprise passée.

L'assistant se contenta de répondre par un sourire en coin et s'avança tranquillement vers les fuyards. Son visage était peint du motif du crâne. Le judicateur communiqua bientôt sa peur aux héritiers…

— Suis-moi, Dyree, proposa le Zü. J'ai toujours été loyal envers toi. L'armée est en déroute, la défaite est proche. Suis-moi et nous bâtirons notre propre empire.

L'assistant s'arrêta à trois pas et leva sa dague en un geste de défi. Le judicateur fit mine de se détourner vers les geôles avant de dégainer sa propre lame et de bondir sur l'assassin. Dyree l'esquiva sans difficulté et planta sa hati dans l'œil de son ancien maître, jusqu'à la garde.

Le corps de Zamerine reposa de manière grotesque, comme si le judicateur était mort agenouillé. Corenn se détourna avec une expression de dégoût. Dyree se pencha sur le cadavre, y préleva la pierre de Dara et vint se poster à trois pas de Rey, avant de lui faire signe d'avancer.

* * *

Lana sentait le sang lui battre les tempes, comme elle courait et courait encore, sans que Chebree ne lui permette de ralentir. Elles avaient quitté les abords du tunnel depuis plusieurs milles, pour traverser ensuite ce qui avait été les cantonnements de l'armée estienne pendant quelques lunes. Elles avaient croisé des centaines de guerriers sans qu'aucun ne se soucie d'elles. Elles avaient traversé des bosquets, des champs de manœuvre, des terrains d'exercice, sans que l'une ou l'autre ne gagne du terrain sur son adversaire.

Lana voyait pourtant ses forces faiblir. D'un moment à l'autre, elle allait trébucher et s'écrouler, et sa poursuivante n'aurait plus alors qu'à se baisser pour la poignarder. Il suffisait d'écouter les menaces qu'elle lançait ponctuellement pour perdre toute incertitude quant à ses intentions… aussi Lana puisait-elle dans ses dernières ressources, pour tenter d'échapper à l'Emaz qui semblait habitée par son propre démon.

* * *

Rey se baissa lentement pour ramasser l'arme de Zamerine, mais Dyree le lui interdit avec un petit signe de tête. L'assistant recula jusqu'au centre de l'arène et lui indiqua d'avancer. Rey s'exécuta lentement, comme il n'avait pas d'autre choix.

— Vous savez ce que je n'aime pas chez les Züu ? brava l'acteur. C'est que vous n'avez aucun humour. *La déesse, le jugement de la déesse...* Il n'y a que ça qui compte pour vous. Je pense que c'est la preuve flagrante d'une étroitesse d'esprit, proche de la stupidité.

Dyree se fendit d'un nouveau petit sourire en coin, sans cesser de lui faire signe d'avancer. Rey prit une direction circulaire mais l'assistant hocha la tête d'un air moqueur.

— Pourtant, reprit l'acteur, vous avez tout ce qu'il faut pour faire un parfait bateleur. Une tunique rouge, ça n'est pas si commun, n'est-ce pas ? Et ces peintures sur le visage... On devrait créer une nouvelle catégorie d'amuseurs, rien que pour vous classer.

L'assistant acquiesça avec un léger mépris, et Rey s'arrêta soudain en lui montrant ses mains vides. Dyree tira une dague de facture commune de sa ceinture et la jeta aux pieds de l'acteur. Il rengaina sa propre *hati* et se tint face à son adversaire, les mains dans le dos.

— C'est toi le meilleur, n'est-ce pas ? devina Rey en ramassant l'arme. C'est toi l'élite de toute votre bande de tueurs rouges ?

Dyree acquiesça franchement cette fois, avant de fermer les yeux et de faire signe à Rey d'avancer. Cinq pas séparaient les deux adversaires. Jamais l'acteur n'aurait le temps de frapper avant que l'autre ne brandisse son arme...

Sans un bruit, Rey leva le bras et projeta la dague en direction de l'assassin.

Dyree rouvrit les yeux juste à temps pour voir l'arme s'enfoncer dans son cœur. Son maquillage en forme de crâne s'anima quelques instants sans qu'il réussisse à émettre un son. Il s'écroula finalement en silence, à genoux, les yeux levés vers les étoiles.

— C'est toi le meilleur, commenta Rey en ramassant la *hati* et la pierre de Dara, mais c'est moi le plus malin. Et le plus drôle. Tu n'es pas d'accord ?

Malgré ses airs bravaches, l'acteur se sentait fébrile, tellement il avait craint pour sa vie. Corenn le rejoignit rapidement et s'empara d'une arme à son tour.

— Et si nous allions libérer tous ces esclaves ? proposa Rey en se dandinant. Nous avons ici suffisamment de clés pour ouvrir une serrurerie… et j'ai toujours attaché beaucoup d'importance à la liberté, ajouta-t-il plus sérieusement.

— C'est exactement ce que j'allais proposer, annonça Corenn. Il est temps de semer un peu de pagaille dans les plans du Haut Dyarque.

* * *

Lana se fit toute petite dans sa cachette, en espérant ne pas avoir été repérée. Elle guetta la course de la reine wallatte avec une peur justifiée. Si Chebree l'avait vu entrer dans cet hangar, la Maz allait avoir de gros ennuis…

Et comme elle l'avait craint, sa poursuivante se rendit tout droit à l'intérieur de l'entrepôt. Les Wallattes y gardaient des vivres, du linge et quelques outils, mais c'était derrière un groupe de tonneaux que Lana avait décidé de se cacher. Elle retint sa respiration pendant que la reine explorait les lieux, craignant de se dévoiler par un simple soupir.

Chebree passa plusieurs fois à moins de cinq pas de sa tête sans l'apercevoir. Mais cette chance n'allait certainement pas durer : à force de regarder avec toujours plus d'attention, la reine allait finir par la trouver. Aussi Lana se résolut-elle à se dévoiler et, quand elle jugea le moment idéal, bondit-elle pour une nouvelle course vers la sortie.

La reine se lança aussitôt à sa poursuite et elles bousculèrent plusieurs caisses, tables et étals dans un vacarme épouvantable. Gênées par l'obscurité, elles trébuchèrent dans plusieurs obstacles et Chebree poussa même un cri de douleur au-dessus de tout ce fracas.

Lana ne ralentit qu'après avoir atteint la lisière des arbres, où elle était en relative sécurité puisque dissimulée à la vue de sa poursuivante. Elle attendit un bon moment en surveillant l'entrée du hangar, mais Chebree n'en sortit pas. Le cœur battant, elle revint alors sur ses pas et tendit l'oreille.

La reine wallatte pleurait. Ses sanglots étaient si sincères et si profonds qu'on les entendait de l'extérieur. Lana en fut bouleversée. Dans l'enseignement d'Eurydis, quiconque éprouvait de la souffrance pouvait connaître le repentir. La Maz s'avança jusqu'à la porte et essaya de localiser sa poursuivante.

— Je suis *là*, cracha une voix déformée par les larmes. Achève-moi vite, c'est tout ce que je te demande.

— Je ne vous ferai aucun mal, assura Lana en s'approchant. Vous êtes blessée?

— J'ai la jambe coincée sous une table, répondit la voix aigre. Comme si tu ne le voyais pas!

— Pourquoi me poursuivez-vous? reprit la Maz. Pourquoi me porter autant de haine?

— Parce que tu es une de ces damnées héritières! éclata la reine wallatte en sanglotant. Et que Saat va chercher à avoir un enfant avec toi!

L'image choqua Lana, avant qu'elle ne fasse le rapprochement avec la prophétie des Ondines. Saat voudrait être *le père de l'Adversaire*?

— Vous l'aimez? demanda-t-elle à la blessée.

— Il me répugne, avoua une Chebree larmoyante. Mais c'est ma seule chance de me faire une place parmi les vainqueurs. Saat veut ce fils plus que tout au monde... et je veux être la seule à le lui donner.

Lana hésita un instant avant de poser la question.

— Vous portez *déjà* cet enfant?

Elle vit la reine acquiescer dans la pénombre, sans être tout à fait sûre qu'il s'agissait d'un «oui».

— Vous n'avez rien à craindre de moi, assura Lana. L'enfant que vous portez sera peut-être le sauveur de l'humanité. Enfuyez-vous loin d'ici et préservez-le de gens comme Saat. Puisse l'enseignement de la Sage vous être profitable...

— Que Sombre t'emporte! lança la reine dans un dernier accès de haine, alors que la Maz s'éloignait.

Lana respira l'air de la nuit et soupira pesamment. Elle contempla ses pieds meurtris et reprit la direction du sud, vers le danger, vers le Haut Dyarque, vers Rey.

* * *

La confusion dans le camp wallatte était totale. Les milliers d'esclaves libérés par Rey et Corenn qui ne s'étaient pas enfuis s'étaient jetés sur leurs oppresseurs, déboulant du tunnel en un flot continu. Un terrible massacre se perpétrait sur les pentes du Rideau, et ceux qui en réchappaient étaient rattrapés et combattus un peu plus loin.

Les choses furent pires encore quand l'armée arque atteignit enfin ce versant, refoulant devant elle les ultimes rescapés des compagnies barbares. Désormais certains de ne pas être pris en tenaille, les anciens esclaves se lancèrent sur les traces des fuyards avec une rage meurtrière, abandonnant peu à peu le camp ravagé et les milliers de corps qui en jonchaient le sol.

Yan soupira de soulagement en émergeant à l'air libre. Le tunnel de Saat lui rappelait trop les galeries sombres et hostiles du Jal'karu. Les brûlots poussés par les Arques avaient encore accentué la ressemblance, et le jeune homme se serait cru par moment près du lac aux Murmures, sur le point d'écouter une Vérité des Ondines. Quelques regards échangés avec Léti l'avaient convaincu qu'elle partageait la même impression.

Les jeunes Kauliens, accompagnés de Grigán et Bowbaq, contemplaient la démesure du camp de leur ennemi. Il y avait là des bâtiments si grands qu'ils pouvaient rivaliser avec les palais des princes goranais, dont une sorte de cirque et une gigantesque pyramide qui ne pouvait être que le temple de Sombre. Plus loin, au pied des collines, reposaient une vingtaine de monticules de pierre arrachée à la montagne. Les restes des compagnies wallattes les gravissaient alors, pourchassés par leurs anciens esclaves supérieurs en nombre. D'autres clameurs provenaient du nord, où les affrontements étaient tout aussi violents. Toute la région serait bientôt transformée en champ de bataille et dévastée comme Saat projetait de le faire de la Sainte-Cité.

Le regard de Yan revint jusqu'au bord de la pente. Un incendie ravageait plusieurs dizaines d'énormes baraquements, faisant monter des flammes si hautes qu'elles en éclairaient toute la nuit. Une foule de deux ou trois cents miséreux s'acharnaient à y précipiter leurs anciens geôliers züu. Les assassins rouges poussaient des cris déchirants quand le brasier les avalait, mais même le sentimental Yan n'arrivait pas à les prendre en pitié.

Dans le dos des héritiers, les guerriers arques organisaient leur défense avec le reste des cavaliers ramgriths. L'armée wallatte semblait bel et bien défaite, mais un capitaine plus audacieux que les autres pouvait très bien lancer une contre-attaque et reprendre le contrôle du tunnel… Ces soi-disant « barbares » savaient qu'il leur faudrait tenir jusqu'à l'arrivée des compagnies loreliennes et goranaises, qui ne manqueraient pas de descendre du val Guerrier. Personne ne pouvait parier sur l'avenir, mais voir travailler de concert le jeune Osarok du clan de l'Érisson et le vieux Berec des loups noirs avait quelque chose de rassurant.

— Corenn ! s'exclama soudain Bowbaq. Corenn et Rey arrivent !

Avant même que ses compagnons aient pu se retourner, le géant descendait déjà vers leurs amis. La Mère et l'acteur étaient escortés par quatre guerriers arques à qui ils s'étaient réclamés de Bowbaq. Le géant bondit pratiquement dans leurs pieds avant de les attraper chacun sous un bras, et de les faire tourner selon son habitude.

— Pas si vite, supplia Rey avec une voix déformée par l'émotion. Ce petit séjour au cachot me fait l'effet d'une sacrée gueule de bois...

Yan, Grigán et Léti arrivèrent peu après, affichant des sourires à faire pâlir la lune d'envie. La jeune femme se pendit au cou de sa tante pendant un long moment, avant de céder la place à Grigán qui serra Corenn contre son cœur. Yan rit à chacune des plaisanteries de Rey, trop heureux de pouvoir les entendre encore. La Mère adressa un simple clin d'œil au jeune homme avant de se jeter finalement dans ses bras. On s'embrassait, on riait, on avait les larmes aux yeux... Les héritiers avaient tant et tant de choses à se raconter qu'il leur faudrait probablement toute la vie pour cela, et ce serait encore insuffisant à traduire toute leur émotion et leur soulagement de se retrouver ensemble, vivants et victorieux de toutes ces épreuves. Au Jal'karu, ils s'étaient séparés déçus et désespérés, et avaient cru alors à la fin des héritiers : ils n'en ressentaient maintenant que plus de joie, et se voyaient transportés par un élan d'optimisme.

Malheureusement, il manquait encore quelqu'un à l'appel. Chacun y songeait sans vouloir en parler encore, sans vouloir *déjà* rappeler aux héritiers que la guerre n'était pas terminée pour eux...

— Où... où est Lana ? finit par demander Rey.

Toute la magie de l'instant disparut. Les amis de l'acteur échangèrent des regards embarrassés. La Maz avait quitté le village du Renne en compagnie de Corenn... Si la Mère n'en avait pas parlé à Rey, c'est qu'elle détenait probablement une mauvaise nouvelle.

Comprenant qu'on lui cachait quelque chose, l'acteur tourna lentement des yeux tristes vers la Kaulienne.

— Elle est sûrement en vie, affirma Corenn. Saat voulait la joindre à... Eh bien, il voulait la joindre à... à son harem.

Une ombre passa sur le visage de Rey. Il courba l'échine et se recueillit quelques instants, avant de se retourner sur le camp dévasté. Puis sa main se crispa sur la poignée de sa *hati* et il commença à descendre vers le palais de Saat.

— Restez ici ! ordonna Grigán. Dans moins d'une heure, nous serons suffisamment organisés pour donner l'assaut !

— Lana n'a peut-être pas une heure devant elle ! lança l'acteur sans se retourner.

— Rey, attends !

Yan n'eut aucun mal à rattraper son ami, qui consentit à s'arrêter quelques instants. Le jeune homme était déchiré par l'abattement de l'acteur. Il n'avait aucune peine à se mettre à sa place. S'il s'était s'agit de Léti, Yan aurait déjà dévalé la montagne pour défier le sorcier bicentenaire…

— Saat est trop fort pour nous seuls. Corenn m'a enseigné la magie ; je sais de quoi je parle.

— Il a raison, intervint la Mère. Les pouvoirs du Goranais sont immenses, comparés aux nôtres. Nous aurons bien besoin d'une compagnie de guerriers pour le déloger de ses murs.

— Saat est *mortel*, comme n'importe lequel d'entre nous, rétorqua l'acteur. Il doit payer pour ses crimes.

— Personne ne vous dit le contraire, s'emporta Grigán, mais laissez-nous au moins le temps de prendre quelques précautions ! Vous n'en avez pas assez de toujours plonger dans la gueule du loup ?

— Ça nous a plutôt réussi, jusqu'à présent… intervint Léti à la surprise générale. Il faut aller chercher Lana !

L'acteur remercia la jeune femme d'un clin d'œil, et cette dernière vint se poster à ses côtés. Tous deux commencèrent à descendre vers le palais, avec un signe invitant leurs amis à les suivre. Yan ne connut qu'un moment d'hésitation avant de rejoindre sa promise. Il s'était juré de ne plus jamais la quitter, fut-ce au prix de sa vie !

— Mais… Saat est un sorcier ! lança Bowbaq d'une voix inquiète. Nous ne pouvons rien contre lui !

— Les pierres de Dara nous protègent de sa magie, affirma Rey. Je le sais ; j'en ai fait l'expérience.

Même cette bonne nouvelle n'arrivait pas à faire taire la peur qui montait en Yan. Il avait affronté les malfrats de la Grande Guilde, les Züu, les Yussa du roi Aleb et les barbares wallattes ; il avait côtoyé les spectres de Romine, le dieu Usul et même un avatar du démon Sombre, mais tout cela lui paraissait presque bénin alors qu'il se dirigeait vers la masse sombre qu'était le palais de Saat.

Car le sorcier était d'une intelligence cruelle, bien plus terrible que celle de ses alliés.

— Attendez-moi ! ordonna soudain Grigán.

Yan s'arrêta aussitôt, obligeant ses compagnons à en faire autant. Le guerrier disparut une décille avant de revenir dévaler la pente jusqu'à ses protégés, sa lame courbe déjà tirée du fourreau.

— Ils lanceront un assaut dès que le reste du camp sera sous contrôle, annonça-t-il d'un air contrarié. Voilà ce que je vous propose : nous faisons une entrée discrète en cherchant *seulement* à retrouver Lana. Pour le sorcier, il sera toujours temps plus tard.

— Sans compter qu'il s'est peut-être déjà enfui, remarqua Léti.

— Mouais. Je ne parierais pas ma vie là-dessus…

Le guerrier se tourna vers Corenn et Bowbaq pour leur adresser un dernier salut, mais il découvrit avec surprise que tous deux étaient en train de les rejoindre.

— Si tout le monde y va, alors j'y vais aussi, annonça le géant.

— Je n'aurais pas mieux dit, ajouta Corenn. Nous avons toujours tout traversé ensemble… autant finir ce que nous avons commencé. Il n'y a qu'un problème, ajouta-t-elle très sérieusement. Je n'ai plus ma pierre de Dara.

— De toute façon, commença Grigán, j'aimerais autant vous savoir en séc…

— Il n'est pas question que je reste ici en vous sachant tous là-bas, trancha la Mère. Je voulais seulement vous prévenir. Maintenant, en route !

Ils firent quelques pas encore avant que Yan ne fisse de nouveau s'arrêter le groupe.

— Prenez ma pierre, décida-t-il en lui tendant l'objet. Vous en avez plus besoin que moi. Saat cherchera surtout à vous atteindre, vous, les héritiers… Il y a une petite chance pour qu'il ne s'occupe pas de moi.

— C'est absolument hors de question, s'offusqua Corenn.

— Oh, ma tante, laisse un peu les autres avoir raison, pour une fois ! répliqua Léti.

Elle saisit la pierre du jeune homme et la flanqua d'autorité dans la main de la Mère, avant de revenir planter un tendre baiser sur les lèvres de Yan. Ce dernier ne regretta pas son acte de courage.

Pourtant… quelques décilles plus tard, alors qu'ils atteignaient enfin les premières marches menant aux portes de la forteresse… Yan se sentit bien démuni, en songeant à la terrible puissance que le sorcier avait dû tirer du Jal'karu.

***

Le *Tol'karu* s'élevait à la lisière du camp ravagé avec une arrogance indécente. Seul ce bâtiment et le Mausolée de Sombre avaient échappé aux incendies et à la destruction de tout ce qui avait été le repaire de Saat.

Des milliers de corps reposaient depuis la montagne jusqu'à ces sombres constructions, et pas moins d'une centaine de cadavres jonchaient les marches même du palais du sorcier, des expressions d'horreur fixées à jamais sur leurs visages.

Léti avait une petite idée de ce qui avait dû se passer. Saat s'était cloîtré dans sa forteresse, fermant peut-être les portes par magie. Quelques-uns de ses capitaines en déroute étaient venus chercher son renfort, mais le sorcier était resté sourd à leurs appels désespérés. Aussi ces hommes s'étaient-ils fait massacrer au seuil même du palais de leur maître.

Les esclaves déchaînés avaient probablement tenté de forcer les portes à leur tour… avant de mourir subitement, frappés par une peur ou un maléfice que les héritiers ne pouvaient qu'imaginer. Les éventuels survivants avaient alors fui sans demander leur reste, laissant là le *Tol'karu* et les monstres qui s'y retranchaient.

Le plus étrange était que les portes fussent désormais entrouvertes…

— Je n'aime pas ça, confia le guerrier en enjambant un corps démembré. C'est comme si nous étions attendus.

— Ça n'est pas possible, ami Grigán, avança Bowbaq en espérant avoir raison. Saat ne sait même pas que nous sommes là.

Rey et Corenn échangèrent un regard entendu. Eux avaient déjà côtoyé le sorcier, et ils savaient à quel point l'homme prisait les coups de théâtre.

Après s'être frayé un chemin parmi les cadavres, les héritiers se regroupèrent sur le perron, à l'affût du moindre bruit émanant de l'intérieur.

— Ces hommes ont dû voir quelque chose *d'horrible*, annonça Léti en désignant les corps sans vie. On jurerait qu'ils ont vu…

— Un démon? acheva Rey, avant de franchir le seuil de la forteresse. Raison de plus pour ne pas traîner!

Grigán haussa les épaules et se glissa derrière l'acteur, aussitôt suivi par le reste de la bande. Ils savaient qu'ils risquaient de rencontrer Sombre en allant au-devant de Saat. Ils savaient aussi qu'aucun d'entre eux n'était l'Adversaire, et que le rejeton du Jal'karu était donc certain de l'emporter… Ils ne pouvaient qu'espérer échapper à sa malveillance à l'aide des pierres de Dara.

Aussitôt entrée, Léti se faufila derrière une large colonne, imitant en tout point les techniques de son maître d'armes. Elle fut, comme les autres, surprise par le calme des lieux. Elle s'attendait plus ou moins à trouver un dernier carré de Wallattes prêts à défendre leur maître jusqu'à la mort, mais le palais semblait aussi vide qu'un tombeau.

Ce qui n'était guère rassurant quant au sort de Lana…

— Je connais le chemin, badina Rey en prenant la tête du groupe. Faites attention où vous mettez les pieds.

Il les mena le long des couloirs et des salles qu'il avait parcourus quelques jours plus tôt, sursautant chaque fois qu'une des rares torchères accrochées aux parois jetait une ombre un peu plus vive que les autres. Plus que sous la montagne encore, l'odeur du palais leur rappelait le Jal'karu, sa pestilence malsaine et son gwele spongieux. Les héritiers avaient bel et bien pénétré l'antre de la bête…

Ils parvinrent enfin à la luxueuse chambre du Haut Dyarque qu'ils explorèrent avec précautions, sans succès jusqu'à ce que Yan trouve un couloir caché par une lourde tenture. Il y jeta un simple coup d'œil avant d'avertir les autres d'une voix fébrile.

— On dirait une sorte de prison, annonça-t-il avec espoir. C'est peut-être le harem ?

Tous le rejoignirent sans tarder, Rey le premier. L'acteur s'avança en compagnie de Grigán jusqu'aux cellules les plus proches, dont les portes étaient ouvertes. Léti devina un drame lorsque les visages de ses amis se crispèrent.

— Mortes, commenta gravement Rey en passant de chambre en chambre. Il les a toutes tuées !

L'acteur explora ainsi tout un côté du couloir, au pas de course, pendant que ses amis faisaient de même à l'opposé. Chaque cellule ne renfermait plus que le cadavre de l'une ou l'autre des anciennes concubines du Haut Dyarque, morte les mains crispées sur le cœur. Assassinée par une horrible et terrifiante magie noire.

— Lana n'est pas parmi elles, constata Léti avec soulagement.

— La porte extérieure est ouverte, renchérit Grigán. Il est possible qu'elle se soit enfuie par là…

Un silence hésitant suivit la remarque du guerrier. Si les héritiers continuaient à chercher Lana dans le palais, ils risquaient à tout moment de tomber sur Saat ou Sombre… Mais s'ils choisissaient d'attendre encore, ils pourraient très bien ne jamais revoir leur amie.

— En route, annonça Léti, décidant ainsi pour tout le monde. Ça ne sert à rien de traîner ici !

Elle remonta tout le couloir jusqu'à la chambre du sorcier, aussitôt suivie par ses compagnons. Tous avaient la mine grave de ceux qui s'apprêtent à sacrifier leur vie.

— Où va-t-on maintenant, ami Rey ? demanda Bowbaq.

— Je n'en sais fichtre rien, avoua l'acteur. Mon aventure s'est arrêtée ici. Corenn ?

— Lana et moi avons été conduites dans une grande salle d'audience, annonça la Mère. Je pense pouvoir retrouver le chemin…

Personne n'ayant de meilleure proposition, ils se rangèrent tous derrière Corenn, qui les guida le long d'une dizaine de couloirs et de pièces non moins démesurées que la chambre de leur ennemi. Toutes furent visitées, mais aucune trace de Lana n'y fut trouvée.

— Nous arrivons, chuchota la Mère dans la pénombre d'une galerie.

Elle s'arrêta soudain, barrant le passage de ses bras tendus. Un rai de lumière filtrait par la porte entrebâillée du bureau du sorcier.

— Entrez, entrez donc, commanda la voix de Saat, amusé par la récurrence de cette situation. Nous vous attendions…

***

Grigán prit aussitôt la tête de la colonne, avant de pousser la porte de la pointe de sa lame courbe. Elle s'ouvrit avec un grincement terrifiant sur la salle du trône du Haut Dyarque. Toute la pièce était richement décorée de tapis, de tentures et d'une multitude d'objets d'or et de joyaux, mais l'attention des héritiers était toute entière fixée sur autre chose. *Le visage de leur ennemi.*

Saat ne portait pas son heaume. Installé sur un fauteuil monumental, lui-même posé sur une estrade de marbre, le sorcier rendait à ses visiteurs un regard empli de haine. Ses traits blanchâtres n'étaient plus que rides profondes, n'épargnant aucune parcelle de peau. Ses lèvres étaient contractées sur une dentition pourrissante qui lui donnait en permanence un rictus méprisant. Les rares cheveux qui lui restaient n'étaient plus que toile filasse, collée à son crâne par une saleté bicentenaire. Et le reste de sa personne inspirait un dégoût comparable.

— Je sais, je sais, railla le Haut Dyarque. Il y a longtemps que j'ai perdu mon teint de pêche…

— Démon ! cracha Rey en s'avançant sur lui. Qu'est-ce que tu as fait de Lana !

Grigán retint l'acteur par ses vêtements, l'empêchant de s'approcher trop près. La morgue insolente du sorcier avait quelque chose de préoccupant.

— Lana? Oh! La prêtresse, bien sûr, minauda Saat. Ma foi, j'avoue avoir été un peu inattentif à son sujet. Elle a réussi à s'échapper, voyez-vous? À cause de ma propre reine, qui plus est. J'aurais bien puni cette dernière comme les autres concubines, mais cette traîtresse a emporté l'une de vos fameuses pierres magiques… J'espère qu'elle est en train de crever dans un coin! ajouta-t-il, s'abandonnant à un soudain accès de haine.

Les héritiers se sentirent un peu soulagés du poids qui pesait sur leurs épaules, mais ils n'eurent pas le temps d'en jouir vraiment avant que le sorcier ne reprenne:

— *Par contre*, je n'ai eu aucun mal à retrouver votre amie, évidemment. Vous serez heureux d'apprendre qu'elle est ici même, priant ses dieux avec une ferveur vraiment touchante… Gors, veux-tu faire entrer Son Excellence?

Pétrifiés, les héritiers virent une tenture se soulever derrière le trône de Saat, et deux silhouettes se glisser à travers le passage ainsi dégagé. La plus haute était celle d'un géant wallatte, plus grand et plus fort encore que Bowbaq, ce qu'ils n'auraient pas cru possible. Il était en sueur, couvert de taches et présentait quelques blessures. Ses cheveux étaient noircis et ébouriffés. Il portait également une monstrueuse hache à deux mains, et toisait les héritiers d'un regard empli de haine sauvage.

L'autre silhouette… était celle de Lana. La prêtresse présentait une telle expression de terreur que ses amis en furent eux-mêmes effrayés. Son visage, baigné de larmes, semblait figé dans cette grimace sans qu'elle puisse rien y faire. Et sa main… Sa main tenait fermement un poignard dont la pointe appuyait sur sa propre gorge.

— Nous sommes maintenant au complet, badina Saat. Vous aurez compris que cette dame est totalement sous mon contrôle, et qu'il me suffit de pousser un peu ma Volonté pour qu'elle se plonge elle-même la lame dans la chair… Ce serait dommage, n'est-ce pas? Une femme aussi belle… On peut certainement l'utiliser pour d'autres jeux!

— Je te tuerai, lança soudain Rey en brandissant sa *hati*. Je ne sais pas quand ni comment, mais je *jure* que je te tuerai.

— Pauvre idiot! Tu as déjà essayé, tu te rappelles? Vous ne pouvez pas me tuer. Je suis immortel! Vous pensez peut-être avoir sauvé Ith en ayant mis *une* armée en déroute? Il ne me faudra pas dix ans pour en lever une autre. Et j'ai toute l'éternité devant moi!

— Saat, essayez de revenir à la raison, tenta Corenn. Ce dieu qui vous est attaché, vous pouvez l'utiliser pour faire le bien…

— *Bien* et *Mal* ne sont que les deux faces d'une même pièce, sourit le sorcier. Vous vous souvenez? Jal'karu, Jal'dara… Tout cela n'est que tumulte. Peu importe le camp; seule compte la victoire. Et celle-ci me sera définitivement acquise quand je me serai débarrassé de vous une fois pour toutes!

La tension dans le groupe des héritiers monta encore d'un cran. Rey, Grigán et Léti se seraient bien lancés à l'assaut du trône, mais le spectacle de Lana prisonnière de son propre corps tempérait leurs ardeurs les plus guerrières.

— Je vois que vous avez parfaitement compris la situation, nargua le Haut Dyarque. J'aurais bien gardé les plus féminines d'entre vous comme esclaves, mais il semble que mon allié attende une nouvelle preuve de mon dévouement… et je ne peux me passer de l'affection de ce cher Sombre.

— Plutôt mourir qu'avoir à supporter ta trogne, de toute façon! riposta Léti.

— Patience, jeune fille, tu seras bientôt exaucée. Maintenant, il ne tient qu'à vous de connaître une fin rapide, plutôt qu'une agonie qui pourrait se prolonger de manière fort indécente… Mon ami Gors ici présent va passer parmi vous pour une quête, une quête un peu spéciale. Je vous conseille de ne pas le contrarier: il s'est trouvé au cœur de la débandade du tunnel, et il sait maintenant que vous en êtes les responsables. Il est très, très en colère, aussi… remettez-lui les pierres de Dara! ajouta-t-il avec fermeté.

Le géant wallatte s'avança pesamment jusqu'aux héritiers et s'arrêta devant Bowbaq. Il tendit une main autoritaire vers le Nordique, en le défiant du regard. C'était bien la première fois que Bowbaq paraissait petit aux yeux des héritiers!

Ce dernier regarda la paume qu'on lui présentait, puis Saat et Lana, avant de se retourner vers ses amis.

— Corenn, si je lui donne ma pierre, je ne reverrais plus jamais mes enfants, c'est ça?

— C'est ça, confirma la Mère à contrecœur. Je suis désolée, Bowbaq…

— Je ne veux pas la donner, alors, annonça le Nordique en levant sa masse d'armes.

Gors laissa fleurir un sourire cruel sur son visage, avant de faire deux pas en arrière et d'indiquer à Bowbaq d'approcher. Grigán se porta aussitôt en avant, mais Saat ne l'entendait pas de cette oreille.

— Ton tour viendra, guerrier, annonça le sorcier. Laisse-nous profiter de ce combat de géants!

— On devrait tous sauter à la gorge de ce barbare! cracha Rey.

— Tss-Tss! Vous n'en ferez rien, indiqua le Haut Dyarque. Si d'autres que l'Arque se mêlent du duel, la Maz se dessinera un nouveau et dernier sourire. Compris?

Il n'y avait aucune réponse à donner, aussi Bowbaq s'avança-t-il pour se mettre en garde, gauchement, en brandissant sa masse d'armes comme une épée. Gors se moqua de sa position et enchaîna quelques moulinets avec sa hache pour intimider son adversaire. Il cessa rapidement ce manège et, avec une grimace cruelle, lança la première attaque.

Yan et Corenn eurent la même idée d'utiliser leur Volonté contre le barbare titanesque… mais furent confrontés à un échec, comme Gors était porteur d'une des pierres de Dara. Les magiciens se concentraient en vain sur *l'essence sublime* du Wallatte, sans pouvoir l'atteindre. Sensation des plus étranges… et des plus frustrantes, aussi!

Le roi wallatte fendit l'air de son arme et Bowbaq n'esquiva que par un réflexe survenu au dernier instant. Il n'eut pas le temps de souffler avant que la hache monstrueuse ne vienne, avec un claquement aigu, entailler la colonne où il s'était adossé. Le barbare enchaîna ainsi plusieurs assauts, plus violents les uns que les autres, que le géant n'évitait qu'au prix de nombreuses contorsions.

Saat riait à chacune de ces acrobaties désespérées. L'issue du combat semblait pourtant peu lui importer. Les héritiers enrageaient, mais le sorcier avait bel et bien toutes les cartes en main… Même s'ils avaient été prêts à sacrifier Lana, toutes leurs armes auraient été inutiles contre le corps invulnérable du Haut Dyarque!

 Les deux géants continuaient à s'essouffler et à se fatiguer dans leur danse mortelle. La résistance de Bowbaq s'expliquait par les difficultés qu'avait Gors à manier la hache démesurée dans ce lieu clos, et par l'application que mettait le Nordique à prévoir les coups. Mais ce dernier n'attaquait absolument pas…

— Ton arme, Bowbaq! lança Léti, en se joignant aux encouragements de ses amis. Sers-t'en!

Le géant redécouvrit la masse de bois et de métal qui pendait au bout de son bras et en donna un petit coup sur le dos de Gors, presque timidement, quand l'occasion s'en présenta. Le barbare se retourna avec un hurlement de rage et pointa le doigt en plein sur le visage de son adversaire.

— Tu n'aurais jamais dû faire ça, nabot, cracha-t-il avec haine. Je vais faire une veuve de ta femme!

Bowbaq haussa les sourcils à l'évocation de cette terrible image, et alors que Gors se préparait à un nouvel assaut, le Nordique se lança contre lui pour lui adresser un violent coup de masse dans le ventre. Le barbare s'écroula lourdement, plié en deux par la douleur, avant de perdre conscience.

— Bravo! félicita le Haut Dyarque avec quelques applaudissements navrants. Je ne vous aurais pas cru si enclin à la violence, mais le tout est apparemment de savoir où vous chatouiller... Que pensez-vous maintenant du Bien et du Mal?

— Cessez ce jeu cruel, essaya encore Corenn. Fuyez tant que vous en avez encore le temps, Saat. Même votre magie ne pourra vous sauver des milliers d'hommes qui vont investir le palais...

— Ces milliers ne seront plus que quelques dizaines dès que Sombre cessera de bouder, grinça le sorcier. Arrêtez de vous comporter comme si vous aviez gagné la partie! Aucun de vous ne sortira d'ici vivant, et d'ailleurs...

Lana poussa soudain un sanglot étranglé, comme la pression sur son esprit se relâchait enfin. Tous les regards se tournèrent vers elle pendant qu'elle abandonnait son poignard pour se précipiter vers Rey. C'est alors que Grigán poussa un terrible cri de douleur...

En se retournant, les héritiers découvrirent le guerrier à genoux, une main pressée sur son épaule ensanglantée. Et derrière lui, le pauvre Yan, ensorcelé, qui s'apprêtait à frapper de son glaive pour la deuxième fois.

**

— Yan! hurla Léti, alors que Grigán trouvait encore la force de rouler sur le côté.

Le glaive du jeune homme ne fit que trancher un tapis, pendant que le guerrier y répandait son sang en d'horribles taches sombres. Ses yeux devinrent soudain vitreux et il perdit connaissance. Léti bondit, rapière en avant, à l'instant où Yan levait son arme pour achever le vétéran.

Les lames s'entrechoquèrent avec un tintement sonore, et les deux amoureux se retrouvèrent soudain face à face. La posture de Yan était menaçante, mais ses yeux étaient emplis de regrets et de frustrations... Il ne portait pas de pierre de Dara; le sorcier n'avait libéré le corps de Lana que pour prendre possession du sien!

— Tante Corenn, fais quelque chose! supplia Léti.

Mais la magicienne était impuissante. Toute sa Volonté serait insuffisante à dissiper les effets du charme que subissait Yan. Léti s'écarta lentement de son ami possédé, comme il s'avançait vers elle, lame dressée.

— Excitant, n'est-ce pas ? commenta Saat. Je n'aurais pas cru avoir autant de plaisir à votre compagnie !

— Que quelqu'un fasse taire ce démon ! répliqua Léti en se mettant en garde.

Yan attaqua l'instant d'après, lançant un coup si brutal que la jeune femme aurait bien pu en avoir la tête tranchée. Elle para, esquiva et para encore en résistant à l'envie de riposter... Même si Yan n'avait reçu qu'une partie de l'enseignement de Grigán, ses récentes expériences de la guerre en avaient fait un adversaire dangereux !

Après quelques instants de désarroi, le reste du groupe se mit en action. Corenn se précipita auprès du guerrier dont la blessure continuait de saigner. Rey repoussa fermement Lana avant de marcher droit sur le trône.

— Bowbaq, viens m'aider, ordonna-t-il simplement.

Saat éclata d'un rire démoniaque en voyant les deux hommes s'approcher les armes à la main. Puis il se leva avec agilité avant de tirer une épée somptueuse qu'il brandit au visage de ses ennemis.

— En temps normal, un simple souhait adressé à cette arme m'aurait permis de vous détruire, révéla le sorcier. Vous pouvez remercier votre chance d'avoir ramassé ces maudites pierres... Mais ça ne change rien au fait que vous allez mourir !

Le Haut Dyarque accompagna ses menaces de quelques assauts bien menés, prouvant ainsi que sa vieillesse ne l'empêchait en rien d'être un escrimeur hors pair. Bowbaq fut touché à l'aine, et Rey manqua de peu d'avoir la cuisse transpercée par la lame agile...

Léti continuait à résister à Yan, mais de plus en plus difficilement. Le désespoir, qu'elle s'était pourtant juré de ne plus jamais ressentir, commençait à la gagner peu à peu. Elle ne voyait aucune solution à leur tragédie. La jeune femme sentait bien que d'ici quelques décilles, elle allait se laisser pourfendre par l'être qu'elle aimait le plus au monde...

Corenn caressait le visage de Grigán en comprimant sa blessure. La Mère n'avait que des regrets. Ils n'auraient pas dû s'aventurer dans le palais... Ils n'auraient *jamais* dû se croire assez forts pour affronter Saat.

Rey poussa soudain un cri de victoire, quand sa *hati* empoisonnée écorcha la main ridée du sorcier… Mais ce dernier se contenta d'éclater d'un nouveau rire méprisant, alors que l'entaille se refermait déjà. La situation était bel et bien désespérée…

— Sombre ! Ô Sombre, appela soudain Lana, qui reprenait ses esprits. Écoutez-moi ! Saat n'est *pas* votre ami ! Il veut être le père de l'Adversaire !

Le sorcier tendit aussitôt la main en un geste impérieux et la Maz perdit toute expression pour repasser sous son contrôle. Simultanément, Yan fut libéré du charme et laissa tomber son glaive.

— Léti… Grigán… Oh, pardon, pardon, répéta-t-il, des larmes dans les yeux.

— Va-t'en, Yan, vite ! lui cria son aimée. Va-t'en avant que ça ne recommence !

Le jeune homme contempla un instant ses amis, puis courut à toutes jambes le long du couloir, loin, le plus loin possible de Saat et de ses maléfices.

— Fuyez tous ! ordonna l'acteur, qui avait bien du mal à tenir le sorcier à distance.

— Ah, non ! commenta le Haut Dyarque, avec un geste simple en direction de la porte.

Celle-ci claqua soudain avec une terrible brutalité, laissant stupéfaits les héritiers encore conscients.

— Je vous ai dit qu'aucun d'entre vous ne sortirait d'ici ! rappela le sorcier en se mettant en garde.

***

Yan courait, courait toujours, plus vite qu'il ne l'avait jamais fait. Il pouvait encore sentir la pression de l'esprit perverti de Saat, comme si le Haut Dyarque avait à jamais imprimé sa marque dans l'âme du jeune homme. L'idée qu'il était en train d'abandonner ses amis dans la plus terrible des situations le faisait parfois ralentir et hésiter, mais le souvenir amer de son expérience le rattrapait alors et Yan repartait de plus belle. S'il retournait auprès de Léti, il risquait de la tuer…

Il débticla enfin dans le hall d'entrée et franchit la porte monumentale en étouffant un sanglot. L'air frais de la nuit ne fit qu'attiser sa peine. Il ne ressentait que honte, regrets et désespoir, même s'il n'était en rien responsable de cet horrible retournement de situation.

Et Grigán... Grigán, que le maudit sorcier l'avait obligé à frapper dans le dos... Yan revoyait parfaitement toute la scène; elle ne quitterait jamais sa mémoire, dans ses moindres détails. Le regard incompréhensif que lui avait lancé le guerrier, grimaçant sous la douleur... La résignation qu'il avait lue l'instant d'après sur le visage du vétéran...

C'était trop pour un seul homme, et Yan s'abandonna aux larmes, pour la première fois depuis le début de leur quête. Il s'adossa à une colonne et s'enfouit le visage dans les mains, refusant de contempler plus longtemps les corps qui jonchaient les marches de la forteresse.

L'une des prophéties d'Usul allait finalement se réaliser. Grigán allait mourir; il était peut-être même déjà mort, tué par celui qui voulait tout faire pour lui sauver la vie. L'avenir change une fois qu'il est révélé. On peut précipiter un événement en voulant l'éviter. Les paroles de Celui qui Sait prenaient, alors plus que jamais, tout leur sens...

Et Léti, et les autres? Le jeune homme ne leur donnait pas une chance sur cent de vaincre le sorcier. Comment l'auraient-ils pu? Saat tirait parti de toute la puissance de Sombre, ce qui faisait de lui plus ou moins l'égal d'un dieu. Comment sa pauvre Léti pouvait-elle espérer l'emporter contre un dieu?

Il fallait pourtant faire quelque chose; il devait faire quelque chose. Ils n'avaient pas pris tous ces risques, surmonté toutes ces épreuves pour échouer ainsi... pour se faire décimer par leur ennemi, moins d'un décan après leurs retrouvailles.

Yan essuya son visage d'un geste rageur et contempla ce qui restait du camp du Haut Dyarque. Les batailles alentours semblaient calmées. Sur le flanc de la montagne, les Arques poursuivaient leurs travaux de défense, alors que les baraquements des esclaves finissaient de se consumer. Le jeune homme estima qu'il lui faudrait bien deux décimes pour regagner l'entrée du tunnel, rassembler un groupe suffisamment important et revenir jusqu'au palais. C'était beaucoup trop long!

Désespéré, il fit un nouveau tour d'horizon du campement, espérant y trouver quelques hommes susceptibles de venir à son aide.

Son regard s'arrêta sur le Mausolée de Sombre. La pyramide monumentale du démon, encore intacte, semblait défier les mortels d'oser seulement s'en approcher.

Yan serra les poings et recommença à courir, mais cette fois il n'était plus question de fuir.

***

Léti contempla la forme inanimée de Grigán, les traits figés de terreur de Lana, puis le visage arrogant et jubilatoire de Saat. Elle venait peut-être de voir Yan pour la dernière fois. Tout était de la faute du sorcier. La main crispée sur la poignée de sa rapière, elle marcha droit au renfort de Rey et Bowbaq, qui peinaient à repousser les assauts redoublés de leur ennemi.

Tout ce qu'elle désirait alors, c'était passer son épée à travers le corps du Haut Dyarque. Même si ça ne servait à rien. Même s'il devait la tuer immédiatement après. La jeune femme préférait encore être la première à partir, plutôt que voir ses amis se faire occire les uns après les autres.

— Lana, non ! cria la voix de Corenn.

Léti se jeta de côté par réflexe, juste à temps pour éviter d'être transpercée par le glaive que la Maz avait ramassé. Ça n'allait pas recommencer ! Aurait-elle à combattre tous les siens, avant de pouvoir enfin affronter le sorcier ?

Lana tenait son arme d'une façon plutôt maladroite, mais sa main pouvait être aussi redoutable que celle de Yan, guidée par l'esprit de leur ennemi. Sur une impulsion, Léti lança une attaque soudaine ne visant qu'à désarmer la Maz. Le coup fut paré avec une précision déconcertante. Comment Saat pouvait-il à la fois mener son propre combat et contrôler le corps de Lana ! La puissance du sorcier était décourageante, et Léti se serait menti en prétendant garder encore un espoir…

Elle ferrailla avec ce qui lui restait d'énergie, refusant toutefois de se faire tuer par l'un de ses amis. Quelque part dans son dos, Bowbaq lâcha un cri déchirant. Un coup d'œil apprit à la jeune femme que le géant avait écopé d'une deuxième blessure, au bras, l'obligeant à lâcher son arme. Rey était maintenant seul à les défendre contre Saat, et l'acteur n'avait qu'une dague pour parer les coups d'une épée… Autant dire qu'il ne tiendrait pas plus d'une ou deux décilles.

***

Aucun des esclaves n'avait osé s'approcher du temple de Sombre, même quand leur victoire avait été certaine. Le dieu leur inspirait trop de crainte. Chacun savait que le démon se distrayait à chasser les hommes dans le labyrinthe qui était son repaire. Les cris d'agonie de certains d'entre eux s'entendaient parfois jusqu'à l'extérieur… Il fallait être fou, ou désespéré pour aller au-devant de Celui qui Vainc.

Yan contempla l'étrange escalier qui semblait être la seule entrée de la pyramide. Quelques marches creusées à même le sol, disparaissant dans des ténèbres probablement absolues. Aucune lumière ne devait pénétrer dans la demeure terrestre du dernier-né du Jal'karu. Toute la finition de la construction était grossière, comme l'étaient les galeries obscures et malodorantes du pays des démons.

Une lourde dalle reposait à côté de l'ouverture. Les chaînes qui y étaient enchâssées ne laissaient aucun doute quant à son utilité. Quiconque se faisait enfermer dans le Mausolée n'avait probablement aucune chance d'en ressortir… Yan prit une grande inspiration et descendit courageusement les premières marches.

Une odeur amère de poussière et de moisissure vint aussitôt agresser ses narines. Le jeune homme s'arrêta quelques instants, le temps pour lui de s'habituer à l'obscurité. Ses tempes battaient à tout rompre, mais il n'était pas réellement effrayé. Les images de Grigán frappé dans le dos et de Léti le suppliant de fuir ne cessaient de danser devant ses yeux. Il ne savait plus s'il venait chercher un espoir ou un châtiment. Peut-être les deux.

Il fit quelques pas encore, glissant peu à peu dans une ombre profonde. Des taches étranges maculaient le sol et les parois. Yan en avait vu suffisamment, ces derniers temps, pour reconnaître des traces de sang. La terrible réalité de ce qu'il allait faire s'imposa soudain à lui. Pour la troisième fois, il allait rencontrer un dieu.

Celui-ci n'avait pourtant rien à voir avec l'intriguant Usul ou l'affable Doyen éternel. Sombre était un monstre, le *Mog'lur* qui avait tué Séhane, l'âme noire qui avait condamné les héritiers, la bête qui attendait sa proie, tapie dans sa pyramide. Yan n'avait pas la moindre arme en main, et il ne voyait pas comment sa magie pourrait l'aider. Même la pierre de Dara lui faisait défaut. Le danger était le plus grand qu'il ait eu à affronter, et il n'avait jamais été aussi vulnérable.

Il avança plus loin, perdant bientôt tout repère visuel. Seules ses mains lui évitaient de se cogner dans les parois. Il franchit une dizaine de pas, tournant à gauche puis à droite, puis s'arrêta encore, craignant de s'égarer en s'enfonçant plus avant dans le labyrinthe.

L'obscurité était désormais totale. Comme si le monde n'existait pas, et que Yan était simplement un corps suspendu dans un vide ténébreux. Le Mausolée n'était que puanteur et silence, mais le jeune homme savait pourtant qu'il n'était pas seul.

— Sombre, appela-t-il, tressaillant au son de sa propre voix. Je suis Yan, d'Eza, et je voudrais vous parler. Laissez-moi vous voir.

— Tu vas mourir, susurrèrent des lèvres brûlantes, juste derrière sa nuque.

***

Léti sanglota de rage et de frustration quand le glaive de Lana vint s'abattre brutalement sur son genou. La jeune femme enchaîna quelques passes pour se mettre hors de portée et put alors constater que sa blessure n'était, heureusement, pas trop profonde. L'armure de cuir noir offerte par Grigán avait parfaitement rempli son rôle… mais le coup avait quand même été violent, et c'est en boitillant que Léti reprit les esquives acrobatiques qui la préservaient des attaques de la Maz.

Bowbaq avait dû s'adosser à un mur, souffrant trop de ses deux blessures pour prétendre lutter encore. Grigán n'était toujours pas réveillé et ne le serait peut-être jamais. Les yeux de Lana trahissaient son désespoir et ses regrets, mais son corps possédé continuait à lancer des attaques de plus en plus dangereuses, comme le sorcier s'habituait à le manœuvrer comme un pantin. Pour la Maz qui défendait depuis toujours les vertus de la Paix et de la non-violence, l'épreuve devait être plus traumatisante qu'il n'était imaginable…

Corenn passa soudain à l'action, abandonnant la forme inanimée du guerrier pour se lancer au secours de sa nièce. En trois pas lestes, elle se glissa derrière Lana et s'efforça de lui ceinturer les bras. Sa tentative était pourtant maladroite et la Maz se dégagea avec violence, repoussant la Mère sur les tapis. Léti n'eut que le temps d'entraver Lana à son tour pour l'empêcher d'adresser un coup fatal à la Kaulienne. Cette dernière se releva alors et arracha à grand-peine l'arme de la prêtresse, avant d'intimer à sa nièce un ordre aussi impérieux que spontané.

— Ne la lâche pas !

Surprise, Léti vit Corenn retourner auprès de Grigán et fouiller dans ses vêtements. Près du trône, derrière elle, Rey appela à l'aide d'une voix pressante… *Vite, ma tante, vite !*

Corenn revint en brandissant la pierre du guerrier, qu'elle glissa de force dans les mains de Lana. Saat poussa un étonnant cri de victoire. La Maz parut se calmer et Léti put la libérer pour retourner son regard sur le sorcier.

Le Haut Dyarque se tenait à côté du corps de Rey, un pied sur sa poitrine. Le sang de l'acteur jaillissait par une affreuse blessure qu'il avait à l'estomac. Lana poussa un cri horrifié et se rendit aussitôt auprès de lui, alors que Saat abandonnait la dépouille de sa dernière victime pour s'approcher de Léti.

— Eh bien, tu es la dernière à posséder une arme, remarqua le Haut Dyarque avec un sourire mauvais. Remets-moi ta pierre et je te promets une mort rapide !

La jeune femme contempla ses compagnons avec tristesse, puis leva sa rapière en un geste de défi. Elle aurait voulu embrasser Yan une dernière fois avant de quitter ce monde… mais mieux valait pour son promis être le plus loin possible de ce lieu de tragédie.

***

La voix douce-amère de Sombre glissait dans les galeries de son temple comme le vent dans un cimetière. Yan aurait juré l'avoir entendue derrière lui, mais sa main fouillant l'obscurité ne brassa que le vide angoissant du Mausolée. «Tu vas mourir…» répéta la gorge profonde, sans que le jeune homme puisse en déceler l'origine. Les mots semblaient sortir des parois elles-mêmes.

Yan s'enfonça un peu plus encore dans le labyrinthe. Il ne devait pas céder à la peur; il ne devait pas rentrer dans le jeu du démon, et se laisser traquer comme une bête dans les ténèbres de son antre.

— Sombre, écoutez-moi, essaya le jeune homme. Je connais votre histoire; je sais ce qui vous est arrivé au…

Un violent coup dans le dos le projeta soudain au sol, l'empêchant de terminer sa phrase. Yan tâta sa blessure en grimaçant. Saignait-il? Apparemment pas… Le démon lui avait simplement donné une poussée brutale, commençant à jouer avec lui comme un chat avec une souris.

Le jeune homme se redressa lentement, redoutant une nouvelle attaque qui pouvait venir de tous côtés. Il s'aperçut alors que sa chute l'avait complètement désorienté. Par où était la sortie? En désespoir de cause, il choisit une direction au hasard et reprit sa progression en s'efforçant de garder une paroi dans son dos.

— Je sais ce qui vous est arrivé au Jal'karu, reprit-il après quelques instants de silence. Saat vous a modelé; il a perverti votre esprit. Vous pensez que vous lui devez votre existence, mais ce n'est pas vrai. Il…

Un coup soudain porté sur sa mâchoire lui fit se mordre la langue. Yan sentit parfaitement, cette fois, le déplacement d'air accompagnant les mouvements du monstre. L'image du *Mog'lur* décrit par Bowbaq et Grigán vint envahir son esprit et il réprima un frisson.

Il se tint coi un moment avant de caresser sa joue. Cette fois, il saignait. Le démon avait tracé plusieurs sillons douloureux sur son visage, manquant de peu de lui crever un œil. Yan se demanda s'il allait en garder les cicatrices, mais cela n'avait après tout que bien peu d'importance…

Il décida de changer d'attitude. Quittant la relative sécurité des parois, il progressa dès lors au milieu des couloirs, bras ouverts, dans la plus vulnérable des postures. Cela pourrait peut-être déstabiliser Sombre pendant quelques décilles, juste assez de temps pour que Yan remplisse ce qui était sûrement sa dernière mission…

— Saat n'est pas votre maître, annonça-t-il bientôt, les muscles crispés en attente de la prochaine attaque. Vous n'avez pas à lui obéir.

Il s'interrompit quelques instants, certain d'encaisser un nouveau coup venu de nulle part. Mais les ténèbres restèrent aussi calmes que la mer après la tempête… Yan commençait-il enfin à toucher le cœur du démon ? Il s'enhardit et poursuivit d'une voix un peu plus assurée.

— Saat n'a pas plus de respect pour vous que pour le reste du monde. Tout ce qui l'intéresse, c'est de continuer à puiser dans votre puissance. Et vous n'êtes pas obligé de l'accepter…

— Tu *mens*, grinça la voix haineuse et soufflante.

Cette fois, Yan devina le mouvement du monstre avant même de sentir l'attaque. Le coup l'atteignit en plein dans le ventre, lui coupant le souffle pendant une bonne décille. Le jeune homme entendit même les griffes de la créature racler contre la pierre, alors qu'elle s'éloignait furtivement de sa proie… Tout cela faisait partie d'une mise en scène bien rodée. Le démon se nourrissait de la peur de ses victimes, autant que de leur agonie…

Yan passa une main dans sa chemise déchirée. Il pouvait sentir le sang se répandre contre sa peau et dans les fibres de ses vêtements. À ce train-là, il ne faudrait pas longtemps pour qu'il n'ait plus la force de se déplacer…

Des taches lumineuses vinrent soudain papilloter devant ses yeux, et il songea avec effroi que le pire était peut-être déjà tout proche. Mais les taches s'agrandirent, se multiplièrent, donnant peu à peu aux parois rocheuses l'allure d'un tapis de braises rougeoyantes. Les ténèbres reculaient et Yan, une main crispée sur son ventre, attendait de découvrir le visage du démon qui les pourchassait depuis si longtemps.

Son cœur manqua de s'arrêter quand le monstre se laissa arroser de lumière. Le temps d'un battement de cil, Yan vit la plus terrible des apparences du Mog'lur, celle qui aimait à déchirer les corps, à entendre les cris de souffrance, et à combattre, combattre encore pour vaincre toujours… Il vit le dieu tel que Saat l'avait créé.

Le temps d'un battement de cil, et ce fut fini. Yan n'avait plus devant lui qu'un jeune homme aux cheveux noirs et aux yeux profonds, vêtu d'une tunique couleur nuit comme on pouvait en trouver à Kaul ou à Lorelia. Sombre aurait pu passer pour son propre frère, et Yan en fut si bouleversé qu'il faillit en oublier qui était réellement devant lui…

Faillit, seulement. Les souvenirs de leur quête envahirent son esprit en un désordre d'images et d'impressions, et la plus forte restait celle du Jal'karu. Dans la lumière souffrante du Mausolée, Yan se serait cru de retour au pays des démons… Et à quelques pas de lui se tenait le plus jeune, le plus démuni mais aussi le plus terrible des enfants des fosses.

— Je ne mens pas, affirma-t-il d'une voix qu'il voulait forte. Saat se sert de vous. Tout ce qu'il accomplit ne sert pas votre puissance, mais la *sienne*. Vous n'êtes qu'un pantin, ajouta le jeune homme en espérant ne pas avoir prononcé là ses derniers mots.

Les sourcils de Sombre se froncèrent jusqu'à se rejoindre. Yan voulait attendre le meilleur moment pour jouer sa dernière carte, et il se demandait si ce moment était arrivé… ou s'il avait au contraire déjà gâché toutes ses chances.

— Saat vous a tout pris, même la possibilité de devenir *autre chose*, reprit-il avec la gorge serrée. Vous n'êtes pas un vrai dieu : vous n'êtes qu'une image, une mauvaise copie de l'esprit d'un mortel. Saat est Celui qui Vainc. Vous n'êtes rien, et il est le seul responsable… Vous devriez le haïr, plutôt que l'aider !

— Il est mon ami ! s'écria soudain le démon, avec une émotion troublante.

Yan aurait juré avoir senti un sanglot dans sa voix. Sombre avait alors un air si misérable… Le jeune homme se rappela le regard des enfants de Dara, et il crut un instant retrouver la même étincelle de naïveté dans les yeux du dieu adolescent. Il avait d'autant plus de regrets à se montrer cruel, mais le sort de Léti et des autres en dépendait… Tout allait se jouer dans les prochains instants, et Yan déglutit douloureusement avant de se jeter à l'eau.

— Saat n'est *pas* votre ami ! lança-t-il d'une voix terrible. Il veut être le père de l'Adversaire ! Il veut vous tuer et prendre votre place !

La lumière s'évanouit subitement et les ténèbres reprirent possession de leur royaume. Les galeries du Mausolée s'emplirent alors d'un cri si terrifiant qu'on ne l'entendait d'ordinaire que dans les fosses de Karu.

Yan se plaqua les mains sur les oreilles en espérant connaître une mort rapide. Puisqu'il avait échoué, puisque les héritiers étaient définitivement perdus… ce serait avec soulagement qu'il accueillerait le repos et l'oubli.

***

Lana s'était allongée sur le corps étendu de Rey, et les sanglots de la Maz résonnaient dans l'immense salle du trône du Haut Dyarque. Bowbaq, assis contre le mur, avait peine à rester conscient. Grigán était peut-être déjà mort; en tout cas Corenn avait cessé de comprimer sa plaie. La Mère était vide de tout espoir et se tenait simplement debout, comme une âme en peine, contemplant l'horrible gâchis qui marquait la fin des héritiers.

Léti fit le compte des blessures reçues par ses amis, et se jura d'en rendre une pour une à l'horrible liche qui était leur ennemi. Saat, le sorcier, le traître, le sacrilège. Celui qui taquinait pour l'instant sa rapière de la pointe de son épée, avec un sourire amusé qui donnait à son visage l'allure d'un lépreux attardé. Saat, que la mort avait oublié, mais que la jeune femme était prête à pourfendre autant de fois que nécessaire.

Saat, qui sortirait pourtant gagnant du duel, quel qu'en soit le déroulement…

La révolte de Léti était trop forte, aussi lança-t-elle la première attaque, bien que son maître d'armes lui ait toujours enseigné le contraire… Saat dévia son arme d'un moulinet et vint planter la sienne dans sa poitrine, avec un rictus méprisant. Léti se dégagea pour constater qu'il lui avait entaillé le sein. Un peu plus fort, ça aurait pu être le cœur…

Elle prit une grande inspiration et soupira pour essayer de reprendre son calme. *Esprit vif*, songea-t-elle en maudissant sa propre colère. Mais comment pourrait-elle encore se détendre? On l'avait obligée à chasser Yan, et elle avait dû contempler ses amis, sa famille, se faire décimer par un être si vil qu'il trouvait du plaisir à leur détresse… Un homme qui était responsable de tous leurs malheurs, et qu'elle tenait à la merci de sa rapière sans pouvoir le tuer!

— J'ai assez perdu de temps comme ça, l'interpella le sorcier. Donne-moi ta pierre, et tu mourras la première.

Pour seule réponse, la jeune femme se fendit de tout son long, parvenant à surprendre Saat et à lui entailler la cuisse. Ce dernier reprit sa défense en haletant, comme le sang s'échappait à flots de sa blessure. Il se renfrogna en découvrant la profondeur de la plaie, puis partit d'un rire sordide, effrayant, qui faisait suinter un peu plus de sang à chaque respiration.

— Tant pis pour toi, clama-t-il enfin. Si tu tiens tellement à souffrir…

Le sorcier enchaîna alors plusieurs dangereux assauts, que Léti eut toutes les peines du monde à contenir. Elle fut blessée à la main, au flanc, et aurait pu connaître un sort bien pire si Corenn n'était soudain intervenu…

La Mère avait ramassé la *hati* de Reyan pour la planter dans le dos du Haut Dyarque. Elle ne fit aucun geste pour s'enfuir ensuite, restant les bras ballants devant le sorcier qui grimaçait en s'efforçant d'extirper l'arme.

— Ne touchez pas à ma nièce, déclara-t-elle simplement, elle-même résignée à son sort.

Saat leva son épée en un geste rageur et Léti n'eut que le temps de pousser Corenn pour s'interposer. Le sorcier haussa alors les épaules et s'éloigna de quelques pas, le temps pour lui d'arracher la lame züu qui entravait ses mouvements. La jeune femme fut parcourue d'un frisson, en avisant que la blessure qu'elle lui avait infligée à la cuisse était déjà guérie… La dague empoisonnée n'allait pas lui faire plus de mal qu'une simple piqûre !

— Je ne comprends pas votre acharnement, s'emporta le Haut Dyarque, quand il fut enfin débarrassé de la hati. Il n'y a que les bêtes sauvages pour s'accrocher ainsi à la vie !

— Vous avez eu tout le temps d'y penser au Jal'karu, rétorqua Léti, l'œil brillant. Vous devriez être mort depuis plus d'un siècle.

Le sorcier ricana doucement puis, avec un hurlement de haine, il se précipita à l'assaut de la jeune femme, réussissant à la bousculer et à la jeter à terre. Elle perdit son arme et roula plusieurs fois sur elle-même, échappant de peu aux coups répétés de Saat sur son passage. Elle put enfin se redresser et avisa la lame courbe de Grigán, qu'elle ramassa juste à temps pour éviter un assaut fatal.

Le sorcier ne lui laissa pas le temps de souffler. Il lança attaque sur attaque, obligeant Léti à tirer parti de tout l'enseignement du guerrier. La chose était encore plus difficile avec la lourde arme à laquelle elle n'était pas habituée. Elle fut rapidement forcée de reculer, et comprit dès lors que sa fin n'était plus qu'une question d'instants...

Elle vit soudain les bras de Grigán se dresser dans le dos de Saat, sans oser croire à ce miracle. Les membres bardés de cuir noir se refermèrent comme un étau sur le buste du Haut Dyarque, prenant ce dernier complètement par surprise !

— Coupe-lui la tête ! ordonna le vétéran d'une voix fébrile.

Le premier instant de confusion passé, Léti réagit spontanément. Elle fit décrire un demi-tour complet à son arme, amenant avec une terrible violence son tranchant sur le cou de leur ennemi.

La lame y traça un sillon rouge et jaillissant, qui éclaboussa les vêtements du sorcier comme ceux de ses adversaires. Grigán libéra son prisonnier et réclama sa lame courbe d'une main pressante.

— Je t'avais dit de lui couper la tête, reprocha-t-il avec inquiétude.

— Vous étiez trop près...

La jeune femme lui abandonna l'arme avec soulagement, tout en sachant que le sorcier allait se remettre de sa blessure d'un instant à l'autre. Le décapiter ne serait peut-être même pas suffisant...

Saat s'était déjà éloigné en direction de son trône, titubant et comprimant sa gorge meurtrie entre ses mains. Ses gargouillis étranglés étaient aussi écœurants que la rivière de sang qui coulait sur sa poitrine. Corenn et Lana le regardèrent passer sans oser s'en approcher; la prêtresse n'osa pas même dire un mot quand Rey ouvrit enfin les paupières, pour contempler la scène sordide.

Le Haut Dyarque s'affala sur son trône, comme rattrapé par le poids de toutes ces années volées au Temps. Son sourire, le sourire narquois qui ne quittait pas son visage, était pourtant plus déroutant que jamais... Chaque instant passé semblait lui rendre un peu de vigueur, et il devint bientôt évident, quand il se redressa dans son fauteuil, qu'il allait récupérer toutes ses forces d'un moment à l'autre.

Grigán avança vers lui d'un pas mal assuré, avant de tomber à genoux et de s'écrouler à nouveau. Le guerrier s'était réveillé quelques décilles plus tôt et avait attendu le meilleur moment pour intervenir; mais il avait perdu trop de sang et fourni un trop gros effort pour puiser encore dans ses ressources...

Impuissante, Léti voyait Saat se remettre d'une blessure à laquelle personne n'aurait survécu plus de quelques instants. Son sourire goguenard. Son regard triomphant. Elle fut submergée par une vague de colère aveugle et courut droit jusqu'à ce corps monstrueux, ne prenant que le temps de ramasser la propre arme du Haut Dyarque.

Le visage baigné de larmes, la gorge serrée, elle brandit l'épée maudite devant le cœur du sorcier et frappa avec une violence animale, avant de se laisser tomber à genoux et de s'abandonner complètement au désespoir. Tout cela ne servait à rien. Une fois la douleur passée, Saat retrouverait son expression cynique et victorieuse... Léti décida que c'en était assez, qu'elle ne lutterait plus, que c'était trop dur à supporter. Elle ne désirait plus que mourir et oublier.

Pourtant... alors que son regard revenait se poser tristement sur le Haut Dyarque... elle fut surprise d'y trouver un changement. Un véritable coup de théâtre.

Les traits du sorcier se peignaient d'une terreur absolue.

L'écho d'un cri inhumain et lointain s'infiltra soudain jusque dans le palais, faisant frissonner tous les acteurs de la scène.

— Sombre, murmura Lana dans un souffle. C'était le cri du démon.

Le sorcier sembla vouloir dire quelque chose, mais seul du sang coula de ses lèvres. L'enfant de Karu connaissait maintenant la vérité; il l'avait trouvée dans l'esprit du Haut Dyarque, derrière les barrières qu'il avait élevées pour dissimuler ses pensées. Saat voyait son protégé se détourner de lui et lui refuser sa force. Mentalement, il priait, suppliait, promettait amitié et loyauté éternelle, mais le démon restait sourd à ses appels. Saat agonisa seul, sa vie fuyant inéluctablement par ses blessures, avec des regrets pour uniques pensées.

Il avait été trop ambitieux. Il n'aurait pas dû vouloir être l'Adversaire.

Il aurait pu se contenter de son alliance avec un immortel...

Il aurait dû conserver au moins un ami.

Léti vit sa poitrine se soulever une dernière fois, et l'homme exhala son ultime soupir dans un bouillonnement de sang noir. La jeune femme contempla celui qui avait connu ses ancêtres, qui avait séjourné au Jal, et qu'elle venait de tuer de ses mains... sans avoir pu évoquer tout cela avec lui.

Un par un, les héritiers se redressèrent, se soutenant les uns les autres, pour se recueillir devant la dépouille de celui qui avait semé le chaos jusque dans le berceau des dieux. Ils étaient redevenus les seuls détenteurs du secret de Ji... et cette lourde responsabilité prenait, alors plus que jamais, tout son sens.

Léti fut la première à laisser ce passé derrière elle. Une simple vérification lui confirma que la porte n'était plus bloquée, toute la magie de Saat ayant disparu avec lui.

— Sortons d'ici, décida-t-elle, la voix cassée. Yan doit s'inquiéter pour nous.

* * *

Toute l'armée arque s'était rassemblée au pied du Mausolée de Sombre, après avoir entendu le cri du démon. Quand Yan était sorti du labyrinthe, blême et couvert de sang, quelques-uns des plus superstitieux voulurent l'emprisonner et l'interroger. Yan n'avait regagné sa liberté qu'après l'intervention de Berec et des loups noirs, qui l'avaient reconnu comme l'un des leurs.

Le jeune homme s'était aussitôt traîné en direction du palais de Saat, mais il n'eut pas besoin de franchir toute la distance pour rencontrer Léti. La jeune femme remuait tout le camp pour le retrouver. La vue des nombreuses blessures de sa promise lui déchira le cœur, mais cette émotion n'était rien à côté de l'immense soulagement de la retrouver vivante; vivante et victorieuse. «Saat est mort», lui glissa-t-elle simplement à l'oreille. Ils tombèrent dans les bras l'un de l'autre, s'étreignant sans penser à s'embrasser, transportés par un amour que rien ni personne ne pourrait jamais altérer.

— Et les autres? demanda Yan, d'une voix douce et tremblante.

— Ils ont tous un peu souffert, mais ça ira, promit Léti sur le même ton. Qu'est-ce qui t'est arrivé? Cette blessure…

— Je t'expliquerai plus tard, si tu veux bien…

— Oh oui, mon Yan, ça n'a plus d'importance maintenant. Tout est fini, bien fini…

— Oui… Peut-être, acquiesça le jeune homme en lançant un regard étrange sur le Mausolée.

Il ne se sentait pas encore la force de raconter son aventure. Cela viendrait plus tard, quand ils auraient pris un peu de repos, et que Yan aurait réfléchi plus longuement sur ses entretiens avec Sombre.

Léti quitta son épaule et l'entraîna doucement par la main, vers les arènes du Haut Dyarque où les héritiers s'étaient regroupés pour être soignés. Aucun ne voulait séjourner encore dans le palais de Saat. Grigán et Corenn parlaient déjà de le faire démanteler, sans savoir encore comment ils s'y prendraient.

Revoir tout le petit groupe, réuni et solidaire, réchauffa le cœur de Yan presque autant que ses retrouvailles avec Léti. Il savait en son for intérieur que jamais les héritiers n'arriveraient à se séparer bien longtemps. Ce qu'ils avaient vécu était trop fort, trop intense, et les liens d'amitié qu'ils avaient tressés au cours de leur quête étaient éternels.

— Voilà le plus chanceux de la bande, lança Rey dès qu'il l'aperçut. Tu sais que tu as loupé le meilleur ?

L'acteur reposait sur une couverture, torse nu, laissant Lana nettoyer l'affreuse entaille qu'il avait au ventre.

— Ça n'est pas l'impression que ça donne, répliqua Yan gentiment. Vous avez tous de ces têtes !

Bowbaq se tâta aussitôt le visage d'un air intrigué, faisant ainsi sourire Corenn. La Mère était elle-même en train d'achever le bandage de l'épaule de Grigán.

— Je te ferai payer ça, avertit le guerrier. Ensorcelé ou pas, tu n'aurais pas dû me frapper !

— Je… je suis désolé, commença le jeune homme…

— Laisse tomber, le coupa Grigán. Je plaisantais. Tu te fais vraiment avoir comme un bébé !

Tout le groupe se laissa aller à un petit rire, nécessaire pour chasser toute la tension qu'ils avaient accumulée depuis le début de la nuit. Seule Lana affichait une expression songeuse. Un certain mot prononcé par le guerrier avait exhumé quelque chose qu'elle tenait jusqu'alors enfoui au plus profond de son esprit.

— Reyan… annonça-t-elle soudain, des larmes dans la voix. Rey… j'attends un enfant !

L'acteur ouvrit de grands yeux surpris, puis après quelques instants il vint poser sa main sur le ventre de la prêtresse, en un geste d'infinie tendresse.

Yan mit son bras autour des épaules de Léti pendant que chacun félicitait les futurs parents, et que quelques explications étaient données.

Les héritiers pouvaient enfin refaire des projets d'avenir.

* * *

Deux générations plus tard, Amanón Derkel, Eryne de Kercyan, Cael d'Eza, Niss du clan de l'Oiseau et quelques autres partaient en quête de leurs ancêtres. Parmi eux était l'Adversaire.

PETITE ENCYCLOPÉDIE ANECDOTIQUE DU MONDE CONNU

ALIOSS

Celui qui Conduit. C'est le dieu ramgrith des pères de famille, des chefs de clan, des rois des grandes tribus. Son culte est réservé aux hommes des castes honorables – guerriers, prêtres, nobles et artisans –, les femmes, les mendiants et les criminels se voyant interdire une simple citation du nom de l'Éternel.

La déesse Aliara remplit un rôle similaire pour la gent féminine des Ramgriths, sans avoir le même prestige. En effet, aucun temple ne peut être construit dans les Bas-Royaumes sans autorisation du roi. Et aucun roi ne permettrait à des femmes de se réunir dans un temple.

ALPHABET ROMIN

C'est l'alphabet le plus complexe encore utilisé dans le monde connu. Il se compose de trente et un signes de base, dont dix-sept peuvent s'accentuer. Mais les quarante-huit signes ainsi obtenus ne sont pas associés à des sonorités. Seules les combinaisons de deux, trois ou plus encore de ces éléments de base forment des syllabes. Et une syllabe s'écrit de différentes manières selon les syllabes qui l'entourent !

Les Romins eux-mêmes utilisent généralement une version simplifiée. L'alphabet original n'est plus utilisé que pour certains textes officiels, et par les musiciens les plus lettrés. En effet, la variation des signes est telle qu'elle permet de transcrire les moindres inflexions de voix, et d'immortaliser ainsi de véritables partitions vocales.

L'alphabet romin est aussi étudié par les érudits de tous les royaumes pour sa rigueur mathématique.

ALT

C'est le plus grand fleuve du monde connu. Il prend sa source dans les plus hautes montagnes du Rideau, traverse le royaume ithare et le Grand Empire, avant de se jeter dans l'océan des Miroirs.

Une légende goranaise prétend que, le moment venu, les morts descendront le cours du fleuve sur d'immenses bateaux fantomatiques et se vengeront des atrocités subies de leur vivant. Régulièrement, il se trouve quelqu'un pour déclarer avoir vu l'avant-garde de l'armée des ténèbres. Certains ports refusent même l'accès à toute embarcation une fois la nuit tombée.

ALUÉN

Bien que les dates exactes soient tombées dans l'oubli, on tient pour sûr qu'Aluén a régné sur Partacle à la fin du huitième éon, pendant la chute de l'Empire ithare.

Alors que ses anciens conquérants se tournaient vers la religion, suite à la deuxième apparition d'Eurydis, les peuples libérés se lançaient dans de meurtrières guerres civiles, ayant pour enjeu les richesses abandonnées par leurs anciens maîtres. On dit qu'Aluén rassembla ainsi un tel trésor qu'il surpassait même celui de l'empereur de Goran.

Mais de ce trésor, on ne trouve aucune trace. La légende veut qu'une partie ait été cachée dans le tombeau de son propriétaire. Mais cette époque est si lointaine qu'il est difficile d'identifier cette sépulture avec exactitude. Sept ont ainsi déjà été fouillées en pure perte. Les chasseurs de trésors ne désespèrent pas pour autant.

AMARICIEN

Les prêtres amariciens sont entièrement dévoués à leur culte. La plupart passent toute leur existence dans l'enceinte d'un temple communautaire, s'appliquant à respecter la tradition religieuse et ses exigences. Quelques amariciens voient dans la conversion la meilleure preuve d'amour envers leur dieu, aussi passent-ils leur temps à parcourir les routes à la recherche d'«âmes à sauver».

Les amariciens ne reconnaissent pas les théoriciens, qu'ils jugent présomptueux de prétendre pouvoir interpréter la volonté divine.

Les cultes amariciens sont nombreux – peut-être aussi nombreux qu'il y a de villages dans le monde connu – mais le plus répandu dans les Hauts-Royaumes semble être celui du dieu Odrel.

AÒN

Fleuve des Bas-Royaumes, prenant sa source dans les Hauts-de-Jezeba, et se jetant dans la mer de Feu à son embouchure au niveau de la ville de Mythr. La plupart des grandes villes des Bas-Royaumes ont été bâties sur les rives de l'Aòn : La Hacque, bien sûr, mais également Quesraba, Tarul, Irzas…

Une rumeur persistante prétend qu'à la saison chaude, de nombreux prédateurs marins, attirés par les ordures des civilisations humaines, remonteraient le fleuve jusqu'à la capitale et seraient la cause de plusieurs disparitions. Mais même si l'on a relevé quelques accidents mettant en cause des ipovants et, à une occasion, un sagre vorace, ces incursions restent exceptionnelles.

APOGÉE

Le moment où le soleil est au plus haut : midi, dans notre monde. On considère généralement que la fin du troisième décan marque l'apogée.

ARGOS

Les falaises d'Argos sont situées dans les Bas-Royaumes, à l'extrémité orientale de la chaîne des Hauts-de-Jezeba. Elles doivent leur renommée à leur écho, le plus remarquable du monde connu, tant par sa puissance que par les légendes qui courent à son sujet.

L'on dit en effet que l'écho d'Argos est doué de mémoire et que, si l'on se montre suffisamment patient et silencieux, les falaises livreront les secrets séculaires qui leur ont été confiés.

ARQUE

Natif du royaume d'Arkarie. Principale langue parlée dans cette contrée.

AVATAR

Matérialisation ou incarnation d'une divinité sous une autre apparence que la sienne.

BAS-ROYAUMES

Désigne selon les cas les territoires s'étendant au sud de la Louvelle, ou l'ensemble formé par ces mêmes territoires et les Baronnies.

BELLICA

C'est une espèce d'araignée répandue dans les royaumes septentrionaux des Baronnies. Sa morsure n'est pas mortelle pour l'homme, et elle n'est agressive qu'à deux occasions : lorsque son nid est menacé, ou lorsqu'elle est confrontée à l'une de ses pareilles.

Cette particularité en a fait une bête de combat idéale. Les duels d'araignées bellica sont monnaie courante dans les Bas-Royaumes, enjeux de paris enfiévrés et de tournois acharnés.

La lutte à mort opposant deux individus est en elle-même un spectacle impressionnant. En premier lieu, les bêtes larges comme la main se font face, dressées sur leurs quatre pattes arrière, essayant d'intimider l'adversaire de plusieurs manières : mouvements de mandibules, petits sauts nerveux, « chant guerrier » tout en percussions…

Il est toutefois rare que l'un des adversaires abandonne à ce stade. S'ensuit alors une lutte farouche, au cours de laquelle les morsures et les projections de venin et de toile abondent. Les retournements de situation sont fréquents ; on a vu des araignées simuler l'agonie pour surprendre leur adversaire, ou gagner avec plusieurs pattes en moins.

Macabre rituel, le vainqueur dévore toujours la tête du perdant. Uniquement la tête. Une araignée à qui l'on retire ce privilège, même une seule fois, perd toutes ses capacités et se laisse mourir.

BLANC PAYS

Autre nom donné au royaume d'Arkarie.

BROSDA

C'est une divinité dont le culte est surtout répandu au Matriarcat de Kaul. Brosda serait le fils de Xéfalis et d'un reflet d'Echora.

Brosda est le dieu des pêcheurs : son royaume n'est ni celui des eaux, ni celui de la terre, mais celui qui se trouve à la frontière des deux. C'est une divinité neutre, que l'on craint ou que l'on adore selon les endroits et les époques. Quelques histoires de monstres marins – appréciées surtout des enfants – alimentent le culte.

CALENDRIER

Celui utilisé dans les Hauts-Royaumes est le calendrier ithare. Il comporte 338 jours, regroupés en 34 décades et en 4 saisons. L'année commence au jour de l'Eau, marquant le printemps. Deux décades ne comportent que neuf jours au lieu de dix : celles qui précèdent le jour de la Terre et le jour du Feu. On dit être passé à un nouveau jour lorsque le soleil s'est levé.

Chaque jour, ainsi que chaque décade, porte un nom significatif se référant originellement au culte de la déesse Eurydis, que les prêtres moralistes portèrent jusque dans les endroits les plus reculés. Mais l'usage et les années ont opéré des changements plus ou moins profonds selon les régions. Ainsi, le jour du Chien, sans particularité dans le Grand Empire, s'est vu rebaptiser jour du Loup dans les environs de Tolensk, et correspond à une fête locale très attendue. De même, la décade des Foires, débutant au jour du Marchand, est connue de toute éternité par les Loreliens, mais ne représente rien pour les Mémissiens.

Peu de gens connaissent tous les jours du calendrier, et moins encore savent ce qu'ils représentent dans le culte d'Eurydis – mis à part les prêtres, bien sûr. Dans les Hauts-Royaumes, il est utilisé naturellement, comme on parle du jour ou de la nuit, et bon nombre de personnes ignorent même son origine religieuse.

D'autres calendriers sont utilisés dans le monde connu ; ils sont issus de décrets royaux, d'autres cultes que celui de la Sage, ou tout simplement de la tradition tribale. Beaucoup sont à référence lunaire, comme l'ancien calendrier romin : 13 cycles de 26 jours.

CLOCHES (de Leem)

Leem connut à une certaine époque une telle vague de criminalité que la ville semblait sous l'entière domination des voleurs, pilleurs, incendiaires et assassins de tout acabit. On eut beau doubler, puis tripler les rondes de nuit de la garde, les malfaiteurs restaient insaisissables car trop bien organisés.

Le prévôt de l'époque eut alors l'idée d'installer une cloche dans chacune des maisons des principaux personnages de la ville. Lorsque ces hautes gens étaient menacées ou témoins d'un méfait, elles faisaient donner de la cloche et la garde arrivait aussitôt. Pas assez rapidement, en général, les mauvaises graines fuyant dès les premiers coups. Mais c'était déjà un mieux.

L'exemple fut imité par des citadins plus modestes, et l'on vit bientôt bon nombre d'artisans et de marchands équiper leur échoppe d'une cloche. Au bout de quelques années, il en existait tellement à Leem que la criminalité disparut presque entièrement.

Malheureusement, les malfrats trouvèrent une parade, en incendiant chaque maison – en guise de vengeance et d'avertissement – où l'on osait donner de la cloche.

Aujourd'hui, on compte encore plus de six cents maisons équipées de la sorte à Leem… Mais le bronze ne sert plus qu'à l'occasion de rares festivités.

CONCIL
Assemblée des chefs de clans arques.

CONQUE PROLIXE
Cet objet curieux, dont la légende a été répandue par les marins romins au temps des Deux Empires, est aujourd'hui plus souvent mentionné par les plaisantins que par les chasseurs de trésors. Il s'agirait d'un coquillage, du type giron d'Echora, où un démon aurait enfermé la voix d'une femme jugée trop bavarde. Mais même cette malédiction n'avait réussi à faire taire la malheureuse, et l'on dit que tous ceux qui entrent en possession de la relique, une fois leur curiosité assouvie, cherchent à s'en débarrasser tant ce babil incessant est difficile à endurer.

CONSEIL DES MÈRES
Haute assemblée dirigeante du Matriarcat de Kaul. Chacun des villages dispose d'un tel conseil, présidé par la Mère élue, conseillée par l'Aïeule.

CREVASSE
Capitale de l'Arkarie et du clan du Faucon. Rares sont les étrangers au Blanc Pays à y être admis. Ceux qui ont eu cette chance comparent la ville à Lorelia pour sa taille, et à Romine pour la beauté de son architecture.

La légende veut que Crevasse ait été fondée sur l'emplacement de trois mines : une de fer, une de cuivre et, surtout, une mine d'or. De là viendrait la richesse proverbiale des souverains du clan du Faucon, suzerains des deux tiers des rois arques et, par conséquent, régnant sur la plus grande nation du monde connu.

DAÏ

C'est un petit serpent que l'on ne trouvera que dans les Bas-Royaumes, aux abords des reliefs montagneux. L'adulte fait environ deux pieds de long et peut vivre jusqu'à trois années. La couleur de sa peau va de l'ocre au jaune, selon les saisons.

Son venin n'est pas mortel – en quantité normale – mais plonge sa victime dans une transe hallucinatoire euphorisante. En mordant régulièrement ses proies, le daï peut ainsi les conserver vivantes pendant plusieurs décades, dans un état de sommeil profond, à la manière des araignées.

Mais ce poison est une drogue recherchée des humains. L'élevage de serpents daï est une pratique traditionnelle des Bas-Royaumes. Se laisser mordre est même une preuve de grand courage dans certaines tribus – le venin étant difficilement extractible. Mais comme toutes les drogues, celle-ci mène les hommes à leur perte : les récits d'individus morts pour s'être volontairement plongés dans une fosse aux serpents ne sont pas rares.

DARN-TAN

Le seigneur Darn-Tan était comte d'Uliterre, autrefois province lorelienne coincée entre les duchés de Cyr-la-Haute et de Kercyan. Uliterre était alors, pour une raison oubliée depuis, en guerre contre la voisine baronnie d'Elisère, du seigneur Iryc de Vérone.

L'usage voulait que, quelle que soit l'issue du conflit, les seigneurs, leurs familles et leurs demeures soient épargnés. Darn-Tan était connu pour être peu respectueux de cette règle ; quelques années plus tôt, il avait incendié le château du baron d'Orgeraie et pendu un vieillard et ses deux filles. N'ayant aucunement l'intention de laisser la vie sauve à son ennemi, Darn-Tan conçut un piège complexe, misant sur le fait qu'Iryc de Vérone ne pourrait manquer de se méfier et d'éviter une fausse embuscade… pour se précipiter à son insu dans une vraie.

Mais Vérone n'avait aucune malice, et il échappa au piège en agissant comme Darn-Tan ne s'y attendait pas : naïvement.

DÉCADE

Dix jours. Division particulière du calendrier eurydien.

Les jours de chaque décade sont nommés d'après l'ordre chronologique. Le premier jour est prime, le dernier cime. Les autres jours sont, du second au neuvième : dès, terce, quarte, quinte, sixte, septime, octes et nones.

Les décades de la Terre et du Feu, qui ne comportent que neuf jours, ne possèdent pas d'octes. On y passe directement de septime à nones. Les Maz ont fourni une explication religieuse : l'omission des octes symbolise la victoire d'Eurydis sur les huit dragons de Xétame.

DÉCAN

Unité de temps d'origine goranaise, représentant un dixième de jour : environ 2 h 25 dans notre monde. Le premier décan commence au lever du soleil, à l'instant où se termine le dixième du jour précédent. L'apogée se situe généralement vers la fin du troisième décan.

C'est une unité utilisée grossièrement par les ignorants, mais avec beaucoup plus de précision par les savants de toutes les nations, qui se réfèrent non pas à un simple cadran solaire, mais à des calculs indiquant la position du levant sur la ville de Goran, selon les époques de l'année. Cette méthode est aussi la seule permettant de définir avec exactitude les changements de décans de nuit – du septième au dixième.

DÉCENNIE
Dix ans.

DÉCILLE

Unité de temps d'origine goranaise, représentant un dixième de décime : environ 1 minute 26 secondes terriennes. La plupart des gens considèrent qu'il est inutile de mesurer quelque chose qui prend moins d'une décille ; cependant l'unité est elle-même fractionnée en divisions – environ 8 secondes –, puis en battements – moins d'une seconde.

DÉCIME

Unité de temps d'origine goranaise, représentant un dixième de décan : environ 14 minutes terriennes.

DÉS ITHARES

Il s'agit d'un jeu très répandu dans l'ensemble du monde connu. Si son origine reste incertaine, on sait cependant qu'il s'est propagé en même temps que l'armée de l'Empire ithare, au septième et au huitième éon, pour être rapidement adopté par tous les peuples conquis.

Le dé ithare comporte six faces, dont quatre figurent les élémentaires : Eau, Feu, Terre ou Vent. Les deux faces restantes représentent l'un des élémentaires en double et en triple. Il existe donc quatre sortes de dés : un pour le Vent, généralement de couleur blanche ; un pour le Feu, rouge ; un pour la Terre, vert ; et un pour l'Eau, blanc.

Le nombre de dés utilisés change selon les règles du jeu choisi et les arrangements entre participants. Si un seul ensemble de quatre dés – un soldat – est en général suffisant, il n'est pas rare de voir des parties en requérant plusieurs dizaines.

L'étoile, le prophète, l'empereur, les deux frères et le guéjac sont certainement les règles les plus célèbres. Mais il en existe bien d'autres.

DONA

C'est avant tout la déesse des marchands. Fille de Wug et d'Ivie, Dona aurait, d'après la légende, créé l'or, pour s'en recouvrir et dépasser ainsi en beauté sa cousine Isée. Elle fit ensuite cadeau de sa création aux humains, afin que ceux qui – comme elle – étaient défavorisés par le destin puissent surpasser les autres par leur intelligence, symbolisée par la possession du précieux métal.

Malheureusement pour Dona, le jeune dieu Hamsa, qu'elle avait pris pour arbitre, renouvela son admiration pour Isée. Dona résolut alors de mépriser l'avis d'un seul et devint célèbre pour la multitude de ses amants. Elle est ainsi devenue également la déesse du plaisir charnel.

Une coutume lorelienne veut qu'un marchand ayant conclu une affaire lucrative donne l'obole à une jeune fille inconnue, à l'allure pauvre. C'est « la part de Dona ». Cette coutume se perd, malheureusement, les pratiquants du culte estimant que la part revenant au temple où ils sont affiliés est déjà suffisamment démonstrative de leur piété.

Aucun marchand heureux en affaires n'oublierait de glorifier Dona par ses dons, ne serait-ce que pour conserver l'affection de quelques « prêtresses » particulièrement dévouées à la déesse du Plaisir.

EMAZ

Figures principales et hauts responsables du Grand Temple d'Eurydis, c'est-à-dire du culte tout entier. Ils sont au nombre de trente-quatre, la charge se transmettant d'un Emaz à un Maz.

ÉRISSON

Arque. Animal légendaire du Blanc Pays. On le décrit comme un hérisson vigile atteint de gigantisme et pourvu de cornes tout le long de l'épine dorsale, ou comme une tortue capable de projeter des jets de salive si froids qu'ils se changent en dards avant de toucher leur cible. Malgré les différences évidentes entre ces deux descriptions, il se trouve toujours l'un ou l'autre ancien pour affirmer avoir vu l'érisson en chasse, une nuit où la lune était mendiante. Par politesse, les Arques acceptent les deux versions.

ERJAK

Arque. Titre d'un individu qui possède la faculté de communiquer d'esprit à esprit avec les animaux.

ESTIEN

Natif des contrées situées à l'est du Rideau.

EURYDIS

C'est la divinité principale des habitants des Hauts-Royaumes. Le culte d'Eurydis s'est répandu jusque dans les coins les plus reculés du monde connu, sous l'impulsion des moralistes ithares.

La légende de la déesse est depuis toujours liée à l'histoire de la Sainte-Cité. Au sixième éon, le peuple ithare – qui ne portait pas encore ce nom – n'était qu'un regroupement bigarré de tribus plus ou moins nomades, rassemblées au pied du mont Fleuri, un des plus vieux sommets du Rideau. Il est dit que l'union originelle est le fait d'un seul homme, le roi Li'ut des Iths, désireux de créer une nation nouvelle et forte, rassemblant tous les clans indépendants à l'est de l'Alt.

Il consacra toute sa vie à ce rêve, mais la construction de la cité d'Ith – la Sainte-Cité, comme on l'appelle plus souvent de nos jours – mit plus de temps qu'il n'en avait à sa disposition. À sa disparition, les divisions ancestrales resurgirent au grand jour : sans l'art diplomatique de Li'ut, le beau rêve allait s'effondrer.

On dit que la déesse apparut alors au plus jeune fils de Li'ut, lui enjoignant de mener à son terme l'immense travail commencé par son aïeul. Comelk – tel était son nom – remercia la déesse de sa confiance, mais ne croyait pas pouvoir réussir tant étaient grandes les querelles tribales. Eurydis lui demanda alors d'aller quérir pour elle tous les chefs de clan, ce que fit Comelk avec promptitude.

Eurydis parla à chacun d'eux, leur enjoignant de suivre la voie de la sagesse. Tous écoutèrent avec respect, car tout barbares et braillards qu'ils étaient, leurs superstitions et traditions leur faisaient craindre la puissance divine.

Quand Eurydis se fut retirée, les chefs parlèrent et parlèrent longtemps, consultant les anciens et les augures. Tous les problèmes furent abordés, puis résolus, et ils se jurèrent la paix à jamais, sous le nom de l'Alliance ithare.

Les années passèrent, et Ith devint peu à peu une cité de taille honorable, puis vraiment imposante. À cette époque, seule Romine pouvait encore rivaliser avec la capitale du jeune royaume. Les tribus s'étaient mêlées, et les anciennes querelles n'étaient plus que souvenirs. Ith avait tout pour devenir le phare du monde... et elle le devint, mais pas de la bonne manière.

Obnubilés par leur puissance nouvelle, si facilement acquise, les descendants des premières tribus se mirent peu à peu à parler de leur supériorité sur le reste du monde connu, puis quelques-uns eurent envie de la démontrer. Les Ithares se lancèrent dans de petits raids guerriers, puis dans des conflits frontaliers mineurs, pour enfin organiser des campagnes de conquête de plus en plus fréquentes et meurtrières.

À la fin du huitième éon, ils s'étaient rendus maîtres de tout le territoire situé entre le Rideau et le Vélanèse, à l'ouest, et de la mer Médiane aux environs de Crek, au nord. Les Ithares se comportaient comme de véritables conquérants : pillant, brûlant et ravageant sans vergogne, massacrant par milliers...

Un jour, alors que les chefs de guerre se réunissaient une fois de plus pour réfléchir à une invasion du territoire thalitte, Eurydis apparut pour la deuxième fois.

Il est dit qu'elle vint sous la forme d'une fille de douze ans à peine, telle qu'elle est le plus souvent représentée aujourd'hui, mais que plusieurs des vétérans chevronnés qui étaient là crurent mourir de peur tant la colère de la déesse était grande.

Elle ne parla pas, se contentant de planter son regard dans les yeux de chacun des puissants de l'Empire ithare, comme on l'appelait alors. L'avertissement fut suffisant pour les chefs de guerre, qui renoncèrent aussitôt à tout projet de conquête et prirent toutes les résolutions possibles afin que cessent les combats et l'occupation de terres étrangères. Chacun d'eux se sentait personnellement concerné par les changements majeurs qu'il fallait apporter aux modes de vie ithares.

À la génération suivante, tout le peuple ithare était tourné vers la religion. Il connut d'abord de grands malheurs, ses anciennes victimes – comme le jeune peuple goranais – se conduisant à leur tour en bourreaux. Son territoire s'amenuisa, pour revenir à peu près à ce qu'il était à l'origine : c'est-à-dire Ith, ses environs et le port de Maz Nen.

Mais les années passèrent et les Ithares se lancèrent dans une nouvelle forme de conquête, plus conforme sûrement à l'esprit de la déesse : les Maz partirent dans toutes les directions, et jusque dans les endroits les plus reculés du monde connu, afin de porter la Morale d'Eurydis. Ces voyages profitèrent aux peuples les moins évolués, car les Ithares amenaient aussi leur civilisation : calendrier, écriture, arts, techniques… Tout ce qu'ils avaient appris au cours de leurs conquêtes passées.

Quelques théoriciens annoncent maintenant la troisième apparition de la déesse. Bien sûr, elle le fera, puisqu'elle est apparue deux fois. Mais la question principale que se posent les Ithares est : quelle sera la prochaine route à suivre ?

ÉZOMINES

Les pierres ézomines produisent de la lumière. Elles se présentent sous la forme de simples morceaux de quartz, et ne révèlent leur pouvoir que dans l'obscurité.

L'intensité de leur lueur est variable ; certains prétendent avoir vu des pierres éclairer jusqu'à cinquante pas et plus. Mais les plus courantes ne rivalisent pas avec la clarté d'une simple bougie.

La pierre perd son pouvoir une fois brisée. Les érudits se penchent en vain sur le mystère des ézomines depuis des éons. Aucune des théories qui ont été avancées sur l'origine de cette mystérieuse faculté n'a pu être vérifiée.

Ce sont en tout cas des objets très recherchés par les collectionneurs, les aventuriers, aussi bien que par des prospecteurs en quête de fortune rapide.

FOIRES (loreliennes)

Il s'agit d'une des plus vieilles traditions loreliennes. Pendant la dixième décade, allant du jour du Marchand au jour du Graveur, l'entrée et la sortie de toute marchandise – dont le commerce est autorisé par les lois du royaume – sont libres de taxes.

C'est bien sûr le moment que choisissent la plupart des trafiquants occasionnels, artisans éloignés, étrangers ou négociants en produits rares, pour trouver leurs acheteurs.

Les foires attirent en effet beaucoup de monde, dont un tiers environ ne vient pas pour faire affaire, mais simplement pour jouir des nombreuses attractions – spectacles de rue, jeux, banquets et autres – qui y sont proposées. Certaines d'entre elles sont gracieusement offertes par la Couronne, qui profite de l'occasion pour affirmer son prestige.

Les caisses du royaume ne perdent pas au change de toute façon, chaque négociant devant payer son pesant de terces avant de pouvoir installer la moindre échoppe dans la rue. Les contrôles sont stricts, et les contrevenants sévèrement punis : ni plus ni moins que la confiscation immédiate de l'ensemble des marchandises.

Les foires se déroulent aussi dans les autres grandes villes loreliennes : Bénélia, Lermian et Le Pont, avec un certain succès local, mais qui reste peu de choses comparé à celui de la capitale.

FRÈRE

Appellation que se donnent eux-mêmes les membres de la Grande Guilde, et toute guilde de malfrats en général.

Certaines d'entre elles vont jusqu'à rebaptiser leurs nouveaux membres, créent de fausses « familles », etc.

FRUGISSE

La corde à trois bouts de Frugisse tient son nom du légendaire roi magicien qui, dit-on, régna sur Lineh trois éons avant la ratification des Traités des Baronnies. On a décrit l'objet de diverses manières, la plus courante restant celle où trois filins étaient tressés deux à deux à partir de leurs moitiés, créant un cordage singulier de trois parties d'égale longueur. Selon les sources, cette longueur se situe entre six et quatre-vingt-dix-neuf pas.

La corde du roi magicien aurait l'étrange pouvoir de transporter quiconque escalade sa troisième extrémité à n'importe quel endroit où pendrait déjà une corde commune. Mais quand bien même un tel objet existerait vraiment, nul ne saurait aujourd'hui percer les secrets de son fonctionnement.

GISLE
Fleuve marquant partiellement la frontière entre le Matriarcat de Kaul et le royaume lorelien.

GRANDE GUILDE
On désigne sous ce nom le regroupement de la quasi-totalité des organisations criminelles des Hauts-Royaumes. Il ne s'agit pas de quelque chose de structuré ou de hiérarchisé, mais plutôt d'un accord garantissant le respect du territoire ou de l'activité d'une bande par les autres bandes, comme le font les guildes à l'échelle du royaume ou de la cité.

Malgré leurs nombreuses querelles internes, les groupes parviennent quelquefois à mettre en place des opérations combinées, notamment dans la contrebande.

La Grande Guilde ne donne pas officiellement dans l'assassinat, mais plutôt dans l'extorsion, l'enlèvement, l'escroquerie, la contrebande, et bien sûr toutes les formes de vol. Pourtant, on remarque que les organisations naissantes qui refusent de respecter les accords n'ont qu'une existence éphémère…

GRAND'MAISON
C'est le siège du pouvoir du Matriarcat de Kaul. Les Mères y tiennent leurs conseils, mais y ont aussi leurs appartements, ainsi que leurs études. N'importe qui peut venir à Grand'Maison exposer ses doléances ; une quinzaine de personnes sont là en permanence pour les accueillir. À diverses occasions de l'année, les salles de travail et de conseil de Grand'Maison sont ouvertes à tous les curieux.

GRAND'TERRE
Capitale et île la plus importante des archipels du Beau-Pays.

GUILDE DES TROIS-PAS
C'est le nom que l'on donne au regroupement des prostituées de la ville de Lorelia.

Le nom vient du fait que ce « commerce » était autrefois reclus dans le quartier dit de la ville basse. Mais les marchandes de charme étaient si nombreuses que les souteneurs, las des querelles dégénérant fréquemment en bagarres, finirent par attribuer à chacune d'elles une portion de rue mesurant exactement trois pas.

Certains souteneurs ont conservé cette tradition, bien que la plupart des prostituées sévissent maintenant dans le quartier du port, beaucoup plus grand.

HATI

Zü. Dague sacrée des tueurs züu. Le nom complet, tel qu'on le rencontre dans les textes, est zuïaorn'hati, mot à mot : un cil de Zuïa.

La hati est remise par un judicateur aux novices après qu'ils ont rempli leur première mission, généralement à mains nues. Ils deviennent alors des messagers à part entière et gagnent droit de vie et de mort sur leurs compatriotes moins favorisés.

HAUTS-ROYAUMES

Désigne le groupe de contrées composé par le royaume lorelien, le Grand Empire de Goran et le royaume ithare, parfois le royaume de Romine également. Dans les Bas-Royaumes, désigne l'intégralité des pays au nord de la mer Médiane, c'est-à-dire ceux cités précédemment auxquels s'ajoutent le Matriarcat de Kaul et l'Arkarie.

HELANIE

L'une des cinq provinces du royaume de Romine, ayant pour capitale Manive, et comme symbole la rose de Manive.

JELENIS

Lorelien. Le corps des jelenis est le plus ancien des corps de gardes loreliens. Il s'est notamment rendu célèbre dans la protection du roi Kurdalène, au sixième éon.

Les jelenis sont les maîtres-chiens de la cour. Ils possèdent plus de soixante dogues blancs, espèce pourtant pratiquement exterminée en raison de la férocité de ses individus. Chacune de ces bêtes est estimée à plus de quatre cents terces et fait la fierté des monarques en place.

Il est dit qu'un jelenis accompagné de son chien ne peut être vaincu par des adversaires en nombre inférieur à cinq.

JERUSNIE

L'une des cinq provinces du royaume de Romine, ayant pour capitale Jerus, et comme symbole la croix de Jerus.

JEZ
Natif du sultanat de Jezeba.

JEZAC
Langue principale du sultanat de Jezeba.

JUDICATEUR
Chef religieux des messagers de Zuïa.

JUNÉEN
Langue parlée à Junine et dans la plupart des Baronnies. On différencie le haut junéen, langue des actes officiels, du commerce et de la littérature, du petit parler, autrefois un simple argot, mais qui s'est éloigné au fil des années de son modèle d'origine pour former pratiquement une langue à part entière.

KAULI
Langue principale du Matriarcat de Kaul.

KAULIEN
Natif du Matriarcat de Kaul.

KURDALÈNE
Ce roi lorelien est célèbre pour avoir longtemps lutté contre les Züu. Le culte de la déesse justicière, à force de menaces, d'extorsions et de meurtres, avait alors une telle influence sur les nobles et les bourgeois du royaume que le monarque ne pouvait prendre la moindre décision si elle n'était avalisée par les assassins rouges.

À bout de patience, Kurdalène décida un jour d'y mettre fin, et consacra dès lors toute son énergie à l'anéantissement du culte – tout au moins en Lorelia.

Il survécut presque deux années, cloîtré dans une aile de son palais, entouré de gardes triés sur le volet, avant que les Züu ne parviennent à l'assassiner.

LA HACQUE
La légende veut que la cité marchande des Bas-Royaumes ait été fondée par un seigneur lorelien. Il s'agissait plus probablement d'un

groupe d'armateurs fortunés dont le comptoir, sur les rives de l'Aòn, contribua au développement d'un village déjà ancien.

Il reste que la ville, que l'on décrit souvent comme la plus belle des Bas-Royaumes, comprend nombre de bâtiments inspirés de l'architecture lorelienne. Jusqu'au tracé de ses rues, dont certaines rappellent de manière flagrante l'avenue Kurdalène ou celle de Bellouvire.

La Hacque est longtemps restée la seule à échapper aux guerres tribales ravageant cette partie du monde connu. En 878, elle est pourtant tombée sous l'assaut des mercenaires de Yussa d'Aleb le borgne, roi de Griteh et de Quesraba. Depuis, l'on dit qu'il n'est plus de ville libre au sud de la Louvelle.

LERMIAN (rois de)

Lermian était encore, cinq siècles plus tôt, la capitale d'un riche royaume n'ayant rien à envier au Grand Empire naissant, ou au pays lorelien en pleine expansion. La famille royale était sur le trône depuis onze générations, et la dynastie ne semblait pas près de s'éteindre puisque Orosélème, le monarque de l'époque, avait eu trois fils et deux filles de sa femme Fédéris.

Lermian avait traversé sans crise majeure les invasions romines, la domination ithare, puis les campagnes d'expansion goranaises. Il semblait qu'elle résisterait très bien aux tentatives d'influence de Blédévon, roi de Lorelia, visant à annexer ce royaume qui était comme une île dans le sien. Il n'était pas du genre de Blédévon de lancer une armée contre les murailles d'une ville dont il avait besoin comme frontière avec Goran; Orosélème le savait très bien et s'amusait des jeux d'intimidation, de promesses et d'intrigues du roi lorelien.

Lermian aurait pu devenir – plus qu'aujourd'hui – une cité phare des Hauts-Royaumes si la fatalité n'avait pas frappé ses dirigeants. Orosélème mourut d'un mauvais plat qu'il avait mangé; son fils aîné ne monta sur le trône que six jours, avant de périr d'une chute du haut de ses murailles. Le cadet régna un peu plus de huit décades, puis disparut purement et simplement. Comme le dernier fils était trop jeune, le prince consort fut désigné comme régent, mais on dut lui enlever cette charge moins d'un an après car il avait perdu la raison suite à une chute de cheval. Le mari de la seconde princesse refusa l'honneur de gérer les affaires du royaume et préféra s'exiler avec son épouse. La reine Fédéris demanda alors à ses conseillers de désigner par vote l'un d'eux comme régent. Un seul se présenta, mais il périt quelques jours plus tard, poignardé dans les rues de la ville par des voleurs.

Plus personne ne voulait assurer la régence. La reine, s'en sentant incapable, finit par accepter les accords proposés par Blédévon, qui faisaient de Lermian un simple duché de Lorelia, le royaume marchand apportant en retour la protection de ses armées.

La malédiction qui pesait sur la dynastie d'Orosélème sembla alors s'arrêter ; la reine Fédéris et son dernier fils échappèrent au trépas.

Il y eut de mauvaises langues pour parler de séries d'assassinats ; certains même mirent en cause le roi Blédévon. Mais le théoricien de la cour lorelienne sut dissiper les doutes en démontrant qu'il était de la volonté des dieux de rassembler les deux royaumes sous une seule couronne.

De ce tragique épisode vient l'expression populaire : aussi mort que les rois de Lermian.

LOUVELLE
Fleuve marquant la frontière entre les Baronnies et les Bas-Royaumes.

LUS'AN
Zü. Dans le culte de Zuïa, lieu mythique où les messagers sont accueillis par la déesse après leur mort. Ils y connaîtront la félicité et assisteront Zuïa dans sa Grande Œuvre.

Lus'an est aussi le nom donné à une petite province de l'île native des assassins. Seuls les judicateurs et leurs esclaves y résident, et l'accès en est interdit aux étrangers. Les rares aventuriers qui s'y sont risqués n'ont jamais été revus.

Les marais du Lus'an gardent prisonniers les esprits des messagers peu méritants, ou ayant trahi la déesse. Ils y errent pour l'éternité dans un ennui indicible.

LUSEND RAMA
Dieu au culte répandu dans le nord des Bas-Royaumes. C'est le dieu des cavaliers, Celui qui Chevauche, protecteur des nomades et des messagers. Il est aussi le gardien des lois régissant ces tribus, et l'on craint sa justice comme on admire son sens de l'honneur.

Le plus souvent, les artistes le peignent monté sur un puissant étalon à la robe noire et au regard aveugle, tel qu'il est décrit dans la Chronique du roi des chevaux, pendant son combat contre les deux géants d'Irimis. Mais on le représente parfois aussi en centaure, en référence au Taspriá, le plus ancien texte religieux des Bas-Royaumes.

MAÏOK
Arque. Maman.

MARGOLIN
Rongeur de taille moyenne – jusqu'à deux pieds de long pour un adulte – dont il existe plusieurs races : le cuivré, le criard, le glouton, entre autres.

Les margolins sont très répandus dans le sud et le centre des Hauts-Royaumes, et se développent aussi bien en plaine qu'en forêt ou en bord de rivière. Généralement considérés comme nuisibles en raison de leur prolifération rapide, de leur agressivité occasionnelle et du mauvais goût de leur chair, ils ne sont appréciés que pour leurs peaux dont les artisans font toutes sortes de fourrures, sacs, cuirs…

MASQUE
Le port du masque fait partie de la vie quotidienne des Ithares. Si le peuple religieux cultive la sobriété quant à son habillement, le masque est au contraire l'objet de toutes les attentions.

Il n'est nullement obligatoire, et sur dix Ithares que l'on rencontrera dans une journée, quatre seulement porteront le masque. Mais la presque totalité des habitants de la Sainte-Cité avouent l'avoir fait à un moment ou à un autre de leur vie, et envisagent de recommencer dans leurs plus vieilles années.

L'explication, très certainement religieuse, s'est perdue dans les couloirs du temps. Le peuple ith, ancêtre des Ithares actuels, avait déjà semblable coutume.

La tradition a été annexée par les prêtres d'Eurydis, qui y ont vu une excellente manière d'accéder à la Tolérance, la troisième vertu de la Sage : effacer les différences, placer les beaux et les moins bien nés sur un pied d'égalité. Cette idée est toujours très contestée, mais les Ithares continuent de porter le masque.

MAZ

Titre honorifique relatif principalement au culte d'Eurydis, mais aussi à d'autres religions, la tradition ayant été reprise.

Le titre ne peut être transmis – à une exception près – que par un Maz à l'un de ses novices, ce dernier l'ayant mérité par son travail et sa dévotion. La transmission doit être validée par le Grand Temple, et prend effet immédiatement, ou à la mort du cesseur, selon l'arrangement. La règle interdit catégoriquement à un Maz de désigner un membre de sa famille.

L'exception consiste en l'élévation spontanée d'un novice, en remerciement d'un service rendu particulièrement grand. Le titre est souvent décerné à titre posthume – et ne peut donc être transmis – comme signe de gratitude pour une vie entière passée au service du culte. Ce pouvoir d'élévation reste le privilège exclusif des Emaz.

Les avantages concrets d'un Maz ne sont pas définis, car variant beaucoup selon les « carrières » de ces prêtres particuliers. Certains exercent de hautes responsabilités dans les principaux lieux du culte ; d'autres ne se voient confier que la formation occasionnelle de quelques novices ; d'autres encore ne seront jamais sollicités.

Le nombre des Maz vivants n'est pas connu, sauf des archivistes du Grand Temple, qui en font la mise à jour continuellement. Beaucoup de prêtres en terre étrangère s'octroient le titre sans le posséder, ce qui ne facilite pas les estimations. Mais la légende veut que les Maz furent à l'origine au nombre de 338, autant qu'il y a de jours ; de même, il y a autant d'Emaz que de décades.

MÈCHE

Petit fleuve entièrement situé dans le Matriarcat de Kaul, dont la capitale est d'ailleurs située sur ses rives. Affluent du Gisle.

MÉLOPÉE LURÉENNE

En ancien ithare, lur signifie guetteur. Mais Lurée est aussi le nom d'une divinité appréciée : Celui qui Veille, sur les nouveau-nés en particulier, et les familles unies en général. Ces deux faits seraient à l'origine de la mélopée luréenne.

Il est dit que tant que ce chant résonnera quelque part dans le monde, il portera bonheur aux personnes ayant récité au moins un couplet dans leur vie. À Ith, la mélopée ne connaît pas de trêve : des volontaires se pressent jour et nuit pour relayer l'une des cinq voix du chœur. Quelques-uns sont sincères, beaucoup, intéressés : mais tous s'acquittent de la tâche avec beaucoup de sérieux quand vient leur tour.

Le culte de Lurée est, comme celui d'Eurydis, une religion moraliste, ce qui est très perceptible dans les textes. Au fil des siècles, les Maz luréens ont ajouté plus de trente couplets aux dix-sept originaux, vantant la charité, la gentillesse, la fidélité, la sobriété et autres qualités honorables. La grande idée est que personne ne peut lire un texte à haute voix sans s'en imprégner un peu : graine au vent parfois donne arbre…

MÉMISSIE

L'une des cinq provinces du royaume de Romine, ayant pour capitale Jidée, et comme symbole le grand papillon de platine.

MERBAL

C'était le chef d'une légendaire bande de brigands, tristement célèbre pour la cruauté et la barbarie de ses membres. Il est certainement difficile, aujourd'hui, de discerner le vrai du faux parmi toutes les histoires horribles qui courent à son sujet. On tient néanmoins pour sûre la particularité morbide qu'avait Merbal de boire un godet de sang de chacune de ses victimes. Cette anecdote serait à la base des croyances de la secte des vampires de Jidée.

MISHRA

Le culte de Mishra est au moins aussi vieux que la Grande Arche sohonne. C'était déjà la déesse principale des Goranais avant que l'armée ithare ne vienne enfin à bout des défenses de la ville, quelque part dans le huitième éon. Elle l'est redevenue à sa libération, lorsque les Ithares ont entièrement abandonné leurs mœurs guerrières pour se tourner vers la religion. Dans la période qui suivit, la cité de Goran devint peu à peu l'empire de Goran puis le Grand Empire, et le culte se développa dans le même temps.

Mishra est la déesse des Causes Justes et de la Liberté. Tout le monde peut se l'approprier. On a vu ainsi des peuples vaincus par le Grand Empire invoquer l'aide de la déesse même de leurs conquérants.

Elle n'a aucune parenté divine connue ; quelques théologiens seulement la présentent comme la sœur de Hamsa. On lui a consacré très peu de grands temples – mis à part, bien sûr, l'impressionnant palais de la Liberté de Goran –, mais de très nombreux croyants vénèrent séparément des représentations miniatures de la déesse ou de son symbole : l'ours.

MOÄL

C'est un arbre poussant exclusivement dans les forêts des Petits Royaumes. Des tentatives ont été faites pour l'implanter ailleurs, sans succès, à la grande incompréhension des herboristes les plus habiles.

Le moäl ressemble beaucoup au très répandu grule, aussi est-il souvent difficile de faire la différence. Pratiquement, celle-ci n'est perceptible qu'au début de la saison de l'Eau, lorsque les branches du moäl se couvrent pendant quelques jours de nombreuses fleurs couleur céladon.

Il est dit qu'après avoir déposé une monnaie d'or au pied d'un moäl, si l'on contemple assez longtemps la lune lorsqu'elle est reine, on fera apparaître le farfadet habitant l'arbre. Ce dernier peut alors échanger la pièce d'or – s'il la trouve assez brillante – contre un vœu.

Même les moins superstitieux reconnaissent que briser une branche de moäl porte malheur.

MONARQUE

Monnaie d'or du royaume de Romine.

MORALISTE

Les prêtres moralistes utilisent les écrits et récits d'origine religieuse pour inculquer à tous les valeurs morales généralement admises comme les plus importantes : la pitié, la tolérance, le savoir, l'honnêteté, le respect, la justice, etc.

Ce sont souvent des enseignants et des philosophes, qui limitent – humblement – leur tâche à l'éducation d'une petite communauté. Le culte moraliste le plus répandu est celui de la déesse Eurydis.

NIAB

Kauli. Le niab est un poisson d'eau profonde qui ne remonte à proximité de la surface qu'à la nuit tombée. Les pêcheurs kauliens se servent d'une grande toile foncée qu'ils tendent sur l'eau entre plusieurs bateaux pour le leurrer. Il ne leur reste plus ensuite qu'à le « cueillir » en plongeant, le niab entrant dans une sorte de somnolence.

De là, l'insulte de niab pour une personne trop crédule, ou qui agit sans réfléchir.

NOMS

L'origine des noms propres est différente, bien sûr, selon le pays natal de son propriétaire. Mais si les noms kauliens, romins ou goranais sont tout simplement des noms répétés depuis des siècles, sans que plus personne ne se soucie de leur provenance, il en va différemment pour d'autres peuples du monde connu.

Une coutume ithare veut que le nom donné à un nouveau-né soit le premier mot qu'il prononce. Comme le moindre babil est considéré comme un mot, incompréhensible des hommes mais significatif pour les dieux, des noms ithares courants sont : Nen, Rôl, Aga et autres onomatopées. L'interprétation est laissée libre aux parents, et il est possible d'assembler plusieurs syllabes. Mais les noms ithares sont souvent très courts et à la prononciation facile.

Le nom des Arques n'est pas définitif. Ils prennent le nom que les autres leur donnent au cours des différentes étapes de la vie. Ainsi, la plupart des bébés s'appellent Gassan (bébé) ou Gassinuë (tout-petit). Les Arques cherchent très tôt des particularités à leurs enfants et les appellent selon ces traits de caractère, jusqu'à ce qu'il soit justifié d'en changer. Ainsi, Prad pour le curieux, Iulane pour la jeune, Ispen pour l'adorable, Bowbaq pour le très grand, etc. Chacun fait de son mieux pour ne pas être affligé d'un nom comme le cruel, le pingre, l'infidèle ou autre qualificatif peu enviable. Bien sûr, la courtoisie du peuple arque l'empêche de désigner quelqu'un par une tare physique, mais cette règle est bien vite oubliée en cas d'inimitié.

Les Züu qui se mettent au service de la déesse justicière changent de nom quand prend fin leur noviciat. En signe d'appartenance totale à Zuïa, ils prennent la lettre « Z » comme initiale, ce qui leur confère aussi une autorité absolue sur les communs du peuple zü.

ODREL

Divinité dont le culte est répandu essentiellement dans les Hauts-Royaumes. D'après la légende, Odrel serait le second fils d'Echora et d'Olibar.

Après une vie entière de travail, un prêtre d'Odrel a rassemblé plus de cinq cent cinquante histoires ayant comme principal sujet le dieu triste, comme on l'appelle parfois. Aucune ne finit bien. La plus célèbre est certainement l'épisode des amours compliquées entre Odrel et une bergère, qui se termine par la mort dramatique de l'humaine et de leurs trois enfants, et la prise de conscience déchirante du dieu qui voudrait les rejoindre dans la mort, seule chose au monde hors de son pouvoir.

Ce prêtre archiviste conclut son travail de cette façon : « Personne n'a eu autant de malheurs qu'Odrel. C'est sûrement pour cela que tous les malchanceux, les infortunés, les démunis ; ceux qui portent le deuil, le poids des regrets, le fardeau du souvenir ; ceux qui ont connu l'injustice, la détresse, la disgrâce, la misère, toutes les épreuves de la vie ; tous ceux-là sont venus, viennent et viendront un jour chercher le réconfort auprès d'Odrel. C'est le seul dieu à même de les comprendre, car le seul à inspirer lui-même de la pitié. »

PAÏOK
Arque. Père. Peut aussi désigner un « protecteur » ou un « guide » : un grand frère, un ami plus expérimenté, un aïeul…

PETITS ROYAUMES
Autre nom donné aux Baronnies.

PHRIAS
C'est le dieu persécuteur. Celui qui est appelé par les mauvaises pensées et les sombres prières des humains envers leurs semblables. Celui qui fait qu'une corde lâche, qu'un chien devient dangereux, que le feu s'échappe de l'âtre, que le sol est glissant. C'est le démon qui se nourrit des haines et qui exauce les plus noires des volontés.

POUSSE
C'est un jeu très physique, populaire au Vieux Pays et dans les Baronnies septentrionales. Il consiste en la lutte de deux individus, debout sur une seule jambe, et appuyés paumes sur les paumes de l'adversaire, doigts recourbés. Le premier qui oblige son adversaire à poser son autre jambe à terre a gagné, sachant que les mains doivent toujours rester les unes contre les autres. La seule manière de vaincre est donc… de pousser de toutes ses forces.

PRESDANIE
L'une des cinq provinces du royaume de Romine, ayant pour capitale Mestèbe, et comme symbole le dauphin gyole.

RAMGRITH
Natif du royaume de Griteh. Langue principale de ce royaume.

REINE-LUNE
Petit coquillage lisse, de forme presque parfaitement ronde, précieux par sa rareté. Il en existe trois sortes connues : le blanc, le plus rencontré, le bleu, moins courant, et enfin le bariolé, rarissime. Les deux derniers ont été pendant un temps utilisés comme monnaie dans certains endroits isolés du Matriarcat de Kaul, et les anciens accepteraient encore quelques-unes de ces coques au cours d'une transaction. Le coquillage est d'ailleurs représenté sur chacune des pièces frappées par le Trésor du Matriarcat, et a donné son nom à la monnaie officielle : la reine, qui existe en pièces de une, trois, dix, trente, et enfin cent. Les pièces de cent, aussi grandes que la main, ne sont pas en circulation normale et ne sont utilisées que comme garantie dans les transactions du Matriarcat avec les autres contrées.

RIDEAU
Le Rideau est la chaîne de montagnes séparant le Grand Empire de Goran et le royaume ithare des contrées de l'est.

ROCHANE
Fleuve prenant sa source dans les monts Brumeux et se jetant dans la mer de Romine. Il traverse l'Hélanie et la Presdanie, et compte sur ses rives deux des plus grandes villes du Vieux Pays : Mestèbe et Trois-Rives.

ROMERIJ
Ville légendaire sur les ruines de laquelle aurait été construite Romine.

SAGE
La Sage : nom quelquefois utilisé pour désigner la déesse Eurydis.

SAGRE

Le sagre vorace, ou requin alpiniste, est un poisson de la mer de Feu que l'on confond facilement avec la murène à tassettes. La taille moyenne d'un adulte se situe entre cinq et sept pas, mais certains témoignages rapportent l'existence d'individus d'une longueur supérieure à dix pas et plus encore, si l'on est prêt à croire les récits des vétérans marins ramythres.

Mais il est de bien plus imposantes créatures et celle-ci n'est pas crainte pour sa taille. Le sagre doit sa notoriété à sa faim insatiable et, surtout, aux multiples crochets rétractiles qu'il possède entre ses écailles inférieures. Ces derniers renferment un venin aux pouvoirs paralysants qui facilitent la constriction de ses proies.

En outre, les crochets du sagre lui permettent, à la manière des chenilles, de se hisser sans bruit à bord des embarcations… ce qui en a fait le prédateur le plus redouté des marins au long cours, et a donné naissance à de nombreuses coutumes. Par exemple, l'usage de la « couronne à clochettes », étroit filet chargé de ferraille que l'on installe autour de la coque. Ou encore, la superstition qui veut que l'on ne prononce plus le nom d'un homme victime d'un sagre avant d'avoir regagné la terre ferme.

SAINTE-CITÉ

Autre nom donné à la ville d'Ith, capitale du royaume ithare. Ce terme sert plus souvent à désigner le quartier religieux, enclave possédant ses propres murailles, lois, et citoyens, et formant une véritable cité dans la cité.

SEMILIA

Principauté indépendante, bien que sous protection lorelienne.

TERCE

Le terce est la monnaie officielle du royaume de Lorelia. On distingue le terce d'argent – d'utilisation la plus courante – du terce d'or, frappé de l'effigie du roi en place.

Les terces d'or loreliens sont réputés pour avoir un degré de pureté inégalé par de semblables monnaies.

L'autre monnaie officielle est le tic, un terce d'argent valant douze tics.

La conversion d'un terce d'or en terces d'argent varie selon le changeur ; toutefois on ne peut estimer la terce d'or à moins de vingt-cinq terces d'argent.

THÉORICIEN

Caste de prêtres dévolus à tous les dieux en général ; plus rarement, à quelques-uns ou à un seul. Les théoriciens s'appliquent à rechercher dans les signes divins l'expression de la volonté des Éternels. Plutôt mal perçus par les grands temples, ils sont très prisés par les cours royales et seigneuriales, où ils font aussi souvent office d'astrologue et de conseiller.

Le plus célèbre fut sans conteste Jéron le Tendre, qui sauva les habitants de Romine de la noyade, malgré l'incrédulité de leur roi.

UBESE

Fleuve prenant sa source dans la chaîne de montagnes dite des Hauts-de-Jezeba. L'Ubese partage les Petits Royaumes, et a longtemps été la plus grande source de conflit à l'intérieur des Baronnies, jusqu'à la ratification du premier des Traités.

C'est un fleuve au cours paisible, assez paresseux pour former un lac sur le plateau de Junine. Un pont fortifié enjambant l'entrée sud du lac protège la capitale de toute agression des Bas-Royaumes par cette voie.

URÆ

Fleuve prenant sa source dans la chaîne des Brantaques et se jetant dans la mer de Romine. Il donne son nom à la province de l'Uranie, et compte sur ses rives Romine, la capitale du Vieux Pays.

L'Uræ a la triste réputation d'être le fleuve le plus sale du monde connu. On dit aussi que la fange de son fond recèle plus de richesses que n'en possède l'empereur de Goran. Bien sûr, ce n'est sûrement qu'une image, visant à exagérer l'impureté des eaux. Mais la légende s'entretient d'elle-même, lorsque des riverains apparaissent nantis d'une soudaine fortune dont ils refusent de donner l'origine.

URANIE

L'une des cinq provinces du royaume de Romine, ayant pour capitale Romine, et comme symbole l'aigle couronné des monts Brumeux.

VAL GUERRIER

C'est le nom donné à la bande de terre située entre les dernières hauteurs du Rideau et l'océan des Miroirs. Le Grand Empire goranais, à l'ouest, et le territoire thalitte, à l'est, en revendiquent la propriété. Le val Guerrier est témoin de leurs affrontements depuis des siècles.

VÉLANÈSE

Fleuve lorelien. La ville du Pont est bâtie sur sa source.

VIEUX PAYS

Autre nom du royaume de Romine.

YÉRIM

L'archipel désigné comme les îles de Yérim n'en comprend plus que deux : Yérim elle-même et l'île basse de Nérim. Deux autres terres, plus petites, ont été englouties pendant l'éruption du Yalma – le volcan principal de l'archipel – alors qu'une cinquième se soulevait pour fusionner avec Yérim et donner sa forme actuelle à l'île principale.

Ces bouleversements remontent à l'année 552. Le Grand Empire s'était implanté sur l'archipel deux siècles plus tôt, sans difficultés puisqu'aucun royaume ne revendiquait ces terres désertes et désolées. Initiateur du projet, l'empereur Uborre envisageait de se lancer à l'assaut des Bas-Royaumes, mais l'idée fut abandonnée devant les difficultés d'entretien du port et du fort construits à la hâte à Yérim.

Goran s'était alors contenté d'y maintenir une petite garnison, ainsi qu'une escadre d'une dizaine de galiotes. L'habitude fut prise de confier cette charge aux soldats les moins méritants, placés sous la responsabilité de baronnets indésirables. On en vint bientôt à aménager le fort en prison, et un nombre croissant de condamnés fut exilé à Yérim sans aucun espoir de retour. La légende veut que ces exclus de la société goranaise – matons comme prisonniers – soient à l'origine de l'héraldique du bandeau noir, symbole des conjurés et des ennemis de l'empereur.

En 552 donc, tirant parti de l'éruption du volcan, les quelque trois mille prisonniers du bagne se révoltèrent, aussitôt rejoints par la moitié du corps militaire en poste. Les combats cessèrent rapidement, mais d'autres éclatèrent bientôt entre les bandes des différents meneurs. C'est dans ce chaos qu'ils découvrirent le gisement de cuivre révélé par l'éruption.

Plutôt que d'abandonner l'île, les Goranais décidèrent alors d'utiliser les galiotes qu'ils avaient épargnées pour commercialiser le minerai et s'approprier définitivement l'archipel, leur seule crainte venant d'une contre-attaque de Goran... Mais il fut bientôt évident que le Grand Empire se souciait peu de cette perte et n'entendait pas risquer d'autres bâtiments dans l'affaire.

Une fois les mines de cuivre épuisées, les marins yérims se tournèrent vers la piraterie, le mercenariat et toutes les sortes de commerce maritime. Trois siècles plus tard, l'île, que l'on désigne encore comme « le bagne de Goran », garde sa réputation d'endroit dangereux.

Achevé d'imprimer en avril 2006
sur les presses de la Nouvelle Imprimerie Laballery
58500 Clamecy
Dépôt légal : mai 2006
Numéro d'impression : 604094

Imprimé en France

Remerciements

À Christophe « Jet » Vasseur, pour avoir dessiné la carte
d'un monde imaginaire, et baptisé nombre de personnages.
À Laurent Vitou, pour son travail de correction
aussi efficace que désintéressé.
À Claire, éternelle première lectrice de mes textes,
et critique avisée.
À Stéphane et aux guerriers du clan Mnémos,
pour leur patience, leur professionnalisme et leurs encouragements.
Et enfin à tous les lecteurs, parents, amis ou inconnus,
qui ont accepté d'y croire. Ce monde vous appartient !